THIRD BOOK

LATIN
FOR AMERICANS

B. L. ULLMAN
ALBERT I. SUSKIN

GLENCOE/McGRAW-HILL
A Macmillan/McGraw-Hill Company
Mission Hills, California

THIRD BOOK

LATIN

FOR AMERICANS

Front cover: The Temple of Emperor Hadrian, seen from the Street of the Kuretes, Ephesus, Turkey. The temple was built during the reign of Trajan (98–117 A.D.). The pedestals are for the bronze statues of the tetrarchs.

Title page: A bust of Julius Caesar (100–44 B.C.)

A revision of *Latin for Americans, Third Book*, by B.L. Ullman and Albert I. Suskin, Copyright © 1965, 1983 by Macmillan Publishing Co., Inc.

Send all inquiries to:
Glencoe/McGraw-Hill
15319 Chatsworth Street
P.O. Box 9509
Mission Hills, CA 91395-9509

ISBN 0-02-646018-1

2 3 4 5 6 7 8 9   95 94 93 92 91 90

CONTENTS

Ruins of the tomb of Augustus (63 B.C.–14 A.D.) in modern Rome.

INTRODUCTION

This book combines two approaches to the Latin course in the third year. One approach continues to make Cicero the core of the third-year curriculum, the other approach presents a wide range of Latin literature. Some teachers prefer the one, some the other, and still other teachers would like to see the two approaches reconciled. The present book makes this possible.

As a result, the book contains much more reading matter than can be completed in one year. Teachers will have to select what is most useful for a particular class. A survey of the contents unit by unit will be helpful for this purpose.

Unit I continues the lesson form of the *Second Book* in this series and is a review of second-year grammar and vocabulary. The stories are taken from Pliny because that author's simple style is familiar from the numerous selections in the *Second Book* and because his letters are interesting.

Unit II presents simple and interesting stories from Aulus Gellius. These may be omitted in whole or in part.

Unit III contains Cicero's orations against Catiline. The first and third orations are given in complete form, the second and fourth in selections. The material is presented in lessons, with vocabulary drills and English sentences for translation into Latin. Paragraphs on Cicero's style help in the mastery of his periodic sentence structure. Most teachers will wish to teach this entire unit.

Unit IV gives selections from Sallust's *Catiline* to supplement Cicero's version. The lesson form is kept. Some teachers may prefer to omit part of this unit.

Unit V consists of Cicero's speech for Archias. This is a universal favorite because of its praise of literature, and most teachers will wish to read it.

But some chapters dealing with the technical matters of citizenship may well be omitted.

Unit VI, containing selections from the speeches against Verres, with which Cicero had his first great success, and Antony, the last of his orations, is optional. Parts may be read at sight.

Unit VII presents some of Cicero's letters. These may be read at sight. It is urged, however, that they be not omitted entirely; they are interesting and valuable for the light they throw on Cicero's personality.

Unit VIII contains selections from Cicero's philosophical works and, like Unit VI, is optional.

Unit IX in its "Two Thousand Years of Latin" continues the popular unit of a similar name in the *Second Book,* but gives a different selection from twenty-two authors. Rapid reading at sight is suggested for part of this unit.

Unit X has six stories from Ovid's *Metamorphoses* and is particularly useful in schools which do not offer a fourth year of Latin.

English sentences for translation into Latin are given in Units I–IV. This fact may cause teachers to decide to teach those units.

An attempt has been made to key the numerous illustrations to the text. They supplement the reading matter in giving a broad idea of the Roman civilization.

Words translated in the footnotes do not appear in the end vocabulary.

Tapes to Accompany Latin for Americans, Second Book, include some readings from the selections in the present *Third Book.*

B. L. ULLMAN
ALBERT SUSKIN

UNIT I

PLINY'S LETTERS

The Ara Pacis Augustae, the altar of peace, was erected in Rome by Emperor Augustus to celebrate the end of nearly a century of civil war. This monumental altar is one of the finest examples of Roman art. The altar was dedicated in 9 B.C., on the victorious return of Augustus from Spain and Gaul, in celebration of the peace he had established within the empire. Augustus ruled from 31 B.C.– 14 A.D. and was declared to be a god upon his death.

This detail on the Arch of Constantine shows the Roman *Suovetaurilia,* or sacrifice of a pig, a sheep, and an ox.

1. PLINY

You read some of Pliny's letters in second-year Latin. You may remember those about the eruption of Mt. Vesuvius. Pliny was born at Como, north of Milan, in 62 A.D. He was a successful lawyer and officeholder. After various preliminary offices, he became consul in 100 A.D., during the reign of Nerva, and later he was appointed governor of Bithynia, in Asia Minor. You will read here some interesting letters he wrote to the emperor Trajan from Bithynia.

2. APRIL SHOWERS BRING VERSE FLOWERS

Magnum prōventum [1] poētārum annus hic attulit. Tōtō mēnse Aprīlī nūllus ferē diēs quō nōn recitāret aliquis. Iuvat mē quod vigent studia, prōferunt sē ingenia hominum et ostentant, tametsī ad audiendum pigrē coitur. [2] Plērīque in statiōnibus [3] sedent tempusque
5 audiendī fābulīs conterunt ac subinde [4] sibi nūntiārī iubent an iam recitātor intrāverit, an dīxerit praefātiōnem, an ex magnā parte ēvolverit [5] librum. Tunc dēmum, ac tunc quoque lentē cūnctanterque veniunt; nec tamen permanent, sed ante fīnem recēdunt, aliī dissimulanter et fūrtim, aliī simpliciter et līberē. At hercule [6] memoriā
10 parentum Claudium Caesarem [7] ferunt, [8] cum in Palātiō spatiārētur audīssetque clāmōrem, causam requīsīsse, cumque dictum esset recitāre Nōniānum, subitum recitantī vēnisse. Nunc ōtiōsissimus quisque, [9] multō ante rogātus et identidem admonitus, aut nōn venit aut, sī venit,

---

[1] *crop.*   [2] People do not want to go but feel they have to.
[3] *public places;* perhaps they sat on steps of temples.   [4] *from time to time.*
[5] Rolls were still being used for books.   [6] *by Hercules;* cf. our "by Jove."
[7] Emperor Claudius, who ruled 41–54 A.D.   [8] *they say.*
[9] *all the idlest.*

2

queritur sē diem, quia nōn perdiderit, perdidisse. Sed tantō magis
laudandī probandīque sunt quōs ā scrībendī recitandīque studiō haec 15
audītōrum vel dēsidia vel superbia nōn retardat. Equidem prope
nēminī dēfuī.[10] Erant sānē plērīque amīcī; neque enim est ferē
quisquam quī studia, ut nōn simul et nōs amet.[11] Hīs ex causīs longius
quam dēstināveram tempus in urbe cōnsūmpsī.[12] Possum iam repetere
sēcessum et scrībere aliquid quod nōn recitem, nē videar, quōrum [13] 20
recitātiōnibus adfuī, nōn audītor fuisse sed crēditor.[14] Nam ut in
cēterīs rēbus, ita in audiendī officiō perit grātia sī reposcātur. Valē.

(I, 13)

QUESTIONS

1. What happened in the month of April?
2. What did Pliny do during his vacations?
3. What does one have to do to get people to attend a reading?
4. For what does Pliny criticize those who attend readings of
   poetry?

---

[10] *I have failed no one,* i.e., he attended everyone's readings.
[11] Supply **amet** with the **quī** clause.
[12] He went to his country home later than usual.
[13] The antecedent **eōrum** is to be understood.
[14] He would be a *creditor* if he expected them to pay back by attending his
readings.

In the background is the Palatine Hill which forms one side of the Roman Forum. Even
today we see the remains of the houses built here by the Roman emperors and other
citizens of wealth.

Westlight/Starlene Frontino

3. Form Review

Ferō and eō (464, 465).
Deponent verbs (461).

4. Syntax Review

Impersonal verbs (485).
Indirect questions (482, 13).
Descriptive relative clauses (482, 10).
Future passive participle and gerund (488, 489).

5. Translation

1. Ask him to what city he is going.
2. I shall complain because no one is bringing my books.
3. Those who come for the sake of hearing recitations should be praised.
4. People come (*use impersonal construction*) quickly for the sake of talking with friends.

6. Vocabulary Review

afferō	equidem	identidem	perdō	sedeō
aliquis	ferē	ingenium	plērīque	simul
dēsum	ferō	iuvō	queror	tunc
eō	fūrtim	mēnsis	requīrō	volvō

7. Word Study

From what Latin words are the following derived: **coeō, ostentō, prōventus, retardō, sēcessus, spatior, statiō?**

Explain *dissimulate, evolution, furtive, querulous, secession.*

The cathedral at Como, Pliny's birthplace, with statues of Pliny and his uncle at each side of the doorway.

8. A PERFECT WIFE [1]

Cum sīs pietātis exemplum frātremque optimum et amantissimum tuī [2] parī cāritāte dīlēxerīs fīliamque eius ut tuam dīligās nec tantum amitae [3] eī affectum vērum etiam patris āmissī repraesentēs, nōn dubitō maximō tibi gaudiō fore, cum cognōveris dignam patre,[4] dignam tē, dignam avō ēvādere.[5] Summum est acūmen, summa frūgālitās; amat 5 mē. Accēdit hīs studium litterārum, quod ex meī [2] cāritāte concēpit. Meōs libellōs [6] habet, lēctitat, ēdiscit etiam. Quā illa sollicitūdine, cum videor āctūrus,[7] quantō, cum ēgī, gaudiō afficitur! Dispōnit [8] quī nūntient sibi quem assēnsum, quōs clāmōrēs excitārim, quem ēventum iūdicī tulerim. Eadem, sī quandō recitō, in proximō discrēta 10 vēlō sedet laudēsque nostrās avidissimīs auribus excipit. Versūs quidem meōs cantat etiam fōrmatque [9] citharā, nōn artifice aliquō docente sed amōre, quī magister est optimus.

Hīs ex causīs in spem certissimam addūcor perpetuam nōbīs maiō-remque in diēs futūram esse concordiam. Nōn enim aetātem meam aut 15 corpus, quae paulātim occidunt ac senēscunt, sed glōriam dīligit. Nec aliud decet tuīs manibus ēducātam, tuīs praeceptīs īnstitūtam, quae nihil in contuberniō tuō vīderit nisi sānctum honestumque, quae dēnique amāre mē ex tuā praedicātiōne cōnsuēverit. Nam cum mātrem meam parentis locō verērēris, mē ā pueritiā statim fōrmāre, laudāre, 20 tālemque quālis nunc uxōrī meae videor ōminārī solēbās. Certātim ergō tibi grātiās agimus, ego quod illam mihi, illa quod mē sibi dederīs, quasi in vīcem [10] ēlēgerīs. Valē.   (IV, 19)

QUESTIONS

1. What did Calpurnia do with Pliny's verses?
2. How did Calpurnia find out what success Pliny had in court?
3. How does Pliny account for his wife's admirable qualities?
4. How did Calpurnia find out what sort of reception Pliny's readings had?

9. Form Review
Personal pronouns (454).

[1] The letter is addressed to Calpurnia Hispulla, the aunt, on her father's side, of Pliny's third wife Calpurnia, who was much younger than he. Because of the early death of her mother, Calpurnia was brought up by her aunt.
[2] Pronoun, not adjective.
[3] *aunt.*   [4] Ablative with **dignus:** *worthy of her father.*
[5] Supply **eam** as subject.   [6] His speeches in court.
[7] Supply **causam:** *plead a case.*   [8] Supply some such word as **hominēs.**
[9] *sets to music and accompanies.*   [10] *for each other.*

A portion of Trajan's Column (114 B.C.) in the Forum of Trajan, in Rome, with sculptures showing the military campaigns of the emperor. Originally, these figures were painted in vivid colors. The Column is 100 feet high. Before excavations began, the top of the column was at ground-level, an indication of the tremendous work done to reconstruct the Forum.

Scala/Art Resource

10. Syntax Review

Datives of reference and purpose (**475,** 2, 3).
Relative purpose clauses (**482,** 3).
Cum clauses (**482,** 11).

11. Translation

1. She sends slaves to find out what I have said.
2. I must thank you because your words caused Calpurnia to love me.
3. Calpurnia sang Pliny's verses, although she never had a singing teacher.
4. It is an honor to you and to me that she likes my speeches and verses.

12. Vocabulary Review

accēdō	cāritās	dignus	īnstituō	perpetuus
auris	clāmor	dubitō	iūdicium	soleō
avidus	concipiō	ēventus	occidō	statim
avus	cōnsuēscō	gaudium	paulātim	vereor

13. Word Study

Review intensive prefixes (**492**). Give an example from **8.**
Give an English derivative of **amita, cāritās, decet, dispōnō.**

14. ORATORICAL TWINS [1]

Librum tuum lēgī et, quam dīligentissimē potuī, adnotāvī quae commūtanda, quae eximenda arbitrārer. Nam et ego vērum dīcere assuēvī et tū libenter audīre. Neque enim ūllī patientius reprehenduntur quam quī maximē laudārī merentur.[2] Nunc ā tē librum meum cum adnotātiōnibus tuīs exspectō. Ō iūcundās, ō pulchrās vicēs![3] Quam[4] 5 mē dēlectat quod, sī qua posterīs cūra nostrī,[5] usquequāque nārrābitur quā concordiā, simplicitāte, fidē vīxerīmus! Erit rārum et īnsigne duōs hominēs aetāte, dignitāte propemodum aequālēs, nōn nūllīus in litterīs nōminis (cōgor enim dē tē quoque parcius dīcere, quia dē mē simul dīcō), alterum alterius studia fōvisse.   10

Equidem adulēscentulus, cum iam tū fāmā glōriāque flōrērēs, tē sequī "longō sed proximus intervāllō"[6] et esse et habērī concupīscēbam. Et erant multa clārissima ingenia; sed tū mihi (ita similitūdō nātūrae ferēbat) maximē imitābilis, maximē imitandus vidēbāris. Quō magis gaudeō quod, sī quis dē studiīs sermō, ūnā nōmināmur, quod 15 dē tē loquentibus statim occurrō. Nec dēsunt quī utrīque nostrum praeferantur. Sed nōs, nihil interest meā[7] quō locō, iungimur: nam mihi prīmus quī ā tē proximus. Quīn etiam in testāmentīs[8] dēbēs adnotāsse: nisi quis forte alterutrī nostrum amīcissimus, eadem lēgāta et quidem pariter accipimus.   20

Quae omnia hūc spectant, ut in vicem ardentius dīligāmus, cum tot vinculīs nōs studia, mōrēs, fāma, suprēma dēnique hominum iūdicia cōnstringant. Valē.   (VII, 20)

QUESTIONS

1. What had Pliny done for Tacitus?
2. What four things link Tacitus and Pliny?
3. What is Pliny expecting to get from Tacitus?

15. Syntax Review

Genitive of description (**474**, 3).
Ablative of respect (**477**, 16).
Descriptive relative clauses (**482**, 10).

---

[1] Addressed to the historian and orator Tacitus.
[2] Sometimes deponent, as here.   [3] Accusative of exclamation (**476**, 7).
[4] *how*.   [5] Genitive plural of the pronoun.
[6] Quoted from Virgil, *Aeneid* V, 320.
[7] *it makes no difference to me;* the feminine ablative adjective is used with **interest.**
[8] It was common to leave legacies to others than members of the family.

7

16. Translation

1. Pliny's friend was a man of great reputation.
2. Pliny was not inferior in oratory, but Tacitus also wrote histories.
3. There were many who could not decide who was the greater, Pliny or Tacitus.
4. A man who heard Pliny talk about his writings asked him whether he was Pliny or Tacitus.

17. Vocabulary Review

aetās	foveō	iūcundus	proximus	sermō
arbitror	gaudeō	legō	quīn etiam	tot
fidēs	iam	libenter	quis	ūllus
flōreō	īnsignis	loquor	sequor	uterque

18. Word Study

Review the diminutive suffix **–lus** and find an example in **14**.

Give an English derivative of each: **adnotō, cōnstringō, eximō, posterī, praeferō.**

Fish in a mosaic floor in the National Museum, Rome.

19. WORKING HOURS IN VACATION

Quaeris quem ad modum in Tuscīs [1] diem aestāte dispōnam. Ēvigilō cum libuit, plērumque circā hōram prīmam,[2] saepe ante, tardius rārō: clausae fenestrae manent. Mīrē enim silentiō et tenebrīs ab iīs [3] quae āvocant abductus et līber et mihi relīctus, nōn oculōs animō sed animum oculīs sequor, quī eadem quae mēns vident, quotiēns nōn 5 vident alia.[4] Cōgitō scrībentī ēmendantīque similis.[5] Notārium vocō et, diē admissō, quae fōrmāveram dictō; abit rūrsusque revocātur rūrsusque dīmittitur. Ubi [6] hōra quārta vel quīnta (neque enim certum dīmēnsumque tempus), ut diēs suāsit, in xystum [7] mē vel cryptoporticum [8] cōnferō, reliqua meditor et dictō. Vehiculum 10 ascendō. Ibi quoque idem [9] quod ambulāns aut iacēns.[9] Dūrat intentiō [10] mūtātiōne ipsā refecta. Paulum redormiō,[11] deinde ambulō, mox ōrātiōnem Graecam Latīnamve clārē et intentē, nōn tam vōcis causā quam stomachī, legō; pariter tamen et [12] illa firmātur. Iterum ambulō, ungor, exerceor,[13] lavor.[13] Cēnantī mihi, sī cum uxōre vel 15 paucīs, liber legitur; post cēnam comoedus aut lyristēs.[14] Mox cum meīs [15] ambulō, quōrum in numerō sunt ērudītī. Ita variīs sermōnibus vespera extenditur, et quamquam [16] longissimus diēs cito conditur. Nōn numquam [17] ex hōc ōrdine aliqua mūtantur. Nam sī diū iacuī vel ambulāvī, post somnum dēmum lēctiōnemque nōn vehiculō sed 20 (quod [18] brevius, quia vēlōcius) equō gestor. Interveniunt amīcī ex proximīs oppidīs partemque diēī ad sē trahunt interdumque lassō mihi opportūnā interpellātiōne subveniunt. Vēnor aliquandō, sed nōn

---

[1] *in my Tuscan (villa)*, which was in the mountains.
[2] i.e., after daybreak. The period of daylight was divided into twelve hours, varying in length from forty-five to seventy-five minutes, according to the time of year. This caused a kind of daylight saving in summer.
[3] Neuter antecedent of **quae.**
[4] He is not distracted when his eyes are closed.
[5] He works out parts in final form in darkness, then dictates them to a secretary.
[6] Supply **est.**   [7] *terrace.*
[8] *covered walk,* like a porch enclosed on both sides; he uses it in bad weather.
[9] Supply **faciō** in both places.
[10] *concentration.*
[11] The afternoon nap is still observed in Italy; shops and offices are closed.
[12] For **etiam.**
[13] Used reflexively; the usage is called "middle voice."
[14] Nominative: *musician.*
[15] i.e., **amīcīs.**
[16] *however long.*
[17] *sometimes;* literally, *not never.*
[18] *(a thing) which.*

sine pugillāribus,[19] ut, quamvīs nihil cēperim,[20] nōn nihil [21] referam.
25 Datur et colōnīs,[22] ut vidētur ipsīs, nōn satis temporis, quōrum mihi
agrestēs querēlae litterās [23] nostrās et haec urbāna opera com-
mendant.[24] Valē.   (IX, 36)

QUESTIONS

1. When does Pliny usually wake up?
2. What is the first thing he does?
3. What kind of exercise does Pliny take?
4. What does Pliny do before going to bed?

20. Form Review

Impersonal verbs (**468**).
Demonstrative pronouns (**456**).

21. Syntax Review

Ablative absolute (**477, 8**).
Genitive of the whole (**474, 4**).

22. Translation

1. He decided to walk in the garden with his friends.
2. When the windows were opened, Pliny began to dictate.
3. He complained that too much time had to be given to his tenants.
4. Pliny lived in the mountains in the summer for the purpose of
   writing books.

23. Vocabulary Review

ambulō	cōgitō	mē cōnferō	quaerō	rūrsus
causa	dormiō	mox	quem ad modum	suādeō
cito	iaceō	ōrdō	quotiēns	tamen
claudō	iterum	plērumque	reliquus	trahō

24. Word Study

Review prefixes **dis–** and **ex–**, and explain the meaning of words in
19 that contain them.

Define *defenestration, quotient, ambulatory, mutation, dormitory.*

---

[19] In a popular form of hunting the game was driven into a certain area where
the hunters were waiting. The waiting period might be a long one, and Pliny
was not one to waste time. Cf. **57.**

[20] **Quamvis** is used with the subjunctive.   [21] See footnote 17.

[22] *tenant farmers.*   [23] *literary activity.*

[24] i.e., make them seem relatively more pleasant.

From this view of the Roman Forum, we see the Temple of Vesta in the center, and the three columns of the Temple of Castor and Pollux. The Palatine Hill is in the distance.

25. FAME

Frequenter agentī [1] mihi ēvēnit ut centumvirī,[2] cum diū sē intrā iūdicum auctōritātem gravitātemque tenuissent, omnēs repente quasi victī coāctīque cōnsurgerent laudārentque; frequenter ē senātū fāmam, quālem maximē optāveram, rettulī. Numquam tamen maiōrem cēpī voluptātem quam nūper ex sermōne Cornēlī Tacitī. Nārrābat sēdisse 5 sēcum Circēnsibus proximīs [3] equitem Rōmānum; hunc post variōs ērudītōsque sermōnēs requīsisse: "Italicus es an prōvinciālis?", sē respondisse: "nostī mē, et quidem ex studiīs." Ad hoc illum,[4] "Tacitus es an Plīnius?" Exprimere nōn possum quam sit iūcundum mihi quod nōmina nostra, quasi litterārum propria,[5] nōn hominum, litterīs red- 10 duntur, quod uterque nostrum hīs etiam ex studiīs nōtus quibus aliter ignōtus est.

[1] Supply **causās.** The letter is addressed to Maximus.
[2] A kind of supreme court, consisting originally of 100 men.
[3] *the last Circus games.*   [4] Supply **quaesīsse.**   [5] *the private property.*

Accidit aliud ante pauculōs diēs simile. Recumbēbat [6] mēcum vir ēgregius, Fadius Rūfīnus, super [7] eum mūniceps ipsīus, quī illō diē
15 prīmum vēnerat in urbem; cui Rūfīnus, dēmōnstrāns mē, "vidēs hunc?" Multa deinde dē studiīs nostrīs. Et ille [8] "Plīnius est" inquit.

Vērum fatēbor, cupiō magnum labōris meī frūctum. An, sī Dēmosthenēs iūre laetātus est quod illum anus Attica ita nōscitāvit,[9] ego celebritāte nōminis meī gaudēre nōn dēbeō? Ego vērō et gaudeō et
20 gaudēre mē dīcō. Neque enim vereor nē iactantior videar, cum dē mē aliōrum iūdicium, nōn meum prōferō, praesertim apud tē, quī nec ūllīus invidēs laudibus et favēs nostrīs. Valē.   (IX, 23)

QUESTIONS

1. What is the point of this letter?
2. What honor was shown Pliny in court?
3. What did Tacitus and the stranger talk about?

26. Syntax Review

Dative with special verbs (**475,** 6).
Noun clauses of result (**482,** 9).
Cum clauses (**482, 11**).
Clauses of fear (**482,** 7).

27. Translation

1. Do you think that Pliny envied Tacitus?
2. Pliny feared that he might not be recognized.
3. Pliny persuaded Tacitus to tell what the Roman knight had said.
4. It happened that all praised Pliny when he finished his speech.

28. Vocabulary Review

apud	frequenter	invideō	proprius	repente
diū	frūctus	nārrō	quasi	respondeō
ēveniō	gravitās	numquam	quidem	surgō
faveō	intrā	praesertim	reddō	voluptās

29. Word Study

Give an English derivative of each of the following: **ērudītus, exprimō, faveō, invideō, recumbō.**

Review the prefixes **ad–, con–, in–, re–** (492) and find three examples of each in **2, 8, 14, 19, 25.** Note the assimilated forms of each.

---

[6] At the dinner table.   [7] *beyond.*   [8] i.e., the man from out of town.
[9] Demosthenes was pleased when he overheard one woman whispering to another, "That's Demosthenes."

12

30. PLINY'S KINDNESS TO A SERVANT

Videō quam molliter tuōs habeās; [1] quō [2] simplicius tibi cōnfitēbor quā indulgentiā meōs trāctem. Est mihi semper in animō hoc nostrum [3] "pater familiae." [4] Quod sī essem [5] nātūrā asperior et dūrior, frangeret mē tamen īnfirmitās lībertī meī Zōsimī, cui tantō [6] maior hūmānitās exhibenda est, quantō [6] nunc illā [7] magis eget. Homō probus, officiōsus, 5 litterātus; et ars quidem eius et quasi īnscrīptiō [8] comoedus, in quā plūrimum facit. Nam prōnūntiat ācriter, sapienter, aptē, decenter etiam. Īdem tam commodē ōrātiōnēs et historiās et carmina legit ut hoc sōlum didicisse videātur.

Haec tibi sēdulō exposuī quō magis scīrēs quam multa ūnus mihi 10 et quam iūcunda ministeria praestāret. Accēdit longa iam cāritās hominis, quam ipsa perīcula auxērunt. Ante aliquot annōs, dum intentē īnstanterque prōnūntiat, sanguinem reiēcit,[9] atque ob hoc in Aegyptum missus ā mē, post longum peregrīnātiōnem cōnfirmātus rediit nūper. Deinde dum per continuōs diēs nimis imperat [10] vōcī, veteris īnfirmi- 15 tātis tussiculā [11] admonitus, rūrsus sanguinem reddidit. Quā ex causā dēstināvī eum mittere in praedia tua quae Forō Iūlī [12] possidēs. Audīvī enim tē saepe referentem esse ibi et āera salūbrem et lac eius modī cūrātiōnibus accommodātissimum. Rogō ergō scrībās [13] tuīs [14] ut illī vīlla, ut domus pateat, offerant [15] etiam sūmptibus [16] eius sī quid 20 opus erit; erit autem opus modicō.[17] Est enim tam parcus et continēns ut nōn sōlum dēliciās vērum etiam necessitātēs valētūdinis frūgālitāte restringat. Ego proficīscentī [18] tantum viāticī dabō quantum sufficiat euntī in tua. Valē. (V, 19)

---

[1] *you treat your (servants).*

[2] *therefore;* literally, *by which the more frankly.*

[3] *this (phrase of) ours.*

[4] You have seen the older form **pater familiās.** The **familia** included the slaves and freedmen.

[5] Subjunctive in a condition contrary to fact (**483,** 2).

[6] *all the more;* literally, *by so much by which.*

[7] For case see **477,** 20.

[8] *his occupation;* literally, *his label, so to speak.*

[9] He had tuberculosis. [10] *put too much strain on.*

[11] *a slight cough.*

[12] Now called Fréjus, a city in southern France, near the Riviera, well known for its mild winters.

[13] **Ut** is generally used (**482,** 5). [14] i.e., *servants.*

[15] Supply the subject from **tuīs;** the object is the **sī** clause (*whatever;* literally, *if anything*).

[16] *at his expense.* [17] See **477,** 20.

[18] Modifies **eī,** to be supplied.

Statue of Jupiter found at Fréjus, France.

QUESTIONS

1. About whom is Pliny writing?
2. What does he ask his friend to do?
3. What duties does Zosimus perform in Pliny's home?
4. To what country had Pliny previously sent Zosimus? Why?

31. Syntax Review

Ablative of measure of difference (**477**, 12).
Purpose clauses with **quō** (**482**, 4).

32. Translation

1. My friend is a foot taller than I.
2. Pliny gave him as much money as sufficed for the journey.
3. I fear that the man is very ill and may not be well again.
4. He walked to the top of the hill so that he might see better.

33. Vocabulary Review

admoneō	carmen	hūmānitās	pateō	sciō
aptē	discō	lībertus	praestō	semper
asper	dūrus	nimis	proficīscor	valētūdō
augeō	expōnō	parcus	redeō	vetus

34. Word Study

Give English derivatives of the following: **asper, comoedus, discō, lac, mollis, possideō, probus, salūbris, sanguis, sēdulus.**

In **30** find one word with suffix **–tia,** five words with suffix **–tās,** and three words with suffix **–tiō.**

14

35. THREE STRIKES AND OUT FOR REGULUS

Assem parā [1] et accipe auream fābulam, fābulās immō. Verānia, Pīsōnis uxor, graviter iacēbat,[2] huius dīcō Pīsōnis quem Galba adoptāvit. Ad hanc Rēgulus vēnit. Prīmum impudentiam [3] hominis quī vēnerit ad aegram, cuius marītō inimīcissimus, ipsī invīsissimus fuerat! Estō,[4] sī vēnit tantum; [5] at ille etiam proximus torō sēdit, quō diē, quā 5 hōrā nāta esset interrogāvit.[6] Ubi audiit, compōnit vultum,[7] intendit oculōs, movet labra, agitat digitōs,[8] computat; nihil. Ut diū miseram exspectātiōne suspendit, "habēs," inquit, "clīmactēricum [9] tempus, sed ēvādēs. Quod ut tibi magis liqueat,[10] haruspicem cōnsulam quem sum frequenter expertus." Nec mora; sacrificium facit, affirmat exta [11] cum 10 sīderum significātiōne congruere. Illa, ut in perīculō crēdula, poscit codicillōs, lēgātum Rēgulō scrībit. Mox ingravēscit, clāmat moriēns hominem nēquam,[12] perfidum, ac plūs etiam quam periūrum, quī sibi per salūtem fīliī peierāsset. Facit hoc Rēgulus nōn minus scelerātē quam frequenter, quod īram deōrum, quōs ipse cotīdiē fallit, in caput 15 īnfēlīcis puerī dētestātur.

Velleius Blaesus, ille locuplēs cōnsulāris, novissimā [13] valētūdine cōnflīctābātur; cupiēbat mutāre testāmentum. Rēgulus, quī spērāret aliquid ex novīs tabulīs, quia nūper captāre [14] eum coeperat, medicōs hortārī,[15] rogāre quōquō modō spīritum hominī prōrogārent. Post- 20 quam signātum est testāmentum, mūtat persōnam, vertit allocūtiōnem, īsdem medicīs,[16] "quō usque miserum cruciātis?" Moritur Blaesus, et tamquam omnia audīsset, Rēgulō nē tantulum [17] quidem.

Sufficiunt duae fābulae, an scholasticā lēge tertiam poscis? Est unde fīat. Aurēlia, ōrnāta fēmina, signātūra testāmentum sūmpserat 25

---

[1] *get your penny ready.* Pliny is imitating the cries of the storytellers and poets, who collected audiences as they walked along the streets. In more modern times we have had singers, bands, and organ grinders.

[2] *lay seriously (ill).*

[3] Accusative of exclamation (**476,** 7).

[4] *So be it, O. K.*   [5] *merely.*

[6] For the purpose of making her horoscope. Many ancients, like many moderns, believed in astrology.

[7] *put on a (thoughtful) expression.*

[8] The Romans used their fingers in a complicated system of counting.

[9] *dangerous.*   [10] *be clear.*

[11] *entrails* of an animal, examined by the haruspex for omens.

[12] *worthless;* indeclinable. He had sworn by his son's life, as we might say "by all that is holy."

[13] *last illness.*   [14] i.e., he was "buttering him up" to get something out of him.

[15] Historical infinitive (**490,** 5).   [16] Supply **inquit.**   [17] *a tiny bit.*

pulcherrimās tunicās.[18] Rēgulus cum vēnisset ad signandum, "rogō," inquit, "hās mihi lēgēs." [19] Aurēlia lūdere hominem putābat, ille sēriō īnstābat. Nē multa,[20] coēgit mulierem aperīre tabulās ac sibi tunicās lēgāre. Observāvit scrībentem, īnspexit an scrīpsisset. Et
30 Aurēlia quidem vīvit, ille tamen istud tamquam moritūram coēgit.

(II, 20, 1–11)

QUESTIONS

1. How did Aurelia outwit Regulus?
2. Why was Verania angry with Regulus?
3. What did Velleius leave Regulus in his will?
4. What sort of questions did Regulus ask Verania?

36. Form Review

Fīō (467).
Defective verbs and contracted verb forms (468, 469).

37. Syntax Review

Use of the reflexive pronoun (471).
Volitive noun clauses (482, 5).
Descriptive relative clauses (482, 10).

38. Translation

1. Will Regulus become the heir of many Romans?
2. Regulus asked that the tunics be given to him.
3. Aurelia began to ask herself why Regulus wished the will to be opened.
4. Sacrifice is being made by Regulus in order to find out what the gods desire.

39. Vocabulary Review

aeger	cōgō	īnfēlīx	mūtō	quia
aperiō	diēs	īnstō	nāscor	sūmō
aureus	experior	mora	nūper	tamquam
coepī	hortor	morior	poscō	vertō

40. Word Study

Give English derivatives of the following words: computō, congruō, digitus, oculus, sīdus, suspendō.

---

[18] Signing a will called for a party, as a wedding or a birthday does today.
[19] See 484, c.   [20] not (to say) much, to cut the story short.

16

41. A HOME BY THE SEASIDE

Mīrāris cūr mē Laurentīnum [1] meum tantō opere dēlectet; dēsinēs mīrārī, cum cognōveris grātiam vīllae, opportūnitātem locī, lītoris spatium.

Decem septem mīlibus passuum ab urbe sēcessit, ut, perāctīs [2] quae agenda fuerint, salvō iam et compositō diē,[3] possīs ibi manēre. 5 Aditur nōn ūnā viā; nam et Laurentīna et Ōstiēnsis eōdem ferunt, sed Laurentīna ā quārtō decimō lapide,[4] Ōstiēnsis ab ūndecimō relinquenda est. Utrimque excipit iter aliquā ex parte arēnōsum, iūnctīs [5] paulō gravius et longius, equō breve et molle. Varia hinc atque inde faciēs; nam modo occurrentibus silvīs via coartātur, modo lātissimīs 10 prātīs diffunditur et patēscit; multī gregēs ovium, multa ibi equōrum, boum armenta, quae montibus hieme dēpulsa herbīs et tepōre vernō nitēscunt. Vīlla ūsibus capāx,[6] nōn sūmptuōsā tutēlā.[7] Cuius in prīmā parte ātrium frūgī [8] nec tamen sordidum, deinde porticūs in D litterae similitūdinem circumāctae, quibus parvula sed fēstīva ārea inclūditur. 15 Ēgregium hae adversus tempestātēs receptāculum: nam speculāribus ac multō magis imminentibus tēctīs mūniuntur. Est contrā mediās cavaedium [9] hilare, mox trīclīnium satis pulchrum, quod in lītus excurrit, ac sī quandō Āfricō [10] mare impulsum est, frāctīs iam et novissimīs [11] flūctibus leviter adluitur. Undique valvās aut fenestrās 20 nōn minōrēs valvīs habet, atque ita ā lateribus, ā fronte quasi tria maria prōspectat.

Annectitur angulō cubiculum in apsida [12] curvātum, quod ambitum sōlis fenestrīs omnibus sequitur. Parietī eius in bibliothēcae speciem armārium īnsertum est, quod nōn legendōs librōs sed lēctitandōs capit. 25 Adhaeret dormītōrium membrum, trānsitū interiacente, quī suspēnsus [13] et tubulātus conceptum vapōrem salūbrī temperāmentō hūc illūc dīgerit et ministrat.

Inde balneī cella frīgidāria spatiōsa et effūsa, cuius in contrāriīs parietibus duo baptistēria [14] abundē capācia, sī mare in proximō 30

---

[1] A villa at Laurentum, southwest of Rome.
[2] The subject of the ablative absolute is to be supplied from **quae.**
[3] i.e., at the end of the business day.   [4] *milestone.*
[5] i.e., a carriage with a team of horses; **equō** refers to riding on horseback.
[6] *big (enough) for one's needs.*   [7] *upkeep not expensive.*
[8] *modest* (indeclinable adjective).   [9] = **ātrium.**
[10] *African (wind).*   [11] *the last* (i.e., *ends) of the waves.*
[12] *curve, apse,* i.e., a bay window.
[13] It had a double floor with pipes distributing heat.
[14] *cold baths.*

The ancient Roman road leading to the town of Ostia, Rome's seaport. Ostia also served as a resort for those wealthy citizens of the capital who wanted to escape the oppressive heat of the summer.

cōgitēs. Adiacet ūnctōrium,[15] hypocauston; [15] cohaeret calida piscīna [16] mīrifica, ex quā natantēs mare aspiciunt. Nec procul sphaeristērium,[17] quod calidissimō sōlī, inclinātō iam diē, occurrit.

35 Iustīsne dē causīs iam tibi videor incolere, inhabitāre, dīligere sēcessum, quem tū nimis urbānus es nisi concupīscis? Atque utinam concupīscās! Ut tot tantīsque dōtibus vīllulae nostrae maxima commendātiō ex tuō contuberniō accēdat. Valē.

(II, 17, 1–5, 8–9, 11–12, 29)

QUESTIONS

1. How far was Pliny's country place from Rome?
2. In what direction did one get a view of the sea?
3. What provisions were made for getting exercise?
4. What three things make it seem like a modern house?

42. Form Review

Possum (463).

---

[15] *massage room and furnace.* [16] *swimming pool.* [17] *ball ground.*

43. Syntax Review

Ablative absolute (**477**, 8).
Ablative of comparison (**477**, 5).
Future passive participle and gerund (**488, 489**).

44. Translation

1. The facilities for swimming were excellent.
2. The chances of seeing friends were numerous.
3. In order to be able to reach Rome quickly, we had to go on horse(back).
4. After leaving Rome Pliny proceeded on a road narrower than the Appian Way to reach his villa.

45. Vocabulary Review

adhaereō	ēgregius	hiems	lītus	passus
bōs	faciēs	hūc	mīror	pellō
calidus	flūctus	iungō	mūniō	tēctum
cognōscō	frangō	lātus	occurrō	tempestās

46. Word Study

Review suffixes **–āx, –ium, –lus, –ōsus, –tūdō** and find examples of their use in **41.**

Give an English derivative of each of the following words and show its connection in meaning with the Latin word: **bōs, capāx, flūctus, grex, hilaris, lītus, sordidus, tutēla, valva, vernus.**

The forum at Pompeii includes a magnificent view of Vesuvius, the volcano that destroyed the town in 79 A.D.

Scala/Art Resource

47. OVER SEA AND OVER LAND[1]

Sīcut salūberrimam nāvigātiōnem, domine,[2] usque Ephesum expertus, ita inde, postquam vehiculīs iter facere coepī, gravissimīs aestibus atque etiam febriculīs vexātus Pergamī substitī. Rūrsus, cum trānsīssem in ōrāriās nāviculās, contrāriīs ventīs retentus aliquantō
5 tardius quam spērāveram, id est XV Kal. Octōbrēs,[3] Bithyniam intrāvī. Nōn possum tamen dē morā querī, cum mihi contigerit, quod erat auspicātissimum, nātālem tuum in prōvinciā celebrāre.

Nunc reī pūblicae Prūsēnsium impendia, reditūs, dēbitōrēs excutiō; quod ex ipsō trāctātū magis ac magis necessārium intellegō.[4] Multae
10 enim pecūniae variīs ex causīs ā prīvātīs dētinentur; praetereā quaedam minimē lēgitimīs sūmptibus ērogantur.[5] Haec tibi, domine, in ipsō ingressū meō scrīpsī.

Dispice, domine, an necessārium putēs mittere hūc mēnsōrem.[6] Vidētur enim nōn mediocrēs pecūniae posse revocārī ā cūrātōribus
15 operum, sī mēnsūrae fidēliter agantur.[7] Ita certē prōspiciō ex ratiōne Prūsēnsium, quam cum maximē [8] trāctō. (X, 17)

Cuperem [9] sine querēlā corpusculī tuī et tuōrum pervenīre in Bithyniam potuissēs ac simile tibi iter ab Ephesō ut [10] nāvigātiōnī fuisset, quam expertus usque illō [11] erās. Quō autem diē pervēnissēs
20 in Bithyniam cognōvī, Secunde [12] cārissime, litterīs tuīs. Prōvinciālēs, crēdō, prōspectum [13] sibi ā mē intellegent. Nam et tū dabis operam [14] ut manifēstum sit illīs [15] ēlēctum tē esse quī ad eōsdem meī locō mittereris.[16] Ratiōnēs autem in prīmīs tibi rērum pūblicārum excutiendae sunt; nam et esse eās vexātās satis cōnstat.

---

[1] The letters of Book X differ from the others. They were sent from Bithynia in Asia Minor, on the southern coast of the Black Sea, to the emperor Trajan, whose answers are included. They show what good administrators both men were.
[2] *Master, Sir,* i.e., Trajan.   [3] September 17; see **496.**
[4] He is having an audit made of the books of the city of Prusa (now Bursa, Turkey).
[5] *are being paid out.*   [6] *architect.*
[7] *if they should be made* (**483,** 3).   [8] **cum maximē = nunc.**
[9] *I could wish . . . that you might have been able* (**482,** 20). Trajan's reply.
[10] *as;* the subjunctive is by attraction (**482,** 15).   [11] *there* (adverb).
[12] Pliny's cognomen.
[13] Supply esse: *that I have looked out for them.*
[14] *see to it.*   [15] With **manifēstum.**
[16] See **482,** 3.

20

Mēnsōrēs vix etiam iīs operibus quae aut Rōmae aut in proximō 25 fīunt sufficientēs habeō; sed in omnī prōvinciā inveniuntur quibus crēdī [17] possit,[18] et ideō nōn deerunt tibi, modo [19] velīs dīligenter excutere. (X, 18)

QUESTIONS

1. About when was Trajan's birthday?
2. What made the land journey in Asia difficult?
3. What request of Pliny did Trajan turn down?
4. What was the first job that Pliny undertook in the province of Bithynia?

48. Form Review

Indefinite pronouns (**458**).
Deponent verbs (**461**).

49. Syntax Review

Locative case (**478**).
Relative purpose clauses (**482**, 3).
Conditions (**483**).

50. Translation

1. He stopped at Pergamum on account of the heat.
2. Trajan sent Pliny to Bithynia to examine the accounts of the cities.
3. The people of Prusa had paid too much money for their buildings.
4. If they had been more careful they would now have more money.

51. Vocabulary Review

aestus	cupiō	inde	praetereā	usque
cōnstat	dētineō	intrō	ratiō	varius
contingō	dīligenter	mediocris	sīcut	vehiculum
contrārius	gravis	opus	trānseō	vexō

52. Word Study

From what Latin words are the following derived: **contingō, contrārius, cūrātor, lēgitimus, mediocris, nāvicula, reditus?**

---

[17] See **475**, 6, *a*.   [18] See **482**, 10.   [19] *provided that* (**482**, 17).

53. MORE CARELESSNESS AND WASTE IN BUILDING

Theātrum, domine, Nicaeae [1] maximā iam parte cōnstrūctum, imperfectum tamen, sēstertium,[2] ut audiō (neque enim ratiō excussa est), amplius centiēns [2] hausit; vereor nē frūstrā. Ingentibus enim rīmīs [3] dēsēdit et hiat, sīve in causā solum [4] ūmidum et molle, sīve lapis ipse 5 gracilis et putris.[5] Dignum est certē dēlīberātiōne sitne faciendum an sit relinquendum an etiam dēstruendum. Nam fultūrae [6] ac substrūctiōnēs quibus subinde [7] suscipitur nōn tam firmae mihi quam sūmptuōsae videntur.

Huic theātrō ex prīvātōrum pollicitātiōnibus [8] multa dēbentur, ut 10 basilicae circā, ut porticūs suprā caveam. Quae nunc omnia differuntur, cessante eō quod ante peragendum est.

Iīdem Nicaeēnsēs gymnasium incendiō āmissum ante adventum meum restituere coepērunt, longē numerōsius [9] laxiusque quam fuerat, et iam aliquantum [10] ērogāvērunt; perīculum est nē parum ūtiliter; 15 incompositum [11] enim et sparsum est. Praetereā architectus, sānē aemulus eius ā quō opus inchoātum est, affirmat parietēs, quamquam vīgintī et duōs pedēs lātōs, imposita onera sustinēre nōn posse. Cōgor petere ā tē mittās architectum dispectūrum [12] utrum sit ūtilius post sūmptum quī factus est quōquō modō cōnsummāre opus.

(X, 39, 1–4, 6)

---

20 Quid [13] oporteat fierī circā [14] theātrum quod inchoātum apud Nicaeēnsēs est in rē praesentī optimē dēlīberābis et cōnstituēs. Mihi sufficiet indicārī cui sententiae accesserīs. Tunc autem ā prīvātīs exigī opera tibi cūrae sit cum theātrum, propter quod illa prōmissa sunt, factum erit.

25 Gymnasiīs indulgent Graeculī; [15] ideō forsitan Nicaeēnsēs maiōre animō cōnstrūctiōnem eius aggressī sunt. Sed oportet illōs eō contentōs

---

[1] *Nicaea,* where the first ecumenical council of the Christian Church was held in 325 A.D. and the Nicene Creed was adopted.

[2] With **centiēns:** *more than ten million sesterces;* literally, *one hundred times (100,000) sesterces;* probably over $500,000 in purchasing power.

[3] *cracks.*   [4] Noun.   [5] *rotten.*

[6] *supports.*   [7] *here and there.*

[8] *promises.* Private persons had promised to pay for a colonnade adjoining the theater and a covered passage, or gallery, above the seats **(cavea).**

[9] *larger.*   [10] Supply **pecūniae.**   [11] *irregular and sprawling.*

[12] *to see;* the future active participle sometimes expresses purpose.

[13] Trajan's reply.   [14] *about, with reference to.*

[15] The diminutive is contemptuous.

Roman theater at Aspendos, Asia Minor, now Turkey. One of the best preserved Roman theaters, it seated 15,000 people.

esse quod possit illīs sufficere. Architectī tibi deesse nōn possunt. Nūlla prōvincia est quae nōn perītōs et ingeniōsōs hominēs habeat. (X, 40)

QUESTIONS

1. What was the matter with the unfinished theater at Nicaea?
2. What was the matter with the gymnasium that had been begun?
3. What did Pliny want Trajan to do about these two projects?
4. What did Trajan tell Pliny to do about the projects at Nicaea?

54. Syntax Review

Accusative of extent (**476,** 2).
Ablative with **dignus** (**477,** 18).

55. Vocabulary Review

adventus	exigō	ingēns	oportet	spargō
aggredior	frūstrā	lapis	perītus	sufficiō
differō	hauriō	mollis	restituō	suscipiō
enim	incendium	onus	sīve	sustineō

56. Word Study

From what Latin words are the following derived: **cessō, imperfectus, restituō, suscipiō?**

Give English derivatives of the following: **aemulus, cōnsummō, dēstruō, frūstrā, hauriō, hiō, incendium, inchoō, spargō.**

Excutiō literally means *to shake out.* So *discuss* means *to shake apart* the arguments. A *concussion* is a *shaking up. Percussion* instruments are played by being *shaken thoroughly,* or *struck.* What is *repercussion?*

23

57. HUNTING WITH A NOTEBOOK

Rīdēbis, et licet rīdeās.[1] Ego ille quem nōstī [2] aprōs trēs et quidem pulcherrimōs cēpī. "Ipse?" [3] inquis. Ipse; [3] nōn tamen ut [4] omnīnō ab inertiā meā et quiēte discēderem. Ad rētia [5] sedēbam: erat in proximō nōn vēnābulum [6] aut lancea, sed stilus et pugillārēs; meditābar [7]
5 aliquid ēnotābamque, ut, sī manūs vacuās, plēnās tamen cērās [8] reportārem. Nōn est quod [9] contemnās hoc studiendī genus. Mīrum est ut [10] animus agitātiōne mōtūque corporis excitētur. Iam undique silvae et sōlitūdō ipsumque illud silentium quod vēnātiōnī datur magna cōgitātiōnis incitāmenta sunt. Proinde cum vēnābere, licēbit,
10 auctōre [11] mē, ut [12] pānārium [13] et laguncula,[13] sīc [12] etiam pugillārēs ferās. Experiēris nōn Diānam [14] magis montibus quam Minervam inerrāre. Valē.   (I, 6)

---

[1] The infinitive is more common with **licet.**   [2] For **nōvistī (469).**
[3] (you) yourself, followed by (I) myself.   [4] (with the result) that.
[5] Cf. **19.** Nets were used to entangle animals trying to break through the circle.
[6] hunting spear.   [7] I was composing, either a poem or, less likely, a speech.
[8] notebooks, which were made of wood covered with wax **(cēra).**
[9] there is no reason why **(482, 10).**   [10] how.
[11] on my authority (ablative absolute).
[12] as . . . so, i.e., not only . . . but also.
[13] lunch basket and bottle of wine.
[14] Diana was the goddess of hunting, Minerva of intellectual pursuits.

A boar hunt shown on the Arch of Constantine in Rome.

Oxen ploughing in an Italian field exactly as in ancient times.

58. BUYING A HOME IN THE COUNTRY

Tranquillus,[1] contubernālis meus, vult emere agellum quem vēnditāre amīcus tuus dīcitur. Rogō cūrēs quantī [2] aequum est emat: [3] ita enim dēlectābit ēmisse. Nam mala ēmptiō [4] semper ingrāta, eō maximē, quod exprobrāre stultitiam dominō vidētur. In hōc autem agellō, sī modo adrīserit pretium, Tranquillī meī stomachum [5] multa sollicitant, 5
vīcīnitās urbis, opportūnitās viae, mediocritās vīllae, modus rūris,[6] quī āvocet [7] magis quam distringat.[7] Scholasticīs porrō dominīs, ut hic est, sufficit abundē tantum solī ut relevāre caput, reficere oculōs, rēptāre per līmitem ūnamque sēmitam terere omnīsque vīticulās suās nōsse et numerāre arbusculās possint. 10
Haec tibi exposuī quō magis scīrēs quantum esset ille mihi, ego tibi dēbitūrus, sī praediolum istud, quod commendātur hīs dōtibus, tam salūbriter [8] ēmerit ut paenitentiae locum nōn relinquat. Valē. (I, 24)

---

[1] Suetonius Tranquillus, who wrote the biographies of the first twelve emperors.
[2] *for as much as;* genitive of value (**474,** 8).
[3] **Ut** is omitted.   [4] *a bad buy.*
[5] *appetite, desire.*   [6] *the moderate size of the land.*
[7] Descriptive clause (**482,** 10).   [8] *so cheaply;* literally, *so healthfully.*

59. WHY DON'T YOU WRITE?

Rēctēne [1] omnia, quod iam prīdem epistulae tuae cessant? An omnia rēctē, sed occupātus es tū? An tū nōn occupātus, sed occāsiō scrībendī vel rāra vel nūlla? Exime hunc mihi scrūpulum,[2] cui pār esse nōn possum, exime autem, vel [3] datā operā [4] tabellāriō missō.
5 Ego viāticum, ego etiam praemium dabō,[5] nūntiet mihi modo [6] quod optō. Ipse valeō, sī valēre est suspēnsum et ānxium vīvere, exspectantem in hōrās [7] timentemque prō capite [8] amīcissimō quidquid accidere hominī potest. Valē.   (III, 17)

60. NEGLECT OF A GREAT MAN'S TOMB

Cum vēnissem in socrūs [1] meae vīllam Alsiēnsem, quae aliquamdiū Rūfī Verginī [2] fuit, ipse mihi locus optimī illīus et maximī virī dēsīderium nōn sine dolōre renovāvit. Hunc enim colere sēcessum atque etiam senectūtis suae nīdulum [3] vocāre cōnsuēverat. Quōcumque mē
5 contulissem,[4] illum animus, illum oculī requīrēbant. Libuit etiam monumentum eius vidēre, et vīdisse paenituit. Est enim adhūc imperfectum, nec difficultās operis in causā,[5] modicī ac potius exiguī, sed inertia eius [6] cui cūra mandāta est. Subit indignātiō cum miserātiōne post decimum mortis annum reliquiās neglēctumque cinerem sine
10 titulō,[7] sine nōmine iacēre, cuius [8] memoriā [9] orbem terrārum glōria pervagētur.[10] At ille mandāverat cāveratque ut dīvīnum illud et immortāle factum versibus īnscrīberētur:

---

[1] all right, O.K. Supply **sunt.**
[2] uneasiness; literally, a stone (in the shoe), which causes uneasiness. Hence English scruple.
[3] even.   [4] purposely, specially; literally, given attention to it.
[5] Pliny will pay the special delivery fee.
[6] provided that, with the subjunctive **nūntiet** (482, 17).
[7] With **in:** hourly.   [8] person.

---

[1] mother-in-law, the mother of a previous wife. Her villa at Alsium, on the seacoast west of Rome, had once belonged to Verginius Rufus.
[2] In Pliny's day, when the prenomen was omitted, the cognomen usually preceded the nomen.
[3] snug little nest.
[4] Subjunctive of repeated action, common in Pliny.
[5] We would omit **in:** the reason.   [6] Rufus' heir.
[7] inscription, epitaph.   [8] With **glōria.**
[9] in the memory (of men).
[10] Rufus had defeated Vindex, who led a revolt against Nero, but Rufus had refused to become emperor after Nero's death.

Hīc situs est Rūfus, pulsō quī Vindice quondam
imperium asseruit nōn sibi sed patriae.

Tam rāra in amīcitiīs fidēs, tam parāta oblīviō mortuōrum ut ipsī nōbīs 15
dēbeāmus etiam conditōria [11] exstruere omniaque hērēdum officia
praesūmere. Nam cui nōn est verendum quod vidēmus accidisse Ver-
giniō? Cuius [12] iniūriam, ut indigniōrem, sīc etiam nōtiōrem ipsīus
clāritās facit. Valē.   (VI, 10)

[11] *tombs.* We sometimes hear about people buying their own coffins.
[12] Objective genitive (**474,** 6): *wrong to whom.*

Roman tombstones now in the Capitoline Museum, Rome. The inscription on the
right reads: "Diis manibus P. Ciarti Acti," "To the deified shades of P. Ciartus
Actus"; on the left: "M. Antonius Diognet(us) vix(it) ann(os) L. Aurunceia Hedone,"
"M. Antonius Diognetus lived fifty years, Aurunceia Hedone."

Gem impression from the time of Augustus, showing a young Roman girl (see page 117).

61. I MISS YOU

Incrēdibile est quantō dēsīderiō tuī [1] tenear. In causā [2] amor prīmum, deinde quod nōn cōnsuēvimus abesse. Inde est quod [3] magnam noctium partem in imāgine [4] tuā vigil exigō, inde quod interdiū quibus hōrīs tē vīsere solēbam ad diaetam [5] tuam ipsī mē, ut vērissimē dīcitur,
5 pedēs dūcunt, quod dēnique aeger et maestus ac similis exclūsō ā vacuō līmine recēdō. Ūnum tempus hīs tormentīs [6] caret, quō in forō et amīcōrum lītibus conteror. Aestimā tū quae vīta mea sit, cui requiēs in labōre, in miseriā cūrīsque sōlācium. Valē.   (VII, 5)

Vocabulary Review (57–61)

absum	emō	nox	orbis	quondam
caveō	exiguus	occāsiō	terrārum	rīdeō
contemnō	genus	omnīnō	pretium	sollicitō
dolor	licet	optō	quiēs	subeō

---

[1] *for you* (**474**, 6). The letter is addressed to his wife Calpurnia, on whom see **8**, footnote 1.
[2] See **60**, footnote 5.   [3] *Hence it is that.*
[4] *in picturing you.*   [5] *living room.*
[6] The ablative of separation is used with **caret**, *to be without.*

62. IS THE PRAISE OF FRIENDS A FAULT?

Ais quōsdam apud tē reprehendisse tamquam [1] amīcōs meōs ex omnī occāsiōne ultrā modum laudem. Agnōscō [2] crīmen, amplector etiam. Quid enim honestius culpā benignitātis? Quī sunt tamen istī quī amīcōs meōs melius nōrint? Sed, ut [3] nōrint, quid invident mihi fēlīcissimō errōre? [4] Ut [3] enim nōn sint tālēs quālēs ā mē praedicantur, 5 ego tamen beātus quod mihi videntur.

Igitur ad aliōs hanc sinistram [5] dīligentiam cōnferant; nec sunt parum multī [6] quī carpere amīcōs suōs iūdicium vocant. Mihi numquam persuādēbunt ut meōs amārī ā mē nimium putem. Valē.

(VII, 28)

63. CONGRATULATIONS

Tua quidem pietās, imperātor sānctissime,[1] optāverat ut quam tardissimē succēderēs patrī; [2] sed dī immortālēs festīnāvērunt virtūtēs tuās ad gubernācula reī pūblicae quam suscēperās admovēre. Precor ergō ut tibi et per tē generī hūmānō prōspera omnia, id est digna saeculō [3] tuō, contingant. Fortem tē et hilarem, imperātor optime, 5 et prīvātim et pūblicē optō. (X, 1)

---

[1] *on the ground that;* the subjunctive is used in such clauses.
[2] *I admit the charge.*   [3] *granted that* (**482,** 11, *b*).
[4] *begrudge me the delusion.* Pliny uses the ablative of the thing instead of the accusative, probably because the idea of separation is involved.
[5] *sinister, wrongheaded.*   [6] **nec parum multī** = *there are not a few.*

---

[1] Trajan, who had just become emperor.
[2] Nerva had adopted Trajan and made him coemperor a few months before his death.   [3] *reign.*

Trajan. A tireless worker, he built many witnesses to his energy, among them his Forum, easily the biggest of all imperial fora.

64. FIRE DEPARTMENT NEEDED

Cum dīversam partem prōvinciae circumīrem, Nīcomēdīae vāstissimum incendium multās prīvātōrum domōs et duo pūblica opera, quamquam viā interiacente, absūmpsit. Est autem lātius sparsum, prīmum violentiā ventī, deinde inertiā hominum, quōs satis cōnstat
5 ōtiōsōs et immōbilēs tantī malī spectātōrēs perstitisse; et aliōquī nūllus umquam in pūblicō sīphō,[1] nūlla hama,[2] nūllum dēnique īnstrūmentum ad incendia compescenda. Et haec quidem, ut iam praecēpī, parābuntur.

Tū, domine, dispice an īnstituendum putēs collēgium [3] fabrōrum
10 dumtaxat [4] hominum CL. Ego attendam nē quis nisi faber recipiātur nēve iūre [5] concessō in aliud [6] ūtātur; nec erit difficile custōdīre tam paucōs.   (X, 33)

Tibi quidem secundum [7] exempla complūrium in mentem venit
15 posse collēgium fabrōrum apud Nīcomēdēnsēs cōnstituī. Sed meminerīmus [8] prōvinciam istam et praecipuē eās cīvitātēs [9] eius modī factiōnibus esse vexātās. Quodcumque nōmen ex quācumque causā dederimus iīs quī in idem [10] contrāctī fuerint, hetaeriae [11] brevī fīent. Satius itaque est comparārī ea quae ad coercendōs ignēs auxiliō esse
20 possint admonērīque dominōs praediōrum ut et ipsī inhibeant, ac, sī rēs poposcerit, accursū [12] populī ad hoc ūtī.   (X, 34)

---

[1] Nominative: *fire engine.*   [2] *bucket.*
[3] *company.*   [4] *only.*   [5] Ablative with **ūtor (477,** 10).
[6] *for anything else.* This gives the clue why Pliny referred such a seemingly unimportant question to Trajan. Fire departments existed in Rome and elsewhere, but in Bithynia they and other organizations were forbidden because they might become hotbeds of political agitation and sedition.
[7] Preposition: *following.*
[8] Perfect subjunctive; volitive (**482,** 1).
[9] *cities.*   [10] *for the same* (*purpose*).   [11] *political clubs.*
[12] i.e., the spectators, those who rush to the scene. Today people living near dangerous forest fires are compelled to assist in controlling them.

Trajan's wife, Plotina, shown on a gold coin.

A magnificent Roman aqueduct, now called the Pont du Gard, near Nîmes, France.

65. ROMAN EFFICIENCY: A WATER SUPPLY

Sinōpēnsēs, domine, aquā dēficiuntur;[1] quae vidētur et bona et cōpiōsa ab sextō decimō mīliāriō[2] posse perdūcī. Est tamen statim ab capite[3] paulō amplius passus mīlle[3] locus suspectus et mollis, quem ego interim explōrārī modicō impendiō iussī, an recipere et sustinēre opus[4] possit. Pecūnia, cūrantibus nōbīs, contrācta[5] nōn deerit, sī tū, 5 domine, hoc genus operis et salūbritātī et amoenitātī valdē sitientis colōniae indulseris.   (X, 90)

––––––––––

Ut coepistī, Secunde cārissime, explōrā dīligenter an locus ille quem suspectum habēs sustinēre opus aquaeductūs possit. Neque enim dubitandum putō quīn[6] aqua perdūcenda sit in colōniam Sinōpēnsem, 10 sī modo ea vīribus[7] suīs assequī[8] potest, cum plūrimum ea rēs et salūbritātī et voluptātī eius collātūra sit.   (X, 91)

––––––––––

[1] *are short of.*
[2] *milestone.* One of the aqueducts at Rome was fifty-five miles long.
[3] *for a little more than a mile from the source;* **amplius** does not affect the case of **passus.**
[4] i.e., an aqueduct with its arches.   [5] *collected by my efforts.*
[6] *that;* see **482,** 6.   [7] *resources.*   [8] Supply **aquam** as object.

31

66. WHAT SHALL WE DO ABOUT THE CHRISTIANS? [1]

Sollemne est mihi, domine, omnia dē quibus dubitō ad tē referre. Quis enim potest melius vel cūnctātiōnem meam regere vel ignōrantiam īnstruere?

Cognitiōnibus dē Chrīstiānīs interfuī numquam; ideō nesciō quid
5 et quātenus [2] aut pūnīrī soleat aut quaerī. Nec mediocriter haesitāvī sitne [3] aliquod discrīmen aetātum an quamlibet [4] tenerī nihil ā rōbustiōribus differant, dētur paenitentiae venia an eī quī omnīnō Chrīstiānus fuit dēsīsse nōn prōsit,[5] nōmen [6] ipsum sī flāgitiīs careat, an flāgitia cohaerentia nōminī pūniantur.

10   Interim iīs quī ad mē tamquam Chrīstiānī dēferēbantur hunc sum secūtus modum. Interrogāvī ipsōs an essent Chrīstiānī. Cōnfitentēs iterum ac tertiō interrogāvī, supplicium minātus; persevērantēs dūcī [7] iussī. Neque enim dubitābam, quālecumque esset [8] quod fatērentur, pertināciam certē et īnflexibilem obstinātiōnem [9] dēbēre pūnīrī.
15 Fuērunt aliī similis āmentiae quōs, quia cīvēs Rōmānī erant, adnotāvī [10] in urbem remittendōs. Mox ipsō tractātū,[11] ut fierī solet, diffundente sē crīmine, plūrēs speciēs incidērunt.[12]

Prōpositus est libellus sine auctōre [13] multōrum nōmina continēns. Quī negābant esse sē Chrīstiānōs aut fuisse, cum, praeeunte mē,[14]
20 deōs appellārent et imāginī tuae, quam propter hoc iusseram cum

---

[1] Along with the letters about the eruption of Vesuvius, this is among the best known of Pliny's letters. Because of the unrest in Bithynia, a law against organizations of all kinds was passed (see **64**, footnote 6). Besides, the Christians refused to take the oath of allegiance to the emperor, which involved worshiping the pagan gods. That was treason. Pliny and Trajan tried to be lenient but could not allow the law to be flouted in wholesale fashion.

[2] *to what extent.*

[3] Double indirect question (**470, 482,** 13).

[4] With **tenerī:** *the very young.*

[5] The subject is **dēsīsse** (from **dēsinō**).

[6] *the name (Christian).* Should a man be punished for being a confessed Christian or only for any crimes he might commit in the name of Christianity?

[7] i.e., to prison and death.   [8] *whatever it was.*

[9] Pliny could not understand why the Christians preferred death to denying the fact that they were Christians.

[10] Pliny acting as a judge had his decision recorded. Roman citizens had the right to have their cases tried in Rome. Thus the apostle Paul had gone to Rome for trial (*Acts* 25, 11) in the reign of Nero.

[11] *by the handling (in the trials).* The more Pliny looked into the matter the more complex it became.

[12] *more types turned up.*   [13] i.e., *anonymous.*

[14] *with me speaking (the words of the oath) first.*

The "love feast" (*agape*) of the early Christians, as shown in a painting in a Christian cemetery of about 300 A.D.

simulācrīs nūminum afferrī, tūre ac vīnō supplicārent, praetereā male-
dīcerent [15] Chrīstō, quōrum nihil posse cōgī dīcuntur [16] quī sunt rē
vērā Chrīstiānī, dīmittendōs [17] esse putāvī.

Aliī ab indice nōminātī esse sē Chrīstiānōs dīxērunt et mox negā-
vērunt: fuisse quidem, sed dēsīsse, quīdam ante triennium, quīdam 25
ante plūrēs annōs, nōn nēmō [18] etiam ante vīgintī. Hī quoque omnēs
et imāginem tuam deōrumque simulācra venerātī sunt et Chrīstō
maledīxērunt.

---

[15] *reviled.* What was patriotism to the Romans was idolatry to the Christians.
[16] *none of which things, it is said, they can be compelled (to do)*; literally, *they
are said not to be able to be,* etc.
[17] Modifies the antecedent (not expressed) of **quī**.
[18] *not none = some.*

Now in Grace Church, New York, where it was installed in 1889, this large jar came from the Church of St. Paul Within the Walls, Rome. Such ancient Roman jars were used for wine, wheat, etc. (see page 53).

Affirmābant autem hanc fuisse summam vel culpae suae vel errōris,
30 quod essent solitī statō diē [19] ante lūcem convenīre carmenque Chrīstō quasi deō dīcere sēcum in vicem,[20] sēque sacrāmentō nōn in scelus aliquod obstringere, sed nē fūrta, nē latrōcinia, nē adulteria committerent,[21] nē fidem fallerent, nē dēpositum appellātī [22] abnegārent; quibus perāctīs, mōrem sibi discēdendī fuisse, rūrsusque
35 coeundī ad capiendum cibum,[23] prōmiscuum tamen et innoxium; [24] quod ipsum facere dēsīsse post ēdictum meum, quō secundum mandāta tua hetaeriās [25] esse vetueram. Quō magis necessārium crēdidī ex duābus ancillīs quae ministrae [26] dīcēbantur, quid esset vērī et [27] per tormenta quaerere. Nihil aliud invēnī quam superstitiōnem
40 prāvam, immodicam.

[19] Sunday.   [20] *responsively*.   [21] The clause is object of **obstringere (482,** 5).
[22] *when requested*. In this context such a matter seems out of place. It may be that failure to pay debts was very common.
[23] The "love feast" of the early Christians.
[24] *ordinary and harmless,* not the flesh of human beings, as was charged, probably through misunderstanding of Communion.
[25] *political clubs,* as in **64.**
[26] Pliny so translates the Greek word διακόνισσαι **(diakonissai),** from which comes our word "deaconess." The language of Bithynia was Greek.   [27] *even.*

Ideō, dīlātā cognitiōne, ad cōnsulendum tē dēcurrī. Vīsa est enim mihi rēs digna cōnsultātiōne, maximē propter perīclitantium numerum. Multī enim omnis aetātis, omnis ōrdinis, utrīusque sexūs etiam, vocantur in perīculum et vocābuntur. Neque cīvitātēs tantum sed vīcōs etiam atque agrōs superstitiōnis istīus contāgiō pervagāta est; 45 quae vidētur sistī et corrigī posse. Certē satis cōnstat prope iam dēsō- lāta templa coepisse celebrārī et sacra sollemnia diū intermissa repetī pāstumque venīre [28] victimārum, cuius adhūc rārissimus ēmptor in- veniēbātur. Ex quō facile est opīnārī quae turba hominum ēmendārī possit, sī sit paenitentiae locus. (X, 96) 50

Āctum quem dēbuistī, mī Secunde, in excutiendīs causīs eōrum quī Chrīstiānī ad tē dēlātī fuerant secūtus es. Neque enim in ūniversum [29] aliquid quod quasi certam fōrmam habeat cōnstituī potest. Conquīrendī nōn sunt; sī dēferantur et arguantur, pūniendī sunt, ita tamen ut quī negāverit sē Chrīstiānum esse idque rē ipsā manifēstum fēcerit, id 55 est supplicandō dīs nostrīs, quamvīs suspectus in praeteritum,[30] veniam ex paenitentiā impetret. Sine auctōre vērō prōpositī libellī in nūllō crīmine locum habēre dēbent. Nam et pessimī exemplī [31] nec nostrī saeculī est. (X, 97)

Vocabulary Review (62–66)

agnōscō	dīversus	intersum	praecipiō	saeculum
beātus	ergō	meminī	praedicō	scelus
cōnsulō	fallō	negō	prōsum	speciēs
discrīmen	interim	nesciō	pūniō	vetō

---

[28] From **vēneō:** *is being sold.* With the growth of Christianity the demand for animals to be sacrificed at pagan altars and for feed to fatten the animals dwindled. Farmers were faced with ruin.
[29] *in general.*   [30] *in the past.*   [31] *both (a matter) of bad precedent and not.*

A Roman coin of the fifth century A.D., with a monogram of the Greek letters chi rho (ch, r), standing for *Christos*, Christ.

UNIT II

Hadrian (76–138 A.D.) was born in the Roman province of Spain. When his father died during his youth, Hadrian was adopted by his cousin Trajan (who later became emperor from 98–117 A.D.). Hadrian was a poet, musician, and a life-long student of Greek culture. As emperor (117–138 A.D.), he established a uniform code of law throughout the empire. He also developed a successful communications system similar to the pony express.

67. AULUS GELLIUS

Aulus Gellius, a Roman writer of the second century (born about 130 A.D.), has preserved in his only extant work, *Attic Nights* **(Noctēs Atticae),** an extremely miscellaneous but often valuable and interesting collection of literary material from earlier times.

Written during winter nights in Attica, this huge scrapbook (twenty books) contains anecdotes, bits of history and poetry, and essays on various phases of philosophy, geometry, and grammar. Of particular interest are quotations from Greek and Latin authors whose works are now wholly or in great part lost.

68. A FILIBUSTER IN THE SENATE

Ante lēgem quae nunc dē senātū habendō observātur, ōrdō rogandī [1] sententiās varius fuit. Aliās [2] prīmus rogābātur quī prīnceps ā cēnsōribus [3] in senātum lēctus fuerat, aliās [2] quī dēsignātī cōnsulēs erant; quīdam ā cōnsulibus studiō aut necessitūdine aliquā adductī, quem
5 īs [4] vīsum [5] erat, honōris grātiā extrā ōrdinem sententiam prīmum rogābant. Observātum [6] tamen est, cum extrā ōrdinem fieret, nē quis quemquam ex aliō quam [7] ex cōnsulārī locō sententiam prīmum rogāret. C. Caesar in cōnsulātū quem cum M. Bibulō gessit, quattuor sōlōs extrā ōrdinem rogāsse sententiam dīcitur. Ex hīs quattuor
10 prīncipem rogābat M. Crassum; sed postquam fīliam Cn. Pompeiō dēsponderat, prīmum coeperat Pompeium rogāre.

Eius reī ratiōnem reddidisse eum [8] senātuī Tīrō Tullius,[9] M. Cicerōnis lībertus, refert itaque sē ex patrōnō suō audīsse scrībit. Id ipsum Capitō Ateius in librō quem dē officiō senātōriō composuit
15 scrīptum relīquit.

In eōdem librō Capitōnis id quoque scrīptum est: "C. Caesar cōnsul M. Catōnem sententiam [10] rogāvit. Catō rem quae cōnsulēbātur,[11] quoniam nōn ē [12] rē pūblicā vidēbātur, perficī nōlēbat. Eius reī dūcendae [13] grātiā longā ōrātiōne [14] ūtēbātur eximēbatque dīcendō
20 diem. Erat enim iūs senātōrī, ut sententiam rogātus dīceret ante

---

[1] Note that here the gerund is used instead of the more usual future passive participle.
[2] *at times . . . at other times.*   [3] The duties of the censors are listed in **186.**
[4] For **eīs.**   [5] *it seemed best.*
[6] *(the rule) was kept.*   [7] *than.*   [8] Caesar.
[9] See **60,** footnote 2.
[10] Two accusatives are used with verbs of asking (**473,** 2, *b, Note*).
[11] *was under deliberation.*   [12] *to the best interests of.*
[13] *prolonging.*   [14] Ablative with **ūtor** (**477,** 10).

38

quicquid vellet aliae [15] reī et quoad vellet.[16] Caesar cōnsul viātōrem [17] vocāvit eumque, cum fīnem nōn faceret, prēndī loquentem et in carcerem dūcī iussit. Senātus cōnsurrēxit et prōsequēbātur Catōnem in carcerem. Hāc invidiā factā, Caesar dēstitit et mittī [18] Catōnem iussit." (IV, 10) 25

QUESTIONS

1. Who was Caesar's colleague as consul?
2. What was the relationship of Caesar and Pompey?
3. What was the reaction of the senate to Caesar's arrest of Cato?
4. What was the order of calling upon senators for their opinions?

69. Syntax Review

Future passive participle and gerund (**488, 489**).
Impersonal verbs (**485**).
Subjunctive by attraction (**482,** 15).
Find examples of all these in the story above.

70. Translation

1. It did not seem best to Caesar to ask Crassus.
2. He did not think that Cato should talk so much.
3. Cato was present for the sake of giving his opinion.
4. He was not ready, however, to give his opinion immediately.

71. Vocabulary Drill

cōnsul	lēx	observō	quoad	senātus
dēspondeō	nōlō	prīnceps	rogō	studium

[15] For the more usual **alterius; alīus** was avoided.
[16] Like a filibuster in the United States Senate.
[17] *messenger*, though more like a sergeant-at-arms.   [18] *let go.*

The Arch of Septimius Severus and the Senate seen from the slopes of the Palatine Hill.

72. SCIPIO, A MAN BEYOND REPROACH

Scīpiō Āfricānus antīquior [1] quantā virtūtum glōriā praestiterit et quam fuerit altus animī [2] atque magnificus, plūrimīs rēbus quae dīxit quaeque fēcit dēclārātum est. Ex quibus sunt haec duo exempla eius fīdūciae atque exsuperantiae ingentis:

5 Cum M. Naevius, tribūnus plēbis, accūsāret eum ad populum dīceretque accēpisse ā rēge Antiochō pecūniam ut condiciōnibus grātiōsīs et mollibus pāx cum eō populī Rōmānī nōmine fieret, et quaedam item alia crīminī [3] daret indigna tālī virō, tum Scīpiō pauca praefātus quae dignitās vītae suae atque glōria postulābat: "memoriā,"
10 inquit, "Quirītēs, repetō [4] diem esse hodiernum quō Hannibalem Poenum imperiō vestrō inimīcissimum magnō proeliō vīcī in terrā Āfricā [5] pācemque et victōriam vōbīs peperī [6] īnspectābilem.[7] Nōn igitur sīmus [8] adversum [9] deōs ingrātī et, cēnseō, relinquāmus nebulōnem [10] hunc, eāmus hinc prōtinus Iovī optimo maximō grātulātum." [11] Id
15 cum dīxisset, āvertit et īre ad Capitōlium coepit. Tum cōntiō ūniversa, quae ad sententiam dē Scīpiōne ferendam convēnerat, relīctō tribūnō, Scīpiōnem in Capitōlium comitāta atque inde ad aedēs eius cum laetitiā et grātulātiōne solemnī prōsecūta est.   (IV, 18)

QUESTIONS

1. What did Naevius, the tribune, accuse Scipio of?
2. Whom did Scipio conquer?
3. What did Scipio do after he spoke?
4. How did the assembly (**cōntiō**) react to Scipio's statement?

73. Syntax Review

Cum clauses (**482,** 11).
Indirect questions (**482,** 13).
Volitive subjunctive (**482,** 1)
Find all examples of these in the story above.

---

[1] *the Elder;* subject of **praestiterit** and **fuerit.** [2] Locative with **altus:** *highminded.*
[3] Dative of purpose.   [4] With **memoriā:** *recall.*
[5] i.e., it is the anniversary of the battle of Zama (201 B.C.).
[6] From **pariō.**   [7] *glorious.*
[8] *we should not be.*   [9] Preposition: *towards.*
[10] *rascal,* i.e., Naevius.
[11] *to congratulate.* The form is the accusative of the supine and is used to express purpose (**491,** *a*). The dative is used with this verb (**Iovī**).

74. Translation

1. Everybody asked what Scipio had done.
2. Let us not believe that Scipio ever did such things.
3. When Scipio heard the charges, he decided to go away.
4. Do you believe that the charges were worthy of so great a man?

75. Vocabulary Drill

āvertō	cōntiō	fīdūcia	pariō	relinquō
cēnseō	crīmen	hodiernus	postulō	sollemnis
condiciō	dignitās	laetitia	prōsequor	ūniversus

76. Word Study

Explain *exemption, fiduciary, incarcerate, incriminate, indignity, ingrate, mollify, preface.*

Explain the force of the prefix in **āvertō, exsuperantia, indignus, inimīcus, praestō, repetō.**

The Basilica of the emperor Maxentius in the Roman Forum, with its huge vaults. Now often used for symphony concerts.

77. A PROMISE MUST BE KEPT

Iūs iūrandum apud Rōmānōs inviolātē sānctēque habitum servā-
tumque est. Id et mōribus lēgibusque multīs ostenditur, et hoc quod
dīcēmus cī reī nōn tenue argumentum esse potest. Post proelium
Cannēnse [1] Hannibal, Carthāginiēnsium imperātor, ex captīvīs nostrīs
5 ēlēctōs decem Rōmam mīsit mandāvitque eīs pactusque est, ut, sī
populō Rōmānō vidērētur,[2] permūtātiō fieret captīvōrum. Hoc, priusquam proficīscerentur, iūs iūrandum [3] eōs adēgit reditūrōs esse in
castra Poenica, sī Rōmānī captīvōs nōn permūtārent.

Veniunt Rōmam decem captīvī. Mandātum Poenī imperātōris in
10 senātū expōnunt. Permūtātiō senātuī nōn placita.[4] Parentēs, cognātī,
affīnēsque captīvōrum amplexī eōs, dīcēbant statum eōrum integrum
incolumemque esse ac nē ad hostes redīre vellent ōrābant. Tum octō
ex hīs iūstum nōn esse respondērunt, quoniam dēiūriō [5] vīnctī forent,[6]
statimque, utī iūrātī erant,[7] ad Hannibalem profectī sunt. Duo reliquī
15 Rōmae mānsērunt solūtōsque esse sē ac līberātōs religiōne [8] dīcēbant,
quoniam, cum ēgressī [9] castra hostium fuissent, commentīciō [10] cōnsiliō regressī eōdem,[11] tamquam sī ob aliquam fortuitam causam,
īssent atque ita, iūre iūrandō satisfactō, rūrsus iniūrātī abīssent. Haec
eōrum fraudulenta calliditās tam esse turpis exīstimāta est ut con-
20 temptī vulgō sint, cēnsōrēsque eōs posteā et damnīs et ignōminiīs
affēcerint, quoniam quod factūrōs dēieraverant nōn fēcissent.

(VI, 18, 1–10)

QUESTIONS

1. What was the Roman attitude toward an oath?
2. What oath did Hannibal compel the prisoners to take?
3. How did the Romans react to the two prisoners who broke their
   word?

78. Syntax Review

Volitive noun clauses (**482,** 5).
Anticipatory clauses (**482,** 12).
Causal clauses (**482,** 16).
Find all examples of these in the story above.

---

[1] *the battle of Cannae,* where the Romans were badly defeated in 216 B.C.
[2] *it seemed best.*   [3] Subject of **adēgit.**
[4] Deponent: *did not please.*   [5] *by an oath.*
[6] For **essent (462).**   [7] Deponent.
[8] i.e., the oath; ablative of separation (**477,** 1).   [9] Here transitive.
[10] *pretended, tricky.*   [11] Adverb.

The battle of Cannae was fought not far from this site.

79. Translation

1. We begged them not to return to Carthage.
2. Because we believe you, you will be permitted to go to Rome.
3. Before they could go to Rome, they had to swear that they would return.
4. The enemy said that they would not trust the Romans because they never told the truth.

80. Vocabulary Drill

affīnis	ignōminia	iūs iūrandum	permūtō	sānctē
amplector	incolumis	ōrō	priusquam	turpis
cognātus	iūrō	ostendō	quoniam	vinciō

81. Word Study

Note the many words related to **iūs** in the selection above: **iūs iūrandum, iūstus, dēiūrium, iūrō, iniūrātus, dēierō.**

Cognātus (**co-gnātus,** *born together*) is a blood relative. **Affīnis** (**ad-fīnis,** *neighboring to*) is a relative by marriage.

The Forum of Augustus, which once contained statues of many heroes, and the Temple of Mars Ultor. The high wall shut off the Subura, or slums of Rome.

82. CROW EATS MAN

Dē Maximō Valeriō, quī Corvīnus appellātus est ob auxilium prōpugnātiōnemque corvī [1] ālitis, haud quisquam est nōbilium scrīptōrum quī secus [2] dīxerit. Ea rēs prōrsus mīranda sīc profectō est in librīs annālibus memorāta: Adulēscēns tālī genere ēditus,[3] L. Fūriō, Claudiō Appiō cōnsulibus,[4] fit tribūnus mīlitāris. Atque in eō tempore cōpiae Gallōrum ingentēs agrum Pomptīnum īnsēderant. Dux intereā Gallōrum vāstā et arduā prōcēritāte armīsque aurō praefulgentibus grandia ingrediēns [5] et manū tēlum reciprocāns [6] incēdēbat perque contemptum et superbiam circumspiciēns dēspiciēnsque omnia [7] venīre iubet et congredī, sī quis pugnāre sēcum ex omnī Rōmānō exercitū audēret. Tum Valerius tribūnus, cēterīs inter metum pudōremque ambiguīs,[8] impetrātō [9] prius ā cōnsulibus ut in Gallum tam arrogantem pugnāre sēsē permitterent, prōgreditur intrepidē modestēque obviam. Et congrediuntur et cōnsistunt, et cōnserēbantur iam manūs.[10] Atque ibi vīs quaedam dīvīna fit: corvus repente imprōvīsus advolat et super galeam tribūnī īnsistit atque inde in adversārī ōs atque oculōs pugnāre incipit; īnsilībat, obturbābat, et unguibus manum laniābat et prōspectum ālīs arcēbat atque, ubi satis saevierat, revolābat in

[1] *crow.*   [2] *otherwise, differently.*
[3] *sprung from such a family,* i.e., that of the Valerii.
[4] Ablative absolute: *during the consulship of L. Furius and Appius Claudius.*
[5] *taking big steps;* literally, *walking big.*   [6] *brandishing.*
[7] For **omnēs.** The neuter is more inclusive and contemptuous.   [8] *hesitating.*
[9] The **ut** clause is the subject of the ablative absolute.
[10] *they were fighting hand to hand;* literally, *hands were being joined.*

galeam tribūnī. Sīc tribūnus, spectante utrōque exercitū, et suā virtūte nīxus [11] et operā ālitis prōpugnātus, ducem hostium ferōcissimum 20 vīcit interfēcitque atque ob hanc causam cognōmen habuit "Corvīnus." Id factum est annīs quadringentīs quīnque post Rōmam conditam.[12]

Statuam Corvīnō istī dīvus [13] Augustus in forō suō statuendam cūrāvit.[14] In eius statuae capite corvī simulācrum est, reī pugnaeque quam dīximus monumentum. (IX, 11) 25

QUESTIONS

1. What does the word "annals" mean?
2. How did Augustus honor Corvinus?
3. How did Valerius get his cognomen, Corvinus?
4. What was the attitude of the leader of the Gauls toward the Romans?

83. Syntax Review

Ablative of origin (**477,** 3).
Ablative of description (**477,** 13).
Descriptive relative clauses (**482,** 10).
Find all examples of these in the story above.

84. Translation

1. Was there anyone who fought more bravely for freedom?
2. There is no one who has done greater things for his country.
3. Maximus, a young man of no great height, was born of a noble family.
4. A crow that fought so fiercely deserves to be rewarded with a monument.

85. Vocabulary Drill

adulēscens	ferōx	metus	ōs	quisquam
arceō	impetrō	obviam	prōfectō	statuō
condō	intereā	oculus	pudor	superbia

86. Word Study

Explain *ingress, congress, progress; circumspect, despise, spectator.*
Give the literal meaning of **imprōvīsus, prōpugnātiō.**

---

[11] *relying on* (with ablative).
[12] *after the founding of Rome,* which took place in 753 B.C.
[13] *deified.* Augustus was made a god after his death.
[14] *caused to be set up.*

87. RECONCILIATION, A SIGN OF GREATNESS

P. Āfricānus superior et Tiberius Gracchus, Tiberiī et C. Gracchōrum pater, rērum gestārum magnitūdine et honōrum atque vītae
dignitāte illustrēs virī, dissēnsērunt saepe dē rē pūblicā et eā [1] sīve quā
aliā rē nōn amīcī fuērunt. Ea simultās cum diū mānsisset et sollemnī
5 diē [2] epulum Iovī lībārētur atque ob id sacrificium senātus in Capitōliō epulārētur, fors fuit ut apud eandem mēnsam duo illī iūnctim
locārentur. Tum quasi diīs immortālibus arbitrīs in convīviō Iovis
optimī maximī dextrās eōrum condūcentibus,[3] repente amīcissimī factī.
Neque sōlum amīcitia incepta, sed affīnitās simul īnstitūta; nam P.
10 Scīpiō fīliam virginem habēns iam virō mātūram [4] ibi tunc eōdem in
locō dēspondit eam Tiberiō Gracchō.

Aemilius quoque Lepidus et Fulvius Flaccus nōbilī genere amplis-
simīsque honōribus ac summō locō in cīvitāte praeditī, odiō inter sēsē
gravī et simultāte diūtinā cōnflīctātī sunt. Posteā populus eōs simul
15 cēnsōrēs facit. Atque illī, ubi vōce praecōnis renūntiātī sunt, ibīdem
in campō [5] statim, nōndum dīmissā cōntiōne, ultrō uterque [6] et parī
voluntāte coniūnctī complexīque sunt, exque eō diē et in ipsā cēnsūrā
et posteā iūgī [7] concordiā fīdissimē amīcissimēque vīxērunt. (XII, 8)

QUESTIONS

1. How were the enemies Africanus and Tiberius Gracchus reconciled?
2. What was the name of the father of Tiberius and Gaius
Gracchus?
3. What office did the enemies Aemilius Lepidus and Fulvius
Flaccus hold?
4. After the election, what did these two men do?

88. Syntax Review

Noun clauses of result (482, 9).

Two accusatives with verbs of *making, choosing,* etc. (473, 2, b,
Note).

Find all examples of these in the story above.

---

[1] *because of this or some other thing.*
[2] The anniversary of the founding of the temple of Jupiter (September 13).
[3] Ablative absolute with **diīs:** *joining.*
[4] *old enough for a husband.*
[5] The Campus Martius, where the elections were held.
[6] With **illī:** *they, both of them.*
[7] From **iūgis,** *everlasting.*

46

Beautiful stone decorations from ancient buildings. These decorations are now in the Lateran Museum, Rome.

89. Translation

1. The people made them censors and they became firm friends.
2. When their enmity had lasted a long time, they met at a dinner.
3. Because they disagreed about public affairs they had become enemies.
4. It so happened that Scipio had a daughter whom he betrothed to Tiberius Gracchus.

90. Vocabulary Drill

coniungō	dissentiō	illūstris	posteā	simultās
convīvium	fors	odium	praeditus	ultrō

91. Word Study

Explain *arbitrate, convivial, dexterity, dissension, voluntary.*
What does *ibid.* stand for and what does it mean?

92. HOW TO GIVE A DINNER PARTY

Lepidissimus liber est M. Varrōnis ex satirīs Menippēīs [1] quī īn-
scrībitur: "Nescis quid vesper sērus vehat," [2] in quō disserit dē aptō convīvārum numerō dēque ipsīus convīviī habitū cultūque. Dīcit autem
convīvārum numerum incipere oportēre ā Grātiārum numerō et prō-
5 gredī ad Mūsārum,[3] id est, proficīscī ā tribus et cōnsistere in novem,
ut, cum paucissimī convīvae sunt, nōn pauciōrēs sint quam trēs, cum
plūrimī, nōn plūrēs quam novem. "Nam multōs," inquit, "esse nōn
convenit, quod turba plērumque est turbulenta. Ipsum deinde convīvium cōnstat ex rēbus quattuor et tum dēnique omnibus suīs
10 numerīs [4] absolūtum est sī bellī [5] homunculī [6] collēctī sunt, sī ēlēctus
locus, sī tempus lēctum, sī apparātus nōn neglēctus. Nec loquācēs
autem convīvās nec mūtōs legere oportet, quia ēloquentia in forō et
apud subsellia,[7] silentium vērō nōn in convīviō, sed in cubiculō esse
dēbet." Sermōnēs igitur id temporis [8] habendōs cēnset nōn super rēbus
15 ānxiīs, sed iūcundōs et cum quādam voluptāte ūtilēs, ex quibus ingenium nostrum venustius fīat et amoenius. "Quod prōfectō," inquit,
"ēveniet, sī dē id genus [9] rēbus ad commūnem vītae ūsum pertinentibus
cōnfābulēmur, dē quibus in forō atque in negōtiīs agendī nōn est
ōtium. Dominum [10] autem convīviī esse oportet nōn tam lautum [11]
20 quam sine sordibus.[12] In convīviō legī nōn omnia dēbent, sed ea
potissimum quae simul sint βιωφελῆ [13] et dēlectent." (XIII, 11, 1–5)

QUESTIONS

1. How many guests should there be at a dinner party?
2. What sort of conversation should there be at dinner?
3. What was the title of Varro's book of satires? Of the particular
   book here referred to?

93. Syntax Review

Conditions (483).
Descriptive relative clauses (482, 10).
Find all examples of these in the story above.

---

[1] *Menippean,* after the Greek philosopher Menippus. Varro was a contemporary
of Cicero.   [2] The title of one of the satires.
[3] Supply **numerum.**   [4] *parts.*   [5] Adjective.
[6] Diminutive of **homō,** here used affectionately: *nice people.*
[7] *the bench,* i.e., *the courtroom.*   [8] *at that time;* used adverbially.
[9] Also adverbial: *of that kind.*   [10] *the host.*
[11] *luxurious.*   [12] *stinginess.*
[13] **biophele,** *helpful to life.* For the Greek alphabet see **549.**

Apollo and the Muses. From a painting by John S. Sargent in the Museum of Fine Arts, Boston.

94. Translation

1. I prefer a dinner which is good but not luxurious.
2. If the dinner should not be good, would you tell the host?
3. If there were only four guests, it would be difficult to find places for them.

95. Vocabulary Drill

amoenus	conveniō	ēloquentia	īnscrībō	paucus
aptus	dēlectō	habitus	lepidus	potissimum
cōnsistō	dēnique	incipiō	neglegō	vesper

96. Word Study

Explain *amenities, delectable, loquacious, negligent, sordid, turbulence, vespers.*

What does *biology* deal with?

M. Vipsanius Agrippa (63–12 B.C.). This bust was found near Turin, in northern Italy.

97. WHICH IS RIGHT?

Dēfessus ego quondam diūtinā commentātiōne,[1] laxandī levandīque animī grātiā in Agrippae campō [2] deambulābam. Atque ibi duōs forte grammaticōs cōnspicātus nōn parvī in urbe Rōmā nōminis [3] certātiōnī [4] eōrum ācerrimae adfuī, cum alter in cāsū vocātīvō "vir ēgregī" dīcendum contenderet, alter "vir ēgregie."

Ratiō autem eius quī "ēgregī" oportēre dīcī cēnsēbat huiusce [5] modī fuit: "Quaecumque," inquit, "nōmina seu vocābula rēctō [6] cāsū numerō singulārī 'us' syllabā fīniuntur, in quibus ante ultimam syllabam

---

[1] *study.*
[2] A park to the east of the Campus Martius. Agrippa was the leading general of Augustus.
[3] With **grammaticōs:** *of no slight reputation.*
[4] With **adfuī (475, 7).**   [5] Emphatic form of **huius.**
[6] *nominative;* literally, *upright.* We still call the other cases *oblique.*

posita est 'i' littera, ea omnia cāsū vocātīvō 'i' littera terminantur, ut 'Caelius Caelī,' 'modius modī,' 'tertius tertī,' 'Accius Accī,' 'Titius 10 Titī,' et similia omnia; sīc igitur 'ēgregius,' quoniam 'us' syllabā in cāsū nōminandī fīnītur eamque syllabam praecēdit 'i' littera, habēre dēbēbit in cāsū vocandī 'i' litteram extrēmam, et idcircō 'ēgregī,' nōn 'ēgregie,' rēctius dīcētur."

Hoc ubi ille alter audīvit: "ō," inquit, "ēgregie grammatice vel, 15 sī id māvīs, ēgregissime, dīc, ōrō tē, 'īnscius' et 'impius' et 'sōbrius' et 'ēbrius' et 'proprius' et 'propitius' et 'ānxius' et 'contrārius,' quae 'us' syllabā fīniuntur, in quibus ante ultimam syllabam 'i' littera est, quem cāsum vocandī habent? Mē enim pudor et verēcundia tenent [7] prō-nūntiāre ea secundum [8] tuam dēfīnītiōnem." Sed cum ille paulisper 20 oppositū [9] hōrum vocābulōrum commōtus reticuisset et mox tamen sē collēgisset [10] eandemque illam quam dēfīnierat rēgulam [11] retinēret et prōpugnāret, eaque inter eōs contentiō longius dūcerētur, nōn arbi-trātus ego operae pretium [12] esse eadem istaec diūtius audīre, clā-mantēs compugnantēsque illōs relīquī.   (XIV, 5) 25

QUESTIONS

1. Where was Gellius walking?
2. Why had he gone there?
3. What were the grammarians discussing?
4. What was Gellius' evident opinion of the grammarians' dis-cussion?
5. What were the grammarians doing as Gellius left them?

98. Translation

1. Tell me why you prefer to say "ēgregī."
2. You give me a good reason why you prefer "ēgregie."
3. First I was wearied by my work, then I was wearied by the grammarians.

99. Vocabulary Drill

cāsus	contendō	extrēmus	forte	ultimus
cōnspicor	dēfessus	fīnis	levō	verēcundus

---

[7] *keep me from.*   [8] Preposition: *according to.*
[9] *by the opposition.*   [10] *had collected his wits.*
[11] *rule.*
[12] *worthwhile;* literally, *the price of the effort.* Cf. the controversy over the third edition of *Webster's New International Dictionary.*

100. NEWFANGLED EDUCATION NOT WANTED

C. Fanniō Strabōne, M. Valeriō Messālā cōss.,[1] senātūs cōnsultum dē philosophīs et dē rhētoribus Latīnīs factum est: "M. Pompōnius praetor senātum cōnsuluit. Quod verba facta sunt dē philosophīs et dē rhētoribus, dē eā rē ita cēnsuērunt, ut M. Pompōnius praetor ani-
5 madverteret cūrāretque, utī [2] eī ē [3] rē pūblicā fidēque suā vidērētur, utī Rōmae nē essent."

Aliquot deinde annīs post id senātūs cōnsultum Cn. Domitius Ahēnobarbus et L. Licinius Crassus cēnsōrēs dē coercendīs rhētoribus Latīnīs ita ēdīxērunt: "Renūntiātum est nōbīs esse hominēs quī novum
10 genus disciplīnae īnstituērunt, ad quōs iuventūs in lūdum conveniat; eōs sibi nōmen imposuisse Latīnōs rhētoras; [4] ibi hominēs adulēscentulōs diēs tōtōs dēsidēre. Maiōrēs nostrī quae līberōs suōs discere et quōs in lūdōs itāre [5] vellent īnstituērunt. Haec nova, quae praeter cōnsuētūdinem ac mōrem maiōrum fīunt, neque placent neque rēcta
15 videntur."

Neque illīs sōlum temporibus nimis rudibus necdum Graecā disciplīnā expolītīs philosophī ex urbe Rōmā pulsī sunt, vērum etiam, Domitiānō imperante, senātūs cōnsultō ēiectī atque urbe et Italiā interdictī sunt. Quā tempestāte Epictētus [6] quoque philosophus propter
20 id senātūs cōnsultum Nīcopolim Rōmā dēcessit.   (XV, 11)

QUESTIONS

1. Why did Epictetus withdraw from Rome?
2. What was the decree of the Roman senate against the philosophers?
3. Who in ancient Roman times determined the education of the young?

101. Syntax Review

Ablative of separation (**477, 1**).
Ablative of place from which (**477, 2**).
Locative (**478**).
Find all examples of these in the story above.

---

[1] For **cōnsulibus**.   [2] *as.*
[3] *to the best interests of, in accordance with.*
[4] A Greek form of the masculine accusative.
[5] = **īre.**
[6] A well-known Stoic philosopher, who greatly influenced the emperor Marcus Aurelius.

102. Translation

1. They departed from Rome before they could be seized.
2. At Rome in the time of Domitian the philosophers were driven out of Rome.
3. Freed from the dangers of the new ideas (*things*), they were able to learn the right (*things*).

103. Vocabulary Drill

aliquot	cēnsor	cōnsuētūdō	ēiciō	placeō
animadvertō	coerceō	cūrō	iuventūs	praetor

104. Word Study

The abbreviation **cōss.** for **cōnsulēs** indicates that in the word **cōnsul** the *n* was nasalized, as in French, and not fully pronounced. The *ss* shows that in abbreviations the last consonant of the abbreviation was doubled to indicate the plural, as in the English *pp.* for *pages*.

Huge clay jars partially buried in the earth in a storehouse at Ostia. They were used as we use boxes and barrels, containing olive oil, wheat, etc. (see page 34).

105. SECRET WRITING

Librī sunt epistulārum C. Caesaris ad C. Oppium et Balbum
Cornēlium, quī rēbus eius absentis cūrābant.[1] In hīs epistulīs quibusdam[2] in locīs inveniuntur litterae singulāriae, quās tū putēs[3]
positās inconditē;[4] nam verba ex hīs litterīs cōnficī nūlla possunt.
5 Erat autem conventum[5] inter eōs clandestīnum de commūtandō sitū
litterārum, ut in scrīptō quidem alia aliae[6] locum et nōmen tenēret,
sed in legendō locus cuique suus et potestās restituerētur; quaenam
vērō littera prō quā scrīberētur, ante[7] īs,[8] sīcutī dīxī, placēbat quī
hanc scrībendī latebram[9] parābant. Est adeō Probī grammaticī
10 commentārius satis cūriōsē factus dē occultā litterārum significātiōne
in epistulārum C. Caesaris scrīptūrā.

Legēbāmus in vetere historiā rērum Poenicārum virum quempiam
illūstrem (sīve ille Hasdrubal sīve quis alius est, nōn retineō) epistulam
scrīptam super rēbus arcānīs hōc modō abscondisse: pugillāria nova
15 nōndum etiam cērā illita accēpisse, litterās in lignum incīdisse,
posteā tabulās, utī solitum est, cērā illēvisse[10] eāsque tabulās tamquam
nōn scrīptās, cui[11] factūrum id praedīxerat mīsisse; eum deinde cēram
dērāsisse litterāsque incolumēs lignō incīsās lēgisse.

(XVII, 9, 1–5, 16–17)

QUESTIONS

1. Who wrote a book on Caesar's code?
2. What sort of code did Caesar use?
3. What device did Hasdrubal use for secrecy?
4. Whom did Caesar put in charge of affairs in his absence?

106. Translation

1. Caesar used a new method of writing.
2. Not everyone could read what he had written.
3. Do you think that Caesar's method was a good (one)?

[1] With dative: *took care of.*   [2] With **locīs.**
[3] *one would think.* When the second person is indefinite, as here, and is used
  in a subordinate clause, the verb is in the subjunctive.
[4] *in no order.*   [5] Noun.
[6] For **alterius.**   [7] *previously.*
[8] For **eīs,** with **placēbat.**
[9] *secret code.* What Caesar did was to write *d* for *a*, *e* for *b*, etc.
[10] From **illinō:** *smeared on.*
[11] Supply **ad eum** as the antecedent.

107. Vocabulary Drill

absēns	cōnficiō	incīdō	occultus	tabula
cēra	epistula	incolumis	significātiō	verbum

108. Word Study

Explain *absentia, arcanum, clandestine, curator, erasure, retentive.*

The remains of a Roman building in Vaison, France.

109. CHRISTMAS DINNER AWAY FROM HOME

Sāturnālia [1] Athēnīs agitābāmus hilarē prōrsum ac modestē. Conveniēbāmus autem ad eandem cēnam complūsculī [2] quī Rōmānī in Graeciam vēnerāmus quīque eāsdem audītiōnēs eōsdemque doctōrēs colēbāmus. Tum quī cēnulam ōrdine [3] suō cūrābat, praemium sol-
5 vendae quaestiōnis pōnēbat, librum veteris scrīptōris vel Graecum vel Latīnum et corōnam ē laurō plexam, totidemque rēs quaerēbat quot hominēs istīc erāmus; cumque eās omnīs exposuerat, rem locumque dīcendī sors dabat.[4] Quaestiō igitur solūta corōnā et praemiō dōnābātur; [5] nōn solūta autem trāmittēbātur ad eum quī sortītō suc-
10 cesserat. Sī nēmō dissolvēbat, corōna eius quaestiōnis deō cuius id fēstum erat dicābātur.

Tertiō in locō hoc quaesītum est, in quibus verbīs captiōnum [6] istārum fraus esset, et quō pactō distinguī resolvīque possent: "quod nōn perdidistī, habēs; cornua nōn perdidistī: habēs igitur cornua;"
15 item altera captiō: "quod ego sum, id tū nōn es; homō ego sum: homō igitur tū nōn es." Quaesītum ibi est, quae esset huius quoque sophismatis resolūtiō: "cum mentior et mentīrī mē dīcō, mentior an vērum dīcō?" Secundum [7] ea hoc quaesītum est, verbum "vērant," [8] quod significat "vēra dīcunt," quisnam poētārum veterum dīxerit.

---

[1] A December festival similar to Christmas.   [2] *quite a number (of us)*.
[3] *in his turn.*   [4] *chance decided the subject and order.*
[5] Of course it was not the problem but the man who solved it who received the prize.
[6] *false arguments.*   [7] Preposition: *following.*
[8] A very rare word, which Gellius has to explain for his Roman readers

Propylaea and Parthenon (right) in a model of the Acropolis by G. P. Stevens.

A view of Athens. In the foreground at the right, the agora (forum) excavated by American archeologists; behind it is the Temple of Hephaestus.

Haec ubi ōrdine quō dīxī prōposita atque, singulīs sorte ductīs, 20 disputāta explānātaque sunt, librīs corōnīsque omnēs dōnātī sumus nisi ob ūnam quaestiōnem, quae fuit dē verbō "vērant." Nēmō enim tum commeminerat dictum esse ā Q. Enniō id verbum in tertiō decimō annālium. Corōna igitur huius quaestiōnis deō fēriārum istārum Sāturnō data est.   (XVIII, 2, 1–5, 9–10, 12, 15–16) 25

QUESTIONS

1. Who used the rare word **vērant?**
2. What was the prize offered at the dinner?
3. How were the guests selected for the problems?
4. What sort of problem was presented to the guests?

110. Translation

1. We came to dinner not only to eat but also to win prizes.
2. Many had heard the same teachers and read the same books.
3. The questions were difficult, and we did not know what the correct answers were.

111. Vocabulary Drill

colō	corōna	nēmō	singulī	sors
cornū	mentior	pactum	solvō	totidem

57

112. TAKE IT OR LEAVE IT

In antīquis annālibus memoria super librīs Sibyllīnīs haec prōdita est: Anus hospita atque incognita ad Tarquinium Superbum rēgem adiit novem librōs ferēns, quōs esse dīcēbat dīvīna ōrācula; eōs velle vēndere. Tarquinius pretium percontātus est. Mulier nimium atque 5 immēnsum poposcit; rēx, quasi anus aetāte dēsiperet, dērīsit. Tum illa trēs librōs ex novem deūrit, et ecquid [1] reliquōs sex eōdem pretiō emere vellet rēgem interrogāvit. Sed enim Tarquinius id [2] multō rīsit magis dīxitque anum iam procul dubiō dēlīrāre. Mulier ibīdem statim trēs aliōs librōs exussit atque id ipsum dēnuō placidē rogat, ut trēs 10 reliquōs eōdem illō pretiō emat. Tarquinius ōre [3] iam sēriō atque attentiōre animō [3] fit, librōs trēs reliquōs mercātur nihilō minōre pretiō quam quod erat petītum prō omnibus. Librī trēs in sacrārium conditī "Sibyllīnī" appellātī; ad eōs quasi ad ōrāculum adeunt, cum dī immortālēs pūblicē cōnsulendī sunt. (I, 19)

113. THE TALE OF A SNAKE

Tuberō in historiīs scrīptum relīquit bellō prīmō Poenicō [1] Atīlium Rēgulum [2] cōnsulem in Āfricā, castrīs apud Bagradam flūmen positīs, proelium grande atque ācre fēcisse adversus ūnum serpentem in illīs locīs stabulantem [3] invīsitātae immānitātis [4] eumque magnā tōtīus 5 exercitūs cōnflīctiōne ballistīs atque catapultīs diū oppugnātum, eiusque interfectī corium [5] longum pedēs centum et vīgintī Rōmam mīsisse. (VII, 3)

[1] *whether.*   [2] *at this.*   [3] Ablative of description.

---

[1] 264–241 B.C.
[2] The Roman hero who, captured by the Carthaginians, was sent to Rome to effect an exchange of prisoners. He argued against the exchange and kept his promise to return to Carthage.   [3] *living.*
[4] Genitive of description with **serpentem.**   [5] *hide.*

Model of the library built in Athens by the Roman emperor Hadrian.

Getty Center Photo Archive

A portion of the Emperor Hadrian's extensive villa, near Tivoli. Hadrian was a great admirer of Greek culture, to the point that he built the first public library in Athens.

114. THE FIRST PUBLIC LIBRARY IN ATHENS

Librōs Athēnīs disciplīnārum līberālium pūblicē ad legendum praebendōs [1] prīmus posuisse dīcitur Pīsistratus tyrannus. Deinceps studiōsius accūrātiusque ipsī Athēniēnsēs auxērunt; [2] sed omnem illam posteā librōrum cōpiam Xerxēs,[3] Athēnārum [4] potītus, urbe ipsā praeter arcem incēnsā, abstulit asportāvitque in Persās. Eōs porrō 5 librōs ūniversōs multīs post tempestātibus [5] Seleucus rēx, quī Nīcānor appellātus est, referendōs Athēnās cūrāvit.[6]

Ingēns posteā numerus librōrum in Aegyptō ab Ptolemaeīs rēgibus vel conquīsītus vel cōnfectus [7] est ad mīlia fermē volūminum septin-genta; sed ea omnia bellō priōre [8] Alexandrīnō, dum dīripitur ea 10 cīvitās, nōn sponte neque operā cōnsultā,[9] sed ā mīlitibus forte auxi-liāriīs incēnsa sunt.   (VII, 17)

115. THE RING FINGER

Veterēs Graecōs ānulum [1] habuisse in digitō accēpimus sinistrae manūs quī minimō est proximus. Rōmānōs quoque hominēs aiunt sīc plērumque ānulīs ūsitātōs.[2] Causam esse huius reī Āpiōn in librīs Aegyptiacīs hanc [3] dīcit, quod, īnsectīs apertīsque hūmānīs corporibus,

[1] Modifies **librōs:** *to be offered.*   [2] Supply **librōs.**
[3] The king of the Persians; he invaded Greece in 480 B.C.
[4] Genitive with **potior:** *having gained possession of.*   [5] = **annīs.**
[6] *caused to be taken back.*   [7] *made,* i.e., *copied.*   [8] 48 B.C.
[9] *deliberately;* literally, *by deliberate effort.*

[1] *ring.*   [2] *used* (**477,** 10).   [3] Refers to **causam.**

5 ut mōs in Aegyptō fuit, quās Graecī ἀνατομάς [4] appellant, repertum
est nervum quendam tenuissimum ab eō ūnō digitō dē quō dīximus ad
cor hominis pergere ac pervenīre; proptereā nōn īnscītum [5] vīsum esse
eum potissimum digitum tālī honōre [6] decorandum, quī quasi conexus
esse cum prīncipātū cordis vidērētur.   (X, 10)

116. BOYS, YOUNG MEN, AND OLD MEN

Tuberō in historiārum prīmō scrīpsit Servium Tullium, rēgem populī
Rōmānī, cum illās quīnque classēs seniōrum et iūniōrum cēnsūs
faciendī grātiā īnstitueret, puerōs esse exīstimāsse quī minōrēs essent
annīs septem decem, atque inde ab annō septimō decimō, quō [1]
5 idōneōs iam esse reī pūblicae arbitrārētur, mīlitēs scrīpsisse,[2] eōsque
ad annum quadrāgēsimum sextum "iūniōrēs" suprāque eum annum
"seniōrēs" appellāsse.

Eam rem proptereā notāvī, ut discrīmina quae fuerint iūdiciō
mōribusque maiōrum pueritiae,[3] iuventae, senectae, ex istā cēnsiōne
10 Servī Tullī, prūdentissimī rēgis, nōscerentur.   (X, 28)

117. THE ETIQUETTE OF SWEARING

In veteribus scrīptīs neque mulierēs Rōmānae per Herculem
dēiūrant neque virī per Castorem. Sed cūr illae nōn iūrāverint Herculem,[1] nōn obscūrum est, nam Herculāneō [2] sacrificiō abstinent. Cūr
autem virī Castorem iūrantēs nōn appellāverint, nōn facile dictū [3]
5 est. Nusquam igitur scrīptum invenīre est [4] apud idōneōs quidem
scrīptōrēs aut "mehercle" fēminam dīcere aut "mēcastor" virum;
"edepol" autem, quod iūs iūrandum per Pollūcem est, et virō et
fēminae commūne est. Sed M. Varrō assevērat antīquissimōs virōs
neque per Castorem neque per Pollūcem dēiūrāre solitōs, sed id iūs
10 iūrandum fuisse tantum fēminārum; paulātim tamen īnscitiā antī-
quitātis virōs dīcere "edepol" coepisse factumque esse ita dīcendī
mōrem, sed "mēcastor" ā virō dīcī in nūllō vetere scrīptō invenīrī.
                                                           (XI, 6)

---

[4] **anatomas;** literally, *cutting up.* What is the English derivative?
[5] With **nōn:** *not stupid,* i.e., *smart.*   [6] i.e., of wearing the ring.

---

[1] The antecendent is **annō.**   [2] *enrolled as.*   [3] *those* (i.e., **discrīmina**) *of boyhood.*

---

[1] Supply **per.**   [2] *to Hercules.*
[3] The ablative of the supine, used with certain adjectives and only as an ablative of respect: *to say* (**491,** *b*).
[4] *is it* (*possible*) *to find it written.*

Masks like those used in plays serve as decorations in stone in the theater of Ostia.

118. HOW TO WRITE PLAYS

Eximiē hoc atque vērissimē Āfrānius [1] poēta dē gignendā comparandāque Sapientiā opīnātus est, quod eam fīliam esse Ūsūs et Memoriae dīxit. Eō namque argūmentō dēmōnstrat, quī sapiēns rērum [2] esse hūmānārum velit, nōn librīs sōlīs neque disciplīnīs rhētoricīs dialecticīsque opus [3] esse, sed oportēre eum versārī quoque 5 exercērīque in rēbus comminus [4] nōscendīs eaque omnia ācta et ēventa firmiter meminisse et proinde sapere atque cōnsulere ex hīs quae perīcula [5] ipsa rērum docuerint, nōn quae librī tantum aut magistrī tamquam in mīmō [6] aut in somniō dēlīrāverint. Versūs Āfrānī sunt in togātā [7] cui Sellae nōmen est: 10

Ūsus mē genuit, māter peperit Memoria,
Sophiam vocant mē Grāī, vōs Sapientiam.

(XIII, 8)

119. CAN YOU SPEAK TWENTY-FIVE LANGUAGES?

Quīntus Ennius tria corda habēre sēsē dīcēbat, quod loquī Graecē et Oscē [1] et Latīnē scīret. Mithridātēs autem, Pontī atque Bithyniae rēx inclutus, quī ā Cn. Pompeiō bellō superātus est, quīnque et vīgintī gentium quās sub diciōne habuit linguās percalluit [2] eārumque omnium gentium virīs haud umquam per interpretem collocūtus est, 5 sed ut [3] quemque ab eō appellārī ūsus [4] fuit, proinde linguā et ōrātiōne ipsīus nōn minus scītē quam sī gentīlis [5] eius esset [6] locūtus est.

(XVII, 17)

---

[1] Afranius, a writer of comedies, lived in the second century B.C.
[2] Genitive with **sapiēns.**   [3] With the ablative (**477,** 20).
[4] *at first hand* (adverb).   [5] *experience.*
[6] *mime, play.*
[7] A comedy on a Roman theme, in which the actors wore togas.

---

[1] Oscan, spoken in southern Italy, was related to Latin.
[2] *knew well.* Note the force of the prefix.   [3] *when.*   [4] *need.*
[5] *fellow countryman.*   [6] Contrary-to-fact condition (**483,** 2).

61

UNIT III

CICERO AGAINST CATILINE

This is a view of the Roman Forum from the Tabularium (Record Office). To the left of the three columns of the Temple of Castor and Pollux is the Palatine Hill (see page 70). Further to the right, in the distance, we see the Arch of Titus and behind it the Arch of Constantine. What other Roman monuments can you identify in this photo?

120. CICERO

Marcus Tullius Cicero was intimately connected with every movement of history in the fateful period in which he lived. But although a great political figure, he is an incomparably greater literary figure, representing the combination of Greek learning and Latin culture and its practical application in Roman thought and institutions that characterize the whole of Roman literature.

Cicero was born near Arpinum (about sixty miles southeast of Rome) in 106 B.C. and, on December 7, 43 B.C., the year following Caesar's assassination, was put to death. Cicero was of a well-to-do equestrian family, not of the nobility (**186**). He was sent for his education to Rome, where he studied literature, rhetoric, and philosophy under the best teachers available. In his study of law he attended the courts to hear the famous orators. He was also trained in acting to contribute to his stage presence in the making of speeches. In the Social War (**291**) Cicero completed his military service, which was prerequisite to a public career.

Cicero made his first appearance in the courts in 81 B.C. in behalf of Quinctius, who was involved in a suit for debt. In the next year, in a courageous speech, he defended an anti-Sullan, Roscius, on a murder charge. After this, at the age of twenty-six, Cicero traveled in the East (Athens, Rhodes) to pursue his studies further, particularly in philosophy and rhetoric. He returned to Rome after two years abroad and married Terentia, a rich but shrewish woman, by whom he had two children, Tullia and Marcus.

The order of advancement in public offices, known as the "cursus honorum," was fixed by law and by custom. When Cicero had reached the age at which Romans were permitted to enter upon the cursus honorum, he began his official career with his election to the quaestorship (75 B.C.), in which he served with distinction in Sicily. Because of his ability and fairness, the Sicilians retained him as their counsel against their ex-governor, Verres (see **320**), brought to trial for his shameless record of high-handed tyranny and rapacity. As a result of Cicero's brilliant advocacy of the Sicilian cause, Verres went into exile and Cicero supplanted Hortensius, who had defended Verres, as the leading orator of his day.

Cicero became aedile in 69 B.C. and praetor in 66, the momentous year in which he supported Pompey for an extraordinary command in the East against Mithridates, King of Pontus.

Cicero's election to the consulship in 63 B.C. resulted from a split in the opposition and from Pompey's support. Cicero, although a

Cicero, a bust in Apsley House, London, home of the Duke of Wellington.

"novus homo," that is, the first of his family to hold a curule office (**186**), won the election because he was considered safe politically. During his term as consul Cicero was confronted with the conspiracy of Catiline (**122**), crushed this attempt at revolution, and as a result was called father of his country (**pater patriae**), the first Roman to receive this title.

The five years following Cicero's consulship marked a change in political alignments. The first triumvirate, formed in 60 B.C., consisted of Pompey, Crassus, and Caesar, who was elected consul for the year 59 B.C. This three-man consolidation of political power made various overtures to Cicero, who in his patriotism refused them all; he could not reconcile himself to what he considered the unconstitutional attitude of Caesar. In the year 58 Cicero was forced into exile on the charge, brought by Clodius, whom Cicero had offended, of having put to death Roman citizens—the conspirators associated with Catiline—without a proper trial. Cicero lived in exile from April 58 until August 57, when he was recalled with the consent of Caesar. The exile was a crushing blow to Cicero, but on his return he was enthusiastically welcomed by the people, re-entered political life, and began again to make speeches.

In 53 B.C. Cicero was elected to the College of Augurs, a religious position, and in 51 went to Cilicia in Asia Minor as governor, where he served honestly and well. On his return to Rome in 50, Cicero found Rome on the brink of the civil war between Pompey and Caesar which actually began in January 49. Cicero tried to effect a reconciliation between the two opponents, but he was unsuccessful, and finally left the city after Caesar crossed the Rubicon River and occupied Italy proper. Pompey fled from Italy to the Balkans, but Cicero did not then follow him out of Italy. Caesar pursued Pompey and defeated him at the battle of Pharsalus in 48 B.C. Subsequently Cicero was reconciled with Caesar and allowed to return to Rome, but he did not engage in political activity for some time.

In the year 46 Cicero divorced his wife Terentia and married a younger woman, Publilia, who had been his ward. In 45 Tullia, his beloved daughter, died, and he was overwhelmed with grief. It was at this time that Cicero devoted himself to writing on philosophic and literary subjects.

Cicero returned to political life after the death of Caesar (44 B.C.)

Arpinum. The road runs to the town from the probable location of Cicero's home.

because he thought he saw a chance for the restoration of the commonwealth and envisaged his duty as a fight against Antony, who was trying to seize control of the government. He wrote fourteen speeches against Antony, called the *Philippics* (**320, 334** ff.).

When the second triumvirate, consisting of Octavian, Antony, and Lepidus, was formed in 43 B.C., Cicero was proscribed (Octavian had reluctantly agreed) and killed by agents of Antony on December 7 of the same year.

Cicero's prose writings include speeches (over fifty still remain), treatises on political science, rhetoric, and philosophy, and letters. His letters, not written for publication, form one of the most interesting and valuable documents of Roman times (**336**). Cicero also wrote poetry which, although not of the highest quality, was always technically competent.

Cicero was the greatest orator of Rome, one of its most important statesmen, and its greatest prose writer. His influence has been incalculable, justifying Macaulay's statement, "Cicero taught Europe how to write."

121. CICERO'S STYLE

Greece had long been the home of famous orators, and, in the time of Cicero especially, the Romans studied and imitated the Greek masters. Roman orators generally adopted one of three styles of Greek oratory—the Attic, which was simple, the Asiatic, characterized by ornateness, or the middle style. Cicero, who as Rome's greatest orator is often compared with Demosthenes, adopted a combination of Attic and Asiatic.

In his zeal to become a first-rate orator, Cicero studied rhetoric—the principles and rules for speaking and writing effectively—and related subjects at both Rome and Athens. His fine training, plus natural talent and firmness of purpose, paid rich literary dividends. For generations, the perfection of Cicero's style has been an object of admiration and imitation.

What do we mean when we speak of a literary style? Style may be defined as those characteristics of a writer that exhibit his individuality, that distinguish him from other writers. Cicero's style, for example, is characterized by both terse sentences and the resounding period (**177**). His style is also graceful, flowing, balanced, witty, informal, charming, and many other things, depending on the circumstances under which he was composing.

Another characteristic of Cicero's style is his frequent use of figures of speech, modes of expression that help to embellish thoughts. While reading Cicero, you will meet these figures of speech, many of which are still used today. These figures, as well as other aspects of Cicero's style, will be pointed out and discussed as they occur.

Try to put yourself in the midst of Cicero's style, so that you begin to absorb it, as if by osmosis, and to feel at ease with it. From time to time the text will give you some help in this. Here are a few suggestions to get you started:

As you prepare your lesson, always read a part of the assignment *aloud in Latin,* pausing at the end of *thought groups,* often indicated by punctuation. After you have read (once or more) a paragraph or sentence, see if the notes are of any help in giving the meaning. Then attempt to translate *before* you look up any of the meanings in the vocabulary (the word list should be a last and not a first resort), guessing at some of the meanings. If you should find the first sentence too difficult, go on to the second sentence, which may throw light on the first.

Statue of Augustus in the Vatican Museum, Rome.

122. CATILINE'S CONSPIRACY

The revolution which resulted in the establishment of the Empire under Augustus had early origins at Rome in inequalities of representation, economic unrest, and lack of harmony among the three orders of citizen (**nōbilēs, equitēs, plēbs**). It is often said to have begun with the Gracchi brothers' attempt at reform (133–121 B.C.). In the early part of the first century B.C. there was civil war at Rome between forces led by Sulla, an autocratic dictator, and those led by Marius, a dictator supported by the people. Lucius Sergius Catiline was an active supporter of Sulla, the winner in this civil war.

Catiline was born of an old patrician family in 108 B.C. In the reaction against conservatism following the regime of Sulla (who died in 79), Catiline joined the liberals. He went through the steps of the cursus honorum and was governor of Africa for two years. He returned to Rome in 66 B.C. and became a candidate for the consulship but was prevented from running by a charge, brought by the conservatives, of maladministration in Africa.

Catiline formed a conspiracy to murder the consuls of 65, but the plot was exposed and Catiline acquitted. He again ran for consul in 64 but was defeated by Cicero. Once more Catiline formed a plot to seize the government by force. Cicero was able to inform himself of the secret plans of the conspirators and had enacted by the senate a **senātūs cōnsultum ultimum** that gave authority to the consuls to suppress the conspiracy. Catiline made plans to have Cicero killed on the morning of November 7, but Cicero learned of this plot immediately after the meeting at which Catiline's plans were made. On the same day Cicero called a meeting of the senate in the temple of Jupiter Stator and made the first speech against Catiline, who was present to listen to the charges against him.

First Oration Against Catiline

123. CATILINE'S AUDACITY

I, 1. Quō usque tandem [1] abūtēre,[2] Catilīna, patientiā [3] nostrā?
Quam diū etiam [4] furor iste [5] tuus nōs ēlūdet? Quem ad fīnem sēsē
effrēnāta iactābit audācia? Nihilne [6] tē [7] nocturnum praesidium
Palātī,[8] nihil urbis vigiliae, nihil timor populī, nihil concursus bonō-
5 rum [9] omnium, nihil hic mūnītissimus habendī senātūs locus,[10] nihil
hōrum ōra vultūsque [11] mōvērunt? Patēre tua cōnsilia nōn sentīs,
cōnstrictam iam hōrum omnium scientiā tenērī coniūrātiōnem tuam
nōn vidēs? Quid [12] proximā,[13] quid superiōre nocte ēgerīs, ubi fuerīs,
quōs convocāverīs, quid cōnsilī [14] cēperīs, quem nostrum [15] ignōrāre
10 arbitrāris?

[1] *How long, tell me.*   [2] Future second singular.   [3] With **abūtēre** (477, 10).
[4] *still.*   [5] *that madness of yours;* **iste** is contemptuous.
[6] Stronger than **nōnne.**   [7] Object of **mōvērunt.**
[8] This hill, being close to the Forum, had become the most fashionable residential section of Rome. The leading men of the city lived there; therefore
the special guards.
[9] The "good" people were those who supported the government.
[10] The temple of Jupiter Stator at the edge of the Forum on the way to the
Palatine Hill.
[11] *expressions on the faces* (**495,** 1).
[12] The indirect questions depend on **ignōrāre.**
[13] If this speech was made November 7, as generally assumed, then **proximā**
refers to a meeting on November 6 for making final plans, including the
murder of Cicero.
[14] Genitive of the whole.   [15] From **nōs,** not **noster.**

**Because of its ideal location overlooking the Roman Forum, the Palatine Hill gradually
became the favorite residential district for wealthier Romans.**

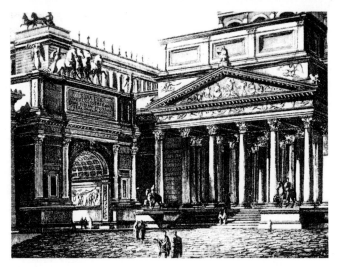

At the right is a restoration of the Temple of Jupiter Stator; little of it is left today. At the left is the Arch of Titus.

2. Ō tempora, ō mōrēs! [16] Senātus haec intellegit, cōnsul videt; hic tamen vīvit. Vīvit? Immō vērō etiam in senātum [17] venit, fit pūblicī cōnsilī particeps, notat et dēsignat oculīs ad caedem ūnum quemque nostrum.[15] Nōs autem, fortēs virī,[18] satis facere reī pūblicae vidēmur, sī istīus furōrem ac tēla vītāmus. Ad mortem [19] tē, Catilīna, dūcī [20] 15 iussū cōnsulis iam prīdem oportēbat, in tē cōnferrī pestem quam tū in nōs omnīs iam diū māchināris.

3. An vērō vir amplissimus, P. Scīpiō, pontifex maximus, Ti. Gracchum [21] mediocriter labefactantem statum reī pūblicae prīvātus interfēcit: Catilīnam orbem terrae caede atque incendiīs vāstāre 20 cupientem nōs cōnsulēs perferēmus? Nam illa nimis antīqua praetereō,[22] quod [23] C. Servīlius Ahāla Sp. Maelium [24] novīs rēbus studentem manū suā occīdit. Fuit, fuit [25] ista quondam in hāc rē pūblicā virtūs ut virī fortēs ācriōribus suppliciīs cīvem perniciōsum quam

[16] Accusative of exclamation (**476,** 7).
[17] Cicero does not mean that Catiline had no right to attend a meeting of the senate (he was a member) but that he dared to after his plans were exposed.
[18] Ironical **(129).**
[19] The word order is intended to scare Catiline: *to death, you, Catiline.*
[20] In Latin, the tense is indicated by **oportēbat;** in English, we show it by the translation of **dūcī:** *you ought to have been led.*
[21] Tiberius Gracchus as tribune in 133 B.C. had introduced land reform to aid the poor. The rich people were opposed, since they suffered losses. One of them, Scipio, was leader of the mob that killed Gracchus. The word order is chiastic ("cross" order, **129**): **Scīpiō, Gracchum, Catilīnam, nōs.**
(above the words, markers read: a, b, b, a)
[22] See **124.**   [23] The clause explains **illa:** *the fact that.*
[24] Maelius distributed grain to the poor during a famine (439 B.C.).
[25] What two things besides the tense indicate the emphasis on this word?

25 acerbissimum hostem coercērent. Habēmus senātūs cōnsultum [26] in tē, Catilīna, vehemēns et grave, nōn deest reī pūblicae [27] cōnsilium neque auctōritās huius ōrdinis: nōs, nōs, dīcō apertē, cōnsulēs dēsumus.

124. Cicero's Style: Anaphora and Praeteritiō

One of Cicero's favorite figures of speech is anaphora, the repetition of a word at the beginning of successive phrases and clauses without the use of a connective such as **et.** A splendid example occurs at the beginning of the preceding chapter: **nihil** is used six times, and the clauses are divided into three pairs: the guards, the people, the senate.

Cicero is fond of saying that he will not talk about some point and in doing so will reveal the whole thing. This is called **praeteritiō**, from **praetereō,** *I pass over,* the word often used (see line 21 of **123**) in saying a great deal while pretending to say nothing.

125. Translation

1. We know what you did last night.
2. I pass over the fact that Scipio killed Gracchus.
3. Catiline thought that he could kill Cicero and seize the government.
4. He ought (*imperfect*) to have been killed (*present*) before he could destroy the government.

126. Vocabulary Drill

audācia	furor	immō vērō	praesidium	timor
caedēs	iam prīdem	orbis terrae	praetercō	vigilia
coniūrātiō	ignōrō	patientia	studeō	vultus

127. Word Study

The word *palace* almost tells the story of the city of Rome. It is derived from Palatium, the hill named after Pales, the goddess of the shepherds who used to roam over that hill before Rome was founded. Because it was so convenient to the Forum, it became the most desirable district in Rome for the rich senators and other officials. Cicero owned a house on it, as did Caesar and Augustus. Gradually the emperors covered the entire hill with their buildings, and so it was that Palatium became *palace.* The little one-room huts of the shepherds had turned into magnificent palaces. It sounds like a fairy tale.

---

[26] The senate passed a resolution (called the **senātūs cōnsultum ultimum**) on October 21 delegating full powers to the consuls. It was something like a declaration of martial law today.   [27] Dative (**475,** 6).

128. WHY NOT PUT CATILINE TO DEATH?

II, 4. Dēcrēvit quondam senātus utī L. Opīmius cōnsul vidēret [1] nē quid [2] rēs pūblica dētrīmentī [3] caperet: nox nūlla intercessit: interfectus est propter quāsdam sēditiōnum suspīciōnēs C. Gracchus,[4] clārissimō patre,[5] avō, maiōribus, occīsus est cum līberīs M. Fulvius cōnsulāris. Similī senātūs cōnsultō C. Mariō et L. Valeriō cōnsulibus 5 est permissa rēs pūblica: num [6] ūnum diem posteā L. Sāturnīnum tribūnum plēbis et C. Servīlium praetōrem mors [7] ac reī pūblicae poena [7] remorāta est? At vērō nōs vīcēsimum [8] iam diem patimur hebēscere aciem hōrum auctōritātis. Habēmus enim eius modī senātūs cōnsultum, vērum inclūsum in tabulīs, tamquam in vāgīnā recondītum, 10 quō ex [9] senātūs cōnsultō cōnfestim tē interfectum esse,[10] Catilīna, convēnit.[10] Vīvis, et vīvis nōn ad dēpōnendam sed ad cōnfirmandam audāciam. Cupiō, patrēs cōnscrīptī,[11] mē esse clēmentem, cupiō [12] in tantīs reī pūblicae perīculīs nōn dissolūtum vidērī, sed iam mē ipse inertiae [13] nēquitiaeque condemnō. 5. Castra sunt in Italiā contrā 15 populum Rōmānum in Etrūriae faucibus [14] collocāta, crēscit in diēs singulōs [15] hostium numerus; eōrum autem castrōrum imperātōrem ducemque hostium intrā moenia atque adeō in senātū vidētis intestīnam aliquam cotīdiē perniciem reī pūblicae mōlientem. Sī tē iam,[16] Catilīna, comprehendī, sī interficī iusserō, crēdō,[17] erit verendum mihi 20

[1] *should see to it.*
[2] *any.* After **sī, nisi, nē,** and **num, quis** is an indefinite pronoun meaning **aliquis.**
[3] Genitive of the whole with **quid.** The phrasing of the clause is the regular formula used in resolutions of this sort.
[4] Younger brother of Tiberius. The two were Cornelia's "jewels," according to the well-known story. Her father was the Scipio who was called Africanus because he defeated Hannibal.   [5] See **477, 3.**
[6] Untranslatable; introduces a question whose answer is expected to be *No.*
[7] *penalty of death* (**495, 1**).   [8] A round number; it was the eighteenth day.
[9] *in accordance with.*
[10] Both infinitive and main verb are in the perfect for emphasis; cf. **123,** footnote 20. Exactly the same thing happened in the English phrase *you ought to have been,* for *ought* was originally the past tense of *owe.*
[11] *senators* (**186**).
[12] Like **fuit** (**123,** footnote 25), emphasis is gained by position and repetition.
[13] *for inaction* (**474, 7**).
[14] At Faesulae (now Fiesole) on a hill near Florence. Manlius was collecting an army here for Catiline, with orders to march on Rome. **Faucēs** is used because Faesulae commanded the Arno valley, one of the passes to the north.
[15] *day by day;* **singulōs** is not really needed.   [16] *right now.*
[17] Ironical; therefore the meaning is the opposite of what is stated.

nē nōn hoc potius omnēs bonī sērius ā mē quam quisquam crūdēlius factum esse dīcat.[18] Vērum ego hoc quod iam prīdem factum esse oportuit certā [19] dē causā nōndum addūcor ut faciam. Tum dēnique interficiēre [20] cum iam nēmō [21] tam improbus, tam perditus, tam tuī [22]
25 similis invenīrī poterit quī id nōn iūre factum esse fateātur.[23] 6. Quam diū quisquam erit quī tē dēfendere audeat, vīvēs, et vīvēs ita ut nunc vīvis, multīs meīs et firmīs praesidiīs obsessus nē commovēre tē contrā rem pūblicam possīs. Multōrum tē etiam oculī et aurēs nōn sentien-tem,[24] sīcut adhūc fēcērunt, speculābuntur atque custōdient.

129. Cicero's Style: Irony and Chiasmus

Irony consists of saying one thing but meaning the opposite. In Cicero it serves to produce a laugh at Catiline's expense. Usually an ironical statement is introduced by **crēdō,** I *suppose,* as in **128,** foot-note 17, **scīlicet** or **vidēlicet,** *of course.*

As a rule, series of words are arranged in parallel order, as in lines
6–7 above: **L. Sāturnīnum tribūnum plēbis et C. Servīlium praetōrem.**
But Cicero at times uses a cross order with striking effect, as in lines
17–18: **castrōrum imperātōrem ducemque hostium.** This is called chiasmus, from the Greek letter **chi,** formed like an *X,* from two crossed lines.

130. Translation

    1. There will be no one who will dare speak for Catiline.
    2. If any harm is done to the state, the fault will be Catiline's.
    3. It is our good fortune that few men like Catiline live in Rome.
    4. The senate decreed that Catiline should not be allowed to be present.

131. Vocabulary Drill

audeō	cōnfestim	dēcernō	maiōrēs	nēquitia
clēmēns	crēscō	improbus	moenia	patior
condemnō	crūdēlis	inclūdō	mōlior	perditus

[18] *I suppose I shall have to fear, not that all good citizens may say that this was done too late by me, but rather that some one person may say that it was done too cruelly.*
[19] *specific, definite.*   [20] Future second singular.
[21] *no one any longer* (with **iam**).   [22] See **474,** 10.
[23] Result clause (**482,** 10).   [24] With **tē:** *though you do not realize it.*

132. WE KNOW YOUR PLANS, CATILINE

III. Etenim quid est, Catilīna, quod iam amplius exspectēs,[1] sī neque nox tenebrīs obscūrāre coetūs nefāriōs nec prīvāta domus parietibus continēre vōcēs coniūrātiōnis tuae potest, sī illūstrantur, sī ērumpunt omnia? [2] Mūtā iam istam mentem, mihi crēde, oblīvīscere caedis [3] atque incendiōrum. Tenēris undique; lūce [4] sunt clāriōra 5 nōbīs tua cōnsilia omnia, quae iam mēcum licet recognōscās.[5] 7. Meministīne mē ante diem XII Kalendās Novembrīs [6] dīcere [7] in senātū fore [8] in armīs certō diē, quī diēs futūrus esset [9] ante diem VI Kal. Novembrīs, C. Mānlium, audāciae satellitem atque administrum tuae? [10] Num [11] mē fefellit, Catilīna, nōn modo rēs tanta, tam 10 atrōx tamque incrēdibilis, vērum, id quod multō magis est admīrandum, diēs? Dīxī ego īdem [12] in senātū caedem tē optimātium [13] contulisse in [14] ante diem V Kalendās Novembrīs, tum cum multī prīncipēs cīvitātis Rōmā nōn tam suī cōnservandī [15] quam tuōrum cōnsiliōrum reprimendōrum causā profūgērunt. Num īnfitiārī potes tē illō ipsō diē 15 meīs praesidiīs, meā dīligentiā circumclūsum commovēre tē contrā rem pūblicam nōn potuisse, cum tū discessū cēterōrum, nostrā tamen quī remānsissēmus caede contentum tē esse dīcēbās? [16] 8. Quid? [17] Cum tē Praeneste [18] Kalendīs ipsīs Novembribus occupātūrum nocturnō impetū esse cōnfīderēs, sēnsistīn [19] illam colōniam meō iussū 20 meīs praesidiīs, custōdiīs, vigiliīs esse mūnītam? Nihil agis, nihil mōlīris, nihil cōgitās quod nōn ego nōn modo audiam sed etiam videam plānēque sentiam.

[1] See **482**, 10.
[2] Cicero keeps Catiline on tenterhooks by hinting at his knowledge of the details of the conspiracy.   [3] See **474**, 9.   [4] See **477**, 5.
[5] *you may review;* literally, *it is permitted that you review.*
[6] October 21. See **496** for the Roman calendar.
[7] **Meministī** is a perfect form, though we translate it with a present; therefore the present **dīcere** is correct.   [8] = **futūrum esse;** the subject, **Mānlium**, follows.
[9] For the subjunctive see **482**, 14. Translate *which was going to be.*
[10] An interesting type of chiasmus; **tuae audāciae** belongs with both of the nouns.
[11] See **128**, footnote 6.
[12] *likewise;* this is actually the nominative masculine singular of the pronoun: literally, *the same I.*   [13] *the optimates,* the conservative party in power.
[14] The whole following phrase is the object of **in.**
[15] An illogical singular modifying **suī**, which actually is plural: *for the sake of saving themselves.*
[16] *when on the departure of the others you said you were satisfied with the murder of* (*those of*) *us who remained.*
[17] *Listen!*   [18] In the hills twenty miles southeast of Rome.   [19] = **sēnsistīne.**

133. Cicero's Style: Correlatives

All authors make some use of correlatives, that is, of conjunctions and adverbs used in pairs, to form balanced clauses. But Cicero is particularly fond of this stylistic device. Among the correlatives he uses are: **et . . . et, neque (nec) . . . neque (nec), aut . . . aut, vel . . . vel.** These should be well known to you from your previous reading. Others are:

cum (etsī) . . . tamen, *although . . . nevertheless.*
cum (tum) . . . tum, *not only . . . but also.*
nōn modo (sōlum) . . . sed (vērum), *not only . . . but also.*
sīve . . . sīve, *if . . . or if.*
tam . . . quam, *so . . . as.*
tot . . . quot, *so many . . . as.*

Find three examples of correlatives in the preceding passage; also two examples of anaphora.

134. Translation

1. Catiline did nothing which Cicero did not know.
2. I shall never forget the murders which you were planning.
3. Not only Catiline but also many others were plotting against the state.
4. Although you plan to kill us all, nevertheless we will be able to defend ourselves.

135. Vocabulary Drill

amplus	cōnfīdō	īnfitior	nocturnus	plānē
atrōx	domus	lūx	oblīvīscor	sentiō
coetus	etenim	nefārius	pariēs	undique

136. Word Study

Explain *atrocity, fallacious, illustrious, incendiarism, mutation, parietal, satellite.*

Handsome large mosaic showing the river Nile, with boats, animals, houses, men fighting, etc., in the Museum of Palestrina (ancient Praeneste).

137. FAILURE OF THE PLOT

IV. Recognōsce mēcum tandem [1] noctem illam superiōrem; iam [2] intellegēs multō mē vigilāre ācrius ad salūtem quam tē ad perniciem reī pūblicae. Dīcō tē priōre [3] nocte vēnisse inter falcāriōs [4]—nōn agam obscūrē—in M. Laecae domum; [5] convēnisse eōdem [6] complūrīs eiusdem āmentiae scelerisque sociōs. Num negāre audēs? Quid [7] tacēs? 5 Convincam, sī negās. Videō enim esse hīc in senātū quōsdam [8] quī tēcum ūnā [9] fuērunt. 9. Ō dī immortālēs! Ubinam gentium[10] sumus? Quam rem pūblicam habēmus? In quā urbe vīvimus? Hīc, hīc sunt in nostrō numerō, patrēs cōnscrīptī, in hōc orbis terrae sānctissimō gravissimōque cōnsiliō, quī dē nostrō omnium [11] interitū, quī dē huius 10 urbis atque adeō dē orbis terrārum exitiō cōgitent. Hōs ego videō cōnsul et dē rē pūblicā sententiam rogō,[12] et quōs ferrō trucīdārī oportēbat, eōs nōndum vōce vulnerō! Fuistī [13] igitur apud Laecam illā nocte, Catilīna, distribuistī partīs Italiae, statuistī quō quemque proficīscī placēret, dēlēgistī quōs Rōmae relinquerēs,[14] quōs tēcum 15 ēdūcerēs, dīscrīpsistī urbis partīs ad incendia, cōnfirmāstī [15] tē ipsum iam esse exitūrum, dīxistī paulum tibi esse etiam nunc morae [16] quod ego vīverem. Repertī sunt duo equitēs Rōmānī quī tē istā cūrā līberārent [14] et sē illā ipsā nocte paulō ante lūcem mē in meō lectō interfectūrōs esse pollicērentur. 10. Haec ego omnia, vixdum [17] etiam 20 coetū vestrō dīmissō, comperī; [18] domum meam maiōribus praesidiīs mūnīvī atque firmāvī, exclūsī eōs quōs tū ad mē salūtātum [19] māne mīserās, cum illī ipsī vēnissent quōs [20] ego iam multīs ac summīs virīs ad mē id temporis [21] ventūrōs esse praedīxeram.

---

[1] *I ask you.*   [2] *soon,* as always with the future.

[3] *last night,* though some take it to mean the night before last.

[4] *Scythemaker's Street.* Such street names used to be common: *Barbieri* (*Barbers*), *Falegnami* (*Carpenters*), etc., in modern Rome.

[5] When **domus** has an adjective or genitive modifier, **in** or **ad** may be used.

[6] Adverb.   [7] *Why?*

[8] How do you suppose the **"quōsdam"** felt as Cicero looked around?

[9] Adverb.   [10] *where in the world* (**474,** 4).   [11] *of all of us.*

[12] Being the presiding consul, Cicero called on the senators individually for their votes.

[13] Cicero suddenly turns to Catiline, and rapidly fires seven bullets, so to speak, at him: the seven verbs at the beginning of their clauses all end in –stī.

[14] Purpose.   [15] See **469.**   [16] With **paulum** (**474,** 4).

[17] *scarcely, almost before.*

[18] Through Fulvia, who got the information from Curius, one of Catiline's men.

[19] Supine (**491,** *a*): *to greet.* Important people had many callers early in the morning.   [20] Subject of **ventūrōs esse.**

[21] *at that time* (adverbial).

138. Cicero's Style: Two's and Three's

Cicero often uses words, phrases, and clauses in groups of two and three. For example, there are three questions in lines 7–8 of the preceding chapter. Next is a series of pairs: **hīc, hīc; in numerō, in cōnsiliō; sānctissimō, gravissimō; quī dē interitū, quī dē exitiō; urbis, orbis terrārum.** Then we find three clauses with the verbs **videō, rogō, vulnerō.** As often occurs, the last clause is longer and more complicated. Finally come the seven verbs mentioned in footnote 13. The first verb is introductory, setting the stage for the other six, that is, giving the meeting place of the conspirators. The others tell what was done. The first two verbs go together; they tell about dividing up Italy and assigning persons to various regions. The next pair of verbs assigns men to Rome and divides up the city for burning. Within this pair of verbs is another kind of pair, the two **quōs** clauses. The last pair indicates that Catiline is leaving Rome but is being delayed by the fact that Cicero is still alive.

139. Translation

1. Where in the world were you last night?
2. There are men in this city who are preparing to burn it.
3. Catiline sent men to various parts of Italy to occupy all the cities.
4. We believe that Catiline brings too much danger and Cicero brings little protection.

140. Vocabulary Drill

comperiō	interitus	perniciēs	salūs	tandem
distribuō	obscūrus	polliceor	sānctus	vigilō
exitium	paulum	reperiō	taceō	vulnerō

The Cloaca Maxima (great sewer) emptying into the Tiber. From an etching by G. B. Piranesi (1720–1778).

141. GET OUT OF ROME, CATILINE

V. Quae cum ita sint,[1] Catilīna, perge quō coepistī: ēgredere aliquandō ex urbe; patent portae; proficīscere. Nimium diū tē imperātōrem tua [2] illa Mānliāna castra dēsīderant.[3] Ēdūc [4] tēcum etiam
omnīs tuōs, sī minus,[5] quam plūrimōs; purgā urbem. Magnō mē metū
līberāveris, modo [6] inter mē atque tē [7] mūrus intersit. Nōbīscum ver- 5
sārī iam diūtius nōn potes; nōn feram, nōn patiar, nōn sinam.[8] 11.
Magna [9] dīs immortālibus habenda est atque [10] huic ipsī Iovī Statōrī,[11]
antīquissimō custōdī huius urbis, grātia, quod hanc tam taetram, tam
horribilem tamque īnfestam reī pūblicae pestem totiēns iam effūgimus.
Nōn est saepius [12] in ūnō homine summa salūs perīclitanda reī pūblicae. 10
Quam diū mihi cōnsulī dēsignātō, Catilīna, īnsidiātus es, nōn pūblicō
mē praesidiō, sed prīvātā dīligentiā dēfendī. Cum proximīs comitiīs [13]
cōnsulāribus mē cōnsulem in campō [14] et competītōrēs tuōs interficere
voluistī, compressī cōnātūs tuōs nefāriōs amīcōrum praesidiō et
cōpiīs, nūllō tumultū pūblicē concitātō; dēnique, quotiēnscumque mē 15
petīstī, per mē tibi obstitī, quamquam vidēbam perniciem meam cum
magnā calamitāte reī pūblicae esse coniūnctam. 12. Nunc iam [15] apertē
rem pūblicam ūniversam petis, templa deōrum immortālium, tēcta
urbis, vītam [16] omnium cīvium, Italiam tōtam ad exitium et vāstitātem
vocās. Quārē, quoniam id [17] quod est prīmum, et quod huius imperī [18] 20
disciplīnaeque maiōrum proprium est, facere nōndum audeō, faciam
id quod est ad [19] sevēritātem lēnius, ad commūnem salūtem ūtilius.
Nam sī tē interficī iusserō, residēbit in rē pūblicā reliqua coniūrātōrum

---

[1] A common form of expression, which can be translated by the one word
therefore.
[2] *of yours*.   [3] We would use the present perfect in English.
[4] The final **e** of the present imperative is dropped in **dīc, dūc, fac,** and **fer** and
their compounds.
[5] *not*.   [6] *provided that* (**482,** 17).
[7] In Latin, the first person is put before the second, the second before the third,
but in English we would say *you and me*.
[8] Anaphora and a group of three.
[9] Placing the adjective first and separating it from its noun **grātia** gives unusual
emphasis, so that **magna** really means **maxima.**
[10] Unlike **et, atque** usually emphasizes what follows: *and especially*.
[11] Cicero points to a statue of Jupiter *the Stayer*, who stayed the flight of the
Romans when Romulus appealed to him.
[12] *too often*.   [13] *at the last consular elections*.
[14] *Campus Martius*, where the elections took place.   [15] *even*, with **apertē.**
[16] We say *lives* in English; in Latin the plural means *biographies*.
[17] Object of **facere.**   [18] *this power of mine*.   [19] *with reference to.*

manus; sīn tū, quod tē iam dūdum hortor, exieris, exhauriētur ex urbe
25 tuōrum comitum magna et perniciōsa sentīna [20] reī pūblicae. 13. Quid
est,[21] Catilīna? Num dubitās id, mē imperante, facere quod iam tuā
sponte faciēbās? [22] Exīre ex urbe iubet cōnsul hostem.[23] Interrogās mē,
num [24] in exsilium? Nōn iubeō, sed, sī mē cōnsulis, suādeō.

142. Cicero's Style—Alliteration

A familiar device in many languages, and especially in poetry, is
alliteration, the repetition of the same letter at the beginning of successive words: line 11, **pūblicō mē praesidiō sed prīvātā**; line 12,
**comitiīs cōnsulāribus mē cōnsulem in campō et competītōrēs . . .
compressī cōnātūs.**

Find two other examples of alliteration in the preceding chapter.

You may recall reading the most striking example in all Latin,
used by the poet Ennius: **Ō Tite tūte Tatī, tibi tanta, tyranne, tulistī.**
In English there is the familiar: *Peter Piper picked a peck of pickled
peppers.* Here is another Latin example: **Sōsia in sōlāriō soleās sar-
ciēbat suās,** *Sosia was sewing his shoes in the solarium.*

How is alliteration like anaphora? Different from anaphora? Find
another example of anaphora and a group of three (besides the one
in footnote 8).

---

[20] *the sewage (made up of) your associates.*   [21] See **132**, footnote 17.
[22] *you were trying to do* (**480**, 3).
[23] Calling Catiline a foreign enemy was a deliberate part of Cicero's plan to
make it easier to get rid of him. In section 3 he calls him a dangerous citizen,
worse than a bitter enemy; in 5, in connection with Manlius' camp at Faesulae
he says that the enemy is increasing in number and calls Catiline their com-
mander, as he does again in 10.   [24] *whether.*

The theater at Fiesole (ancient Faesulae), once an important Etruscan town.

The baths at Fiesole (ancient Faesulae). They were built under Sulla and enlarged by the emperor Hadrian.

143. Translation

1. Depart at once, Catiline, in order to save your life.
2. I have long been urging you to leave the city, Catiline.
3. If you were to remain in Rome, I would not be able to protect you.
4. If Catiline will not leave Rome, his life will be in the greatest danger.

144. Vocabulary Drill

aliquandō	concitō	ēgredior	mūrus	tumultus
calamitās	cōnor	exsilium	pergō	ūtilis
comes	dīligentia	īnfestus	sinō	versō

145. Word Study

Explain *conjunction, exhaust, exhortation, insidious, intramural, nefarious, purgatory, residue.*

The oldest fragment of a manuscript of Cicero's orations. Found in 1953 or 1954, it was written in Egypt on papyrus in the third or fourth century A.D. It contains the first speech against Catiline, 14–15. In the third line you can make out "(viti)orum tuorum" (line 15 on this page). Property of Prof. William H. Willis of Duke University.

146. CATILINE'S CRIMINAL CAREER

VI. Quid est enim, Catilīna, quod tē iam in hāc urbe dēlectāre possit? In quā nēmō est extrā istam coniūrātiōnem perditōrum hominum quī tē nōn metuat, nēmō quī nōn ōderit. Quae nota domesticae turpitūdinis nōn inusta vītae tuae est? Quod prīvātārum rērum dēdecus 5 nōn haeret in fāmā? Quae libīdō ab oculīs, quod facinus ā manibus tuīs, quod flāgitium ā tōtō corpore āfuit? Cui tū adulēscentulō [1] quem corruptēlārum illecebrīs irrētīssēs nōn aut ad audāciam ferrum aut ad libīdinem facem praetulistī? 14. Quid vērō? Nūper cum [2] morte superiōris uxōris novīs nūptiīs locum vacuēfēcissēs,[3] nōnne etiam 10 aliō incrēdibilī scelere [4] hoc scelus cumulāvistī? Quod ego praetermittō et facile patior silērī, nē in hāc cīvitāte tantī facinoris immānitās [5] aut exstitisse aut nōn vindicāta esse videātur. Praetermittō ruīnās fortūnārum tuārum quās omnīs proximīs Īdibus [6] tibi impendēre sentiēs. Ad illa veniō quae nōn ad prīvātam ignōminiam 15 vitiōrum tuōrum, nōn ad domesticam tuam difficultātem ac turpitūdinem, sed ad summam rem pūblicam [7] atque ad omnium nostrum vītam salūtemque pertinent. 15. Potestne tibi haec lūx, Catilīna, aut

---

[1] With **praetulistī:** *Before what young man have you not carried the sword for bold deeds or the torch for passion?* Catiline is like a slave who carries torch and sword in front of his master as they walk the streets at night. Rome had no street lighting and no police force at this time.

[2] Conjunction.

[3] What does Cicero imply by this word and by **aliō** about the death of Catiline's first wife?

[4] The supposed murder of his only son, done to please his second wife, as the historian Sallust tells us.   [5] We would say *this savage crime.*

[6] Debts were payable on the Calends (first of the month) and Ides (thirteenth or fifteenth of the month). In six days therefore (November 13) Catiline would find himself besieged by creditors.

[7] *the greatest public interests.*

huius caelī spīritus esse iūcundus, cum sciās esse hōrum nēminem quī nesciat tē prīdiē [8] Kalendās Iānuāriās, Lepidō et Tullō cōnsulibus, stetisse in comitiō [9] cum tēlō, manum [10] cōnsulum et prīncipum 20 cīvitātis interficiendōrum causā parāvisse, scelerī [11] ac furōrī tuō nōn mentem [12] aliquam aut timōrem tuum sed Fortūnam populī Rōmānī obstitisse? Ac iam illa omittō—neque enim sunt aut obscūra aut nōn multa commissa posteā—quotiēns tū mē dēsignātum, quotiēns vērō cōnsulem interficere cōnātus es! Quot ego tuās petītiōnēs [13] ita coniectās 25 ut vītārī posse nōn vidērentur parvā quādam dēclīnātiōne et, ut aiunt, corpore [14] effūgī! Nihil agis, nihil assequeris, neque tamen cōnārī ac velle dēsistis. 16. Quotiēns iam tibi [15] extorta est ista sīca dē manibus, quotiēns excidit cāsū aliquō et ēlāpsa est! Quae [16] quidem quibus [17] abs tē initiāta sacrīs ac dēvōta sit nesciō, quod [18] eam necesse putās 30 esse in cōnsulis corpore dēfīgere.

147. Cicero's Style: Metaphor

A metaphor is an implied comparison; it identifies one person, object, or idea with another. It is the most common figure of speech and one that is used in many different ways. For example, a metaphor is often used in naming things. The words *car, machine,* and *wagon,* which existed long before the invention of the automobile, were at first metaphorically applied to this vehicle.

The comparison in the literary metaphor usually appeals to the senses, as Cicero's many metaphors indicate. In line 3 of the preceding chapter, **nota . . . inusta** implies a comparison with the branding of the letter *F* on the forehead of a runaway slave. But Catiline's branding is figurative, not literal. In line 6 Catiline is compared metaphorically with a slave (footnote 1). Near the end of the preceding chapter is another striking metaphor: Catiline's supporters are *sewage,* which *will be drained out* of Rome.

---

[8] *the day before January 1* was December 29 in Cicero's time, when most months had only 29 days (**496**). The allusion is to Catiline's "first conspiracy," three years earlier.   [9] An open space in front of the senate.

[10] *a band (handful)*; object of **parāvisse.**   [11] With **obstitisse.**

[12] *(change of) mind.* The two modifiers are neatly arranged, one with each noun, but they belong with both.

[13] *thrusts.* He is comparing Catiline to a gladiator.

[14] *with a kind of little twist of the body* (**495**, 1).

[15] Dative of reference. We would say *your,* with **manibus.**   [16] i.e., **sīca.**

[17] *with what rites.* The dagger was promised to some god if it performed successfully through the god's aid.

[18] *(seeing) that.*

148. Translation

1. Who is it that blocked your plans?
2. I can recall no one who does not hate and fear Catiline.
3. Everybody knows that you prepared a band of men for the purpose of killing the senators.

149. Vocabulary Drill

dēdecus	facinus	haereō	omittō	sacer
dēvoveō	ferrum	necesse	praetermittō	turpitūdō
ēlābor	flāgitium	ōdī	prīdiē	vitium

150. Word Study

The calendar is so called because its chief function was to indicate the Calends, the first of the month. In Latin the spelling with a *K* is used only in this and a few other words before *a*. It goes back to the Etruscans, from whom the Romans borrowed the alphabet.

A Roman altar on which a calendar is carved, three months to a side, listing holidays and work to do on a farm.

151. YOUR COUNTRY BEGS YOU TO LEAVE

VII. Nunc vērō quae tua est ista vīta? Sīc enim iam tēcum loquar, non ut odiō permōtus esse videar, quō [1] dēbeō, sed ut [2] misericordiā, quae tibi nūlla [3] dēbētur. Vēnistī paulō ante in senātum. Quis tē ex hāc tantā frequentiā, tot ex tuīs amīcīs ac necessāriīs salūtāvit? Sī hoc post hominum memoriam contigit nēminī, vōcis [4] exspectās con- 5 tumēliam, cum sīs gravissimō iūdiciō taciturnitātis oppressus? Quid, quod [5] adventū tuō ista [6] subsellia vacuēfacta sunt, quod omnēs cōn- sulārēs quī tibi [7] persaepe ad caedem cōnstitūtī fuērunt, simul atque [8] assēdistī, partem istam subselliōrum nūdam atque inānem relīquērunt, quō tandem animō tibi ferendum putās? 17. Servī mehercule meī sī 10 mē istō pactō metuerent [9] ut tē metuunt omnēs cīvēs tuī, domum meam relinquendam putārem; tū tibi urbem [10] nōn arbitrāris? Et sī mē meīs cīvibus iniūriā [11] suspectum tam graviter atque offēnsum vidērem, carēre mē aspectū [12] cīvium quam [13] īnfestīs omnium oculīs cōnspicī māllem; tū, cum cōnscientiā scelerum tuōrum agnōscās odium 15 omnium iūstum et iam diū tibi dēbitum, dubitās quōrum mentīs sēnsūsque vulnerās, eōrum aspectum praesentiamque vītāre? Sī tē parentēs timērent atque ōdissent tuī neque eōs ratiōne ūllā placāre possēs, ut opīnor, ab eōrum oculīs aliquō [14] concēderēs. Nunc tē patria, quae commūnis est parēns omnium nostrum, ōdit ac metuit et iam diū 20 nihil tē iūdicat nisi dē parricīdiō suō cōgitāre; huius tū neque auctōri- tātem verēbere nec iūdicium sequēre nec vim pertimēscēs? 18. Quae [15] tēcum, Catilīna, sīc agit et quōdam modō tacita [16] loquitur: "Nūllum iam aliquot annīs facinus exstitit nisi per tē, nūllum flāgitium sine tē; tibi ūnī multōrum cīvium necēs,[17] tibi vexātiō dīreptiōque sociōrum [18] 25 impūnīta fuit ac lībera; tū nōn sōlum ad neglegendās lēgēs et quaes- tiōnēs vērum etiam ad ēvertendās perfringendāsque valuistī. Superiōra illa, quamquam ferenda nōn fuērunt, tamen ut [19] potuī, tulī; nunc vērō

[1] *with which I ought to be.*   [2] Supply **permōtus esse videar.**
[3] More emphatic than **nōn.**
[4] *spoken;* literally, *of the voice.* Silence is sometimes the strongest disapproval.
[5] *What (of the fact) that?*   [6] Cicero perhaps pointed: *those next to you.*
[7] Dative of agent, sometimes used with the perfect passive participle.
[8] **simul atque,** *as soon as.*   [9] See **483,** 2.
[10] Supply **relinquendam esse.**   [11] *unjustly.*   [12] With **carēre** (**477,** 1).
[13] *than.*   [14] Adverb: *somewhere.*   [15] i.e., **patria.**
[16] *though silent.* How could it speak if silent? This contradictory form of ex- pression is called oxymoron. The phrase **quōdam modō,** *in a way,* apologizes for it.   [17] Catiline had taken part in the murders of Sulla's day.
[18] Catiline was charged with graft while propraetor in Africa in 67 B.C.
[19] *as (best as).*

mē tōtam [20] esse in metū propter ūnum tē, quicquid increpuerit,[21]
30 Catilīnam timērī, nūllum vidērī contrā mē cōnsilium inīrī posse quod
ā tuō scelere abhorreat [22] nōn est ferendum.[23] Quam ob rem discēde
atque hunc mihi [24] timōrem ēripe; sī est vērus, nē opprimar, sīn
falsus, ut tandem aliquandō timēre dēsinam."

152. Cicero's Style: Personification

Personification makes a person out of a thing. In **151,** the long
speech of **patria,** "though silent speaking," is a fine example.

Watch for the groups of two's and three's. In the preceding chapter
(lines 2–3) we find two **ut** clauses, each containing a relative clause.
Then we come to **ex . . . frequentiā** and **ex . . . amīcīs.** Note how
the second phrase is expanded into a pair: **amīcīs ac necessāriīs.** Next
are two **quod** clauses (line 7) and two adjectives, **nūdam** and **inānem.**

Note too the chiastic arrangement of the verbs (line 11): **metuerent
ut tē metuunt, carēre . . . mālem** but **dubitās . . . vītāre.**

Analyze in this way the speech of **patria.**

153. Translation

1. If my citizens had feared me so much, I would have left the
   city at once.
2. The senators left bare that section of seats in which Catiline
   was sitting.
3. Cicero talks in this manner to Catiline in order that he may
   seem to be moved by pity.

154. Vocabulary Drill

abhorreō	cōnspiciō	inānis	opprimō	socius
caedēs	cōnsulāris	ineō	plācō	tacitus
careō	ēvertō	opīnor	salūtō	vītō

155. Word Study

Explain *contumely, impunity, inane, parricide, placate, vulnerable.*

The suffix **–scō** is added to the stems of verbs and adjectives to form
inceptive verbs, which have in them the idea of *begin to* (from **incipiō,**
begin): **pertimēscō,** *begin to fear.* **Hebēscō,** *begin to be dull,* occurred
earlier.

---

[20] *all of me.* Chiasmus, with strong emphasis, in **mē tōtām . . . ūnum tē.**
[21] *at the slightest noise;* literally, *whatever noise is made.*
[22] *is inconsistent with* (**482,** 10).
[23] **Esse, timērī, vidērī** are the subjects.   [24] Dative of separation (**475,** 4).

156. ON YOUR WAY, CATILINE

VIII, 19. Haec sī tēcum, ut dīxī, patria loquātur,[1] nōnne impetrāre dēbeat, etiam sī vim adhibēre nōn possit? Quid, quod tū tē in custō-diam [2] dedistī, quod vītandae suspīciōnis causā ad [3] M'.[4] Lepidum tē habitāre velle dīxistī? Ā quō nōn receptus etiam ad mē venīre ausus es, atque ut domī meae tē asservārem rogāstī. Cum ā mē quoque id 5 respōnsum tulissēs, mē nūllō modō posse īsdem parietibus [5] tūtō esse tēcum, quia magnō in perīculō essem quod īsdem moenibus [6] con-tinērēmur, ad Q. Metellum praetōrem vēnistī. Ā quō repudiātus ad sodālem tuum, virum optimum,[7] M. Metellum dēmigrāstī, quem tū vidēlicet et ad custōdiendum tē dīligentissimum et ad suspicandum 10 sagācissimum et ad vindicandum fortissimum fore putāstī. Sed quam longē vidētur ā carcere atque ā vinculīs abesse dēbēre quī sē ipse iam dignum custōdiā [8] iūdicārit? [9] 20. Quae cum ita sint, Catilīna, dubitās, sī ēmorī aequō animō nōn potes, abīre in aliquās terrās et vītam istam multīs suppliciīs iūstīs dēbitīsque ēreptam fugae sōlitūdinīque mandāre? 15

"Refer," inquis, "ad senātum;" [10] id enim postulās et, sī hic ōrdō [11] placēre [12] sibi dēcrēverit tē īre in exsilium, obtemperātūrum tē esse dīcis. Nōn referam, id quod abhorret ā meīs mōribus, et tamen faciam ut intellegās quid hī dē tē sentiant. Ēgredere ex urbe, Catilīna; līberā rem pūblicam metū; in exsilium, sī hanc vōcem [13] exspectās, pro- 20 ficīscere.[14] Quid est? Ecquid [15] attendis, ecquid animadvertis hōrum silentium? Patiuntur, tacent. Quid exspectās auctōritātem loquentium, quōrum voluntātem tacitōrum perspicis? 21. At sī hoc idem huic adulēscentī optimō P. Sēstiō,[16] sī fortissimō virō M. Mārcellō dīxissem, iam mihi cōnsulī hōc ipsō in templō senātus iūre optimō vim [17] et 25 manūs intulisset. Dē tē autem, Catilīna, cum quiēscunt, probant, cum

---

[1] See **483**, 3.
[2] Catiline asked Lepidus to agree to be responsible for Catiline's appearance in court when and if Catiline was wanted.   [3] = **apud.**
[4] = **Mānium.**   [5] *within the same walls* (**477**, 14).
[6] *city walls*, contrasting with **parietibus,** *house walls.*
[7] **Vidēlicet** shows that this and the following adjectives are ironical.
[8] See **477**, 18.   [9] = **iūdicāverit.**
[10] Presumably Catiline interrupted with this demand. The speech as we have it is a revised form, prepared for publication.
[11] i.e., the senate.   [12] *that it votes;* literally, *that it is pleasing to it.*   [13] *word.*
[14] Cicero evidently paused a moment here. The senate could not exile Catiline, but Cicero cleverly maintains that it voted for exile by silence.
[15] *at all.*
[16] Sestius and Marcellus were friends of Cicero, whom he later defended in speeches that we still have.   [17] *violent hands* (**495**, 1).

patiuntur, dēcernunt, cum tacent, clāmant,[18] neque hī sōlum quōrum
tibi auctōritās est vidēlicet cāra, vīta vīlissima, sed etiam illī equitēs
Rōmānī, honestissimī atque optimī virī, cēterīque fortissimī cīvēs
30 quī circumstant senātum, quōrum tū et frequentiam vidēre et studia
perspicere et vōcēs paulō ante [19] exaudīre potuistī. Quōrum [20] ego vix
abs tē iam diū manūs ac tēla contineō, eōsdem facile addūcam ut tē
haec[21] quae vāstāre iam prīdem studēs relinquentem usque ad portās
prōsequantur.

157. Cicero's Style: Antithesis

Cicero often "sets" words and phrases "against" each other (that is
what the Greek word antithesis means). In lines 26–27 **quiēscunt** and
probant are antithetical, as are **patiuntur** and **dēcernunt, tacent** and
clāmant. The last pair of verbs illustrates oxymoron, a figure of speech
which is nothing more than an antithesis in which the words contra-
dict each other.

Find other antitheses in the preceding chapter. Find an instance of
alliteration.

158. Translation

1. If you should flee from Rome the whole world would rejoice.
2. He said that he could not stay in the same city because he was
   afraid.
3. A man who thinks he can fight against the senate should be sent
   into exile.
4. Do you believe that Catiline is worthy of the honor of coming
   into the senate?

159. Vocabulary Drill

carcer	fuga	quiēscō	vidēlicet	vindicō
ecquis	honestus	sodālis	vīlis	voluntās

160. Word Study

Explain *abhorrent, incarcerate, quiescent, sagacious, vile, vindi-
cate.*

Viz. is an abbreviation of **vidēlicet.** The *z* is not really the letter *z*
but a sign of abbreviation.

---

[18] Another striking oxymoron. See **151,** footnote 16.
[19] Catiline was presumably booed when he entered the senate.
[20] The antecedent, **eōsdem,** follows.   [21] *all this,* the temple and the Forum.

161. CATILINE WANTS CIVIL WAR

IX, 22. Quamquam [1] quid loquor? Tē ut [2] ūlla rēs frangat, tū ut umquam tē corrigās, tū ut ūllam fugam meditēre, tū ut ūllum exsilium cōgitēs? Utinam tibi istam mentem dī immortālēs duint! [3] Tametsī [4] videō, sī meā vōce perterritus īre in exsilium animum indūxeris,[5] quanta tempestās invidiae nōbīs, sī minus [6] in [7] praesēns tempus 5 recentī memoriā scelerum tuōrum, at [8] in posteritātem impendeat. Sed est tantī,[9] dum modo tua ista sit [10] prīvāta calamitās et ā reī pūblicae perīculīs sēiungātur. Sed tū ut vitiīs tuīs commoveāre, ut lēgum poenās pertimēscās, ut temporibus [11] reī pūblicae cēdās nōn est postulandum. Neque enim is [12] es, Catilīna, ut tē aut pudor ā 10 turpitūdine aut metus ā perīculō aut ratiō ā furōre revocārit. 23. Quam ob rem, ut saepe iam dīxī, proficīscere ac, sī mihi, inimīcō, ut praedicās, tuō, cōnflāre vīs invidiam, rēctā perge in exsilium; vix feram sermōnēs hominum, sī id fēceris, vix mōlem istīus invidiae, sī in exsilium iussū cōnsulis īveris, sustinēbō. Sīn autem servīre meae laudī [13] 15 et glōriae māvīs, ēgredere [14] cum importūnā scelerātōrum manū, cōnfer tē ad Mānlium, concitā perditōs cīvīs, sēcerne tē ā bonīs, īnfer patriae bellum, exsultā impiō latrōciniō, ut ā mē nōn ēiectus ad aliēnōs, sed invītātus ad tuōs īsse videāris. 24. Quamquam quid ego tē invītem,[15] ā quō [16] iam sciam esse praemissōs quī [17] tibi ad Forum 20 Aurēlium [18] praestōlārentur armātī, cui [19] sciam pactam et cōnstitūtam cum Mānliō diem,[20] ā quō etiam aquilam illam [21] argenteam, quam tibi ac tuīs omnibus cōnfīdō perniciōsam ac fūnestam futūram, cui domī tuae sacrārium scelerum cōnstitūtum fuit, sciam esse praemissam? Tū ut [22] illā [23] carēre diūtius possīs quam venerārī ad caedem 25 proficīscēns solēbās, ā cuius altāribus saepe istam impiam dexteram ad necem cīvium trānstulistī?

---

[1] *And yet.*

[2] *How could anything crush you?* Note that the four questions are arranged in two pairs and that each is introduced by an emphatic **tē** or **tū**.

[3] An early form for **dent.** For the mood see **482**, 19.   [4] *And yet.*

[5] *bring yourself;* literally, *bring your mind.*   [6] *if not.*   [7] *for.*

[8] *at any rate.*   [9] *it is worth it* (**474**, 8).   [10] See **482**, 17. [11] *critical needs.*

[12] = **tālis,** followed by a result clause.   [13] Dative with **servīre** (**475**, 6).

[14] Six imperatives, arranged in three pairs according to the thought.

[15] *why should I ask you* (**482**, 18)? [16] The antecedent is **tē;** causal relative clause.

[17] The antecedent is to be supplied (**virōs**).   [18] A town in Etruria.

[19] Agent (**475**, 9).   [20] October 27 (**122**).

[21] *that famous,* so called because it once had belonged to Marius. The fact that this emblem of a Roman legion had already been sent from Rome shows that Catiline would soon follow.   [22] Cf. footnote 2.   [23] See **477**, 1.

Shrine in a house in Pompeii, containing statuettes.

162. Cicero's Style: Asyndeton

Asyndeton (a Greek word meaning "not bound together") is the omission of coordinate conjunctions in a series of words or phrases. This omission of the connective gives a staccato ("detached") or sharp effect. The six unconnected imperatives in lines 16–18 are an example of asyndeton.

Find a metaphor in the preceding chapter.

163. Translation

1. Oh that the gods would cause Catiline to fear!
2. Do they prefer to stay in Rome or to go to Faesulae?
3. Why should we ask you to stay in this town in which there is so much danger?

164. Vocabulary Drill

corrigō	iussū	nex	quamquam	sīn
dexter	meditor	pertimēscō	sēcernō	tametsī
invidia	mōlēs	poena	serviō	utinam

165. Word Study

Explain *aquiline, argentiferous, exultation, fracture, meditation, molecule.*

Explain the force of the prefix sē– in **sēcernō** and **sēiungō**, of per– in **pertimēscō**, and of **prae–** in **praemittō**.

166. CATILINE, THE HARDENED CRIMINAL

X, 25. Ībis tandem aliquandō quō tē iam prīdem tua ista cupiditās effrēnāta ac furiōsa rapiēbat; neque enim tibi haec rēs [1] affert dolōrem sed quandam incrēdibilem voluptātem. Ad hanc tē āmentiam nātūra peperit, voluntās exercuit, fortūna servāvit. Numquam tū nōn modo [2] ōtium sed nē bellum quidem nisi nefārium concupīstī. Nactus es ex 5 perditīs atque [3] ab omnī nōn modo Fortūnā [4] vērum etiam spē dēre-līctīs cōnflātam [5] improbōrum manum. 26. Hīc [6] tū quā laetitiā [7] perfruēre, quibus gaudiīs exsultābis, quantā in voluptāte bacchābere, cum in tantō numerō tuōrum neque audiēs virum bonum quemquam neque vidēbis! Ad huius vītae studium meditātī [8] illī sunt quī feruntur [9] 10 labōrēs tuī, iacēre [10] humī nōn sōlum ad obsidendum stuprum [11] vērum etiam ad facinus obeundum, vigilāre nōn sōlum īnsidiantem somnō marītōrum vērum etiam bonīs ōtiōsōrum. Habēs ubi [12] ostentēs tuam illam praeclāram patientiam famis, frīgoris, inopiae rērum omnium quibus tē brevī tempore cōnfectum esse sentiēs. 27. Tantum 15 prōfēcī, cum tē ā cōnsulātū reppulī,[13] ut exsul potius temptāre quam cōnsul vexāre rem pūblicam possēs, atque ut id quod esset [14] ā tē scelerātē susceptum latrōcinium potius quam bellum nōmi-nārētur.

167. Cicero's Style: Climax and Word Play

Occasionally Cicero uses climax, a figure of speech in which ideas are arranged in the order of ascending intensity. A good example is in line 8: **perfruēre**, *experience,* **exsultābis**, *exult in,* **bacchābere**, *revel in.* **Bacchābere** is a very strong word, meaning to act like a crazed follower of Bacchus, the god of wine.

Word play to us usually means punning for humorous effect. But Cicero often uses it seriously, even in the most solemn passages. In

---

[1] i.e., starting a civil war.
[2] *not only have you never.* A "notty" sentence with four negatives.
[3] Connects **perditīs** and **dērelīctīs.**
[4] That **Fortūna** is personified is shown by the use of **ab.**
[5] **ex . . . dērelīctīs** depends on **cōnflātam:** *composed of.*
[6] *Here,* i.e., with such followers.   [7] See **477**, 10.
[8] *those hardships were practiced.* Though **meditor** is regularly deponent, here it is used in a passive sense.   [9] *which are told about.*
[10] In apposition with and explaining **labōrēs.**   [11] *to practice debauchery.*
[12] (*an opportunity*) *where.* For the mood see **482**, 10, 20.
[13] Catiline had been a candidate for consul against Cicero.
[14] For the mood see **482**, 15.

Bacchus carrying a wineskin.
A statue in the Capitoline
Museum, Rome.

line 16 the play on **exsul** and **cōnsul** is used very effectively, for Cicero
had prevented Catiline from being elected **cōnsul** and now was forcing
him to become an **exsul.**

168. Translation

1. Will you enjoy your exile, Catiline?
2. By preparing a camp in Italy you have produced woe for
   yourself.
3. In order that Catiline might realize what he had done, Cicero
   told him very plainly.

169. Vocabulary Drill

āmentia	exerceō	frīgus	marītus	rapiō
cōnsulātus	exsultō	iam prīdem	obeō	somnus
cupiditās	famēs	inopia	praeclārus	spēs

170. Word Study

Distinguish **parō, pāreō, pariō,** and **parcō** by giving their principal
parts and meanings.

Explain *adjacent, derelict, humus, somnolence.*

171. WHY DON'T YOU ACT, CICERO?

XI. Nunc, ut ā mē, patrēs cōnscrīptī, quandam prope iūstam patriae querimōniam dētester ac dēprecer,[1] percipite, quaesō, dīligenter quae dīcam,[2] et ea penitus animīs vestrīs mentibusque mandāte. Etenim sī mēcum patria, quae mihi vītā [3] meā multō est cārior, sī cūncta Italia, sī omnis rēs pūblica loquātur: [4] "M. Tullī, quid agis? Tūne [5] eum 5 quem esse hostem comperistī, quem ducem bellī futūrum vidēs, quem exspectārī imperātōrem in castrīs hostium sentīs, auctōrem sceleris, prīncipem coniūrātiōnis, ēvocātōrem servōrum [6] et cīvium perditōrum, exīre patiēre, ut abs tē nōn ēmissus ex urbe, sed immissus in urbem esse videātur? Nōnne hunc in vincula dūcī, nōn ad mortem rapī, nōn 10 summō suppliciō mactārī imperābis? [7] Quid tandem tē impedit? Mōsne maiōrum? 28. At [8] persaepe etiam prīvātī in hāc rē pūblicā perniciōsōs cīvīs morte multārunt. An lēgēs quae dē cīvium Rōmā-nōrum suppliciō rogātae sunt? [9] At numquam in hāc urbe quī ā rē pūblicā dēfēcērunt cīvium iūra tenuērunt.[10] An invidiam posteritātis 15 timēs? Praeclāram [11] vērō populō Rōmānō refers grātiam, quī tē, hominem per tē cognitum, nūllā commendātiōne maiōrum [12] tam mātūrē ad summum imperium [13] per omnīs honōrum gradūs [14] extulit, sī propter invidiam aut alicuius perīculī metum salūtem cīvium tuōrum

[1] *turn aside by entreaty and prayer*. The idea of turning aside is in the prefix dē–.

[2] Future.   [3] See 477, 5.

[4] *should say* (483, 3). The long quotation caused Cicero to forget the conclusion of the condition.

[5] Very emphatic, not only because it comes first but because it is so far removed from its verb (patiēre).

[6] Catiline was urged to recruit slaves but apparently did not do so. He was clever enough to realize that all Romans were opposed to this, for they recalled the dangerous slave revolt, led by the gladiator Spartacus, eight years before.

[7] An ut clause is usual with imperō but the infinitive may be used in its passive forms.

[8] At is often used like quotation marks to indicate a change of speaker.

[9] Roman citizens had the right to appeal to the people against punishment decreed by a magistrate.

[10] Here Cicero's strategy becomes clear: Catiline is no longer a citizen but a hostis; see 141, footnote 23. Whether the senātus cōnsultum ultimum gave Cicero this right is still unsettled.

[11] Emphatic and ironical.

[12] Cicero was a novus homo in politics, for no ancestor of his had held a curule office. He became consul at the minimum age of forty-three.

[13] The consulship.

[14] Usually called the cursus honorum, through which one advanced to the top.

20 neglegis. 29. Sed sī quis est invidiae metus, nōn est vehementius sevēritātis [15] ac fortitūdinis invidia quam inertiae ac nequitiae pertimēscenda. An, cum bellō vāstābitur Italia, vexābuntur urbēs, tēcta ārdēbunt, tum tē nōn exīstimās invidiae incendiō cōnflagrātūrum?"

172. Cicero's Style: Rhythm

Cicero's prose has a definite rhythm, not so pronounced as that of verse but still easily recognizable, especially at the end of sentences. Two of the favorite endings are $-\smile-\,|\,-\smile$ and $-\smile\smile\smile\,|\,-\smile$. An example of the latter rhythm is **esse videātur,** a phrase which occurs very frequently; of the former, **cōnflagrātūrum** at the end of the chapter.

Find six examples of a series of three in the preceding chapter.

Note the word play in **ēmissus** and **immissus** (line 9).

Find one metaphor in the preceding chapter.

173. Translation

1. The country asked Cicero what he was doing.
2. Cicero says that his country is dearer to him than life.
3. If your country should say such things to you, how would you reply?
4. Do you not think you should seize a man who is making plans for destroying the city?

174. Vocabulary Drill

ārdeō	cūnctus	dēprecor	inertia	penitus
cārus	dēficiō	gradus	iūs	quaesō

175. Word Study

Explain *defector, deprecate, emissary, gradation, mulct.*

---

[15] With **invidia:** *resulting from severity.* Similarly **inertiae.**

The umbilicus, or navel, of the city of Rome, near which the golden milestone stood, from which distances on all the roads were measured. Starting from this point, an American archeological expedition began a survey in 1964 of the roads of the Roman Empire. The survey was to take five years and cover over 50,000 miles.

176. WATCHFUL WAITING

XII. Hīs ego sānctissimīs reī pūblicae vōcibus et eōrum hominum quī hoc idem sentiunt mentibus [1] pauca respondēbō. Ego, sī hoc optimum factū [2] iūdicārem,[3] patrēs cōnscrīptī, Catilīnam morte multārī, ūnīus ūsūram hōrae gladiātōrī [4] istī ad vīvendum nōn dedissem. Etenim sī summī virī et clārissimī cīvēs Sāturnīnī et Gracchōrum 5 et Flaccī et superiōrum complūrium [5] sanguine nōn modo sē nōn contāminārunt sed etiam honestārunt, certē verendum mihi nōn erat [6] nē quid,[7] hōc parricīdā [8] cīvium interfectō, invidiae mihi in posteritātem redundāret.[9] Quod sī ea [10] mihi maximē impendēret, tamen hōc animō [11] fuī semper ut invidiam virtūte partam [12] glōriam, nōn in- 10 vidiam putārem.

30. Quamquam nōn nūllī sunt in hōc ōrdine quī aut ea quae imminent nōn videant aut ea quae vident dissimulent; quī spem Catilīnae mollibus sententiīs aluērunt coniūrātiōnemque nāscentem nōn crēdendō corrōborāvērunt; quōrum auctōritāte multī nōn sōlum improbī 15 vērum etiam imperītī, sī in hunc animadvertissem, crūdēliter et rēgiē [13] factum esse dīcerent. Nunc intellegō, sī iste, quō intendit, in Mānliāna castra pervēnerit,[14] nēminem tam stultum fore quī nōn videat coniūrātiōnem esse factam, nēminem tam improbum quī nōn fateātur. Hōc autem ūnō interfectō,[15] intellegō hanc reī pūblicae 20 pestem paulisper reprimī, nōn in perpetuum comprimī posse. Quod sī sēsē ēiecerit sēcumque suōs ēdūxerit et eōdem cēterōs undique collēctōs naufragōs [16] aggregārit, exstinguētur atque dēlēbitur nōn modo haec tam adulta reī pūblicae pestis vērum etiam stirps ac sēmen [17] malōrum omnium.   25

---

[1] (unexpressed) thoughts.   [2] See **491.**

[3] What kind of condition? See **483, 2.**

[4] We might say prizefighter or bruiser. Cicero practically called Catiline a gladiator once before (**146**, footnote 13).

[5] of many men of earlier times.

[6] I did not have to fear.

[7] any unpopularity (with **invidiae**).

[8] The ablative absolute has conditional force.

[9] Subjunctive with a verb of fearing (**482, 7**).   [10] i.e., **invidia.**

[11] See **477, 13.**

[12] From **pariō.** Two objects with **putō,** as with verbs of calling (**473, 2, b, Note**).

[13] To call a man a king among the Romans was something like calling an American a Communist.

[14] Subjunctive in a subordinate clause in indirect discourse, but **intendit** is not subjunctive because the clause is parenthetical.

[15] Conditional.   [16] wrecks, bums.   [17] root and seed.

The theater of Marcellus in Rome, etching by the famous artist G. B. Piranesi (1720–1778).

177. Cicero's Periodic Style

Contemporary writers of English, and their readers, generally prefer short sentences. In older English and in Ciceronian oratory, long, complex sentences, with phrases and clauses in groups of two and three, with anaphora, with asyndeton and other rhetorical devices, with the main thought not revealed until the end, were in great favor. The sentence just finished is an example of a period. We have read many such sentences in Cicero, e.g., **146,** line 17, **Potestne; 151,** line 12, **Et sī mē; 171,** line 5, **M. Tullī.** In the preceding chapter we find **Etenim sī summī.**

Find an example of word play in the preceding chapter.

178. Translation

1. I fear that he will kill all the citizens.
2. There were men in the senate who did not believe Cicero.
3. I do not know why you wish me to do what I do not want to do.
4. If Cicero had thought it worthwhile, he would have compelled Catiline to flee.

179. Vocabulary Drill

alō	exstinguō	impendeō	paulisper	sēmen
dēleō	fateor	intendō	pestis	stultus
dissimulō	immineō	iūdicō	sanguis	vōx

180. Word Study

Give the derivation of **corrōborō, redundō, naufragus.**

Explain *imminent, impend, nascent, sanctify, sanguinary, seminal.*

181. OUT WITH THEM ALL!

XIII, 31. Etenim iam diū, patrēs cōnscrīptī, in hīs perīculīs coniūrātiōnis īnsidiīsque versāmur, sed nesciō quō pactō[1] omnium scelerum
ac veteris furōris et audāciae mātūritās in nostrī cōnsulātūs tempus
ērūpit. Nunc sī ex tantō latrōciniō[2] iste ūnus tollētur, vidēbimur
fortasse ad breve quoddam tempus cūrā et metū esse relevātī, perī- 5
culum autem residēbit et erit inclūsum penitus in vēnīs atque in
vīsceribus reī pūblicae. Ut saepe hominēs aegrī morbō gravī, cum[3]
aestū febrīque[4] iactantur, sī aquam gelidam bibērunt, prīmō relevārī
videntur, deinde multō gravius vehementiusque afflīctantur, sīc hic
morbus quī est in rē pūblicā relevātus[5] istīus poenā vehementius, 10
reliquīs vīvīs, ingravēscet. 32. Quārē sēcēdant improbī,[6] sēcernant sē
ā bonīs, ūnum in locum congregentur, mūrō dēnique, quod[7] saepe iam
dīxī, sēcernantur ā nōbīs; dēsinant īnsidiārī domī[8] suae cōnsulī,[9]
circumstāre tribūnal praetōris urbānī, obsidēre cum gladiīs cūriam,
malleolōs et facēs[10] ad īnflammandam urbem comparāre; sit dēnique 15
īnscrīptum in fronte[11] ūnīus cuiusque quid dē rē pūblicā sentiat.
Polliceor hoc vōbīs, patrēs cōnscrīptī, tantam in nōbīs cōnsulibus fore
dīligentiam, tantam in vōbīs auctōritātem, tantam in equitibus Rōmānīs
virtūtem, tantam in omnibus bonīs cōnsēnsiōnem ut Catilīnae profectiōne omnia patefacta, illūstrāta, oppressa, vindicāta esse videātis.[12] 20

33. Hīsce[13] ōminibus, Catilīna, cum[14] summā reī pūblicae salūte,
cum tuā peste ac perniciē cumque eōrum exitiō quī sē tēcum omnī
scelere parricīdiōque iūnxērunt, proficīscere ad impium bellum ac
nefārium. Tū,[15] Iuppiter, quī īsdem quibus haec urbs auspiciīs ā
Rōmulō es cōnstitūtus,[16] quem Statōrem[17] huius urbis atque imperī 25
vērē nōmināmus, hunc et huius sociōs ā tuīs cēterīsque templīs, ā tēctīs
urbis ac moenibus, ā vītā fortūnīsque cīvium omnium arcēbis[18] et

---

[1] *somehow;* literally, *I do not know how.*   [2] *(band of) robbers.*   [3] Conjunction.
[4] *heat of fever* (**495,** 1).   [5] Conditional, as is the ablative absolute that follows.
[6] It becomes clear here that **improbī,** by its contrast with **bonīs,** has a political
meaning: *radicals;* cf. **175,** line 15.   [7] *as;* literally, *(a thing) which.*
[8] Locative (**478**).   [9] Dative with **īnsidiārī** (**475,** 7).   [10] From **fax.**
[11] *forehead.* He is thinking of a branding, like that of an F (for **Fugitīvus**) on
the forehead of a runaway slave.
[12] Because there is no future subjunctive, the present serves in its place.
[13] A stronger form of **Hīs.**   [14] We would say *to* rather than *with.*
[15] Addressed to the statue of Jupiter in the temple where the senate was meeting.
[16] *whose (worship) was established under the same auspices as this city.*
[17] Cicero uses the word here in the sense of *Protector* rather than *Stayer.*
[18] The future often has the meaning of a mild command: *you will do so* means
please do so.

97

hominēs bonōrum inimīcōs, hostīs patriae, latrōnēs Italiae scelerum
foedere inter sē ac nefāriā societāte coniūnctōs aeternīs suppliciīs vīvōs
30 mortuōsque mactābis.

182. Cicero's Style

Cicero ends his speech in a blaze of rhetorical fireworks. In line 17
we find anaphora, asyndeton, climax, and a periodic sentence ending
in the favored rhythmic phrase **esse videātis.** The four clauses are
arranged in two pairs: consuls and senators, knights and the rest. So
are the four participles: revelation and light, crushing and punishing.

In the long periodic prayer at the end we note a series of pairs: **quī**
and **quem** clauses, **urbis** and **imperī, hunc** and **sociōs.** Then comes a
group of three phrases introduced by **ā,** each phrase containing a pair:
tuīs cēterīsque, tēctīs ac moenibus, vītā fortūnīsque. These are followed by another group of three: **hominēs, hostīs, latrōnēs,** at the end
of which is the pair **foedere** and **societāte,** each with an adjective. Last
comes another pair, **vīvōs mortuōsque.** The speech ends with one of
the favorite rhythms, **–ōsque mactābis** ($-\smile- \,|\, -\smile$).

183. Vocabulary Drill

auspicium	cūria	fax	frōns (–tis)	ōmen
bibō	dēsinō	foedus (*noun*)	latrō	patefaciō
brevis	ērumpō	fortasse	morbus	societās

184. Word Study

How does the suffix **–scō** affect the meaning of **ingravēscō?**
Explain *bibulous, congregation, febrile, gelid, secession, viscera.*

185. Questions

1. Where and when was the senate meeting held?
2. Why did Cicero make this speech?
3. Why did he not have Catiline executed?
4. Why did not the senate vote his execution?
5. What part does the word **hostis** play in Cicero's argument?
6. Who killed Tiberius Gracchus?
7. Who killed Gaius Gracchus?
8. How did Cicero learn of Catiline's plans?
9. Where was Manlius?
10. What happened on November 6?
11. What did Catiline plan for October 28?
12. Did Catiline have any supporters in the senate?

Restoration of the Forum and Palatine as they were in the fourth century A.D. The imperial palaces rise up in the background.

186. THE GOVERNMENT OF ROME

Rome developed from a small city-state, founded in the eighth century B.C., into a world empire. At the same time its constitution gradually evolved. The Roman constitution was never written down, although, beginning with the Twelve Tables in the fifth century B.C., a body of written legislation grew up.

Roman citizens came to be divided into three groups: (1) the **nōbilēs,** those who held, or had held, one of the curule offices (namely, consuls, dictators, praetors, and curule aediles) and their descendants; (2) the **equitēs,** the middle class, who were essentially an aristocracy of wealth dominating commerce and banking (the term **equitēs,** *cavalry,* recalls the early times when only the man who could afford a horse had the right of admission to this class); and (3) the **plēbs,** the lowest order of citizens. Slaves were considered to be property and had no rights.

In the early days of Rome the government was controlled largely by the noble oligarchy. With expansion the **equitēs** increased their power and often aligned themselves with the aristocracy for effective control of the governmental procedures. All the while there was a continuing struggle on the part of the **plēbs** for greater representation and a more equitable distribution of the functions of state, resulting ultimately (with, of course, other contributing causes) in the civil war between Pompey and Caesar and the establishment of monarchy (though not so called) under Augustus.

The governing body of the upper classes was the senate, composed of 600 senators, all trained formally in governmental offices. All members were either former magistrates or descendants of nobles. They were called **patrēs cōnscrīptī** (*conscript fathers*), standing for **patrēs et cōnscrīptī,** a term which referred to the time when the first plebeians were admitted to the senate as "enrolled" or "added" members in distinction to the patrician members, the **patrēs.**

The popular assemblies were (1) the **comitia centūriāta,** so called because all the citizens were divided into groups of centuries, or hundreds, which elected the higher magistrates, and (2) the **comitia tribūta,** a grouping by tribes (there were thirty-five) with one vote each. In the **comitia tribūta** the **plēbs** were more influential than the other two orders.

Every Roman official of the senatorial class was well educated and had undergone military and political training. The magistrates were elected annually (and could not immediately succeed themselves) in the cursus honorum. Each official had at least one colleague and thus was prevented from monopolizing power. The officials were not salaried.

A meeting of the senate. From the motion picture *Cleopatra.*

Curule chair shown on a silver coin of
C. Considius Paetus, about 45 B.C.

The officers in the senatorial cursus honorum, all elected annually,
were:

OFFICIAL	MINIMUM AGE
1. *Quaestor*	31
Twenty in number. Served in the treasury. Two in Rome, eighteen in the provinces and the army.	
2. *Aedile*	35
Four in number. City officials, in charge of public entertainment and public works.	
3. *Praetor*	40
Eight in number. Judges in civil and criminal courts.	
4. *Consul*	43
Two, with equal powers. Presided over the senate; were the chief executives of the state; brought bills before the assemblies; had charge of elections.	

There were also the censors (two), usually ex-consuls, elected every
five years for an eighteen months' term, who were in charge of moral
standards and the eligibility of senators. During the remaining three
and one-half years the consuls performed the censors' functions. One
office, that of the tribune, was in the hands of the **plēbs.** The tribunes
of the plebs were ten in number, had the right of veto, and were per-
sonally sacrosanct; anyone who attacked a tribune could be put to
death without trial. The veto made them very powerful.

After an official served as praetor or consul, he was usually appointed to a post as governor in a province, with the title of proconsul
or propraetor.

The dictatorship at Rome was a constitutional office, resorted to in
times of emergency. The dictator was appointed by the consuls at the
request of the senate.

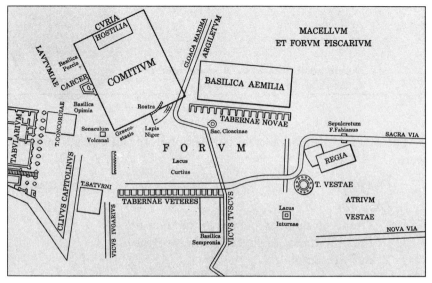

The Forum of the Republic.

187. THE CICERONIAN SENTENCE

You have read about Cicero's periodic style. There are a few other points which will help you through one of his sentences.

You probably have realized that anaphora, groups of two and three, and other devices actually make it easier to find your way through one of Cicero's formidable periods. You will find it useful to read a sentence aloud, breaking it up into its natural parts. Often these parts are of about equal length. Take the last sentence in the first speech against Catiline:

Tū, Iuppiter, || quī īsdem quibus haec urbs auspiciīs || ā Rōmulō es cōnstitūtus, || quem Statōrem huius urbis atque imperī vērē nōmināmus, || hunc et huius sociōs || ā tuīs cēterīsque templīs, || ā tēctīs urbis ac moenibus, || ā vītā fortūnīsque cīvium omnium arcēbis || et hominēs bonōrum inimīcōs, || hostīs patriae, latrōnēs Italiae || scelerum foedere inter sē ac nefāriā societāte coniūnctōs || aeternīs suppliciīs || vīvōs mortuōsque mactābis.

In translating such a sentence as this, break it up into several short sentences.

Not only does Cicero weld his ideas into a nicely rounded period but, by various devices, he also connects the periods with one another in thought and word. The connecting relative (**472, 4, c**) is one such device. But besides the ordinary conjunctions such as **sed** and **et,** there are many other words and phrases used for transitions:

age nunc, *come now*
age vērō, *well then*
at vērō, *but*
autem (never first word), *however, moreover*
dēnique, *in short, in a word*
enim (never first word), *for*
etenim, *for really*
hīc (adv.), *in view of this, under these circumstances*
iam tum, *even then*
iam vērō, *moreover*
igitur, *then, as I was just saying*
itaque, *accordingly*
nam, *for*
nē longum sit, *to be brief*
nunc, *as it is*
nunc vērō, *but as it is*
postrēmō, *finally, at last*
quae cum ita sint, *and since this is so, therefore*

quam ob rem, *and for this reason, and therefore*
quamquam, *and yet, however*
quārē, *and for that reason, therefore*
quid, *tell me, again* (calling attention to a question to follow)
quid est, *listen*
quid igitur, *what then*
quid quod, *what of the fact that*
quid vērō, *look here*
quod sī, *but if;* occasionally, *if then*
sīn autem, *but if on the other hand*
tamen (usually not first word), *nevertheless*
tametsī, *and yet*
vērō (never first word), *in fact, but*

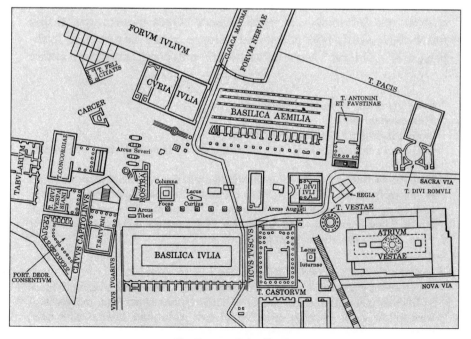

The Forum of the Empire.

188. SECOND ORATION AGAINST CATILINE

The first speech was made before the senate on November 7, the second before the people on the next day. Catiline left Rome to join Manlius after the senate meeting. In the senate Cicero had a generally sympathetic audience; not so before the people, many of whom sided with Catiline. We can imagine that Cicero had rather a mixed reception. The one new thing in this speech is the detailed description of the six classes of conspirators, most valuable in explaining the background of the plot and therefore the most important part in all four speeches.

189. CATILINE HAS LEFT!

I, 1. Tandem aliquandō, Quirītēs, L. Catilīnam, furentem audāciā, scelus anhēlantem,[1] pestem patriae nefāriē mōlientem, vōbīs [2] atque huic urbī ferrō flammāque minitantem ex urbe vel ēiēcimus vel ēmī-simus [3] vel ipsum ēgredientem verbīs [4] prōsecūtī sumus. Abiit, exces-
5 sit, ēvāsit, ērūpit.[5]

190. CONSPIRATORS: CLASS I

VIII, 17. Sed cūr tam diū dē ūnō hoste loquimur, et dē eō hoste quī iam fatētur sē esse hostem,[1] et quem, quia, quod [2] semper voluī, mūrus interest, nōn timeō; dē hīs quī dissimulant, quī Rōmae re-manent, quī nōbīscum sunt, nihil dīcimus? Quōs quidem ego, sī ūllō
5 modō fierī possit, nōn tam ulcīscī studeō quam sānāre sibi ipsōs, plācāre reī pūblicae [3] neque id quārē fierī nōn possit, sī iam mē audīre

---

[1] *breathing crime,* as we say *breathing fire.*

[2] With **minitantem (475,** 6).

[3] *let go,* the original meaning of the word.

[4] *with (nice) words;* ironical. **Vel,** as distinguished from **aut,** means *or, if you prefer.*

[5] Note the rhetorical flavor of this first paragraph. Four participles are arranged in two pairs; in the first pair we have chiasmus. In **pestem patriae** and in **ferrō flammāque** there is alliteration. With the last participle there are two pairs of nouns. Then come the three verbs. The last sentence consists only of four verbs, in two pairs, reaching a climax.

---

[1] Note the emphatic repetition of **hostis.** See **141,** footnote 23.

[2] An excellent example of a common Latin usage, which cannot be reproduced in English. The introductory words of three clauses come first, the verbs of each follow in the opposite order: **voluī** goes with **quod, interest** with **quia, timeō** with **quem.**

[3] *for (the good of) the state.*

volent, intellegō. Expōnam enim vōbīs, Quirītēs, ex quibus generibus hominum istae cōpiae comparentur; deinde singulīs medicīnam cōnsilī atque ōrātiōnis [4] meae, sī quam [5] poterō, afferam.

18. Ūnum genus est eōrum quī magnō in aere aliēnō [6] maiōrēs 10 etiam possessiōnēs habent, quārum amōre adductī dissolvī [7] nūllō modō possunt. Hōrum hominum speciēs est honestissima, sunt enim locuplētēs; voluntās vērō et causa impudentissima. Tū [8] agrīs, tū aedificiīs, tū argentō, tū familiā, tū rēbus omnibus ōrnātus et cōpiōsus sīs, et dubitēs dē possessiōne dētrahere, acquīrere ad fidem? [9] Quid enim 15 exspectās? Bellum? Quid ergō? In vāstātiōne omnium tuās possessiōnēs sacrōsānctās futūrās putās? An tabulās novās? [10] Errant quī istās ā Catilīnā exspectant; meō beneficiō tabulae novae prōferuntur, vērum auctiōnāriae; [11] neque enim istī quī possessiōnēs habent aliā ratiōne ūllā salvī esse possunt. Quod [12] sī mātūrius facere voluissent 20 neque, id quod stultissimum est, certāre cum ūsūrīs frūctibus praediōrum,[13] et locuplētiōribus hīs et meliōribus cīvibus ūterēmur.[14] Sed hōsce hominēs minimē putō pertimēscendōs, quod aut dēdūcī dē sententiā possunt aut, sī permanēbunt, magis mihi videntur vōta factūrī contrā rem pūblicam quam arma lātūrī. 25

191. Translation

1. You hesitate to give up your fine houses?
2. I see no one who can compel Catiline to surrender.
3. Although Catiline threatened us, we let him go from Rome.
4. The men who have remained in Rome are to be feared the most.

192. Vocabulary Drill

aes aliēnum	certō (–āre)	flamma	locuplēs	ulcīscor
argentum	errō	furō	sānō	voveō

---

[4] Hendiadys (495, 1). The two genitives explain **medicīnam.**
[5] *any* (**medicīnam**).   [6] (*although*) *in great debt.*
[7] *clear themselves* (*of debt*).
[8] He addresses an imaginary member of this class. For the subjunctive see **482. 18.**   [9] *credit.*
[10] *new accounts* means cancellation of debt, promised by Catiline.
[11] Cicero plans to have mortgaged property sold at auction to pay off the mortgage.
[12] Connecting relative: *And this.*
[13] Farm income was insufficient to pay off mortgage interest.
[14] *we should find them* (*to be*).

IX, 19. Alterum genus est eōrum quī, quamquam premuntur aere
aliēnō, dominātiōnem tamen exspectant, rērum [1] potīrī volunt,
honōrēs [2] quōs, quiētā rē pūblicā, dēspērant, perturbātā,[3] sē cōnsequī
posse arbitrantur. Quibus hoc praecipiendum vidētur, ūnum scīlicet et
5 idem quod reliquīs omnibus,[4] ut dēspērent id quod cōnantur sē
cōnsequī posse: prīmum omnium mē ipsum vigilāre,[5] adesse, prōvidēre
reī pūblicae; deinde magnōs animōs esse in bonīs virīs, magnam concordiam ōrdinum,[6] maximam multitūdinem, magnās praetereā mīlitum
cōpiās; deōs dēnique immortālīs huic invictō populō, clārissimō im-
10 periō, pulcherrimae urbī contrā tantam vim sceleris praesentīs [7]
auxilium esse lātūrōs. Quod sī iam sint id quod summō furōre cupiunt
adeptī,[8] num illī in cinere urbis et in sanguine cīvium, quae [9] mente
cōnscelerātā ac nefāriā concupīvērunt, cōnsulēs sē aut dictātōrēs aut
etiam rēgēs spērant futūrōs? Nōn vident id sē cupere quod, sī adeptī
15 sint, fugitīvō alicui aut gladiātōrī concēdī sit necesse? [10]

20. Tertium genus est aetāte iam affectum, sed tamen exercitātiōne
rōbustum; quō ex genere iste est Mānlius [11] cui nunc Catilīna succēdit. Hī sunt hominēs ex eīs colōniīs quās Sulla cōnstituit; [12] quās ego
ūniversās [13] cīvium esse optimōrum et fortissimōrum virōrum sentiō,
20 sed tamen eī sunt colōnī quī sē in īnspērātīs ac repentīnīs pecūniīs
sūmptuōsius īnsolentiusque iactārunt.[14] Hī dum aedificant tamquam
beātī,[15] dum praediīs lēctīs, familiīs magnīs, convīviīs apparātīs
dēlectantur, in tantum aes aliēnum incidērunt ut, sī salvī esse velint,
Sulla sit eīs ab īnferīs excitandus. Quī etiam nōn nūllōs agrestīs
25 hominēs tenuīs atque egentīs in eandem illam spem rapīnārum veterum

---

[1] *to acquire political control* (**474, 9**).   [2] *public offices.*
[3] i.e., **rē pūblicā.**   [4] Supply **praecipiendum vidētur.**
[5] The infinitives are in apposition with **hoc.**
[6] Bringing knights and senators together against the radicals was, in Cicero's
opinion, his greatest political success.
[7] With **deōs:** *in person.*   [8] *but supposing they have obtained.*
[9] (*things*) *which;* the two preceding nouns are the antecedent.
[10] The more violent revolutionaries would wrest power from the moderates, as
has often happened, e.g., in the French and Russian revolutions.
[11] He had been a tough centurion under Sulla before he became the head of
Catiline's armed forces.
[12] Sulla had confiscated much land in Italy in order to reward 120,000 of his
veterans. At various times the United States gave public (not confiscated)
land to veterans.
[13] *on the whole.*   [14] *made a display of themselves.*
[15] *rich.*

impulērunt. Quōs ego utrōsque in eōdem genere praedātōrum dīreptōrumque pōnō, sed eōs hoc [16] moneō, dēsinant furere ac prōscrīptiōnēs et dictātūrās cōgitāre. Tantus enim illōrum temporum [17] dolor inustus est cīvitātī ut iam ista nōn modo hominēs sed nē [18] pecudēs quidem mihi passūrae esse videantur.

30

194. Translation

1. This is what I urge, that you leave Rome at once.
2. Let them not remain at Rome; let them go to Manlius' camp.
3. They want to get possession of the city and all its wealth.
4. They have fallen into debt because they want to live like rich people.

195. Vocabulary Drill

adipīscor	colōnus	furor	īnferī	sūmptus
agrestis	concordia	iactō	potior	tenuis

---

[16] For the two accusatives see **473, 2, b, Note;** **dēsinant** (with **ut** omitted) explains **hoc** (**482, 5**).
[17] The time of Sulla.   [18] *not only not . . . but not even.*

The Roman Forum filled with spectators as the emperor Commodus (180–192 A.D.) arrives. From the motion picture *The Fall of the Roman Empire*.

X, 21. Quārtum genus est sānē varium et mixtum et turbulentum; quī iam prīdem premuntur, quī numquam ēmergunt,[1] quī partim inertiā, partim male gerendō negōtiō, partim etiam sūmptibus in vetere aere aliēnō vacillant, quī vadimōniīs, iūdiciīs, prōscrīptiōne [2] bonōrum 5 dēfatīgātī permultī et ex urbe et ex agrīs sē in illa castra cōnferre dīcuntur. Hōsce ego nōn tam mīlitēs ācrīs quam īnfitiātōrēs [3] lentōs esse arbitror. Quī hominēs quam prīmum, sī stāre nōn possunt, corruant, sed ita ut nōn modo cīvitās sed nē [4] vīcīnī quidem proximī sentiant. Nam illud nōn intellegō quam ob rem, sī vīvere honestē nōn 10 possunt, perīre turpiter velint, aut cūr minōre dolōre peritūrōs sē cum multīs quam sī sōlī pereant arbitrentur.

22. Quīntum genus est parricīdārum, sīcāriōrum, dēnique omnium facinorōsōrum. Quōs ego ā Catilīnā nōn revocō; nam neque ab eō dīvellī possunt et pereant [5] sānē in latrōciniō, quoniam sunt ita multī 15 ut eōs carcer capere nōn possit.

Postrēmum autem genus est [6] nōn sōlum numerō vērum etiam genere ipsō atque vītā, quod proprium [7] Catilīnae est, dē eius dīlēctū, immō vērō dē complexū eius ac sinū; quōs pexō capillō, nitidōs, aut imberbīs [8] aut bene barbātōs [9] vidētis, manicātīs et tālāribus tunicīs,[10] 20 vēlīs [11] amictōs, nōn togīs; quōrum omnis industria vītae et vigilandī labor in antelūcānīs [12] cēnīs exprōmitur. 23. In hīs gregibus [13] omnēs āleātōrēs, omnēs adulterī, omnēs impūrī impudīcīque versantur. Hī puerī tam lepidī ac dēlicātī nōn sōlum amāre et amārī neque [14] saltāre et cantāre [15] sed etiam sīcās vibrāre et spargere venēna [16] didicērunt. 25 Quī nisi exeunt, nisi pereunt, etiam sī Catilīna perierit, scītōte [17] hoc

---

[1] *never get their heads above water,* as we express it.

[2] *summons (to court), judgment, forced sale,* the three steps by which a creditor obtained what was due him.

[3] *slow payers;* literally, *deniers.* They won't help Catiline much in fighting.

[4] See **193,** footnote 18.   [5] Note the mood.   [6] *is (last).*

[7] *Catiline's own.*   [8] i.e., teenagers.   [9] The beatniks of Cicero's day.

[10] A sign of effeminacy, for most men wore sleeveless tunics, reaching to the knees.

[11] *sails,* because they contained so much cloth.

[12] i.e., they don't go home until morning from their all-night banquets.

[13] *herds, gangs.*   [14] *and not only.*

[15] Singing and dancing were not considered proper for "gentlemen." Cicero elsewhere says that no one except a madman dances while he is sober.

[16] In wine, presumably.

[17] Future imperative plural, translated like a present: *I assure you;* literally, *know.*

in rē pūblicā sēminārium Catilīnārum futūrum. Vērum tamen quid sibi istī miserī volunt? Num suās sēcum mulierculās [18] sunt in castra ductūrī? Quem ad modum autem illīs carēre poterunt, hīs praesertim iam noctibus? Quō autem pactō illī Appennīnum atque illās pruīnās ac nivīs [19] perferent? Nisi idcircō sē facilius hiemem tolerātūrōs putant, 30 quod nūdī in convīviīs saltāre didicērunt.

197. Translation

1. By managing business badly they fell into debt.
2. Let them die in the snows of the highest mountains.
3. I do not understand why they want to die in disgrace.
4. I cannot tell whether they are wearing togas or sails.

198. Vocabulary Drill

dīlēctus	idcircō	parricīda	proprius	sānē
grex	industria	pereō	quam prīmum	venēnum

---

[18] Diminutive of contempt.
[19] In contrast to Rome, where it does not snow very often.

The second oldest papyrus fragment of Cicero against Catiline (see page 82). It was written on papyrus in Egypt in the fifth century. The first column gives the Latin of *Cat.* II, 15: "tempestatem subire dum modo a vobis huius horribilis belli ac nefarii periculum depellatur. Dicatur sane." The second column gives the Greek translation for those who knew no Latin.

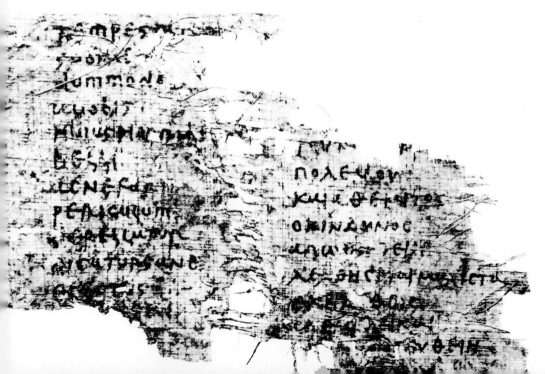

199. THIRD ORATION AGAINST CATILINE

The third speech against Catiline was made before the people on December 3, more than three weeks after the second speech, as a result of the discovery of sensational and conclusive evidence against Catiline. Before that Cicero had no real proof, and many people no doubt thought that he was just making political speeches, ones not based on fact.

What happened was that, after Catiline left Rome, his representatives began to deal with members of a Gallic tribe, the Allobroges, who were in Rome on an official mission. The Allobroges had complained to the senate about the dishonesty of Romans doing business in their country. The senate paid no attention to their complaints, and naturally the Allobroges were disgruntled. Catiline's men got the idea, clever at first sight, of taking advantage of this indignation. The conspirators proposed that the Allobroges send soldiers to help Catiline fight against his own country. The Allobroges, like other foreign peoples, had a Roman patron, that is, an adviser on legal matters. They consulted him about the conspirators' request, and he reported it to Cicero, who advised the Allobroges to get the request put in writing. This Catiline's representatives were stupid enough to do. Not only that—one of Catiline's men, named Lentulus, wrote Catiline, suggesting that slaves be enrolled as soldiers. His letter was sent by a messenger accompanying the Allobroges, who promised to stop and confer with Catiline at Faesulae.

Cicero arranged to have a force of soldiers intercept the group on the night of December 2–3. They met them at the Mulvian bridge, now within the city limits, at that time two miles north. The written request for Allobrogian assistance and Lentulus' letter to Catiline were seized and brought to Cicero. The leaders of the conspiracy were arrested and taken to the senate, where they confessed. Later in the day Cicero delivered this third oration in the Forum to tell the people what had happened, just as today the President of the United States makes a speech over television when a critical matter comes up.

The plan of calling on foreigners for help, of urging the use of slaves—and putting this in writing—appeared incredibly stupid to the Romans. They praised Cicero and, recalling the dangerous slave revolt a few years earlier, rejoiced at being saved by him.

A Roman orator. A statue in Verona.

200. ROME IS SAVED

I, 1. Rem pūblicam,[1] Quirītēs, vītamque [2] omnium vestrum, bona, fortūnās, coniugēs līberōsque vestrōs atque hoc domicilium clārissimī imperī, fortūnātissimam pulcherrimamque urbem, hodiernō diē deōrum immortālium summō ergā vōs amōre, labōribus, cōnsiliīs,
5 perīculīs meīs ē flammā atque ferrō ac paene ex faucibus fātī ēreptam et vōbīs cōnservātam ac restitūtam vidētis. 2. Et sī nōn minus nōbīs iūcundī atque illūstrēs sunt eī diēs quibus cōnservāmur quam illī quibus nāscimur, quod salūtis certa laetitia est, nāscendī incerta con- diciō,[3] et quod sine sēnsū nāscimur, cum voluptāte servāmur, profectō,
10 quoniam illum [4] quī hanc urbem condidit ad deōs immortālīs bene- volentiā fāmāque sustulimus,[5] esse apud vōs posterōsque vestrōs in honōre dēbēbit [6] is quī eandem hanc urbem conditam amplificātamque servāvit. Nam tōtī urbī,[7] templīs, dēlūbrīs, tēctīs ac moenibus subiectōs prope iam ignīs circumdatōsque restīnximus, īdemque [8] gladiōs in rem
15 pūblicam dēstrictōs rettudimus mūcrōnēsque eōrum ā iugulīs vestrīs dēiēcimus.

3. Quae quoniam in senātū illūstrāta, patefacta, comperta [9] sunt per mē, vōbīs iam expōnam breviter ut et quanta et quam manifēsta et quā ratiōne invēstīgāta et comprehēnsa sint vōs quī et ignōrātis et
20 exspectātis scīre possītis. Prīncipiō, ut [10] Catilīna paucīs ante diēbus [11] ērūpit ex urbe, cum sceleris suī sociōs huiusce nefāriī bellī acerrimōs ducēs [12] Rōmae relīquisset, semper vigilāvī et prōvīdī, Quirītēs, quem ad modum in tantīs et tam abscondītīs īnsidiīs salvī esse possēmus.

201. Prepositional Phrases

Unlike English, Latin has few prepositional phrases depending on nouns. For example, the English phrase *a bird in the hand* would be

---

[1] This periodic sentence is really very simple. Its essential part is **rem pūblicam cōnservātam ac restitūtam vidētis;** the rest is elaboration. **Vītam** goes with **coniugēs līberōsque, bona** and **fortūnās** belong together; **domicilium** and **urbem,** modified by two superlatives, form a pair. **Deōrum amōre** balances in chiastic order **labōribus, cōnsiliīs, perīculīs meīs.** The next four nouns are in two pairs, with striking alliteration.

[2] The plural is used in English.   [3] *our status at birth.*

[4] i.e., Romulus, who was made a god called Quirinus.

[5] *we have raised to the gods with our affection and praise.*

[6] *he will deserve;* **is** means Cicero.

[7] With **subiectōs.**   [8] *(we) too;* literally, *the same we.*

[9] In these verbs Cicero reverses the chronological order.

[10] *ever since;* literally, *when.*

[11] Time is relative: it was really over three weeks.   [12] *(as) leaders.*

in Latin **avis quae in manū est.** But in Latin a noun expressing feeling
or attitude may have a phrase introduced by **ergā** or **in** dependent on
it: **ergā vōs amōre** (line 4).

202. Translation

1. Don't you see that the city has been saved?
2. Fires were to be applied to the entire city.
3. Cicero explained how he found out what they were planning.

203. Vocabulary Drill

benevolentia	dēlūbrum	fātum	illūstris	prīncipium
condō	domicilium	hodiernus	manifēstus	sēnsus
coniūnx	ergā	ignōrō	posterus	tollō

204. Word Study

Coniūnx is derived from **con–** and the stem of **iungō:** *joined together.*
Hodiernus diēs is tautological: literally, *today's day.* We have tautol-
ogies also in the expressions *long-distance telephone* (for *telephone*
means *far speaking*), *symphony concert* ("togetherness" is indicated
by both Latin *con–* and its Greek synonym *syn–*), and *head of cabbage*
(from **caput**).

The oldest inscription in the Latin
language, though scholars do not
agree on its interpretation. It is in
the Forum, under the Lapis Niger, the
Black Stone.

205. EVIDENCE OF TREASON

II. Nam tum cum ex urbe Catilīnam ēiciēbam [1] (nōn enim iam vereor huius verbī [2] invidiam, cum illa [3] magis sit timenda, quod vīvus exierit [4]), sed tum cum illum exterminārī [5] volēbam, aut reliquam coniūrātōrum manum simul exitūram aut eōs quī restitissent [6]
5 īnfirmōs sine illō ac dēbilīs fore putābam. 4. Atque ego, ut [7] vīdī, quōs maximō furōre et scelere esse īnflammātōs sciēbam, eōs nōbīscum esse et Rōmae remānsisse, in eō [8] omnīs diēs noctēsque cōnsūmpsī, ut quid agerent, quid mōlīrentur sentīrem ac vidērem, ut, quoniam auribus vestrīs propter incrēdibilem magnitūdinem sceleris minōrem
10 fidem faceret [9] ōrātiō mea, rem ita comprehenderem ut tum dēmum animīs salūtī vestrae prōvidērētis cum oculīs maleficium ipsum vidērētis. Itaque ut comperī lēgātōs Allobrogum bellī Trānsalpīnī et tumultūs Gallicī excitandī causā ā P. Lentulō [10] esse sollicitātōs, eōsque in Galliam ad suōs cīvīs eōdemque itinere cum litterīs mandā-
15 tīsque [11] ad Catilīnam esse missōs, comitemque eīs adiūnctum esse T. Volturcium, atque huic esse ad Catilīnam datās litterās, facultātem mihi oblātam putāvī ut (quod [12] erat difficillimum quodque ego semper optābam ab dīs immortālibus) tōta rēs nōn sōlum ā mē sed etiam ā senātū et ā vōbīs manifēstō dēprēnderētur. 5. Itaque hesternō
20 diē L. Flaccum et C. Pomptīnum praetōrēs, fortissimōs atque amantissimōs reī pūblicae virōs, ad mē vocāvī, rem exposuī, quid fierī placēret ostendī. Illī autem, quī omnia dē rē pūblicā praeclāra atque ēgregia sentīrent, [13] sine recūsātiōne ac sine ūllā morā negōtium suscēpērunt et, cum advesperāsceret, occultē ad pontem Mulvium
25 pervēnērunt atque ibi in proximīs vīllīs ita bipertītō fuērunt ut Tiberis inter eōs et pōns interesset. Eōdem autem et [14] ipsī sine cuiusquam suspīciōne multōs fortīs virōs ēdūxerant, et ego ex praefectūrā

---

[1] *I was trying to drive out* (**480,** 3). Indicative because it is not descriptive but indicates the precise time: *at that very time when.*
[2] Refers to **ēiciēbam.**   [3] **invidia.**   [4] For the mood see **482,** 16.
[5] *exiled;* from **terminus,** *boundary.*
[6] *would remain.*
[7] Watch out for **ut** in this sentence: it occurs four times, all in different uses.
[8] *in this* (*task*), explained by the following **ut** clause.
[9] *produced too little belief in you;* literally, *in your ears.*
[10] A praetor who was one of Catiline's chief backers.
[11] **Litterae** were written, **mandāta** were oral.
[12] (*a thing*) *which,* referring to the **ut** clause.
[13] *since they had all the fine and excellent feelings about the state,* i.e., they were anti-Catiline.
[14] *both.*

The Mulvian bridge, formerly outside Rome to the north, now in the city limits.

Reātīnā [15] complūrīs dēlēctōs adulēscentīs quōrum operā ūtor assiduē in reī pūblicae praesidiō cum gladiīs mīseram. 6. Interim tertiā ferē vigiliā exāctā,[16] cum iam pontem Mulvium magnō comitātū [17] lēgātī 30 Allobrogēs ingredī inciperent ūnāque Volturcius, fit in eōs impetus; dūcuntur et ab illīs gladiī et ā nostrīs. Rēs praetōribus erat nōta sōlīs, ignōrābātur ā cēterīs.

206. Translation

1. They proceeded toward the river with many soldiers.
2. In order to see what was happening, he went to the bridge.
3. They were sent with a letter to tell Catiline what he ought to do.
4. They said that they would not fight because they did not believe Cicero.

207. Vocabulary Drill

assiduus	complūrēs	hesternus	pōns	sollicitō
comitātus	facultās	lēgātus	restō	vigilia

[15] Cicero was patron of the Sabine town of Reate and could depend on its loyalty.
[16] The night was divided into four watches; therefore it would be about 3 A.M.
[17] See 477, 6, b.

208. THE CONSPIRATORS UNDER ARREST

III. Tum interventū Pomptīnī atque Flaccī pugna quae erat commissa sēdātur. Litterae quaecumque erant in eō comitātū, integrīs
signīs, praetōribus trāduntur; ipsī [1] comprehēnsī ad mē, cum iam
dīlūcēsceret, dēdūcuntur. Atque hōrum omnium scelerum impro-
5 bissimum māchinātōrem, Cimbrum Gabīnium, statim ad mē nihildum
suspicantem vocāvī; deinde item arcessītus est L. Statilius et post eum
Cethēgus; tardissimē autem Lentulus vēnit, crēdō quod in litterīs
dandīs [2] praeter cōnsuētūdinem proximā nocte vigilārat. 7. Cum [3]
summīs et clārissimīs huius cīvitātis virīs,[4] quī, audītā rē, frequentēs ad
10 mē māne convēnerant, litterās ā mē prius aperīrī quam ad senātum
dēferrī [5] placēret, nē, sī nihil esset inventum, temere ā mē tantus tumultus iniectus cīvitātī vidērētur, negāvī [6] mē esse factūrum ut dē perīculō
pūblicō nōn ad cōnsilium pūblicum rem integram dēferrem. Etenim,
Quirītēs, sī ea quae erant ad mē dēlāta reperta nōn essent, tamen ego
15 nōn arbitrābar in tantīs reī pūblicae perīculīs esse mihi nimiam dīligentiam pertimēscendam. Senātum frequentem [7] celeriter, ut vīdistis,
coēgī. 8. Atque intereā statim admonitū Allobrogum C. Sulpicium
praetōrem, fortem virum, mīsī quī ex aedibus Cethēgī sī quid [8] tēlōrum
esset efferret; [9] ex quibus ille maximum sīcārum numerum et gladiōrum
20 extulit.

209. Translation

1. Before he could destroy the letter it was seized.
2. If the letter were not found, what would Cicero do?
3. He sent a brave man to bring back any weapons he found.
4. He said he would not open the letter before the senate saw it.

210. Word Study

What two inceptive verbs are in the preceding chapter?

Give English derivatives of **gladius, interventus, negō, sēdō,
suspicor.**

---

[1] The conspirators.

[2] Ironical, of course: *in writing letters.* One of the letters was four lines long
(**214,** line 31). Lentulus was noted for his laziness.

[3] *although.*   [4] With **placēret.**

[5] The subjunctive would be more natural, introduced by **prius quam,** but the
contrast with **aperīrī** affects the construction.

[6] *I said I would not so act as not to.*

[7] *well attended.*

[8] *whatever* (with **sī**).   [9] Purpose (**482,** 3).

IV. Intrōdūxī Volturcium sine Gallīs; fidem pūblicam [1] iussū senātūs dedī; hortātus sum ut ea quae scīret sine timōre indicāret. Tum ille dīxit, cum vix sē ex magnō timōre recreāsset, ā P. Lentulō sē habēre ad Catilīnam mandāta et litterās [2] ut servōrum praesidiō ūterētur, ut ad urbem quam prīmum cum exercitū accēderet; id [3] autem 5 eō cōnsiliō ut, cum urbem ex omnibus partibus quem ad modum dīscrīptum distribūtumque erat incendissent caedemque īnfīnītam cīvium fēcissent, praestō esset ille [4] quī et fugientīs exciperet [5] et sē cum hīs urbānīs ducibus coniungeret. 9. Intrōductī autem Gallī iūs iūrandum sibi et litterās ā P. Lentulō, Cethēgō, Statiliō ad suam 10 gentem datās esse dīxērunt, atque ita sibi ab hīs et ā L. Cassiō [6] esse praescrīptum [7] ut equitātum in Italiam quam prīmum mitterent; pedestrīs sibi cōpiās nōn dēfutūrās.[8] Lentulum autem sibi cōnfirmāsse ex fātīs Sibyllīnīs [9] haruspicumque respōnsīs sē esse tertium illum Cornēlium [10] ad quem rēgnum [11] huius urbis atque imperium pervenīre 15 esset necesse: Cinnam ante sē et Sullam [12] fuisse. Eundemque dīxisse fātālem [13] hunc annum esse ad interitum huius urbis atque imperī,

[1] *official promise* of immunity from prosecution for "turning state's evidence," as we put it.

[2] *a letter.* The plural generally means a single epistle; if more than one is meant there is usually some indication.

[3] Refers to the preceding **ut** clause.   [4] Catiline.   [5] Purpose.

[6] Cassius seems to have been the only one cautious enough not to put his instructions in writing.

[7] Impersonal: *they had been directed.*   [8] Supply *he stated that.*

[9] See the story in **112.**

[10] His whole name was P. Cornelius Lentulus Sura.

[11] Remember how hateful this word was to the Romans, as it was to Americans at the time of the Revolution.

[12] L. Cornelius Cinna and L. Cornelius Sulla.   [13] *fated.*

A seal ring, from which the impression on page 28 was made.

quī [14] esset annus decimus post virginum [15] absolūtiōnem, post Capi-
tōlī autem incēnsiōnem vīcēsimus. 10. Hanc autem Cethēgō [16] cum
20 cēterīs contrōversiam fuisse dīxērunt quod Lentulō et aliīs Sāturnāli-
bus [17] caedem fierī atque urbem incendī placēret, Cethēgō nimium
id longum vidērētur.

212. Translation

1. Did Lentulus warn Catiline not to use slaves?
2. Lentulus asked Catiline to come to Rome in order to burn the city.
3. This day was chosen for the deed since it was the first one after the holiday.

213. Vocabulary Drill

fugiō	indicō	praesidium	timor	virgō
incendō	praescrībō	praestō	ūtor	vix

[14] Causal (**482**, 10).
[15] We do not know what the charges against the Vestal Virgins were, but one may guess that they were blamed because the sacred fire went out.
[16] With **fuisse**: *Cethegus had had* (**475**, 8).
[17] The general license and confusion of the Saturnalia (beginning December 17) made it a good time for the conspirators to strike.

The Temple of Vesta in the Forum, partly restored. Here The Vestal Virgins kept the sacred fire burning.

Writing on a double wax tablet. The desire to show the entire tablet accounts for the unnatural pose. From a Roman stone relief in Klagenfurt, Austria.

214. CONFESSION

V. Ac nē longum sit,[1] Quirītēs, tabellās prōferrī iussimus quae ā quōque dīcēbantur datae.[2] Prīmō ostendimus Cēthēgō; signum cognōvit.[3] Nōs līnum incīdimus; lēgimus. Erat scrīptum ipsīus manū Allobrogum senātuī et populō sēsē quae eōrum lēgātīs cōnfirmāsset factūrum esse; ōrāre ut item illī facerent quae sibi eōrum lēgātī 5 recēpissent.[4] Tum Cethēgus, quī paulō ante aliquid tamen dē gladiīs ac sīcīs quae apud ipsum [5] erant dēprehēnsa respondisset dīxissetque sē semper bonōrum ferrāmentōrum studiōsum [6] fuisse, recitātīs litterīs, dēbilitātus atque abiectus cōnscientiā repente conticuit. Intrōductus Statilius cognōvit et signum et manum suam. Recitātae sunt 10 tabellae in eandem ferē sententiam;[7] cōnfessus est. Tum ostendī tabellās Lentulō et quaesīvī cognōsceretne [8] signum. Annuit. "Est vērō," inquam, "nōtum quidem signum, imāgō avī [9] tuī, clārissimī virī, quī amāvit ūnicē patriam et cīvīs suōs; quae quidem tē ā tantō scelere etiam mūta revocāre dēbuit." [10] 11. Leguntur eādem ratiōne [11] ad 15 senātum Allobrogum populumque litterae. Sī quid dē hīs rēbus dīcere vellet,[12] fēcī potestātem. Atque ille prīmō quidem negāvit; post autem aliquantō, tōtō iam indiciō expositō atque ēditō, surrēxit, quaesīvit ā

[1] *not to be longwinded.*
[2] Supply **esse.** The wooden tablets were covered with wax, on which the writing was scratched. Next two tablets were tied together and sealed with wax; then the writer would stamp the wax with his seal ring.
[3] *he acknowledged (the genuineness of) the seal.*
[4] *had promised;* literally, *had taken upon themselves.*   [5] *at his house.*
[6] *interested in fine weapons,* meaning that he collected them. This is still a common but unsuccessful defense.
[7] *with about the same meaning.*   [8] **–ne** introduces an indirect question: *whether.*
[9] P. Cornelius Lentulus had been a consul.
[10] *ought to have recalled.* Note the oxymoron (**495,** 3) in **mūta** and **revocāre.**
[11] *of the same nature.*
[12] Indirect discourse is implied and so the subordinate clause is in the subjunctive.

Gallīs quid sibi esset cum eīs [13] quam ob rem [14] domum suam vēnis-
20 sent, itemque ā Volturciō. Quī cum illī breviter cōnstanterque res-
pondissent per quem ad eum quotiēnsque vēnissent, quaesīssentque
ab eō nihilne [8] sēcum esset dē fātīs Sibyllīnīs locūtus, tum ille subitō
scelere dēmens quanta cōnscientiae vīs esset ostendit. Nam, cum id
posset īnfitiārī, repente praeter opīniōnem omnium cōnfessus est.
25 Ita eum [15] nōn modo ingenium illud [16] et dīcendī exercitātiō quā
semper valuit sed etiam propter vim sceleris manifēstī atque dēpre-
hēnsī impudentia quā superābat omnīs improbitāsque dēfēcit.[17] 12.
Volturcius vērō subitō litterās prōferrī atque aperīrī iubet quās sibi ā
Lentulō ad Catilīnam datās esse dīcēbat. Atque ibi vehementissimē
30 perturbātus Lentulus tamen et signum et manum suam cognōvit. Erant
autem sine nōmine,[18] sed ita: "Quis sim sciēs ex eō quem ad tē mīsī.
Cūrā [19] ut vir sīs et cōgitā quem in locum [20] sīs prōgressus. Vidē
ecquid [21] tibi iam sit necesse et cūrā ut omnium tibi auxilia adiungās,
etiam īnfīmōrum." [22] Gabīnius deinde intrōductus, cum prīmō im-
35 pudenter respondēre coepisset, ad extrēmum nihil ex eīs quae Gallī
īnsimulābant negāvit. 13. Ac mihi quidem, Quirītēs, cum [23] illa certissima vīsa sunt argūmenta atque indicia sceleris, tabellae, signa, manūs,
dēnique ūnīus cuiusque cōnfessiō, tum multō certiōra illa, color, oculī,
vultūs, taciturnitās. Sīc enim obstupuerant, sīc terram intuēbantur, sīc
40 fūrtim nōn numquam inter sēsē aspiciēbant ut nōn iam ab aliīs indicārī
sed indicāre sē ipsī vidērentur.

215. Translation

1. He begged them to do what they had promised.
2. He asked the Gauls why they had come to his house.
3. Cicero asked Lentulus whether he acknowledged the seal.
4. The seal of Lentulus' grandfather ought to have made him fear.

216. Vocabulary Drill

argūmentum	dēbilitō	imāgō	recitō	tabella
cōnfiteor	dēmēns	intueor	superō	vultus

---

[13] *what he had to do with them.* [14] *on account of which.*   [15] Object of **dēfēcit.**
[16] *well-known,* a common meaning when **ille** follows its noun.
[17] Singular to agree with the nearer subject **improbitās.**
[18] i.e., unsigned. [19] Verb. [20] *how far.* [21] *whether anything.*
[22] i.e., slaves. Sallust also quotes this letter **(284).** The thought is the same but
the language differs because Cicero has restated it in rhetorical form to
harmonize with the rest of his speech. Note the balanced arrangement of
the clauses. [23] *not only,* balanced by **tum.**

217. THE SENATE TAKES ACTION

VI. Indiciīs expositīs atque ēditīs, Quirītēs, senātum cōnsuluī dē summā rē pūblicā [1] quid fierī placēret. Dictae sunt ā prīncipibus ācerrimae ac fortissimae sententiae,[2] quās senātus sine ūllā varietāte [3] est secūtus. Et quoniam nōndum est perscrīptum senātūs cōnsultum, ex memoriā vōbīs, Quirītēs, quid senātus cēnsuerit expōnam. 14. 5 Prīmum mihi grātiae verbīs amplissimīs aguntur, quod virtūte, cōnsiliō, prōvidentiā meā rēs pūblica maximīs perīculīs sit līberāta.[4] Deinde L. Flaccus et C. Pomptīnus praetōrēs, quod eōrum operā fortī fidēlīque ūsus essem,[5] meritō ac iūre laudantur. Atque etiam virō fortī, collēgae [6] meō, laus impertītur, quod eōs quī huius coniūrātiōnis participēs fuis- 10 sent [7] ā suīs et ā reī pūblicae cōnsiliīs remōvisset. Atque ita cēnsuērunt ut P. Lentulus, cum sē praetūrā abdicāsset,[8] in custōdiam trāderētur; itemque utī C. Cethēgus, L. Statilius, P. Gabīnius, quī omnēs prae- sentēs [9] erant, in custōdiam trāderentur; atque idem hoc dēcrētum est in L. Cassium, quī sibi prōcūrātiōnem incendendae urbis dēpo- 15 poscerat, in M. Cēpārium, cui ad sollicitandōs pāstōrēs Āpūliam attribūtam esse erat indicātum, in P. Fūrium, quī est ex eīs colōnīs quōs Faesulās L. Sulla dēdūxit, in Q. Annium Chīlōnem, quī ūnā cum hōc Fūriō semper erat in hāc Allobrogum sollicitātiōne versātus, in P. Umbrēnum, lībertīnum hominem, ā quō prīmum Gallōs ad Gabīnium 20 perductōs esse cōnstābat. Atque eā [10] lēnitāte senātus est ūsus, Quirītēs, ut ex tantā coniūrātiōne tantāque hāc multitūdine domesticōrum hostium, novem [11] hominum perditissimōrum poenā rē pūblicā cōn- servātā, reliquōrum mentīs sānārī posse arbitrārētur. 15. Atque etiam supplicātiō dīs immortālibus prō singulārī eōrum meritō meō nōmine 25 dēcrēta est, quod mihi prīmum post hanc urbem conditam togātō

---

[1] the highest (welfare of the) state.
[2] Cicero, the presiding consul, called on the senators in a fixed order. The consuls-elect were called on first, then former consuls, etc. Later a committee wrote up the majority opinion, and that served as the official action.
[3] i.e., unanimously.   [4] Quoted reason (482, 16).
[5] I had benefited by their services.
[6] Antonius, Cicero's fellow consul, had supported Catiline but was bought off by the promise that he would be made governor of Macedonia, where the chances for becoming rich were very good.
[7] Attraction (482, 15).
[8] Like our congressmen and other officials, Roman magistrates could not be tried while holding office.
[9] This word shows that the men mentioned next were not present. Only Ceparius was caught.
[10] such.   [11] But four escaped.

contigit,[12] et hīs dēcrēta verbīs est: "quod urbem incendiīs, caede cīvīs, Italiam bellō līberāssem." Quae supplicātiō sī cum cēterīs supplicātiōnibus cōnferātur,[13] hoc interest, quod cēterae, bene gestā, haec
30 ūna, cōnservātā rē pūblicā, cōnstitūta est. Atque illud quod faciendum prīmum fuit factum atque trānsāctum est.[14] Nam P. Lentulus, quamquam patefactīs indiciīs, cōnfessiōnibus suīs, iūdiciō senātūs nōn modo praetōris iūs vērum etiam cīvis āmīserat, tamen magistrātū sē abdicāvit, ut quae [15] religiō C. Mariō,[16] clārissimō virō, nōn fuerat quō
35 minus [17] C. Glauciam, dē quō nihil nōminātim erat dēcrētum, praetōrem occīderet, eā nōs religiōne [18] in prīvātō [19] P. Lentulō pūniendō līberārēmur.

218. Translation

1. Nothing can prevent them from leaving the city.
2. If the senate should expel them, where would they go?
3. The task of burning the city had been assigned to Cassius.
4. I say that they should be sent into exile because they are wicked.

219. Vocabulary Drill

| cōnferō | custōdia | fidēlis | meritum | praetūra |
| coniūrātiō | domesticus | interest | particeps | togātus |

220. Word Study

What is the meaning of the phrase *particeps criminis,* used in English?

What abbreviation used in English is derived from the Latin word **cōnferō?**

A *pastor* is the "shepherd" of his *congregation* (**con–** and **grex,** *flock*).

---

[12] (*a thing*) *which for the first time since this city was founded happened to a civilian* (**togātō**) (*such as*) *me.*

[13] The condition is "mixed," i.e., the condition itself is less vivid, the conclusion is one of fact.

[14] In Washington jargon (gobbledegook) "finalize" would be used.

[15] The antecedent is **religiōne** below.

[16] Dative of possession: *the scruple which Marius did not have.*

[17] (*to keep him*) *from* (**482,** 6).

[18] *from that scruple.*

[19] *private* (*citizen*), in contrast with **praetōrem.**

221. IF CATILINE HAD BEEN IN ROME

VII, 16. Nunc quoniam, Quirītēs, cōnscelerātissimī perīculōsissimīque bellī nefāriōs ducēs captōs iam et comprehēnsōs tenētis, exīstimāre dēbētis omnīs Catilīnae cōpiās, omnīs spēs atque opēs, hīs dēpulsīs urbis perīculīs, concidisse. Quem quidem ego cum ex urbe pellēbam,[1] hoc prōvidēbam animō, Quirītēs, remōtō Catilīnā, nōn 5 mihi esse P. Lentulī somnum [2] nec L. Cassī adipēs nec C. Cethēgī furiōsam temeritātem pertimēscendam. Ille [3] erat ūnus timendus ex istīs [4] omnibus, sed tam diū dum urbis moenibus continēbātur. Omnia nōrat, omnium aditūs tenēbat; [5] appellāre,[6] temptāre, sollicitāre poterat, audēbat. Erat eī cōnsilium [7] ad facinus aptum, cōnsiliō autem 10 neque lingua neque manus deerat. Iam ad certās rēs cōnficiendās certōs [8] hominēs dēlēctōs ac dēscrīptōs habēbat.[9] Neque vērō, cum aliquid mandārat, cōnfectum putābat: nihil erat quod nōn ipse obīret, occurreret, vigilāret, labōrāret; [10] frīgus, sitim, famem ferre poterat. 17. Hunc ego hominem tam ācrem, tam audācem, tam parātum, tam 15 callidum, tam in scelere vigilantem, tam [11] in perditīs rēbus dīligentem nisi ex domesticīs īnsidiīs in castrēnse latrōcinium compulissem— dīcam id quod sentiō, Quirītēs—nōn facile hanc tantam mōlem malī ā cervīcibus vestrīs dēpulissem. Nōn ille nōbīs Sāturnālia cōnstituisset,[12] neque tantō ante [13] exitī ac fātī diem reī pūblicae dēnūntiāvisset 20 neque commīsisset ut signum, ut litterae suae testēs manifēstī sceleris dēprehenderentur. Quae nunc, illō absente, sīc gesta sunt ut nūllum in prīvātā domō fūrtum umquam sit tam palam inventum quam haec in tōtā rē pūblicā coniūrātiō manifēstō comprehēnsa est. Quod sī

---

[1] *trying to drive* (**480, 3**).
[2] Remember that Lentulus arrived late at Cicero's house (**208**, line 7).
[3] Catiline.   [4] Contemptuous: *of all those fellows.*
[5] *he had (avenues of) approach to everybody.*
[6] *call by name,* i.e., he knew everybody and knew also which of a man's three names he should use. In other words, he was a good politician.
[7] *judgment.*
[8] *particular men for particular things.* He knew the capacities of all his men.
[9] From this use of **habeō** and a past participle there developed in late Latin, the Romance languages, and English a new tense form: French *j'ai fait* (**ego habeō factum**), *nous avons fait* (**nōs habēmus factum**), English *I have done.*
[10] The four verbs are in two pairs. Then follow three nouns with alliteration and asyndeton.
[11] Anaphora with six examples of **tam** arranged in pairs.
[12] i.e., so late. That was the fault of Lentulus, objected to by Cethegus (**211**, line 19).
[13] *so long beforehand.*

25 Catilīna in urbe ad hanc diem remānsisset, quamquam, quoad fuit, omnibus eius cōnsiliīs occurrī atque obstitī, tamen, ut levissimē dīcam,[14] dīmicandum nōbīs cum illō fuisset, neque nōs umquam, cum ille in urbe hostis esset, tantīs perīculīs rem pūblicam tantā pāce, tantō ōtiō, tantō silentiō līberāssēmus.

222. Translation

1. We do not have to fear Catiline any longer.
2. I was trying to force Catiline to leave Rome.
3. But it so happened that we freed the city peacefully.
4. If Catiline had not left Rome, we should have had to fight.

223. Vocabulary Drill

callidus	dēnūntiō	exīstimō	latrōcinium	temeritās
cervīx	dum	fūrtum	palam	testis

[14] *to say the least, we should have had to fight.*

The New York copy of the Capitoline wolf in the Museum of the City of New York (see page 125 and footnote 9).

224. THE WILL OF THE GODS

VIII, 18. Quamquam haec omnia, Quirītēs, ita sunt ā mē administrāta ut deōrum immortālium nūtū atque cōnsiliō et gesta et prōvīsa esse videantur. Idque cum [1] coniectūrā cōnsequī possumus, quod vix vidētur hūmānī cōnsilī [2] tantārum rērum gubernātiō esse potuisse, tum vērō ita praesentēs hīs temporibus opem et auxilium nōbīs tulērunt 5 ut eōs paene oculīs vidēre possīmus. Nam ut illa [3] omittam, vīsās nocturnō tempore ab occidente facēs [4] ārdōremque caelī, ut fulminum iactūs, ut terrae mōtūs relinquam, ut omittam cētera quae tam multa, nōbīs cōnsulibus, facta sunt ut haec quae nunc fīunt canere [5] dī immortālēs vidērentur, hoc certē, Quirītēs, quod sum dictūrus neque 10 praetermittendum neque relinquendum est. 19. Nam profectō memoriā tenētis, Cottā et Torquātō cōnsulibus,[6] complūrīs in Capitōliō rēs dē caelō [7] esse percussās, cum et simulācra deōrum dēpulsa sunt et statuae veterum hominum dēiectae et lēgum aera [8] liquefacta et tāctus etiam ille quī hanc urbem condidit Rōmulus, quem inaurātum in 15 Capitōliō, parvum atque lactantem, ūberibus lupīnīs inhiantem [9] fuisse meministis. Quō quidem tempore cum haruspicēs ex tōtā Etrūriā [10] convēnissent, caedīs atque incendia et lēgum interitum et bellum cīvīle ac domesticum et totīus urbis atque imperī occāsum appropinquāre dīxērunt, nisi dī immortālēs omnī ratiōne plācātī suō nūmine prope 20 fāta ipsa flexissent.[11] 20. Itaque illōrum respōnsīs tum et [12] lūdī [13] per

[1] With **tum:** *not only . . . but also.*

[2] Predicate genitive (**474,** 2): *could hardly, it seems, have been* (*a matter*) *of human wisdom.*   [3] *the following.* A fine **praeteritiō (124).**

[4] *meteors in the west;* this and the following phenomena were regarded as signs of bad luck. Did Cicero believe in them? Probably not, but since many people did, it was good politics to mention these things.

[5] *predict.*   [6] 65 B.C.

[7] i.e., they were struck by lightning.

[8] *bronze tablets,* on which the laws were inscribed. They were in the Forum.

[9] *whose gilded* (*statue*) *as a suckling child, with open mouth* (**inhiantem**) *at the wolf's breast.* A bronze wolf still in Rome is probably the one Cicero describes, as there are traces on the left hind leg of its being struck by lightning. It is today a symbol of Rome. A gold copy was given to President Wilson in 1919 and one in bronze was presented to the city of New York in 1929. A live wolf is kept in a cage on the Capitoline.

[10] Examination of entrails and other forms of divination originated in Etruria.

[11] *unless the gods should almost bend the fates themselves;* **prope** is used because not even the gods could change fate, according to the ancient view.

[12] With **neque:** *both . . . and not.*

[13] Chariot races in the Circus Maximus. Supposedly given to appease the gods, they took the minds of the people from the omens. Holy day became holiday.

The city of Rome still uses S.P.Q.R. for official notices. The words below mean, in effect, "Keep off the grass."

decem diēs factī sunt neque rēs ūlla quae ad plācandōs deōs pertinēret praetermissa est. Īdemque iussērunt simulācrum Iovis facere maius et in excelsō collocāre et contrā atque [14] anteā fuerat ad orientem con-
25 vertere; ac sē spērāre dīxērunt, sī illud signum quod vidētis [15] sōlis ortum et forum cūriamque cōnspiceret, fore ut [16] ea cōnsilia quae clam essent inita contrā salūtem urbis atque imperī illūstrārentur ut ā senātū populōque Rōmānō [17] perspicī possent. Atque illud signum collocandum cōnsulēs illī locāvērunt; [18] sed tanta fuit operis tarditās
30 ut neque superiōribus cōnsulibus neque nōbīs ante hodiernum diem collocārētur.

225. Translation

1. I am going to say what I think.
2. They said that the city would be burned.
3. The statue of Jupiter could be seen from the Forum.
4. Everything was so carefully carried out that it seemed a miracle to all.

226. Vocabulary Drill

caelum	cīvīlis	flectō	hūmānus	nūmen
certē	excelsus	forum	lūdus	nūtus

---

[14] *opposite to what it was before.*
[15] He points to the statue on the Capitoline Hill, visible from the Forum.
[16] (*the result*) *would be that.* A common substitute for the rare future passive infinitive, **illūstrātum īrī.**
[17] The power and glory of Rome is represented by this phrase, usually abbreviated S.P.Q.R. It is still used.
[18] *Contracted to have the statue erected* (**488,** 4).

227. JUPITER IS OUR SAVIOUR

IX, 21. Hīc [1] quis potest esse tam āversus ā vērō, tam praeceps, tam mente captus [2] quī neget [3] haec omnia quae vidēmus praecipuēque hanc urbem deōrum immortālium nūtū ac potestāte administrārī? Etenim cum esset ita respōnsum, caedīs, incendia, interitum reī pūblicae comparārī, et ea [4] per cīvīs, quae tum propter magnitūdinem 5 scelerum nōn nūllīs incrēdibilia vidēbantur, ea nōn modo cōgitāta ā nefāriīs cīvibus vērum etiam suscepta esse sēnsistis. Illud [5] vērō nōnne ita praesēns est ut nūtū Iovis Optimī Maximī factum esse videātur, ut, cum hodiernō diē māne per forum meō iussū et coniūrātī et eōrum indicēs in aedem Concordiae dūcerentur, eō ipsō tempore signum 10 statuerētur? [6] Quō collocātō atque ad vōs senātumque conversō, omnia et senātus et vōs quae erant contrā salūtem omnium cōgitāta, illūstrāta, et patefacta vīdistis. 22. Quō [7] etiam maiōre sunt istī odiō suppliciōque

[1] *In view of this* (adverb). [2] *insane;* literally, *seized in mind.*
[3] Result clause (**482**, 10).
[4] *and those* (*things*) *by citizens* (*at that*), (*things*) *which.*
[5] Explained by the **ut** clause.
[6] Perhaps Cicero planned it that way.
[7] *Therefore.*

Jupiter, with his thunderbolt in his right hand. An ancient sculpture in the Vatican Museum.

dignī quī nōn sōlum vestrīs domiciliīs atque tēctīs sed etiam deōrum
15 templīs atque dēlūbrīs sunt fūnestōs ac nefāriōs ignīs īnferre cōnātī.
Quibus ego sī mē restitisse dīcam, nimium mihi sūmam et nōn sim
ferendus: ille,[8] ille Iuppiter restitit; ille Capitōlium, ille haec templa,
ille cūnctam urbem, ille vōs omnīs salvōs esse voluit. Dīs ego immortālibus ducibus, hanc mentem voluntātemque suscēpī atque ad
20 haec tanta indicia pervēnī. Iam vērō illa Allobrogum sollicitātiō,[9] iam
ab Lentulō cēterīsque domesticīs hostibus tam dēmenter tantae rēs
crēditae et ignōtīs et barbarīs commissaeque litterae numquam essent
profectō, nisi ab dīs immortālibus huic tantae audāciae[10] cōnsilium
esset ēreptum. Quid vērō? Ut hominēs Gallī ex cīvitāte male[11] pācātā,
25 quae gēns ūna restat quae bellum populō Rōmānō facere posse et nōn
nōlle videātur, spem imperī ac rērum maximārum ultrō sibi ā patriciīs
hominibus oblātam neglegerent vestramque salūtem suīs opibus ante-
pōnerent, id[12] nōn dīvīnitus esse factum putātis, praesertim quī[13]
nōs nōn pugnandō sed tacendō superāre potuērunt?

228. Translation

1. Who is so wicked that he would not thank Jupiter?
2. They are deserving of punishment who commit such crimes.
3. If they were present it would be difficult to resist them.
4. If I should say that I did this, I would not be telling the truth.

---

[8] We can almost see Cicero's gestures as he points to the statue, then to the
Capitoline temple, the Forum temples, the city, the people in front of him.
[9] Supply **numquam facta esset** from the following.
[10] *unless good sense had been removed from such bold (men).*
[11] *imperfectly.*   [12] In apposition with the preceding **ut** clause.
[13] *particularly since they.* One might have expected the subjunctive.

The Temple of Jupiter on the Capitoline
Hill shown on a coin of about 76 B.C. The
name of M. Volteius appears below.

This oldest parchment manuscript of Cicero's speeches against Catiline, written in the ninth century, is in the British Museum, London. The part shown begins at Cat. III, 23, "ac miserrimo" (line 5 of this page).

229. THE GREATEST OF BLOODLESS VICTORIES

X, 23. Quam ob rem, Quirītēs, quoniam ad omnia pulvīnāria supplicātiō dēcrēta est, celebrātōte [1] illōs diēs cum coniugibus ac līberīs vestrīs. Nam multī saepe honōrēs dīs immortālibus iūstī habitī sunt ac dēbitī,[2] sed profectō iūstiōrēs numquam. Ēreptī enim estis ex crūdēlissimō ac miserrimō interitū, ēreptī sine caede, sine sanguine, sine 5 exercitū, sine dīmicātiōne; togātī, mē ūnō togātō duce et imperātōre, vīcistis.[3] 24. Etenim recordāminī, Quirītēs, omnīs cīvīlīs dissēnsiōnēs, nōn sōlum eās quās audīstis sed eās quās vōsmet ipsī meministis atque vīdistis. L. Sulla P. Sulpicium [4] oppressit: C. Marium,[5] custōdem huius urbis, multōsque fortīs virōs partim ēiēcit ex cīvitāte, partim interēmit. 10 Cn. Octāvius cōnsul armīs expulit ex urbe collēgam: [6] omnis hic locus acervīs corporum et cīvium sanguine redundāvit.[7] Superāvit posteā Cinna cum Mariō: tum vērō, clārissimīs virīs interfectīs, lūmina

---

[1] Future imperative, used chiefly in legal and religious language.

[2] *due,* which is derived from **dēbeō.**

[3] Anaphora with **ēreptī,** then with **sine.** The four nouns are grouped in two pairs. **Togātō** (the man of peace) joined with **imperātōre** constitutes an oxymoron (**495,** 3).

[4] He had proposed a bill to take away from Sulla the command of the army against Mithridates and to give it to Marius.

[5] He had saved the city from the Cimbri and Teutons.

[6] Cinna, one of Marius' men. We are told by Plutarch that 10,000 men were killed in the Forum.

[7] Note the zeugma (**495,** 5), a figure which we do not ordinarily tolerate in English. We would not say *overflowed with heaps of bodies and blood.*

cīvitātis exstīncta sunt. Ultus est huius victōriae crūdēlitātem posteā
15 Sulla: nē dīcī quidem opus est quantā dēminūtiōne cīvium et quantā
calamitāte reī pūblicae. Dissēnsit M. Lepidus ā clārissimō et fortissimō
virō Q. Catulō: attulit nōn tam ipsīus interitus reī pūblicae lūctum
quam cēterōrum.

25. Atque illae tamen omnēs dissēnsiōnēs erant eius modī quae
20 nōn ad dēlendam sed ad commūtandam rem pūblicam pertinērent.
Nōn illī nūllam esse rem pūblicam sed in eā quae esset sē esse
prīncipēs, neque hanc urbem cōnflagrāre sed sē in hāc urbe flōrēre
voluērunt. Atque illae tamen omnēs dissēnsiōnēs, quārum nūlla
exitium reī pūblicae quaesīvit, eius modī fuērunt ut nōn reconciliātiōne
25 concordiae sed internecīōne cīvium dīiūdicātae sint.[8] In hōc autem
ūnō post hominum memoriam maximō[9] crūdēlissimōque bellō,
quāle[10] bellum nūlla umquam barbaria cum suā gente gessit, quō in
bellō lēx[11] haec fuit ā Lentulō, Catilīnā, Cethēgō, Cassiō cōnstitūta, ut
omnēs quī, salvā urbe, salvī[12] esse possent in hostium numerō dūce-
30 rentur, ita mē gessī, Quirītēs, ut salvī omnēs cōnservārēminī, et, cum
hostēs vestrī tantum cīvium[13] superfutūrum putāssent quantum īn-
fīnītae caedī restitisset, tantum autem urbis quantum flamma obīre
nōn potuisset, et urbem et cīvīs integrōs incolumīsque servāvī.

230. Translation

1. If they had won, you would all be dead.
2. We have won in a war in which no one died.
3. They wanted a state in which they would be the leaders.
4. Go to the games without danger with your wives and children.

231. Vocabulary Drill

celebrō	interimō	lūmen	pertineō	recordor
custōs	lūctus	partim	quam ob rem	salvus

232. Word Study

Supplicium and **supplicātiō** both are derived from **sub–** and **plicō,**
fold under, i.e., bend the knee, the former to receive punishment, the
latter for prayer.

Explain *extinct, luminary, sanguinary.*

---

[8] For the use of the perfect see **480,** 5, *Note b.*   [9] With **ūnō:** *the greatest of all.*
[10] *such a war as.*   [11] *principle,* explained by the **ut** clause.
[12] A pun on the meaning of **salvus;** here *(financially) safe, solvent.*
[13] *(only) so many of the citizens.*

233. ALL I ASK IS GRATITUDE

XI, 26. Quibus prō [1] tantīs rēbus, Quirītēs, nūllum ego ā vōbīs praemium virtūtis, nūllum īnsigne honōris, nūllum monumentum laudis postulābō praeterquam huius diēī memoriam sempiternam. In animīs [2] ego vestrīs omnīs triumphōs meōs, omnia ōrnāmenta honōris, monumenta glōriae, laudis īnsignia condī et collocārī volō. Nihil mē 5 mūtum [3] potest dēlectāre, nihil tacitum, nihil dēnique eius modī quod etiam minus dignī assequī possint. Memoriā vestrā, Quirītēs, nostrae rēs alentur,[4] sermōnibus crēscent, litterārum monumentīs [5] inveterās- cent et corrōborābuntur; eandemque diem [6] intellegō, quam spērō aeternam fore, propagātam esse et ad salūtem urbis et ad memoriam 10 cōnsulātūs meī, ūnōque tempore in hāc rē pūblicā duōs [7] cīvīs exsti- tisse, quōrum alter fīnīs vestrī imperī nōn terrae sed caelī regiōnibus termināret, alter huius imperī domicilium sēdīsque servāret.

234. Translation

1. I know that you will give what I want.
2. I want none of the things which others can achieve.
3. I realize that the memory of my deeds will remain as long as Rome remains.

[1] *in return for these great accomplishments.*
[2] Note the emphatic position.   [3] Such as a statue.
[4] *my achievements will be kept alive.*
[5] *literary records.*   [6] *time.*
[7] Pompey, who had conquered Sertorius in the west (Spain) and Mithridates in the east, and Cicero.

Pompey, a bust now in Copenhagen.

235. I NEED YOUR PROTECTION

XII, 27. Sed quoniam eārum rērum quās ego gessī nōn eadem est
fortūna atque condiciō quae¹ illōrum quī externa bella gessērunt,
quod mihi cum eīs vīvendum est quōs vīcī ac subēgī, illī hostīs aut
interfectōs aut oppressōs relīquērunt, vestrum est,² Quirītēs, sī
5 cēterīs facta sua rēctē prōsunt,³ mihi mea nē quandō⁴ obsint
prōvidēre. Mentēs⁵ enim hominum audācissimōrum scelerātae ac
nefāriae nē vōbīs nocēre possent ego prōvīdī, nē mihi noceant
vestrum est prōvidēre. Quamquam, Quirītēs, mihi quidem ipsī nihil
ab istīs iam nocērī⁶ potest. Magnum enim est in bonīs praesidium
10 quod mihi in perpetuum comparātum est, magna in rē pūblicā dignitās
quae mē semper tacita dēfendet, magna vīs cōnscientiae quam⁷ quī
neglegunt, cum mē violāre volent, sē indicābunt.⁸ 28. Est enim nōbīs⁹
is animus, Quirītēs, ut nōn modo nūllīus audāciae cēdāmus sed etiam
omnīs improbōs ultrō semper lacessāmus. Quod sī omnis impetus
15 domesticōrum hostium¹⁰ dēpulsus ā vōbīs sē in mē ūnum converterit,
vōbīs erit videndum, Quirītēs, quā condiciōne¹¹ posthāc eōs esse
velītis quī sē prō salūte vestrā obtulerint invidiae perīculīsque omnibus:
mihi quidem ipsī quid est quod iam ad vītae frūctum possit acquīrī,
cum praesertim neque in honōre vestrō¹² neque in glōriā virtūtis¹³
20 quicquam videam altius quō mihi libeat ascendere? 29. Illud¹⁴ perficiam profectō, Quirītēs, ut ea quae gessī in cōnsulātū prīvātus tuear
atque ōrnem,¹⁵ ut, sī qua est invidia in cōnservandā rē pūblicā
suscepta, laedat invidōs, mihi valeat¹⁶ ad glōriam. Dēnique ita mē in
rē pūblicā trāctābō ut meminerim semper quae gesserim, cūremque

---

¹ With **eadem:** *the same as.*   ² *it is your (responsibility).*

³ *if their deeds are beneficial to others (and rightly so).*

⁴ Indefinite after **nē:** *at some time.*

⁵ *intentions.*

⁶ As usual, change the impersonal to the personal in translation: *I, at any rate,
can no longer be injured by them* (**475**, 6, *a*).

⁷ **quam** = **et hanc:** *and those who disregard this.*

⁸ But only five years later Cicero was banished, partly as a result of the Catiline
affair. It almost seems as if Cicero here foresees this possibility.

⁹ The plural of "modesty"; = **mihi.**

¹⁰ As **hostis** means *foreign enemy,* **domesticōrum** is a contradiction (oxymoron);
but remember that Cicero justified his action against the conspirators on
the ground that they were traitors.

¹¹ *in what situation.*

¹² *in the office bestowed by you.*

¹³ *(acquired by) good character.*   ¹⁴ Explained by the **ut** clause.

¹⁵ *and even make more splendid.*   ¹⁶ *may redound to my glory.*

ut ea virtūte, nōn cāsū, gesta esse videantur. Vōs, Quirītēs, quoniam 25
iam est nox, venerātī Iovem illum, custōdem huius urbis ac vestrum,
in vestra tēcta discēdite et ea, quamquam iam est perīculum dēpulsum,
tamen aequē ac [17] priōre [18] nocte custōdiīs vigiliīsque dēfendite. Id
nē vōbīs diūtius faciendum sit atque ut in perpetuā pāce esse possītis
prōvidēbō, Quirītēs.   30

236. Translation

1. Do you believe that Catiline will injure me?
2. He saw to it that they would not destroy the state.
3. I have to remain with the men who were defeated by me.
4. If you should not defend yourselves, you would suffer a great disaster.

237. Vocabulary Drill

externus	laedō	ōrnō	rēctē	violō
lacessō	noceō	prōvideō	subigō	vīvō

238. Questions

1. Who were the Allobroges? What were they doing in Rome?
2. What did Lentulus suggest to Catiline? How did Cicero find out about this suggestion?
3. What written evidence did Cicero have against the conspirators?
4. How many conspirators were arrested in or near Rome?
5. How many escaped?
6. Where was the evidence seized?
7. Where was Catiline?
8. Where was this speech made?
9. Before whom was it made?
10. What happened earlier in the day?
11. What did seals have to do with the evidence against the conspirators?
12. What did the conspirators plan to do to Rome?
13. How did the people react to Cicero's speech?

---

[17] With aequē: *just as.*
[18] *on that previous night,* after the second oration, in which he said to his listeners: **vestra tēcta vigiliīs custōdiīsque dēfendite.**

The Tullianum, the prison in which the conspirators were confined.

239. FOURTH ORATION AGAINST CATILINE

The third oration reported to the people the evidence against the conspirators which had been presented to the senate, sitting as a court of justice. The fourth oration takes us back to the senate two days later (December 5) for the debate to determine the punishment for the five men who were under arrest. The meeting was held in the Temple of Concord, at one end of the Forum, and Cicero again presided. According to regular procedure, the consul-elect, Silanus, was called upon. In his speech he voted for the death penalty. Then Caesar got up and suggested life imprisonment and confiscation of property. After further discussion Cicero summed up the two views in the present speech. In spite of an attempt to take a judicial position, not preferring one view to the other, Cicero made it clear that he favored the death penalty.

Caesar's speech, moderate in tone, had made a strong impression and it looked as if his motion would be carried. Cato then made a stirring speech in favor of the death penalty. As a result, the death penalty was voted by a large majority. Cicero promptly had the men executed in the underground prison called the Tullianum, which is still in existence. It is near one end of the Forum, at the foot of the Capitoline Hill, not far from the Temple of Concord, where the senate met.

Some weeks later Catiline was killed in battle in Etruria.

240. DON'T WORRY ABOUT ME, SENATORS

I, 1. Videō, patrēs cōnscrīptī, in mē omnium vestrum ōra atque oculōs esse conversōs,[1] videō vōs nōn sōlum dē vestrō ac reī pūblicae,

---

[1] Silanus and Caesar had made their speeches and the discussion seems to have died down. So the senators naturally turned to Cicero.

vērum etiam, sī id dēpulsum sit, dē meō perīculō esse sollicitōs. Est mihi iūcunda in malīs et grāta in dolōre vestra ergā mē voluntās, sed eam, per deōs immortālēs, dēpōnite atque oblītī salūtis meae,[2] dē 5 vōbīs ac dē vestrīs līberīs cōgitāte. Mihi sī haec condiciō cōnsulātūs [3] data est ut omnīs acerbitātēs, omnīs dolōrēs cruciātūsque perferrem, feram [4] nōn sōlum fortiter vērum etiam libenter, dum modo meīs labōribus vōbīs populōque Rōmānō dignitās salūsque pariātur.[5] 2. Ego sum ille cōnsul, patrēs cōnscrīptī, cui nōn forum, in quō omnis 10 aequitās continētur,[6] nōn campus [7] cōnsulāribus auspiciīs cōnsecrātus, nōn cūria, summum auxilium omnium gentium,[8] nōn domus, com-mūne perfugium, nōn lectus ad quiētem datus, nōn dēnique haec sēdēs honōris [9] umquam vacua mortis perīculō [10] atque īnsidiīs fuit. Ego multa tacuī, multa pertulī, multa concessī, multa meō quōdam 15 dolōre in vestrō timōre [11] sānāvī. Nunc sī hunc exitum cōnsulātūs meī dī immortālēs esse voluērunt, ut vōs populumque Rōmānum ex caede miserrimā, coniugēs līberōsque vestrōs virginēsque Vestālēs ex acer-bissimā vexātiōne, templa atque dēlūbra, hanc pulcherrimam patriam omnium nostrum ex foedissimā flammā, tōtam Italiam ex bellō et 20 vāstitāte ēriperem, quaecumque mihi ūnī prōpōnētur fortūna subeātur.

241. Translation

1. You will be free from danger as long as I am consul.
2. This he greatly desired, that the safety of the state be pre-served.
3. Provided that no harm is done to you, senators, I will endure everything.

242. Vocabulary Drill

acerbus	dēlūbrum	foedus (*adj.*)	gēns	sēdēs
cruciātus	exitus	fortiter	perfugium	vacuus

---

[2] For the case see **474,** 9.
[3] *if the consulship was given me under these conditions.* What literally?
[4] Note the strong emphasis produced by the chiasmus. When a verb is repeated, as here, the simple form **(feram)** is often used, as the force of the prefix **per–** seems to carry over.
[5] See **482,** 17.   [6] Because the law courts were there.
[7] The campus Martius, where the elections were held. The auspices were taken to see if the omens were favorable for the election.
[8] One of the senate's functions was to receive the many foreign envoys and to handle foreign relations.
[9] The curule chair **(sella curūlis),** which was a symbol of his office.
[10] See **477,** 1.   [11] *with a certain (amount of) pain for me and fear for you.*

243. *THE SENATE MUST DECIDE*

III, 5. Haec omnia indicēs dētulērunt, reī [1] cōnfessī sunt, vōs multīs iam iūdiciīs iūdicāvistis, prīmum quod mihi grātiās ēgistis singulāribus verbīs [2] et meā virtūte atque dīligentiā perditōrum hominum coniūrā-tiōnem patefactam esse dēcrēvistis, deinde quod P. Lentulum sē abdi-
5 cāre praetūrā [3] coēgistis; tum quod eum et cēterōs dē quibus iūdicāstis in custōdiam dandōs cēnsuistis, maximēque quod meō nōmine suppli-cātiōnem dēcrēvistis, quī honōs [4] togātō habitus ante mē est nēminī; [5] postrēmō hesternō diē praemia lēgātīs Allobrogum Titōque Volturciō dedistis amplissima. Quae sunt omnia eius modī, ut eī quī in custō-
10 diam nōminātim datī sunt sine ūllā dubitātiōne ā vōbīs damnātī esse videantur.

6. Sed ego īnstituī referre ad vōs, patrēs cōnscrīptī, tamquam inte-grum,[6] et [7] dē factō quid iūdicētis et dē poenā quid cēnseātis. Illa praedīcam quae sunt cōnsulis.[8] Ego magnum in rē pūblicā versārī
15 furōrem et nova [9] quaedam miscērī [10] et concitārī mala iam prīdem vidēbam, sed hanc tantam, tam exitiōsam habērī coniūrātiōnem ā cīvibus numquam putāvī. Nunc quicquid est, quōcumque vestrae mentēs inclīnant atque sententiae, statuendum vōbīs ante noctem est. Quantum facinus ad vōs dēlātum sit, vidētis. Huic sī paucōs putātis
20 affīnēs esse, vehementer errātis. Lātius opīniōne [11] dissēminātum est hoc malum; mānāvit nōn sōlum per Italiam vērum etiam trānscendit Alpēs et obscūrē serpēns [12] multās iam prōvinciās occupāvit. Id opprimī sustentandō et prōlātandō [13] nūllō pactō potest; quācumque ratiōne placet, celeriter vōbīs vindicandum est.

244. *Translation*

1. You must punish these wicked men as soon as possible.
2. He did not want to tell the senators what they should decide.
3. It is (the duty) of the senate to decide what should be done.

---

[1] From **reus.**   [2] *in unusual language.*
[3] See **477,** 1.   [4] An older form of **honor.**
[5] *to no one at all;* the emphasis is gained by the unusual position at the end.
[6] *I have begun by referring to you as if* (*it were*) *untouched.*   [7] *both.*
[8] (*the function*) *of the consul;* predicate genitive (**474,** 2).
[9] **nova mala** suggests **novae rēs,** *revolution.*   [10] *are being stirred up.*
[11] *more widely than you think* (**477,** 5).
[12] Participle from **serpō.**
[13] *by putting up with it and putting it off.*

245. DEATH OR IMPRISONMENT?

IV, 7. Videō duās adhūc esse sententiās, ūnam D. Sīlānī, quī cēnset eōs quī haec [1] dēlēre cōnātī sunt morte esse multandōs, alteram C. Caesaris,[2] quī mortis poenam removet,[3] cēterōrum suppliciōrum omnīs acerbitātēs amplectitur.[4] Uterque et prō suā dignitāte et prō rērum magnitūdine in summā sevēritāte versātur.[5] Alter [6] eōs quī nōs omnīs, 5 quī populum Rōmānum vītā prīvāre cōnātī sunt, quī dēlēre imperium, quī populī Rōmānī nōmen exstinguere, pūnctum temporis [7] fruī vītā et hōc commūnī spīritū nōn putat oportēre atque hoc genus poenae saepe in improbōs cīvīs in hāc rē pūblicā esse ūsūrpātum recordātur. Alter [8] intellegit mortem ā dīs immortālibus nōn esse suppliciī causā cōn- 10 stitūtam, sed aut necessitātem nātūrae aut labōrum [9] ac miseriārum quiētem. Itaque eam sapientēs numquam invītī, fortēs saepe etiam libenter oppetīvērunt. Vincula vērō, et ea sempiterna,[10] certē ad singulārem poenam nefāriī sceleris inventa sunt. Mūnicipiīs dispertīrī [11] iubet. Habēre [12] vidētur ista rēs inīquitātem, sī imperāre velīs, diffi- 15 cultātem, sī rogāre. Dēcernātur tamen, sī placet. 8. Ego enim suscipiam et, ut spērō, reperiam quī [13] id quod salūtis omnium causā statuerītis nōn putent esse suae dignitātis [14] recūsāre. Adiungit [15] gravem poenam mūnicipiīs, sī quis eōrum [16] vincula rūperit; horribilīs custōdiās circumdat et dignās scelere hominum perditōrum; sancit nē quis eōrum 20 poenam quōs condemnat aut per senātum aut per populum levāre possit; ēripit etiam spem, quae sōla hominem in miseriīs cōnsōlārī solet. Bona praetereā pūblicārī iubet, vītam sōlam relinquit nefāriīs hominibus; quam sī ēripuisset, multās ūnō dolōre animī atque corporis

---

[1] *all this,* with a sweeping gesture.

[2] Caesar was praetor-elect, and so was one of the first to be called upon.

[3] *rejects.*   [4] *includes.*

[5] *is most stern;* literally, *is engaged in the greatest severity.*

[6] *the one,* Silanus, subject of **putat.**

[7] *for a moment of time* (accusative of extent).   [8] *the other,* Caesar.

[9] *from troubles;* objective genitive (**474,** 6).

[10] *for life at that;* literally, *and those perpetual.* Only one case of life imprisonment in Rome is known, that of a man who cut off the fingers of his left hand to avoid compulsory military service.

[11] Supply **eōs** as subject.

[12] *involve.* If the senate insisted on the towns being responsible, there would be unfairness if some towns were exempted; if a mere request were made, there would be many refusals.

[13] *(those) who.*   [14] *(in accordance with) their position;* predicate genitive.

[15] i.e., Caesar.   [16] With **vincula.**

25 miseriās et omnīs scelerum poenās adēmisset. Itaque ut aliqua in vītā formīdō improbīs esset prōposita,[17] apud īnferōs eius modī quaedam illī antīquī [18] supplicia impiīs cōnstitūta esse voluērunt,[19] quod vidēlicet intellegēbant, hīs remōtīs, nōn esse mortem ipsam pertimēscendam.

30 V, 9. Nunc, patrēs cōnscrīptī, ego meā videō quid intersit.[20] Sī eritis secūtī sententiam C. Caesaris, quoniam hanc is in rē pūblicā viam quae populāris [21] habētur secūtus est, fortasse minus erunt, hōc auctōre et cognitōre huiusce sententiae, mihi populārēs impetūs pertimēscendī; sīn illam alteram, nesciō an [22] amplius mihi negōtī [23] con-
35 trahātur. Sed tamen meōrum perīculōrum ratiōnēs [24] ūtilitās reī pūblicae vincat. Habēmus enim ā Caesare, sīcut ipsīus dignitās et maiōrum [25] eius amplitūdō postulābat, sententiam tamquam obsidem [26] perpetuae in rem pūblicam voluntātis. Intellēctum est,[27] quid interesset inter levitātem cōntiōnātōrum et animum vērē populārem salūtī populī
40 cōnsulentem.

246. Translation

1. A man's love of his country is shown by his actions.
2. If you approve Caesar's opinion I shall not have to fear attack.
3. The one speaker favored the death penalty; the other, prison.
4. Let it be decided thus if that is the action which the senate will decide upon.

247. Vocabulary Drill

adhūc	formīdō	inīquitās	prīvō	spīritus
adimō	fruor	mūnicipium	recūsō	vinculum

[17] *be held up to.*   [18] *men in the old days.*
[19] *wanted (us to believe).*   [20] *what is to my interest* (**477,** 22).
[21] Caesar was the leader of the popular, or democratic, group, and was said to have been supporting Catiline.
[22] *perhaps;* literally, *I do not know whether.*   [23] *more trouble.*
[24] *consideration.*
[25] The family of Julius Caesar was a very old one; in fact, it was held that the name Julius was derived from Iulus, which was the name of the son of Aeneas.
[26] *guarantee;* literally, *hostage.* Cicero thus intimates that Caesar had no connection with Catiline's plot.
[27] i.e., when Caesar was speaking.

248. WHAT MIGHT HAVE HAPPENED

VI, 11. Videor enim mihi vidēre hanc urbem, lūcem orbis terrārum atque arcem ¹ omnium gentium, subitō ūnō incendiō concidentem. Cernō animō sepultā ² in patriā miserōs atque īnsepultōs acervōs cīvium, versātur mihi ante oculōs aspectus Cethēgī et furor in vestrā caede bacchantis. 12. Cum vērō mihi prōposuī rēgnantem Lentulum, 5 sīcut ipse sē ex fātīs spērāsse cōnfessus est,³ purpurātum ⁴ esse huic Gabīnium, cum exercitū vēnisse Catilīnam, tum lāmentātiōnem mātrum familiās,⁵ tum fugam virginum atque puerōrum ac vexātiōnem virginum Vestālium perhorrēscō et, quia mihi vehementer haec videntur misera atque miseranda, idcircō in eōs quī ea perficere voluē- 10 runt mē sevērum vehementemque praebēbō. Etenim quaerō, sī quis pater familiās, līberīs suīs ā servō interfectīs, uxōre occīsā, incēnsā domō, supplicium ⁶ dē servīs nōn quam acerbissimum sūmpserit,⁶ utrum is clēmēns ac misericors an inhūmānissimus et crūdēlissimus esse videātur. Mihi vērō importūnus ac ferreus quī nōn dolōre et 15 cruciātū nocentis suum ⁷ dolōrem cruciātumque lēnierit. Sīc nōs in ⁸ hīs hominibus, quī nōs, quī coniugēs, quī līberōs nostrōs trucīdāre voluērunt, quī singulās ūnīus cuiusque nostrum domōs et hoc ūniversum reī pūblicae domicilium dēlēre cōnātī sunt, quī id ēgērunt, ut gentem Allobrogum in vēstīgiīs ⁹ huius urbis atque in cinere dēflagrātī 20 imperī collocārent, sī vehementissimī fuerimus, misericordēs habēbimur; ¹⁰ sīn remissiōrēs esse voluerimus, summae nōbīs crūdēlitātis in patriae cīviumque perniciē fāma ¹¹ subeunda est.

249. Translation

1. Tell me whether Cicero was merciful or severe.
2. Cicero saw very clearly what would have happened.
3. If Catiline had won, the fate of Rome would have been terrible.

---

¹ *bulwark.*   ² *devastated;* literally, *buried.*

³ In *Cat.* III, 9, Lentulus is reported as saying that he would be the third man named Cornelius to become master of Rome.

⁴ *dressed in royal purple,* as minister to "King" Lentulus.

⁵ The old genitive form, used after **pater** and **māter.**

⁶ *inflict punishment upon.*

⁷ Chiasmus, with special emphasis on **nocentis** and **suum.**

⁸ *in (the case of)*   ⁹ *ruins.*

¹⁰ They will be regarded as merciful even if they are very severe.

¹¹ (*bad*) *reputation.*

250. IT IS UP TO YOU, SENATORS

IX, 18. Quae cum ita sint, patrēs cōnscrīptī, vōbīs populī Rōmānī praesidia nōn dēsunt; vōs nē populō Rōmānō deesse videāminī, prōvidēte. Habētis cōnsulem ex plūrimīs perīculīs et īnsidiīs atque ex mediā morte nōn ad vītam suam sed ad salūtem vestram reservātum.
5 Omnēs ōrdinēs ad cōnservandam rem pūblicam mente, voluntāte, studiō, virtūte, vōce cōnsentiunt. Obsessa facibus et tēlīs impiae coniūrātiōnis vōbīs supplex manūs tendit patria commūnis, vōbīs sē, vōbīs vītam [1] omnium cīvium, vōbīs arcem et Capitōlium,[2] vōbīs ārās Penātium,[3] vōbīs illum ignem Vestae sempiternum, vōbīs omnium
10 deōrum templa atque dēlūbra, vōbīs mūrōs atque urbis tēcta commendat. Praetereā dē vestrā vītā, dē coniugum vestrārum atque līberōrum animā, dē fortūnīs omnium, dē sēdibus, dē focīs vestrīs hodiernō diē vōbīs iūdicandum est. 19. Habētis ducem memorem vestrī,[4] oblītum suī,[4] quae non semper facultās [5] datur; habētis omnīs
15 ōrdinēs, omnīs hominēs, ūniversum populum Rōmānum, id quod in cīvīlī causā [6] hodiernō diē prīmum vidēmus, ūnum atque idem sentientem. Cōgitāte quantīs labōribus fundātum imperium, quantā virtūte stabilītam lībertātem, quantā deōrum benignitāte auctās exaggerātāsque fortūnās ūna nox paene dēlērit.[7] Id nē umquam posthāc
20 nōn modo nōn cōnficī sed nē cōgitārī quidem possit ā cīvibus hodiernō diē prōvidendum est. Atque haec, nōn ut vōs, quī mihi studiō paene praecurritis, excitārem, locūtus sum, sed ut mea vōx, quae dēbet esse in rē pūblicā prīnceps, officiō fūncta [8] cōnsulārī vidērētur.

XI, 24. Quāpropter dē summā salūte vestrā populīque Rōmānī,
25 dē vestrīs coniugibus ac līberīs, dē ārīs ac focīs, dē fānīs atque templīs, dē tōtīus urbis tēctīs ac sēdibus, dē imperiō ac lībertāte, dē salūte Italiae, dē ūniversā rē pūblicā dēcernite dīligenter, ut īnstituistis, ac fortiter. Habētis eum cōnsulem quī et pārēre vestrīs dēcrētīs nōn dubitet et ea quae statuerītis, quoad vīvet, dēfendere et per sē ipsum
30 praestāre [9] possit.

---

[1] Use plural in English.
[2] The Capitoline Hill has two peaks, on one of which the **arx** was placed; on the other, the **Capitōlium,** or Temple of Jupiter.
[3] *the Penates,* household gods, but here referring to the public Penates, whose altar was in the Temple of Vesta, towards which Cicero points a finger **(illum).**
[4] Pronouns, not adjectives.   [5] *an advantage which.*   [6] *in a political matter.*
[7] Two ideas are combined in this sentence: *think with what hard work the empire was founded . . . (and how) one night almost destroyed it.*
[8] Used with the ablative (**477,** 10).   [9] *carry out, perform.*

Four temples of the Republican period in a busy part of modern Rome. In the background is a modern theater.

251. Translation

1. Do not forget my advice, senators.
2. Cicero thought he had performed his duty.
3. Men are not lacking to (who will) defend you.

252. Vocabulary Drill

anima	benignitās	fungor	īnsidiae	posthāc
āra	fānum	impius	obsideō	supplex

253. Word Study

Sempiternus, from **semper** and **aeternus,** is tautological, for that which is *eternal* lasts *forever*. There is an English derivative, *sempiternal.*

Exaggerō means *to build up a mound* (from **agger**). The higher you build it the more you *exaggerate.*

UNIT IV

SALLUST'S CATILINE
(Selections)

For centuries after the fall of the Roman Empire (fourth-fifth centuries
A.D.), the Forum was neglected, and
the ancient monuments became partially or completely covered with
earth, and grass grew among the ruins. When excavations finally began
in the late 1700's, we began to have
an idea of what the Roman Forum
was actually like. This engraving by
the artist Piranesi shows the Colosseum and the Arch of Constantine as
they appeared in the latter part of
the eighteenth century.

Alinari/Art Resource

254. POLITICS—ROMAN AND MODERN

Cicero was a clever politician as well as a great writer, as can be seen in his speeches against Catiline and in Sallust's account of the conspiracy.

Though Rome had no formal political parties in our sense during the Republic there were generally two groups opposed to each other, conservative and liberal. Originally it was the patricians against the plebeians, who were not allowed to hold office. But after the plebeians obtained almost all the patrician rights, the distinction between these groups vanished. Then it was the nobles, that is, the officeholders and their descendants, against the new plebeians, who composed the general group of poor people and those who were not officeholders. A third group got into politics, the well-to-do, called **equitēs.** Cicero had belonged to this group; his family was wealthy but had not held high office. Cicero was proud of the fact that, though a novus homo, he had managed to get into the cursus honorum and become a noble. He persuaded the **equitēs** to align themselves with the nobles or senators, and the cornerstone of his politics was the **concordia ōrdinum** between these conservative groups as against the liberal or radical **populārēs.** Cicero calls the former **bonī** or **optimātēs,** the latter, **improbī.**

The method of voting by classes made it possible for the relatively small group of nobles to retain possession of the offices. The classes in which the richer and more conservative men voted were smaller than the others. Thus the vote of a noble might be worth several times as much as that of a **populāris.** This proportional voting has caused difficulty in modern times also. In the United States, state legislative districts should be revised after every census, but in some places this has not been done. One result is that the country districts, which have lost many of their voters to the cities, have more representatives in the legislatures than their population warrants and thus may block legislation that the cities think desirable.

The Constitution of the United States deliberately provides that each state shall have two senators, regardless of population. The result is that a vote for senator in Alaska, with a population of 226,000 (1960), is worth seventy-four times as much as a vote in New York, with a population of 16,782,000.

Campaign methods in Rome bear some resemblances to those in the United States today. Our word *candidate* is derived from **candidātus,** "the man in white," because the Roman candidate wore a toga which had just come from the cleaner's. **Ambitiō** literally means "going around" looking for votes. Another word of the same derivation, **ambitus,** took on a bad sense, that of bribery, also used in going around looking for votes. **Prēnsātiō** meant "catching hold of," shaking a voter's hand or button-holing him.

Campaign tours have become more plentiful and cover a wider area as we have passed from the horse-and-buggy age to the railroad age to the air age, but political tours existed even in ancient Rome. When campaigning for the consulship, Cicero wrote that he would go to northern Italy to campaign in September, when the Roman courts were closed most of the month (**337**). Ostensibly he was going on a government mission. Such a combination of government business and political campaigning is not unknown today.

Fortunately, a large number of ancient election posters are preserved in Pompeii. To be sure, they deal with local rather than national elections. They took the form of appeals painted on house fronts. A typical example is: **L. Pop(idium) Secund(um) aed(īlem) d(ignum) r(ē) p(ūblicā) Tiburtīnus rogat:** "Lucius Popidius Secundus

At the top is this election notice: "C. Iulium Polyb(ium) duumvir (um) . . . rogat." The name of the person asking the reader to vote for Polybius for duumvir (a minor office) has been painted over. Below that: "Holconium Priscum duumvir (um) i(uri) d(icundo) d(ignum) r(ei) p(ublicae). O(ro) v(os) f(aciatis)."

An election poster in the second line center: "Satrium quinq(uennalem) o(ro) v(os) f(aciatis)."

for aedile. Deserving of the state. Tiburtinus asks you (to vote for him)." The letters in parentheses represent the parts in abbreviation. Such heavy abbreviation shows that the phrases were frequently used. Often special groups made the appeal, such as barbers, cake bakers, garlic dealers, fishermen, ballplayers. One reads: **Phoebus cum ēmptōribus** (*customers*). Another: **Sāturnīnus cum discentēs rogat.** (Can you show up Saturninus' Latin by pointing out his mistake in grammar?) **Discentēs** probably means *apprentices*. But when we find support being requested by the sneakthieves **(fūrunculī)**, the late-drinkers **(sēribibī ūniversī),** and the sleepers **(dormientēs),** we know the opposition candidates or their supporters were at work.

One candidate's platform was: **Commūnem nummum dīvidendum cēnsiō est. Nam noster nummus magna(m) habet pecūniam:** "It is my vote that the public treasury be divided up. For our treasury has much money." The backer of another says: **Hic aerārium cōnservābit,** "He will watch the treasury," apparently running in opposition to the one who favored dividing up the public funds. We too have had our watchdogs of the treasury in our senate. Of another candidate it is said: **Pānem bonum fert,** "He delivers good bread."

No place seems to have been immune from the attentions of the eager politicians and their friends: a tombstone near Rome has carved on it the prayer that any candidate who puts a poster on it be defeated in the election. This recalls our "Post no bills." On the other hand, an election poster at Pompeii ends with this warning: **Invidiōse quī dēlēs aegrōtēs,** "May the envious person who destroys this notice become sick."

The chief political issue in the hundred years before Cicero was the land problem. Large farm owners worked their lands with cheap

146

slave labor, like the wetbacks and other migratory laborers of our day. The small farmers could not survive. They flocked to Rome, where they found it difficult to get work. So today many people from rural areas are moving to the cities.

Every Roman politician had some proposal for solving the land problem. Gaius Gracchus bought wheat at reasonable prices and sold it to the poor at a low price. The United States government has an agricultural purchase program, whose aim is to keep the farmer's selling price up. During his year as consul, Cicero was compelled to make four speeches on agrarian legislation. Eventually, wheat came to be sold by the government at less than cost, and finally was given free to the citizens. The result of all this is summed up in Juvenal's famous remark that all the Roman people cared about was **pānem et circēnsēs,** which may be paraphrased as "a square meal and T.V." Today we hear of people who prefer to live on relief.

Cicero's second oration against Catiline shows that most of Catiline's followers were heavily in debt. Actually, a widespread financial panic had set in, loans were called, and gold flowed out of the country, even as in modern times. Catiline's proposed solution was a simple one: cancel all debts. His proposal was nothing new. In 86 B.C., during a panic, creditors were forced to accept 25 per cent of their loans in full payment. During the Civil War in 49 B.C. something similar happened. Inflation, too, is a form of debt cancellation, and we, as well as Rome, have had periods of inflation.

This relief found in the Forum shows the cancellation of taxes by the emperor Trajan. The tax records are being thrown into a bonfire.

255. SALLUST

Gaius Sallustius Crispus was born in 86 and died in 35 B.C. He was of a plebeian family but entered the senatorial career and became quaestor in 59 B.C. The censors expelled him from the senate in 50 B.C. on a charge of improper conduct. In the Civil War he was on the side of Caesar, who reappointed him quaestor in 49 B.C. Later Sallust became praetor in Africa. After the death of Caesar, Sallust retired and lived in great luxury.

Sallust wrote historical works after his retirement from public life: *The Histories,* originally in five books, preserved only in fragments, covering the period of about ten years from the death of Sulla; and two monographs, *The War with Jugurtha* (111–106 B.C.) and *The Conspiracy of Catiline.* Sallust tried to write without partiality. His work is philosophical in concept and vividly written. His account of the conspiracy of Catiline may be compared with that of Cicero in his orations against Catiline.

256. THE SUPERIORITY OF THE MIND

1. Omnīs hominēs quī sēsē student praestāre cēterīs animālibus summā ope nītī decet, nē vītam silentiō trānseant velutī pecora, quae nātūra prōna [1] atque ventrī oboedientia fīnxit. Sed nostra omnis vīs in animō et corpore sita est: animī imperiō, corporis servitiō magis
5 ūtimur; alterum [2] nōbīs cum dīs, alterum cum bēluīs commūne est. Quō [3] mihi rēctius vidētur ingenī quam vīrium opibus [4] glōriam quaerere, et, quoniam vīta ipsa quā fruimur brevis est, memoriam nostrī quam maximē longam efficere. Nam dīvitiārum et fōrmae glōria fluxa atque fragilis est, virtūs [5] clāra aeternaque habētur.
10 2. Multī mortālēs, deditī ventrī atque somnō, indoctī incultīque vītam sīcutī peregrīnantēs [6] trānsiēre; quibus profectō contrā nātūram corpus voluptātī,[7] anima onerī [7] fuit. Eōrum ego vītam mortemque iūxtā [8] aestimō, quoniam dē utrāque silētur. Vērum [9] enim vērō [9] is dēmum mihi vīvere atque fruī animā vidētur quī aliquō negōtiō in-
15 tentus praeclārī facinoris aut artis bonae fāmam quaerit. Sed in magnā cōpiā rērum [10] aliud aliī [11] nātūra iter ostendit. 3. Pulchrum est bene

---

[1] *with heads bent down.*   [2] *the former* (**animī imperiō**).
[3] *Therefore.*   [4] *with the help of.*
[5] *intellectual excellence.*   [6] *like* (*men*) *going abroad.*
[7] See **475**, 2.   [8] *close to* (*each other*), *alike.*
[9] *But certainly.*
[10] i.e., *those things in which one may succeed, such as those which follow.*
[11] *one road to one* (*man*), *another road to another.*

Modern statue of Sallust at Aquila, northeast of Rome, a few miles from Sallust's birthplace, Amiternum.

facere reī pūblicae, etiam bene dīcere haud absurdum est; vel pāce [12]
vel bellō clārum fierī licet; [13] et quī fēcēre et quī facta aliōrum scrīpsēre,
multī [14] laudantur.

257. Translation

1. Life is short; let us enjoy it while we may.
2. If you desire to surpass others, you must work.
3. We use the body in order to carry out the wishes of the mind.
4. Some prefer to become famous by deeds, others by their writings.

258. Vocabulary Drill

commūnis	dīvitiae	nītor	pecus (–oris)	studeō
decet	fingō	ops	sileō	venter

259. Word Study

Give Latin words related to **fragilis** and **fluxus**.

Give English derivatives of **decet, fruor, iūxtā, oboediō, onus, prōnus.**

---

[12] **in pāce** would be more usual.
[13] (one) may become famous.   [14] many of those who (**quī**).

20°

0°

10°

0°

10°

OCEANUS ATLANTICUS

MARE GERMANICUM
(North Sea)

HIBERNIA

MARE SUE...
(Baltic)

Saxones

Eboracum
(York)

BRITANNIA

Londinium

GERMANI

Albis (Elbe)

Belgae

GERMANIA

Rhenus

Remi
Matrona (Marne)
Sequana (Seine)

Lutetia
(Paris)

Liger (Loire)

GALLIA

RAETIA

NORICUM

PANNONIA

Tiber (Ticinus)

Celtae (Galli)

Genua

Lugdunum
(Lyons)

Helvetii

Rhodanus (Rhone)

(Rhone)

Mediolanum
(Milan)

ILLYRICUM

AQUITANIA

Garunna

A L P E S

Padus (Po)

Numantia

Hiberus (Ebro)

PYRENAEI

Narbo

Massilia
(Marseilles)

Genua

Rubico

HISPANIA

Tagus

LUSITANIA

(Guadiana)

Anas

Corduba

Tarraco

Saguntum

Nova Carthago
(Cartagena)

BALEARES

CORSICA

SARDINIA

Roma

Ostia

ITALIA

Neapolis

Pompeii

Dyrrach...

Cannae

Tarent...

Gades
(Cadiz)

MARE

MAURETANIA

...LAS

0°

Utica

Carthago

Zama

NUMIDIA

AFRICA

Thapsus

SICILIA

Aetna

Syracusae

MELITA
(MALTA)

M E...

Leptis Magna

〰〰〰〰 Roman Walls

Roman Territory 264 B.C. *Before Punic Wars*

Added " " 238-201 B.C. *After First and Second Punic Wars*

" " 133 B.C.

" " 44 B.C. *Death of Caesar*

" " 14 A.D. *Death of Augustus*

" " Second Century A.D.

0°

10°

Longitude

East

IMPERIUM ROMANUM

30° 40° 50° 60°

S A R M A T I A

Tanais (*Don*)

S C Y T H I A

D A C I A

Danuvius

M O E S I A

THRACIA

C A U C A S U S

PONTUS EUXINUS
(Black Sea)

MARE CASPIUM

Byzantium
(Constantinople)
Bosporus

BITHYNIA

PONTUS

A R M E N I A

EDO·
A·ᵃ Thessalonica
· Phillipi

GALATIA

ASSYRIA

PARTHIA

Pharsalus

Mare

ASIA

Troia

CAPPADOCIA

MESOPOTAMIA

ECIA Corinthus
ta· Athenae
Aegaeum

PAMPHYLIA

CILICIA

Antiochia

Euphrates

Palmyra

LYCIA

RHODUS

SYRIA

Tigris

CYPRUS

PHOENICIA

Damascus

Babylon

CRETA

Tyrus

T E R R A N E U M

PALAESTINA

Hierosolyma
(Jerusalem)

ne

Alexandria

ARABIA

Scale of Miles

0 100 200 300 400 500

AEGYPTUS

Nilus
(*Nile*)

30°

20° 40°

260. CATILINE'S CHARACTER

4. Igitur dē Catilīnae coniūrātiōne quam vērissimē poterō paucīs [1] absolvam; nam id facinus in prīmīs ego memorābile exīstimō sceleris atque perīculī novitāte. Dē cuius hominis mōribus pauca prius [2] explānanda sunt quam initium nārrandī faciam.

5. L. Catilīna, nōbilī genere [3] nātus, fuit magnā vī et animī et corporis sed ingeniō malō prāvōque. Huic ab adulēscentiā bella intestīna, caedēs, rapīnae, discordia cīvīlis grāta [4] fuēre, ibique [5] iuventūtem suam exercuit. Corpus [6] patiēns [7] inediae, algōris,[8] vigiliae suprā quam [9] cuiquam crēdibile est. Animus audāx, subdolus,[10] varius, cuius reī libet [11] simulātor ac dissimulātor, aliēnī appetēns, suī profūsus,[12] ārdēns in cupiditātibus; satis ēloquentiae, sapientiae parum. Vāstus [13] animus immoderāta, incrēdibilia, nimis alta semper cupiēbat. Hunc post dominātiōnem L. Sullae libīdō maxima invāserat reī pūblicae capiendae, neque id quibus modīs assequerētur, dum [14] sibi rēgnum parāret, quicquam pēnsī habēbat.[15] Agitābātur magis magisque in diēs [16] animus ferōx inopiā reī familiāris et cōnscientiā scelerum, quae utraque [17] eīs artibus auxerat quās suprā memorāvī. Incitābant [18] praetereā corruptī cīvitātis mōrēs, quōs pessima ac dīversa [19] inter sē mala, lūxuria atque avāritia, vexābant.

261. Translation

1. I shall tell you about him as clearly as I can.
2. I must tell you about the man before I tell you about his deeds.
3. Provided that he got what he wanted he did not care what happened to others.

262. Vocabulary Drill

| adulēscentia | igitur | in diēs | libīdō | memorō |
| avāritia | incitō | invādō | lūxuria | suprā |

---

[1] Supply **verbīs**. [2] With **quam**. [3] See **477**, 3.
[4] Neuter plural because it modifies nouns in varying genders and numbers.
[5] *and in them.* [6] Supply **erat**. Sallust frequently omits forms of **sum**.
[7] *able to endure,* followed by objective genitives (**474**, 6).
[8] *cold.* [9] *beyond what;* literally, *beyond than.* [10] *crafty.*
[11] For **cuiuslibet reī**, *of everything.*
[12] *desirous of the property of another, extravagant with his own.*
[13] *insatiable.* [14] *provided that* (**482**, 17).
[15] *have any scruple at all how* (**quibus modīs**).
[16] *day by day.* [17] *both of which things.*
[18] Supply **eum** as object. [19] *opposite to each other.*

6. Urbem Rōmam, sīcutī ego accēpī, condidēre atque habuēre initiō Troiānī, quī, Aeneā duce, profugī, sēdibus incertīs,[1] vagābantur, et cum hīs Aborīginēs,[2] genus hominum agreste, sine lēgibus, sine imperiō, līberum atque solūtum. Hī postquam in ūna moenia [3] convēnēre, disparī genere, dissimilī linguā, aliī aliō mōre vīventēs,[4] incrēdibile memorātū [5] est quam facile coaluerint; ita brevī [6] multitūdō dīversa atqua vaga concordiā cīvitās facta erat. 7. Sed cīvitās, incrēdibile memorātū est, adeptā lībertāte, quantum brevī crēverit: tanta cupīdō glōriae incesserat. Iam prīmum iuventūs, simul ac [7] bellī patiēns [8] erat, in castrīs per labōrem ūsum mīlitiae discēbat, magisque in decōrīs armīs et mīlitāribus equīs quam in convīviīs libīdinem habēbant.[9] Igitur tālibus virīs nōn labor īnsolitus, nōn locus ūllus asper aut arduus erat, nōn armātus hostis formīdolōsus; virtūs omnia domuerat. Sed glōriae [10] maximum certāmen inter ipsōs erat: sē [11] quisque hostem ferīre, mūrum ascendere, cōnspicī dum tāle facinus faceret properābat; eās [12] dīvitiās, eam bonam fāmam magnamque nōbilitātem putābant. Laudis avidī, pecūniae līberālēs erant; glōriam ingentem, dīvitiās honestās volēbant. Memorāre possum quibus in

[1] (*having*) *no permanent homes.*
[2] *the Aborigines* simply meant the people living at the site of Rome before the Trojans came.
[3] Plural in form but singular in meaning, so that the plural **ūna** with singular meaning is used with it: *into one walled* (*city*).
[4] *some living in one manner, others in another.*
[5] Ablative of the supine, expressing respect (**491,** *b*): *hard to believe how.*
[6] Adverb.　　　[7] With **simul:** *as soon as.*
[8] *able to endure war;* literally, *enduring* (*of*) *war.*
[9] Note the shift from singular (**erat, discēbat**) to plural, all with the singular subject **iuventūs.** It looks almost as if Sallust is trying to undermine your faith in the rules of grammar.
[10] *for glory* (genitive).　　　[11] Subject of **ferīre** but unnecessary.
[12] *those* (*things to be*) *wealth.*

Roman theater in Troy (Turkey). The Romans believed their ancestors were Trojans.

locīs maximās hostium cōpiās populus Rōmānus parvā manū fūderit,
20 quās urbīs nātūrā mūnītās pugnandō cēperit, nī ea rēs longius nōs ab
inceptō traheret.[13] 9. Igitur domī mīlitiaeque [14] bonī mōrēs colēbantur;
concordia maxima, minima avāritia erat; iūs bonumque apud eōs nōn
lēgibus magis quam nātūrā valēbat. Iūrgia, discordiās, simultātēs cum
hostibus exercēbant, cīvēs cum cīvibus dē virtūte certābant. In sup-
25 pliciīs [15] deōrum magnificī,[16] domī parcī, in amīcōs fidēlēs erant.
Duābus hīs artibus, audāciā in bellō, ubi pāx ēvēnerat,[17] aequitāte,
sēque remque pūblicam cūrābant.

12. Postquam dīvitiae honōrī esse coepēre et eās glōria, imperium,
potentia sequēbātur,[18] hebēscere virtūs, paupertās probrō haberī, inno-
30 centia prō malivolentiā dūcī coepit. Igitur ex dīvitiīs iuventūtem
lūxuria atque avāritia cum superbiā invāsēre: rapere,[19] cōnsūmere;
sua parvī pendere,[20] aliēna cupere; pudōrem, pudīcitiam, dīvīna atque
hūmāna prōmiscua, nihil pēnsī neque moderātī habēre.[21] Operae pretium est,[22] cum domōs atque vīllās cognōveris in urbium modum
35 exaedificātās, vīsere templa deōrum, quae nostrī maiōrēs, religiōsissimī
mortālēs, fēcēre. Vērum illī dēlūbra deōrum pietāte, domōs suās glōriā
decorābant,[23] neque victīs [24] quicquam praeter iniūriae licentiam
ēripiēbant. At hī contrā,[25] ignāvissimī hominēs, per summum scelus
omnia ea sociīs adimere [26] quae fortissimī virī victōrēs relīquerant;
40 proinde quasi iniūriam facere id dēmum esset imperiō ūtī.[27]

---

[13] The condition is contrary to fact, but the conclusion is not (**483, 2, c, Note**).

[14] *at home and abroad* (locative).

[15] *worship.*

[16] *extravagant.*

[17] Notice how again and again Sallust avoids the balanced structure of Cicero, who probably would have said in **pāce** instead of using the **ubi** clause.

[18] The three subjects are thought of together as a single item. **Imperium** is military power, **potentia** political power.

[19] Historical infinitives (**490, 5**); supply **iuventūs** as subject.

[20] *considered their own possessions of little value.*

[21] *they regarded as all the same* (without distinction) *modesty and chastity, things divine and human, and showed no care for anything nor any moderation.*

[22] *it is worthwhile;* literally, *it is the price of the effort.*

[23] i.e., they decorated their temples with piety, not paintings, their homes with glorious deeds, not statues and expensive furnishings.

[24] Dative of separation (**475, 4**).   [25] Adverb.

[26] Historical infinitive. The governors grab what the victorious generals have left to the provincials.

[27] *just as if to do wrong was (the meaning of) using power.* **Id** sums up **iniūriam facere.**

The Temple of Vesta was the most sacred building in ancient Rome. It was circular in shape, similar to the earliest oval dwellings in Rome. The sacred fire which burned inside symbolized the perpetuity of the Roman state and was never allowed to go out.

Photo Researchers, Inc.

264. Translation

1. Do you know who founded the city of Rome?
2. Some responded in one way, others in another.
3. It is not permitted to take away property from the conquered.
4. The desire for glory was so great that Rome grew very quickly.

265. Vocabulary Drill

arduus	**cīvitās**	**fundō**	**initium**	**properō**
ascendō	**cupīdō**	**incrēdibilis**	**nōbilitās**	**simul ac**

266. Word Study

Give English derivatives of **convīvium, crēscō, dissimulō, initium, vagor.**

Give Latin words related by derivation to **aequitās, certāmen, convīvium, cupīdō, incrēdibilis.**

267. CATILINE SPEAKS TO HIS MEN [1]

20. "Sed ego quae mente agitāvī, omnēs iam anteā dīversī [2] audīstis.
Cēterum [3] mihi in diēs magis animus accenditur, cum cōnsīderō quae
condiciō vītae futūra sit, nisi nōsmet [4] ipsī vindicāmus in lībertātem.[5]
Nam postquam rēs pūblica in paucōrum potentium iūs atque diciōnem
5 concessit, semper illīs rēgēs, tetrarchae [6] vectīgālēs [7] esse,[8] populī,
nātiōnēs stīpendia pendere; cēterī omnēs, strēnuī, bonī, nōbilēs atque
ignōbilēs, vulgus fuimus, sine grātiā, sine auctōritāte, eīs obnoxiī [9]
quibus, sī rēs pūblica valēret,[10] formīdinī essēmus. Itaque omnis
grātia, potentia, honōs,[11] dīvitiae apud illōs sunt aut ubi illī volunt;
10 nōbīs relīquēre perīcula, repulsās,[12] iūdicia,[13] egestātem. Quae quō
usque tandem [14] patiēminī, ō fortissimī virī? Nōnne ēmorī per virtūtem
praestat quam vītam miseram atque inhonestam,[15] ubi aliēnae super-
biae lūdibriō [16] fuerīs, per dēdecus āmittere? Vērum enim vērō, prō [17]
deum atque hominum fidem,[18] victōria in manū nōbīs est, viget aetās,
15 animus valet; contrā [19] illīs [20] annīs [21] atque dīvitiīs omnia cōnsenuē-
runt. Tantum modo inceptō [22] opus est, cētera rēs expediet.[23] Etenim
quis mortālium, cui virīle ingenium est, tolerāre potest illīs dīvitiās
superāre,[24] quās profundant in exstruendō marī [25] et montibus coae-
quandīs,[26] nōbīs rem familiārem etiam ad necessāria deesse? Illōs
20 bīnās aut amplius domōs continuāre,[27] nōbīs larem familiārem nusquam ūllum esse? Cum tabulās, signa, toreumata [28] emunt, nova

---

[1] In 64 B.C., the year before Cicero attacked Catiline. This is not a stenographic
report but a speech such as Sallust imagined had been made by Catiline.

[2] *you separately;* the adjective is used adverbially.

[3] *But.*   [4] **–met** is an intensive particle: *we ourselves.*

[5] *unless we ourselves make our claim to liberty.*   [6] *princes.*

[7] Predicate nominative: *tributary.*

[8] Historical infinitive, with **rēgēs, tetrarchae** as subject.   [9] *dependent on those.*

[10] *if the state were strong.*   [11] Old form of **honor.**

[12] *defeat at the polls.*   [13] *trials in court.*

[14] Cf. the opening words of Cicero's speech against Catiline (**123**). Is Sallust
poking a bit of fun at Cicero in attributing these words to Catiline before
Cicero uttered them?

[15] Watch your translation.   [16] *a laughingstock for the insolence of others.*

[17] Interjection: *Oh!* **deum** is genitive plural.

[18] Accusative of exclamation (**476,** 7).   [19] *on the other hand* (adverb).

[20] Dative (**475,** 3).   [21] Ablative of cause.

[22] Noun, ablative (**477,** 20).

[23] *events will take care of the rest.*   [24] *that wealth be excessive for them.*

[25] The Romans built concrete foundations for houses out into the sea.

[26] *leveling.*   [27] *build a continuous row of houses.*

[28] *embossed ware* (of silver).

dīruunt, alia aedificant, postrēmō omnibus modīs pecūniam trahunt, vexant,[29] tamen summā libīdine dīvitiās suās vincere nequeunt. At nōbīs est domī inopia, forīs aes aliēnum; mala rēs, spēs multō asperior: dēnique quid reliquī habēmus praeter miseram animam? 25

"Quīn igitur expergīsciminī?[30] Ēn,[31] illa, illa quam saepe optāstis lībertās, praetereā dīvitiae, decus, glōria in oculīs sita sunt; fortūna omnia ea victōribus praemia posuit. Rēs, tempus, perīcula, egestās, bellī spolia magnifica magis quam ōrātiō mea vōs hortantur. Vel imperātōre vel mīlite mē ūtiminī;[32] neque animus neque corpus ā vōbīs 30 aberit. Haec ipsa, ut spērō, vōbīscum ūnā cōnsul agam, nisi forte mē animus fallit et vōs servīre magis quam imperāre parātī estis."

268. Translation

1. It is a pleasure to me to see you.
2. There is need of help in this matter.
3. Day by day the republic is losing its liberty.
4. Use the opportunity; fight, and I will fight with you.

269. Vocabulary Drill

agitō	decus	pendō	stīpendium	vigeō
cōnsīderō	nequeō	spolia	ūnā	vulgus

270. Word Study

Give English derivatives of **decus, optō, spolia, stīpendium, vigeō, vulgus.**

To what Latin words are the following related: **agitō, dēdecus, serviō?**

---

[29] *they squander and waste.*   [30] *Why don't you wake up then?*
[31] *Look!*   [32] *Use me as commander-in-chief or private.*

Inscription on a stone slab near the spring of Juturna in the Forum: "Genio stationis aquarum," "To the genius (i.e., guardian angel) of the water office."

271. CHERCHEZ LA FEMME

21. Catilīna pollicērī[1] tabulās novās, prōscrīptiōnem locuplētium, magistrātūs, sacerdōtia, rapīnās, alia omnia quae bellum atque libīdō victōrum fert. 23. In eā coniūrātiōne fuit Q. Curius, nātus haud obscūrō locō, flāgitiīs atque facinoribus coopertus, quem cēnsōrēs senātū probrī grātiā[2] mōverant. Huic hominī nōn minor vānitās inerat quam audācia; neque reticēre quae audierat neque suamet[3] ipse scelera occultāre, prōrsus[4] neque dīcere neque facere quicquam pēnsī habēbat.[5] Erat eī cum Fulviā, muliere nōbilī, vetus cōnsuētūdō.[6] Cui cum minus grātus esset, quia inopiā minus largīrī poterat, repente glōriāns maria montīsque[7] pollicērī coepit, et minārī interdum ferrō, nī sibi obnoxia[8] foret; postrēmō ferōcius agitāre quam solitus erat. At Fulvia, īnsolentiae[9] Curī causā cognitā, tāle perīculum reī pūblicae haud occultum habuit,[10] sed, sublātō auctōre,[11] dē Catilīnae coniūrātiōne quae quōque[12] modō audierat complūribus nārrāvit.

---

[1] Historical infinitive. [2] *on account of.* [3] *his own.* [4] *in a word.*
[5] *neither (what) he said or did did he regard as anything of importance.*
[6] *intimacy.*
[7] A proverbial expression: *mountains of money.* Such expressions are often alliterative; cf. *might and main, thick and thin, hot and heavy.*
[8] *submissive.* [9] *unusual behavior* (from **soleō**).
[10] *did not keep secret.* [11] *withholding her authority's (name).* [12] *and how.*

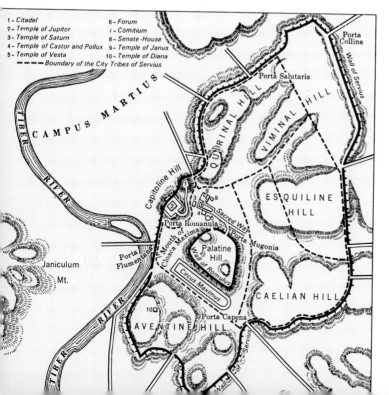

1 - Citadel
2 - Temple of Jupiter
3 - Temple of Saturn
4 - Temple of Castor and Pollux
5 - Temple of Vesta
6 - Forum
7 - Comitium
8 - Senate-House
9 - Temple of Janus
10 - Temple of Diana
- - - - Boundary of the City Tribes of Servius

Plan of ancient Rome.

Bill Roberts/PhotoEdit

Roman houses often had paintings on the walls, similar to those seen in this house in Pompeii.

28. Igitur, perterritīs ac dubitantibus cēterīs, C. Cornēlius, eques [15] Rōmānus, operam suam pollicitus, et cum eō L. Vargunteius senātor cōnstituēre eā nocte paulō post cum armātīs hominibus sīcutī salūtā-tum [13] introīre ad Cicerōnem, ac dē imprōvīsō [14] domī suae imparātum cōnfodere. Curius ubi intellegit quantum perīculum cōnsulī impendeat, properē per Fulviam Cicerōnī dolum quī parābātur ēnūntiat. Ita illī,[15] [20] iānuā [16] prohibitī, tantum facinus frūstrā suscēperant.

272. Translation

1. The two men tried to enter in order to fight.
2. She told everyone what she knew about the conspiracy.
3. Though he was born of a noble family, he was very stupid.
4. When he realized what would happen he quickly told Cicero.

273. Word Study

Explain the derivation of *frustration, occult, sacerdotal.*

Give the Latin words related to **complūrēs, imprōvīsus, rapīna, reticeō, sacerdōtium.**

---

[13] *as if to pay respects;* supine (**491**, *a*). Receptions were held early in the morning. Friends and clients came to call at these **salūtātiōnēs.**
[14] With **dē:** *unexpectedly.*   [15] Cornelius and Vargunteius.   [16] See **477, 1.**

274. CATILINE AND MANLIUS SPEAK UP

31. Postrēmō dissimulandī causā aut suī expūrgandī, sīcut iūrgiō lacessītus foret,[1] in senātum vēnit. Tum M. Tullius cōnsul, sīve praesentiam eius timēns sīve īrā commōtus, ōrātiōnem habuit lūculentam atque ūtilem reī pūblicae, quam posteā scrīptam ēdidit.[2] Sed ubi ille
5 assēdit, Catilīna, ut erat parātus ad dissimulanda omnia, dēmissō vultū, vōce supplicī postulāre ā patribus coepit nē quid dē sē temere crēderent; eā [3] familiā ortum, ita sē ab adulēscentiā vītam īnstituisse ut omnia bona in spē habēret; nē exīstimārent sibi, patriciō hominī, cuius ipsīus atque maiōrum plūrima beneficia in plēbem Rōmānam
10 essent, perditā rē pūblicā opus esse,[4] cum eam servāret M. Tullius, inquilīnus [5] cīvis urbis Rōmae. Ad hoc maledicta alia cum adderet, obstrepere omnēs,[6] hostem atque parricīdam vocāre. Tum ille furibundus, "Quoniam quidem circumventus," inquit, "ab inimīcīs praeceps agor, incendium meum ruīnā restinguam." [7]
15 33. Dum haec Rōmae geruntur, C. Mānlius ex suō numerō lēgātōs ad Mārcium Rēgem [8] mittit cum mandātīs huiusce modī: "Deōs hominēsque testāmur, imperātor, nōs arma neque contrā patriam cēpisse neque quō [9] perīculum aliīs facerēmus, sed utī corpora nostra ab iniūriā tūta forent, quī [10] miserī, egentēs violentiā atque crūdēlitāte
20 faenerātōrum [11] plērīque patriā,[12] sed omnēs fāmā atque fortūnīs expertēs sumus. Saepe maiōrēs vestrum,[13] miseritī [14] plēbis Rōmānae, dēcrētīs suīs inopiae eius opitulātī [15] sunt, ac novissimē memoriā nostrā propter magnitūdinem aeris aliēnī, volentibus omnibus bonīs, argentum aere solūtum est.[16] Saepe ipsa plēbs, aut dominandī studiō

---

[1] *as if he had been provoked in a (personal) quarrel.*
[2] The first oration against Catiline. All four speeches were revised for publication in 60 B.C.   [3] *such.*
[4] With **sibi:** *that he had need of a ruined state.*
[5] *Foreign-born,* a dig at Cicero's being not a native Roman but a novus homo from Arpinum.
[6] i.e., **senātōrēs,** subject of the historical infinitives.
[7] i.e., he will cause general destruction to put out the fire started against him.
[8] General of the government forces opposing Manlius.   [9] For **ut.**
[10] Supply **nōs** (implied in **nostra**) as antecedent.
[11] *moneylenders.* Remember what Cicero said in the second oration.
[12] Ablative with **expertēs,** *deprived of.*   [13] Genitive of **vōs.**
[14] With genitive: *pitying.*   [15] With dative: *relieved.*
[16] *a silver (debt) was paid in bronze,* a form of partial debt cancellation. The value of silver was four times that of bronze; therefore a debt was discharged in full by 25 per cent payment.

Bronze coin of Tiberius, 23–32 A.D. (center); silver coin of Vespasian, 74 A.D. (left); silver coin of Julius Caesar, 50–49 B.C., showing an elephant.

permōta aut superbiā magistrātuum, armāta ā patribus sēcessit.[17] At 25 nōs nōn imperium neque dīvitiās petimus, quārum rērum causā bella atque certāmina omnia inter mortālīs sunt, sed lībertātem, quam nēmō bonus nisi cum animā simul āmittit. Tē atque senātum obtestā- mur, cōnsulātis [18] miserīs cīvibus, lēgis praesidium, quod inīquitās praetōris ēripuit, restituātis, nēve nōbīs eam necessitūdinem impōnātis, 30 ut quaerāmus quōnam modō maximē ultī sanguinem nostrum pereāmus." [19]

275. Translation

1. Cicero was so aroused that he made a fine speech.
2. Was he not a man of noble family, born in Rome?
3. If we should be freed of debt, the state would be safe.
4. Catiline asked the senators not to think that he would destroy the state.

276. Vocabulary Drill

certāmen	egeō	parricīda	praeceps	temere
dēcrētum	īra	pereō	supplex	testor

---

[17] We know of three such secessions, or strikes—in 494, 449, and 287 B.C.

[18] The clause (with **ut**) is object of **obtestāmur:** *that you have regard for the citizens.*

[19] *how we may best avenge our bloodshed (and then) perish.*

277. THE SCUM OF THE EARTH

36. Sed ipse paucōs diēs commorātus apud C. Flāminium in agrō Arrētīnō,[1] dum vīcīnitātem anteā sollicitātam armīs exōrnat, cum fascibus atque aliīs imperī īnsignibus in castra ad Mānlium contendit. Haec [2] ubi Rōmae comperta sunt, senātus Catilīnam et Mānlium
5 hostīs iūdicat.

Eā tempestāte [3] mihi imperium populī Rōmānī multō maximē miserābile vīsum est. Cui [4] cum ad occāsum ab ortū sōlis [5] omnia domita armīs pārērent, domī ōtium atque dīvitiae, quae prīma mortālēs putant, affluerent,[6] fuēre tamen cīvēs quī sēque remque pūblicam
10 obstinātīs animīs perditum [7] īrent. Namque duōbus senātī [8] dēcrētīs ex tantā multitūdine neque praemiō inductus [9] coniūrātiōnem patefēcerat neque ex castrīs Catilīnae quisquam omnium discesserat; tanta vīs morbī, atque utī tābēs,[10] plērōsque [11] cīvium animōs invāserat.

37. Neque sōlum illīs aliēna [12] mēns erat quī cōnsciī[13] coniūrā-
15 tiōnis fuerant, sed omnīnō cūncta plēbēs [14] novārum rērum studiō Catilīnae incepta probābat. Id adeō mōre suō vidēbātur facere.[15] Nam semper in cīvitāte, quibus [16] opēs nūllae sunt bonīs invident, malōs extollunt, vetera ōdēre, nova exoptant, odiō suārum rērum mūtārī omnia student, turbā atque sēditiōnibus sine cūrā aluntur, quoniam
20 egestās facile habētur sine damnō.[17] Sed urbāna plēbēs ea vērō praeceps [18] erat dē multīs causīs. Prīmum omnium quī ubīque probrō atque petulantiā maximē praestābant, item aliī per dēdecora, patrimōniīs āmissīs, postrēmō omnēs quōs flāgitium aut facinus domō expulerat, eī Rōmam sīcut in sentīnam cōnflūxerant.

---

[1] *at Arretium* (now Arezzo), between Rome and Florence.
[2] *these facts.*   [3] *time.*
[4] i.e., the **imperium;** dative with **pārērent (475,** 6).
[5] *from sunrise to sunset, from east to west.*   [6] *abounded.*
[7] Supine (**492,** *a*): *would go to destroy.*
[8] Old form of genitive for **senātūs:** *in spite of two decrees of the senate,* offering rewards.
[9] Modifies **quisquam,** the subject.   [10] *like a plague.*
[11] We might expect the genitive, modifying **cīvium.**
[12] *alienated.*   [13] *aware of.*   [14] For **plēbs** (singular).
[15] *The plebs seemed to do this in accordance with their custom.*
[16] Supply **eī** as antecedent.
[17] *they flourish on rioting and rebellion without worry, since their poverty is easily endured without loss.* Relief funds feed them, and they do not need to worry about losing money since they have none to lose.
[18] *desperate.*

162

278. Translation

1. He remained a few days at the house of a friend.
2. There were no men who obeyed the decree of the senate.
3. The poor men envy the rich and are eager for revolution.

279. Vocabulary Drill

adeō (*adv.*)	domō	fascis	multitūdō	ortus
aliēnus	exōrnō	īnsigne	occāsus	pāreō

280. Word Study

Explain by derivation: *affluence, extol, fascism, insignia, invidious, mutation.*

What Latin words are related to **cōnfluō, cōnscius, exoptō, inceptum, miserābilis, tempestās, vīcīnitās?**

The Roman Forum seen from the Capitoline Hill. The Temple of Saturn is in the foreground, the Basilica Julia is to the right. Can you identify any other Roman monuments in this photo?

Albert Moldvay

281. LENTULUS AND THE ALLOBROGES

39. Īsdem temporibus Rōmae Lentulus, sīcutī Catilīna praecēperat, quōscumque mōribus aut fortūnā novīs rēbus idōneōs crēdēbat, aut per sē aut per aliōs sollicitābat, neque sōlum cīvīs, sed cuiusque modī genus hominum,[1] quod modo [2] bellō ūsuī foret.[3] 40. Igitur P. Umbrēnō
5 cuidam negōtium dat, utī lēgātōs Allobrogum requīrat eōsque, sī possit, impellat ad societātem bellī, exīstimāns pūblicē prīvātimque aere aliēnō oppressōs,[4] praetereā quod nātūrā gēns Gallica bellicōsa esset, facile eōs ad tāle cōnsilium addūcī posse. Umbrēnus quod in Galliā negōtiātus erat, plērīsque prīncipibus cīvitātum nōtus erat atque eōs
10 nōverat. Itaque sine morā, ubi prīmum lēgātōs in forō cōnspexit, percontātus pauca dē statū cīvitātis et quasi dolēns eius [5] cāsum requīrere coepit quem exitum tantīs malīs spērārent. Postquam illōs videt querī dē avāritiā magistrātuum, accūsāre senātum, quod in eō auxilī nihil esset, miseriīs suīs remedium mortem [6] expectāre, "at ego," inquit,
15 "vōbīs, sī modo virī esse vultis, ratiōnem ostendam quā tanta ista mala effugiātis." [7] Haec ubi dīxit, Allobrogēs in maximam spem adductī Umbrēnum ōrāre [8] ut suī [9] miserērētur; nihil tam asperum neque tam difficile esse quod nōn cupidissimē factūrī essent, dum ea rēs cīvitātem aere aliēnō līberāret.[10] Coniūrātiōnem aperit, nōminat sociōs, praetereā
20 multōs cuiusque generis innoxiōs,[11] quō [12] lēgātīs animus amplior esset. Deinde eōs pollicitōs operam suam domum dīmittit. 41. Sed Allobrogēs diū in incertō habuēre [13] quidnam cōnsilī caperent. In alterā parte erat aes aliēnum, studium bellī, magna mercēs in spē victōriae, at in alterā maiōrēs opēs,[14] tūta cōnsilia, prō incertā spē certa praemia.
25 Haec illīs volventibus, tandem vīcit fortūna reī pūblicae. Itaque Q. Fabiō Sangae, cuius patrōciniō [15] cīvitās plūrimum ūtēbātur, rem

---

[1] *all sorts of men.*
[2] *provided that;* literally, *which only.* The antecedent of **quod** is **genus.**
[3] = **esset.**   [4] Modifies **eōs.**
[5] Refers to **cīvitātis.**   [6] *death as a remedy.*
[7] *you may escape* (**482,** 20).
[8] Historical infinitive.
[9] Genitive of the reflexive, referring to **Allobrogēs;** it depends on **miserērētur** (**474,** 9).
[10] See **482,** 17.
[11] *innocent.* Perhaps he mentioned members of the popular party, even Caesar.
[12] See **482,** 4.
[13] *were uncertain;* literally, *held* (*it*) *in uncertainty.*
[14] i.e., the resources of the Roman state, which could crush the rebellion.
[15] He represented them in legal matters.

omnem utī cognōverant aperiunt. Cicerō, per Sangam cōnsiliō cognitō, lēgātīs praecēpit ut studium coniūrātiōnis vehementer simulent, cēterōs adeant, bene polliceantur, dentque operam utī eōs quam maximē manifēstōs habeant.[16]

282. Translation

1. They begged him to free them from their troubles.
2. See to it that you find out what they are going to do.
3. Provided that you give us help, we will give you rewards.
4. If you will be men you will persuade your friends to do this.

283. Vocabulary Drill

adeō (*verb*)	idōneus	miseria	remedium	tālis
doleō	magistrātus	operam dō	simulō	vehementer

[16] *that they see to it that they catch them (*the conspirators*) in the act, as far as possible.*

A Roman mosaic. Above, a cat with a quail; below, two ducks. In the National Museum, Rome.

284. DOCUMENTS SEIZED—CAESAR INVOLVED?

44. Sed Allobrogēs ex praeceptō Cicerōnis per Gabīnium cēterōs conveniunt. Ab Lentulō, Cethēgō, Statiliō, item Cassiō postulant iūs iūrandum,[1] quod signātum ad cīvīs perferant: [2] aliter haud facile eōs ad tantum negōtium impellī posse. Cēterī nihil suspicantēs dant,[3]
5 Cassius sēmet [4] eō [5] brevī ventūrum pollicētur ac paulō ante lēgātōs ex urbe proficīscitur. Lentulus cum eīs T. Volturcium quendam Crotōniēnsem mittit, ut Allobrogēs, prius quam domum pergerent, cum Catilīnā, datā atque acceptā fidē, societātem cōnfirmārent. Ipse Volturciō litterās ad Catilīnam dat, quārum exemplum īnfrā scrīptum
10 est: [6] "Quī sim, ex eō quem ad tē mīsī [7] cognōscēs. Fac cōgitēs [8] in quantā calamitāte sīs, et meminerīs [9] tē virum esse. Cōnsīderēs quid tuae ratiōnēs postulent. Auxilium petās ab omnibus, etiam ab īnfimīs." [10]

49. Sed īsdem temporibus Q. Catulus et C. Pīsō neque precibus
15 neque grātiā neque pretiō Cicerōnem impellere potuēre utī per Allobrogēs aut alium indicem C. Caesar falsō nōminārētur. Nam uterque cum illō gravīs inimīcitiās exercēbant.[11] Rēs autem opportūna vidēbātur, quod is prīvātim ēgregiā līberālitāte,[12] pūblicē maximīs mūneribus [13] grandem pecūniam dēbēbat. Sed ubi cōnsulem ad tantum
20 facinus impellere nequeunt, ipsī singillātim circumeundō atque ēmentiendō [14] quae sē ex Volturciō aut Allobrogibus audīsse dīcerent, magnam illī invidiam cōnflāverant, usque eō [15] ut nōn nūllī equitēs Rōmānī, quī praesidī causā cum tēlīs erant circum aedem Concordiae, seu perīculī magnitūdine seu animī mōbilitāte impulsī, quō [16] studium
25 suum in rem pūblicam clārius esset, ēgredientī ex senātū Caesarī gladiō minitārentur.[17]

---

[1] a (written) oath.
[2] Relative purpose clause (**482,** 3). The punctuation (colon) indicates that a verb of saying is implied in **postulant;** thus the following infinitive is explained.
[3] Supply **iūs iūrandum.**   [4] Emphatic for **sē.**
[5] i.e., to Gaul. He suspected the trick and got out of Rome in a hurry.
[6] Study the differences between this and Cicero's version (*Cat.* III, 12).
[7] In Latin letters the tenses of verbs are given from the point of view of the reader, not the writer. So the Latin letter writer would not say, "I *am* writing this at home," but "I *was* writing this at home." Such tense usage is called epistolary.   [8] *see that you realize.*
[9] The volitive subjunctive is sometimes used instead of the imperative. This verb has no present imperative.   [10] He means the slaves.
[11] *carried on.* The subject is singular in form but plural in thought.
[12] Ablative of cause.   [13] *games,* given at his own expense while aedile.
[14] *lying about.*   [15] *to such an extent that.*   [16] See **482,** 4.   [17] See **482,** 8.

285. Translation

1. Many asked whether Caesar favored Catiline.
2. They tried to kill Caesar as he came out of the senate.
3. They asked for a letter which they might show to their friends.
4. In order that the matter might be more definite, Lentulus gave them a letter.

286. Vocabulary Drill

aliter	grandis	index	mūnus	prex
cōnflō	haud	īnfrā	praeceptum	suspicor

The ruins of the Temple of Julius Caesar, built on the spot where his body was burned.

A bust of Caesar by Antonio Rossellino (1427–1479).

287. CAESAR AND CATO

54. Igitur eīs genus, aetās, ēloquentia prope aequālia [1] fuēre, magnitūdō animī pār, item glōria, sed alia aliī.[2] Caesar beneficiīs ac mūnificentiā magnus habēbātur, integritāte vītae Catō. Ille mānsuē-tūdine et misericordiā clārus factus, huic sevēritās dignitātem addi-
5 derat. Caesar dandō, sublevandō, ignōscendō, Catō nihil largiendō [3] glōriam adeptus est. In alterō miserīs perfugium erat, in alterō malīs perniciēs. Illīus facilitās, huius cōnstantia laudābātur. Postrēmō Caesar in animum indūxerat labōrāre, vigilāre; negōtiīs amīcōrum intentus, sua neglegere,[4] nihil dēnegāre quod dōnō dignum esset; [5] sibi magnum
10 imperium, exercitum, bellum novum exoptābat, ubi virtūs ēnitēscere posset.[6] At Catōnī studium modestiae, decoris, sed maximē sevēritātis erat; nōn dīvitiīs cum dīvite neque factiōne cum factiōsō, sed cum strēnuō virtūte, cum modestō pudōre, cum innocente abstinentiā certābat; [7] esse quam vidērī [8] bonus mālēbat: ita, quō minus [9] petēbat
15 glōriam, eō magis illum assequēbātur.[10]

[1] Neuter because it modifies nouns of different genders.
[2] one (kind) to one, another to the other.
[3] by not spending freely, perhaps in reference to bribery.
[4] Historical infinitives.   [5] Descriptive (**482**, 10).   [6] Purpose (**482**, 3).
[7] He did not try to outdo a rich man in wealth, etc., but a vigorous man in courage, etc.   [8] The motto of the state of North Carolina.
[9] the less . . . the more.   [10] i.e., glory.

288. Translation

1. What did Cato prefer to be?
2. They were equal in age and eloquence.
3. He did nothing that was unworthy of him.
4. The former was praised for his kindness, the latter for his sternness.

289. Vocabulary Drill

addō	cōnstantia	ignōscō	mānsuētūdō	prope
beneficium	dīves	largior	misericordia	sevēritās

290. Word Study

In **287** find all words with suffixes in **–tās**, **–tia**, and **–tūdō**.

What Latin words are related to **abstinentia**, **ēloquentia**, **innocēns**, **mūnificentia**, **perfugium**?

Seal of the state of North Carolina, with the Latin motto "esse quam videri."

UNIT V

CICERO FOR ARCHIAS
(Entire)

The Temple of Neptune (Fifth Century B.C.) at Sounion, is on the seacoast northeast of Athens, Greece. At an early date, the Romans identified Neptune with the Greek god Poseidon, transferring to Neptune Poseidon's qualities as god of the sea. In art, Neptune is usually shown carrying a trident, or fishing spear, and sometimes he is seen driving a sea-chariot drawn by four horses. The Romans celebrated the festival of Neptunalia on the 23d of July.

The Temple of Aesculapius in Pergamum, Asia Minor (Turkey), to which many came to be cured of illness.

291. ARCHIAS

It was an ancient Greek custom, going back to Homer, for poets to wander about giving recitals of their poems, as today musicians go on concert tours. It came to be the practice for poets to make up poems on the spot on themes suggested by the audience, that is, to improvise.

One such poet was the Greek Archias, born about 120 B.C. in the city of Antioch in Syria. Archias early showed his ability to memorize and improvise. By the time he was seventeen this precocious youngster was traveling throughout Asia Minor and Greece to give his readings. Everywhere he met with success.

After Asia Minor and Greece, there was still one part of the Greek-speaking world to be conquered—southern Italy. Here again Archias was very successful. Where should he go next? There remained the most prominent city of Italy, Rome. It was not a Greek city, to be sure, but it was becoming a thriving metropolis and was interested in Greek culture. Many prominent Romans spoke Greek well. Cato the Elder had learned Greek as an old man. Homer's *Odyssey* had been translated into Latin by Livius Andronicus and was used as a textbook in Roman schools. Greek tragedy and comedy had been translated and adapted. Greek philosophers, historians, teachers, and poets had come to Rome and settled down there. And Archias went there too, arriving in the busy city on the Tiber in 102 B.C., before he had reached the age of eighteen.

Before long Archias became somewhat of a sensation in Rome, much as new opera stars were to be acclaimed in nineteenth-century New York. The Lucullus family, in particular, took him under its wing, and his future was assured.

Some years later the Social War broke out (90 B.C.), so called because it was a revolt of Rome's allies (socii) against the big city. All the allies wanted was Roman citizenship, instead of the second-class citizenship which they had held. They lost the war but gained their demands, for a law passed the next year granted them the desired rights of Roman citizenship.

Some time before this Archias had been made a citizen of Heraclea in southern Italy. So in accordance with the terms of the law of 89 B.C. he registered with a praetor as a Roman citizen. He took the nomen Licinius of his patrons the Luculli and a Roman prenomen, keeping his Greek name as a cognomen. He was thus known as Aulus Licinius Archias.

Generals and governors customarily took poets with them on their expeditions, primarily to write poems about their feats. L. Lucullus took Archias with him on his expedition against Mithridates, and as Lucullus had hoped, Archias wrote a poem, now lost, about it.

In 62 B.C. Archias was brought into court on the grounds that he was not a Roman citizen, with the purpose of having him deported as an undesirable foreigner. It is certain that the charge was intended to embarrass Lucullus, and that the men behind it were political enemies of Lucullus.

Cicero undertook the defense of Archias. The presiding praetor was Cicero's brother, Quintus. The trial apparently resulted in an acquittal. In those days lawyers received no fees and generally undertook cases for personal or political reasons. Probably Cicero's chief reason for defending Archias was that the poet had promised to write about Cicero's consulship, or perhaps the orator desired to ingratiate himself with Lucullus. Still another motive may have been that the trial enabled Cicero to make a splendid and charming defense of literature.

Archias did not write the poem about Cicero's consulship; it was left to Cicero to do so himself. Ironically Archias would have been completely forgotten had it not been for Cicero's speech in his behalf, a speech less political and more popular than any of Cicero's other speeches. Was Cicero disappointed in not getting his fee in the form of a poem? Or did he suspect that the defense of Archias gave him the opportunity of writing an oration which was to have much to do with his own immortality? We do not know.

292. CICERO IS INDEBTED TO ARCHIAS

I, 1. Sī quid[1] est in mē ingenī, iūdicēs,[2] quod[3] sentiō quam[4] sit exiguum, aut sī qua[5] exercitātiō dīcendī, in quā mē nōn īnfitior mediocriter esse versātum, aut sī huiusce reī ratiō[6] aliqua ab optimārum artium[7] studiīs ac disciplīnā profecta, ā quā[8] ego nūllum cōnfiteor
5 aetātis meae tempus abhorruisse, eārum rērum omnium vel in prīmīs hic A. Licinius[9] frūctum ā mē repetere prope suō iūre dēbet. Nam quoad longissimē[10] potest mēns mea respicere spatium praeteritī temporis et pueritiae memoriam recordārī ultimam, inde[11] usque repetēns,[11] hunc videō mihi prīncipem et ad suscipiendam et ad
10 ingrediendam ratiōnem hōrum studiōrum exstitisse. Quod[12] sī haec vōx[13] huius hortātū praeceptīsque[14] cōnfōrmāta nōn nūllīs aliquandō salūtī fuit, ā quō[15] id accēpimus[16] quō cēterīs opitulārī et aliōs servāre possēmus, huic profectō ipsī, quantum est situm in nōbīs, et opem et salūtem ferre dēbēmus. 2. Ac nē quis ā nōbīs hoc ita dīcī forte
15 mīrētur,[17] quod alia[18] quaedam in hōc[19] facultās sit[20] ingenī neque[21] haec[22] dīcendī ratiō aut disciplīna, nē nōs quidem huic ūnī studiō penitus umquam dēditī fuimus. Etenim omnēs artēs quae ad hūmānitātem[23] pertinent habent quoddam commūne vinculum et quasi cognātiōne quādam inter sē continentur.

---

[1] *if any ability*, i.e., *whatever ability.*   [2] *jurors.*
[3] = **et hoc;** connecting relative, subject of **sit.**   [4] *how.*
[5] Remember that after **sī, nisi, nē,** and **num, quis** is an indefinite pronoun meaning **aliquis.**
[6] *theoretical basis.* Natural ability, study of the theory, and practical experience are essentials of oratory.
[7] Literature, studied in the secondary school, rhetoric and poetry, studied in the university.
[8] The antecedent is **ratiō.**
[9] Cicero cleverly uses Archias' Roman name as if there were no question about his citizenship.
[10] With **quoad:** *as far back as.*
[11] *going back even to that time.*   [12] *Now.*
[13] *this voice (of mine).* Complimentary exaggeration.
[14] *teaching* in a general sense, for Cicero had not been Archias' student.
[15] The antecedent is **huic.** Therefore in translation **ā quō . . . possēmus** comes after **huic.**
[16] The plural of "modesty," referring to himself.
[17] A parenthetical purpose clause. Supply *let me say this* before the main verb.
[18] *different,* for Archias is a poet, not an orator.
[19] i.e., Archias.   [20] See **482,** 16.
[21] *and not.*   [22] *this (of mine).*
[23] *culture.*

The Temple of Dionysus (Bacchus) on the island of Delos in the Aegean Sea.

293. A NEW STYLE OF SPEAKING

II, 3. Sed nē cui vestrum [1] mīrum esse videātur mē [2] in quaestiōne [3] lēgitimā et in iūdiciō pūblicō,[3] cum rēs agātur [4] apud praetōrem [5] populī Rōmānī, lēctissimum virum, et apud sevērissimōs iūdicēs, tantō conventū [6] hominum ac frequentiā hōc ūtī genere dīcendī quod nōn modo ā cōnsuētūdine iūdiciōrum vērum etiam ā forēnsī sermōne 5 abhorreat, quaesō ā vōbīs ut in hāc causā mihi dētis hanc veniam accommodātam huic reō,[7] vōbīs, quem ad modum [8] spērō, nōn molestam, ut mē [9] prō summō poētā atque ērudītissimō homine dīcentem hōc concursū [6] hominum litterātissimōrum, hāc vestrā hūmānitāte, hōc dēnique praetōre exercente iūdicium, patiāminī dē studiīs hūmāni- 10 tātis ac litterārum paulō loquī līberius et in eius modī persōnā,[10] quae

[1] Genitive of **vōs.**
[2] Subject of **ūtī** (line 4).
[3] *a legal investigation and a state trial,* i.e., one in which the state is prosecuting.
[4] *the case is being tried.*
[5] Cicero's younger brother Quintus, praised years later by Caesar in the *Gallic War* for his skill and bravery as a general against the Gauls.
[6] Ablative of attendant circumstances: *with so large an assembly.*   [7] From **reus.**
[8] The phrase is synonymous with **ut,** *as,* avoided here because **ut** is used in a different sense just before and just after.
[9] Subject of **loquī.**   [10] *in a character of this sort,* i.e., Archias.

175

propter ōtium ac studium minimē in iūdiciīs perīculīsque [11] trāctāta est, ūtī prope novō quōdam et inūsitātō genere dīcendī.[12] 4. Quod [13] sī mihi ā vōbīs tribuī concēdīque sentiam, perficiam profectō ut hunc
15 A. Licinium nōn modo nōn sēgregandum,[14] cum sit cīvis, ā numerō cīvium, vērum etiam, sī nōn esset, putētis ascīscendum fuisse.

294. Vocabulary Drill

concursus	molestus	quaestiō	sevērus	tribuō
ērudītus	ōtium	reus	trāctō	venia

295. Word Study

Explain by derivation: *erudition, forensic, sentient, tributary, venial.*

What Latin words are related to **concursus, ērudītus, inūsitātus, lēgitimus, quaestiō, sēgregō?**

Persōna is derived from the Greek word πρόσωπον, *mask* (literally, "before the face"), worn by actors in plays. The changes in spelling are explained by the fact that the word was first borrowed by the Etruscans, from whom the Romans got it. The masks differed and represented the different *types* or *characters.* Finally **persōna** took on the meaning *individual,* as in English *person.*

---

[11] hendiadys (**495,** 1): *the perils of the courts.*
[12] Now that you have finished this long periodic sentence, note how it is put together.
[13] Connecting relative (**472,** 4, *c*).   [14] Supply **fuisse** and note the tense.

The huge sculptured mask of ancient design was used in a presentation of Stravinsky's Oedipus Rex in the Opera House of Rome. It symbolizes Greek tragedy.

296. ARCHIAS COMES TO ROME

III. Nam, ut prīmum ex puerīs [1] excessit Archiās atque ab eīs artibus quibus aetās puerīlis ad hūmānitātem īnfōrmārī solet, sē ad scrībendī studium contulit, prīmum Antiochīae (nam ibi nātus est locō [2] nōbilī), celebrī [3] quondam urbe [4] et cōpiōsā atque ērudītissimīs hominibus līberālissimīsque studiīs affluentī, celeriter antecellere omnibus [5] ingenī glōriā coepit. Post [6] in cēterīs Asiae partibus cūnctāque Graeciā sīc eius adventūs [7] celebrābantur ut fāmam ingenī expectātiō hominis, expectātiōnem ipsīus adventus admīrātiōque superāret. 5. Erat Italia tum plēna Graecārum artium ac disciplīnārum,[8] studiaque haec et in Latiō [9] vehementius tum colēbantur quam nunc īsdem in oppidīs et hīc Rōmae propter tranquillitātem reī pūblicae nōn neglegēbantur. Itaque hunc et Tarentīnī et Locrēnsēs et Rēgīnī et Neāpolitānī [10] cīvitāte [11] cēterīsque praemiīs dōnārunt, et omnēs quī aliquid dē ingeniīs poterant iūdicāre cognitiōne atque hospitiō dignum [12] exīstimārunt. Hāc tantā celebritāte fāmae cum esset iam absentibus [13] nōtus, Rōmam vēnit, Mariō cōnsule [14] et Catulō. Nactus est prīmum cōnsulēs eōs quōrum alter rēs ad scrībendum maximās, alter cum [15] rēs gestās, tum [15] etiam studium atque aurēs [16] adhibēre posset. Statim Lūcullī,[17] cum praetextātus [18] etiam tum Archiās esset, eum domum suam recēpērunt. Est iam hoc nōn sōlum ingenī [19] ac litterārum vērum etiam nātūrae atque virtūtis, ut domus quae huius adulēscentiae prīma fāvit

[1] boyhood.　　　　[2] rank (477, 3).　　　　[3] populous.

[4] A noun in apposition with a locative (Antiochīae) is in the ablative (of place).

[5] See 475, 7 for the dative.

[6] Adverb.　　　[7] arrival at various places.

[8] sciences.

[9] Latium, the district around Rome, where Latin was spoken.

[10] the people of Tarentum, Locri, Regium, and Naples. Locate these cities on the map (page 243).

[11] i.e., honorary citizenship, as is sometimes done today.

[12] Supply eum.

[13] to those (living) far away.

[14] So expressed because Marius was the more famous.

[15] not only . . . but also.

[16] attention; literally, ears. Catulus knew Greek well.

[17] There were two brothers, Lucius and Marcus.

[18] Literally this means wearing the praetexta, applied to Roman boys before they put on the toga cīvīlis and became citizens. Cicero treats Archias as a Roman even on his arrival in Rome.

[19] (an indication of his) ability; predicate genitive (474, 2).

Photo Nimatallah/Art Resource

Temples in Paestum, southern Italy. Paestum was founded c. 600 B.C. by Greeks from Sybaris. The building in the foreground, traditionally called the Temple of Neptune, is actually that of Hera (Juno). In the distance is a building usually called the Basilica.

eadem esset familiārissima senectūtī. 6. Erat temporibus illīs iūcundus [20] Q. Metellō illī Numidicō et eius Piō fīliō, audiēbātur ā M. Aemiliō, vīvēbat [21] cum Q. Catulō et patre et fīliō, ā L. Crassō
25 colēbātur, Lūcullōs vērō et Drūsum et Octāviōs et Catōnem et tōtam Hortēnsiōrum domum dēvīnctam cōnsuētūdine [22] cum tenēret, afficiēbatur summō honōre, quod eum nōn sōlum colēbant quī aliquid percipere atque audīre studēbant vērum etiam sī quī forte simulābant.

297. Vocabulary Drill

| adhibeō | ars | cognitiō | hospitium | plēnus |
| antecellō | celeber | hīc | nancīscor | senectūs |

---

[20] *a favorite of;* literally, *agreeable to.*
[21] *was a guest of;* cf. **convīvium.**   [22] *bound by* (*ties of*) *intimacy.*

298. ARCHIAS ENROLLED AS A ROMAN CITIZEN

IV. Interim satis longō intervāllō,[1] cum esset cum M. Lūcullō in Siciliam profectus et cum ex eā prōvinciā cum eōdem Lūcullō dēcē-deret, vēnit Hēraclēam. Quae cum esset cīvitās aequissimō iūre ac foedere,[2] ascrībī sē in eam cīvitātem voluit[3] idque, cum[4] ipse per sē dignus putārētur, tum[5] auctōritāte et grātiā Lūcullī ab Hēracliēnsibus 5 impetrāvit. 7. Data est cīvitās[6] Silvānī lēge et Carbōnis: *Sī quī*[7] *foederātīs cīvitātibus ascrīptī fuissent,*[8] *sī tum cum lēx ferēbātur in Italiā domicilium habuissent et sī sexāgintā diēbus apud praetōrem essent professī.*[9] Cum hic domicilium Rōmae multōs iam annōs habēret, professus est apud praetōrem Q. Metellum, familiārissimum suum. 8. 10 Sī nihil aliud nisi dē cīvitāte ac lēge dīcimus, nihil dīcō amplius; causa dicta est. Quid enim hōrum[10] īnfirmārī, Grattī,[11] potest? Hēraclēaene esse tum ascrīptum negābis? Adest vir summā auctōritāte et religiōne[12] et fidē, M. Lūcullus; quī sē nōn opīnārī sed scīre, nōn audīvisse sed vīdisse, nōn interfuisse sed ēgisse[13] dīcit. Adsunt Hēracliēnsēs lēgātī, 15 nōbilissimī hominēs, huius iūdicī causā cum mandātīs et cum pūblicō testimōniō vēnērunt; quī hunc ascrīptum Hēraclēae esse dīcunt. Hīc tū tabulās dēsīderās Hēracliēnsium pūblicās, quās Italicō bellō,[14] incēnsō tabulāriō,[15] interīsse scīmus omnēs? Est rīdiculum ad ea quae habēmus nihil dīcere, quaerere quae habēre nōn possumus, et dē 20 hominum memoriā tacēre, litterārum memoriam[16] flāgitāre et, cum habeās amplissimī virī religiōnem, integerrimī[17] mūnicipī iūs iūrandum fidemque, ea quae dēprāvārī nūllō modō possunt repudiāre, tabulās

---

[1] *after a rather long interval* (ablative absolute).

[2] Ablative of description: *with very favorable treaty rights,* with Rome. They were so favorable that after the Social War the Heracleans were reluctant to accept Roman citizenship. Some Puerto Ricans today think that they are better off in their present relationship to the United States than they would be if their island achieved statehood.

[3] i.e., Archias.   [4] *although.*

[5] *in addition.*   [6] i.e., Roman.   [7] *Whoever.*

[8] In direct discourse these subjunctives would be in the future perfect indicative.

[9] *enroll.* Supply *they would become citizens.*

[10] With **quid.** The three conditions mentioned in the law.

[11] Grattius, of whom we know nothing, brought the charges against Archias. The omission of the prenomen was almost as contemptuous as calling someone by his last name only is today.

[12] *scrupulous honesty.*   [13] *acted (in the matter).*

[14] The Social War (90–88 B.C.).   [15] *record office.*

[16] The *memory* of documents (**litterārum**) means that documents enable us to remember.   [17] Heraclea had a better reputation than some other towns.

quās īdem [18] dīcis solēre corrumpī [19] dēsīderāre. 9. An [20] domicilium
25 Rōmae nōn habuit is quī tot annīs [21] ante cīvitātem datam sēdem
omnium rērum ac fortūnārum suārum Rōmae collocāvit? An nōn est
professus? Immō vērō eīs tabulīs [22] professus quae sōlae ex illā pro-
fessiōne collēgiōque praetōrum [23] obtinent pūblicārum tabulārum
auctōritātem.

299. Vocabulary Drill

corrumpō	flāgitō	immō vērō	profiteor	satis
dēsīderō	immō	intereō	repudiō	testimōnium

300. Word Study

From what Latin words are the following derived: *amplification,
corruption, desire, federation, incendiary, tabulation?*

What Latin words are related to the following: **ascrībō, corrumpō,
domicilium, familiāris, intereō?**

[18] *you yourself;* literally, *the same (you).*
[19] Grattius charges that the Roman registration records have been tampered
with. Cicero takes this up in the next chapter.
[20] This and the next sentence take up the second and third qualifications
required by the law.
[21] Thirteen years (102–89 B.C.).   [22] *by means of the records.*
[23] *of the registration books of the board of praetors* (hendiadys).

The Roman library at Ephesus, Asia Minor (Turkey), built by T. Julius Celsus.

301. THE CENSUS RECORDS

V. Nam cum Appī [1] tabulae neglegentius asservātae dīcerentur, Gabīnī,[2] quam diū incolumis [3] fuit, levitās, post damnātiōnem calamitās [4] omnem tabulārum fidem resignāsset,[5] Metellus, homō sānctissimus modestissimusque omnium, tantā dīligentiā fuit ut ad L. Lentulum praetōrem et ad iūdicēs vēnerit [6] et ūnīus nōminis litūrā sē commōtum esse dīxerit. Hīs igitur in tabulīs nūllam litūram in nōmine A. Licinī vidētis. 10. Quae cum ita sint, quid est quod [7] dē eius cīvitāte dubitētis, praesertim cum aliīs quoque in cīvitātibus fuerit ascrīptus? Etenim cum mediocribus [8] multīs et aut nūllā aut humilī aliquā arte praeditīs grātuītō cīvitātem in Graeciā [9] hominēs impertiēbant, Rēgīnōs [10] crēdō [11] aut Locrēnsēs aut Neāpolitānōs aut Tarentīnōs, quod [12] scaenicīs [13] artificibus largīrī solēbant, id huic summā ingenī praeditō glōriā nōluisse! Quid? Cum cēterī nōn modo post cīvitātem datam sed etiam post lēgem Pāpiam [14] aliquō modō in eōrum mūnicipiōrum tabulās irrēpsērunt, hic, quī nē ūtitur [15] quidem illīs [16] in quibus est scrīptus, quod semper sē Hēracliēnsem esse voluit,

5

10

15

---

[1] Appius, Gabinius, and Metellus were three of the six praetors of the year 89.

[2] With **levitās** and **calamitās.** The contrast between **Appī** and **Gabīnī** made unnecessary an **et** before the latter.

[3] *before conviction;* literally, *unharmed.*

[4] *misfortune;* an understatement. He was convicted of graft while governor of Achaia.

[5] *destroyed;* literally, *unsealed.* The value of a document is destroyed when its seal is broken.

[6] See **480,** 5, *Note b* for the sequence. Metellus, in dealing with another case, said that there was only one erasure in the records, clearly then not that of Archias' name.

[7] *why is it that.* The following subjunctive is descriptive.

[8] Dative, with **impertiēbant.**

[9] He means Magna Graecia, a name for southern Italy, which had been settled by Greek colonists.

[10] *the people of Regium* (now Reggio), *Locri, Naples, Tarentum* (now Taranto), all in southern Italy.

[11] As often, **crēdō** is used ironically: *I suppose.*

[12] The antecedent is **id** below, referring to citizenship.

[13] At this time acting was not highly regarded by the Romans.

[14] This law called for the expulsion of all aliens, i.e., those who did not have legal residence. It was under this law that the charges were brought against Archias. Under what circumstances are aliens deported from this country?

[15] *takes advantage of.*

[16] Supply **tabulīs,** i.e., those of the Greek cities other than Heraclea which had granted him citizenship.

reiciētur? 11. Cēnsūs [17] nostrōs requīris. Scīlicet,[18] est enim obscūrum proximīs cēnsōribus [19] hunc cum clārissimō imperātōre, L. Lūcullō, apud [20] exercitum fuisse, superiōribus cum eōdem quaestōre [21] fuisse
20 in Asiā, prīmīs, Iūliō et Crassō, nūllam populī partem esse cēnsam. Sed quoniam cēnsus non iūs cīvitātis cōnfirmat ac tantum modo indicat eum quī sit cēnsus ita sē iam tum gessisse prō cīve eīs temporibus,[22] is quem tū [23] crīmināris nē ipsīus [24] quidem iūdiciō in cīvium Rōmānōrum iūre esse versātum, et [25] testāmentum saepe fēcit nostrīs
25 lēgibus et adiit [26] hērēditātēs cīvium Rōmānōrum et in beneficiīs [27] ad aerārium dēlātus est ā L. Lūcullō prō cōnsule.

[17] *our* (Roman) *census records.*
[18] *Of course,* pointing to the irony in **obscūrum,** *it is not known.*
[19] *in the last censorship,* in 70 B.C. The one before that **(superiōribus)** was in 86, the first after Archias received his citizenship in 89 B.C.
[20] He was *at* the army, not *in* it; he was there in an unofficial capacity, not as an officer.
[21] In apposition with **eōdem:** *at that time quaestor.*
[22] *had conducted himself as a citizen at that time* (i.e., of the census).
[23] Grattius, the plaintiff.
[24] Grattius argues that Archias himself **(ipsīus)** did not consider himself a citizen because he did nothing to get himself listed.
[25] *both.*   [26] *shared in.*
[27] *rewards* for special services, recommended by generals.

Naples today, with Vesuvius in the background.

Greek postage stamp with an ancient scene of women carrying jars.

302. THE VALUE OF LITERATURE

VI. Quaere argūmenta, sī quae potes; numquam enim hic neque suō neque amīcōrum iūdiciō revincētur.[1] 12. Quaerēs ā nōbīs, Grattī, cūr tantō opere hōc homine dēlectēmur.[2] Quia suppeditat nōbīs ubi [3] et animus ex hōc forēnsī strepitū reficiātur et aurēs convīciō dēfessae conquiēscant.[4] An tū exīstimās aut suppetere nōbīs posse [5] quod cotīdiē dīcāmus in tantā varietāte rērum, nisi animōs nostrōs doctrīnā excolāmus, aut ferre animōs tantam posse contentiōnem, nisi eōs doctrīnā eādem relaxēmus? Ego vērō fateor mē hīs studiīs esse dēditum. Cēterōs pudeat,[6] sī quī ita sē litterīs [7] abdidērunt ut nihil possint ex eīs neque [8] ad commūnem afferre frūctum neque in aspectum lūcemque prōferre; [9] mē autem quid pudeat [10] quī tot annōs ita vīvō, iūdicēs, ut ā nūllīus umquam mē tempore aut commodō [11] aut ōtium meum abstrāxerit aut voluptās āvocārit aut dēnique somnus retardārit? 13. Quārē quis tandem mē reprehendat,[12] aut quis mihi iūre suscēnseat, sī,[13] quantum cēterīs [14] ad suās rēs obeundās, quantum ad fēstōs diēs lūdōrum celebrandōs, quantum ad aliās voluptātēs et ad ipsam requiem

[1] *He will never be convicted either by his own judgment or that of his friends,* for they had taken his citizenship for granted the past twenty-seven years. Note the use of **neque** where we use *either . . . or.*

[2] Obviously Grattius will ask no such thing; Cicero is simply looking for an excuse to talk about the importance of literature, just as an after-dinner speaker is "reminded" by something to tell a funny story.

[3] (*a place*) *where,* followed by a descriptive clause.

[4] There was no TV in Cicero's day.

[5] *that what we talk about every day could be supplied to us.*

[6] Volitive: *let others be ashamed.*   [7] *in literature* (ablative).

[8] *either . . . or* (see footnote 1).

[9] *bringing nothing to the light* (*of day*), i.e., they publish nothing.

[10] *why should I be ashamed* (**482,** 18).

[11] *from the critical need or advantage of any* (*client*).

[12] *can criticize* (**482,** 20).

[13] Introduces the last word, **sūmpserō; quantum** is subject of **concēditur.**

[14] Dative with **concēditur.**

animī et corporis concēditur temporum, quantum aliī [15] tribuunt
tempestīvīs [16] convīviīs, quantum dēnique alveolō,[17] quantum pilae,
tantum mihi egomet ad haec studia recolenda sūmpserō? Atque hoc
20 ideō mihi concēdendum est magis, quod ex hīs studiīs haec quoque
crēscit ōrātiō et facultās,[18] quae quantacumque est in mē, numquam
amīcōrum perīculīs dēfuit. Quae [19] sī cui levior vidētur, illa [20] quidem
certē quae summa sunt ex quō fonte hauriam sentiō. 14. Nam nisi
multōrum praeceptīs multīsque litterīs [21] mihi ab adulēscentiā suāsis-
25 sem nihil esse in vītā magnō opere expetendum nisi laudem atque
honestātem, in eā autem persequendā omnēs cruciātūs corporis, omnia
perīcula mortis atque exilī parvī [22] esse dūcenda, numquam mē prō
salūte vestrā in tot ac tantās dīmicātiōnēs atque in hōs prōflīgātōrum [23]
hominum cotīdiānōs impetūs obiēcissem. Sed plēnī omnēs sunt librī,
30 plēnae sapientium vōcēs,[24] plēna exemplōrum vetustās; quae iacērent
in tenebrīs omnia, nisi litterārum lūmen accēderet.[25] Quam multās
nōbīs imāginēs nōn sōlum ad intuendum vērum etiam ad imitandum
fortissimōrum virōrum expressās [26] scrīptōrēs et Graecī et Latīnī
relīquērunt! Quās ego mihi semper in administrandā rē pūblicā prō-
35 pōnēns animum et mentem meam ipsā cōgitātiōne hominum excellentium cōnfōrmābam.

303. Vocabulary Drill

cotīdiē	fōns	pudet	strepitus	tenebrae
doctrīna	magnō opere	reprehendō	tantō opere	vetustās

304. Word Study

Explain by derivation: *crescent, festivity, font, impudent, luminosity, reprehensible.*

Give Latin words related to **abdō, abstrahō, doctrīna, retardō, tempestīvus.**

---

[15] *some,* in contrast with **cēterīs,** *all others.*
[16] *early.* The earlier a banquet began the longer it lasted. [17] *gambling board.*
[18] Hendiadys: *ability in speaking.* [19] i.e., **facultās.**
[20] *the following* (*beliefs*). [21] *much* (*reading of*) *literature.*
[22] Not with **exsilī:** *are to be considered of little value* (**474,** 8).
[23] Elsewhere he uses **improbī** of the **populārēs,** who were still after him for
executing some of Catiline's followers and who finally succeeded in having
him exiled. [24] *the sayings of philosophers.*
[25] *if the light of literature did not shine upon them.*
[26] With **imāginēs:** *clear-cut portraits.*

305. NATURAL ABILITY AND TRAINING

VII, 15. Quaeret quispiam: "Quid? Illī ipsī summī virī quōrum virtūtēs litterīs prōditae sunt, istāne doctrīnā quam tū effers laudibus ērudītī fuērunt?" Difficile est hoc dē omnibus cōnfirmāre, sed tamen est certum quid respondeam.[1] Ego multōs hominēs excellentī animō ac virtūte fuisse sine doctrīnā et nātūrae ipsīus habitū [2] prope dīvīnō 5 per sē ipsōs et moderātōs et gravēs exstitisse [3] fateor; etiam illud adiungō, saepius ad laudem atque virtūtem nātūram sine doctrīnā quam sine nātūrā valuisse [4] doctrīnam. Atque īdem ego hoc contendō, cum ad nātūram eximiam et illūstrem accesserit ratiō quaedam cōnfōrmātiōque doctrīnae,[5] tum illud nesciō quid praeclārum ac singu- 10 lāre [6] solēre exsistere. 16. Ex hōc esse [7] hunc numerō quem patrēs nostrī vīdērunt, dīvīnum hominem, Āfricānum,[8] ex hōc C. Laelium, L. Fūrium, moderātissimōs hominēs et continentissimōs, ex hōc fortissimum virum et illīs temporibus doctissimum, M. Catōnem illum senem; quī profectō sī nihil ad percipiendam colendamque virtūtem litterīs 15 adiuvārentur, numquam sē ad eārum studium contulissent. Quod sī [9] nōn hic tantus frūctus ostenderētur, et sī ex hīs studiīs dēlectātiō sōla peterētur, tamen, ut opīnor, hanc animī remissiōnem hūmānissimam ac līberālissimam iūdicārētis. Nam cēterae [10] neque temporum [11] sunt neque aetātum omnium neque locōrum; at haec studia adulēscentiam 20 acuunt, senectūtem oblectant, secundās [12] rēs ōrnant, adversīs perfugium ac sōlācium praebent, dēlectant domī, nōn impediunt forīs, pernoctant nōbīscum, peregrīnantur, rūsticantur. 17. Quodsī ipsī haec [13] neque attingere neque sēnsū nostrō gustāre possēmus, tamen ea mīrārī dēbērēmus, etiam cum in aliīs vidērēmus. 25

306. Vocabulary Drill

adversus (*adj.*)	ērudiō	eximius	prōdō	secundus
efferō	excellēns	gustō	quispiam	senex

---

[1] *what I should say* (**482**, 13, 21).   [2] *by the quality of their nature.*

[3] *stood out as self-controlled and worthy men.*

[4] With **ad**: *has succeeded in producing;* literally, *has had power* (*with regard*) *to.*

[5] *a kind of* (**quaedam**) *systematic training* (*resulting from*) *study* (**495**, 1).

[6] *something* ("I don't know what") *outstanding and unique.*

[7] Still indirect statement after **contendō.**

[8] Scipio the Younger (185–129 B.C.), who with Laelius and Furius encouraged the development of Greek culture in Rome. Cato (234–149 B.C.), on the other hand, opposed Greek culture and was more of a self-made man.

[9] *But if.*   [10] i.e., **remissiōnēs.**   [11] *are not* (*suitable*) *for.*

[12] *prosperity;* therefore what does **adversīs** mean?

[13] *can neither attain to nor enjoy with our senses these* (*studies*).

307. POETS ARE SACRED

VIII. Quis nostrum tam animō agrestī ac dūrō fuit ut Rōscī [1] morte nūper nōn commovērētur? Quī cum esset senex mortuus, tamen propter excellentem artem ac venustātem vidēbātur [2] omnīnō morī nōn dēbuisse. Ergō ille corporis mōtū tantum amōrem sibi conciliārat
5 ā nōbīs omnibus; nōs animōrum incrēdibilēs mōtūs celeritātemque ingeniōrum [3] neglegēmus? 18. Quotiēns ego hunc Archiam vīdī, iūdicēs (ūtar enim vestrā benignitāte,[4] quoniam mē in hōc novō genere dīcendī tam dīligenter attenditis), quotiēns ego hunc vīdī, cum litteram scrīpsisset nūllam,[5] magnum numerum optimōrum versuum dē eīs ipsīs
10 rēbus quae tum agerentur, dīcere ex tempore, quotiēns revocātum eandem rem dīcere, commūtātīs verbīs atque sententiīs! Quae vērō accūrātē cōgitātēque scrīpsisset, ea sīc vīdī probārī ut ad veterum scrīptōrum [6] laudem pervenīret. Hunc ego nōn dīligam,[7] nōn admīrer,[7] nōn omnī ratiōne dēfendendum putem? [7] Atque sīc ā summīs homini-
15 bus ērudītissimīsque accēpimus, cēterārum rērum studia ex doctrīnā et praeceptīs et arte cōnstāre,[8] poētam nātūrā ipsā valēre et mentis vīribus excitārī et quasi dīvīnō quōdam spīritū īnflārī. Quārē suō iūre noster ille Ennius [9] "sānctōs" appellat poētās, quod quasi deōrum aliquō dōnō atque mūnere commendātī nōbīs esse videantur. 19. Sit igitur,
20 iūdicēs, sānctum apud vōs, hūmānissimōs hominēs, hoc poētae nōmen, quod nūlla umquam barbaria violāvit. Saxa atque sōlitūdinēs vōcī respondent, bēstiae saepe immānēs cantū flectuntur atque cōnsistunt; [10] nōs īnstitūtī rēbus optimīs nōn poētārum vōce moveāmur? [11] Homērum Colophōniī [12] cīvem esse dīcunt suum, Chiī suum vindicant, Salamīniī

---

[1] A famous Roman actor, friend of Cicero.

[2] The subject is **quī** but in translating it is better to make the verb impersonal: *who, it seemed.*

[3] *activity of mind* (in contrast with **corporis**) *and inborn* (**ingeniōrum**) *alertness.*

[4] *I avail myself of your indulgence, I beg your pardon.*

[5] *though he had not written down a single letter.* Archias' amazing ability to compose verse extemporaneously no doubt made a deep impression on the jurors.   [6] The old Greek poets, from Homer down.

[7] See **482, 18.**   [8] *are based on.*

[9] *that famous poet of ours,* Ennius (239–169 B.C.), Rome's greatest epic poet before Virgil.

[10] An allusion to Amphion, king of Thebes, who performed so well on the lyre that the stones of their own accord built themselves into a wall, and to Orpheus, who could affect wild beasts by his music.

[11] *should we not be moved* (**482, 18**)?

[12] *the people of Colophon, Chios, Salamis, and Smyrna.* Three other places claimed him: Argos, Athens, and Rhodes.

repetunt, Smyrnaeī vērō suum esse cōnfirmant itaque etiam dēlūbrum 25
eius in oppidō dēdicāvērunt, permultī aliī praetereā pugnant inter sē
atque contendunt.

308. *Vocabulary Drill*

admīror	dīligō	īnflō	saxum	venustās
conciliō	immānis	mōtus	sōlitūdō	versus

309. *Word Study*

Explain *extempore*.

Give English derivatives of **benignitās, bēstia, celeritās, conciliō**.

Name Latin words related to **admīror, cōgitātē, incrēdibilis, mōtus,
sōlitūdō**.

Orpheus charms wild beasts with his music. From a woodcut in a book on Orpheus
by Poliziano (fifteenth century).

187

310. NO FAME WITHOUT POETS

IX. Ergō illī aliēnum,[1] quia poēta fuit, post mortem etiam expetunt; nōs hunc vīvum, quī et voluntāte et lēgibus noster est, repudiābimus, praesertim cum omne ōlim studium atque omne ingenium contulerit Archiās ad populī Rōmānī glōriam laudemque celebrandam? Nam et
5 Cimbricās rēs [2] adulēscēns attigit et ipsī illī C. Mariō, quī dūrior [3] ad haec studia vidēbātur, iūcundus fuit. 20. Neque·enim quisquam est tam āversus ā Mūsīs [4] quī nōn mandārī versibus aeternum suōrum labōrum praecōnium facile patiātur. Themistoclem illum,[5] summum Athēnīs virum, dīxisse aiunt, cum ex eō quaererētur quod acroāma [6] aut
10 cuius vōcem libentissimē audīret: eius ā quō sua [7] virtūs optimē praedicārētur. Itaque ille Marius item eximiē L. Plōtium [8] dīlēxit, cuius ingeniō putābat ea quae gesserat posse celebrārī. 21. Mithridāticum vērō bellum, magnum atque difficile et in multā varietāte [9] terrā marīque versātum, tōtum ab hōc [10] expressum est; quī librī nōn modo
15 L. Lūcullum, fortissimum et clārissimum virum, vērum etiam populī Rōmānī nōmen illūstrant. Populus enim Rōmānus aperuit, Lūcullō imperante, Pontum et rēgiīs quondam opibus et ipsā nātūrā et regiōne [11] vāllātum; populī Rōmānī exercitus, eōdem duce, nōn maximā manū innumerābilīs Armeniōrum [12] cōpiās fūdit; populī
20 Rōmānī laus est urbem amīcissimam Cȳzicēnōrum [13] eiusdem cōnsiliō ex omnī impetū rēgiō atque tōtīus bellī ōre ac faucibus ēreptam esse atque servātam; nostra [14] semper ferētur [15] et praedicābitur, L. Lūcullō dīmicante, cum, interfectīs ducibus, dēpressa hostium classis est, incrēdibilis apud Tenedum [16] pugna illa nāvālis; nostra sunt tropaea,
25 nostra monumenta, nostrī triumphī. Quae [17] quōrum ingeniīs efferuntur, ab eīs populī Rōmānī fāma celebrātur. 22. Cārus fuit Āfricānō

---

[1] He would be a *foreigner* to at least six of the seven cities that claimed him.
[2] Marius' defeat of the Cimbri in 101 B.C.
[3] *rather rough for.*   [4] *so unfriendly to literature.*
[5] *the famous Themistocles,* who defeated the Persians.
[6] *entertainment* (Greek neuter accusative singular, modified by the interrogative adjective **quod**).
[7] i.e., of Themistocles.   [8] A poet whose work has not survived.
[9] *with many changes of fortune.*   [10] Archias.
[11] Hendiadys: *by the nature of the region*
[12] At the battle of Tigranocerta (69 B.C.) Lucullus had 10,000 men against 200,000 Armenians.
[13] *the people of Cyzicus.* [14] Predicate adjective in agreement with **pugna:** *as ours.*
[15] *will be spoken of.*   [16] An island near Troy; the battle was fought in 73 B.C.
[17] *the fame of the Roman people is made known by those by whose talents these deeds* (**quae**) *are praised.*

Coffin of the great-grandfather of Scipio Africanus, found in the Scipio tomb on the Appian Way, now in the Vatican Museum.

superiōrī [18] noster Ennius, itaque etiam in sepulcrō Scīpiōnum putātur is esse cōnstitūtus ex marmore; [19] at eīs laudibus [20] certē nōn sōlum ipse quī laudātur sed etiam populī Rōmānī nōmen ōrnātur. In caelum huius [21] proavus Catō tollitur; magnus honōs populī Rōmānī rēbus 30 adiungitur. Omnēs dēnique illī [22] Maximī, Mārcellī, Fulviī nōn sine commūnī omnium nostrum laude decorantur.

311. Vocabulary Drill

aeternus	attendō	faucēs	monumentum	triumphus
aiō	dīmicō	impetus	ōlim	vīvus

312. Word Study

Give English derivatives of **aeternus, attendō, celebrō, impetus, praedicō.**

What Latin words are related to the following: **ēripiō, libenter, impetus, nāvālis, vīvus?**

---

[18] Scipio the Elder.

[19] i.e., a bust of marble. Two busts were actually found in this tomb, but whether either is that of Ennius we do not know. The tomb is one of several of the Scipio family now in the Vatican Museum, formerly on the Appian Way.

[20] The praise was in the *Annales,* a poem by Ennius, of which only fragments have survived.

[21] *the present* Cato, often called Uticensis because he committed suicide at Utica, Africa. His great-grandfather was known as the Censor.

[22] *famous men such as Maximus,* etc.

313. POETS GIVE IMMORTALITY

X. Ergō illum quī haec fēcerat,[1] Rudīnum [2] hominem, maiōrēs nostrī in cīvitātem recēpērunt; nōs hunc Hēracliēnsem multīs cīvitātibus [3] expetītum, in hāc [4] autem lēgibus cōnstitūtum dē nostrā cīvitāte ēiciēmus? 23. Nam sī quis minōrem glōriae frūctum putat ex Graecīs
5 versibus percipī quam ex Latīnīs, vehementer errat, proptereā quod Graeca [5] leguntur in omnibus ferē gentibus, Latīna suīs fīnibus exiguīs sānē continentur.[6] Quārē sī rēs eae quās gessimus orbis terrae regiōnibus dēfīniuntur, cupere dēbēmus quō [7] manuum nostrārum tēla pervēnerint, eōdem [7] glōriam fāmamque penetrāre, quod cum [8] ipsīs
10 populīs [9] dē quōrum rēbus scrībitur haec ampla sunt,[9] tum [8] eīs certē quī dē [10] vītā glōriae causā dīmicant, hoc maximum et perīculōrum incitāmentum est et labōrum. 24. Quam multōs scrīptōrēs rērum suārum magnus ille Alexander sēcum habuisse dīcitur! Atque is tamen,

---

[1] *who composed these* (*poems*).
[2] *of Rudiae,* a small town in Calabria, where Ennius was born.
[3] Dative of agent (**475,** 9).   [4] i.e., Heraclea.
[5] Used as a neuter plural noun: *Greek.* Archias wrote in Greek.
[6] Latin was just beginning to spread over Italy. In the first century A.D. it had spread over all of western Europe, including Britain.
[7] *to the same place . . . where.*   [8] *not only . . . but also.*
[9] *these poems were full of honor for the nations.*   [10] *for life.*

A Roman bath at Chedworth, England. Roman customs and the Latin language were dominant in Britain during the Empire.

cum in Sīgēō [11] ad Achillis tumulum astitisset: "Ō fortūnāte," inquit, "adulēscēns, quī [12] tuae virtūtis Homērum praecōnem invēnerīs!" Et 15 vērē. Nam nisi Īlias illa exstitisset, īdem tumulus quī corpus eius contēxerat nōmen etiam obruisset. Quid? Noster hic Magnus [13] quī cum virtūte fortūnam adaequāvit, nōnne Theophanem Mytilēnaeum,[14] scrīptōrem rērum suārum, in cōntiōne mīlitum cīvitāte dōnāvit, et nostrī illī fortēs virī, sed [15] rūsticī ac mīlitēs, dulcēdine quādam glōriae 20 commōtī quasi participēs eiusdem laudis magnō illud clāmōre approbāvērunt? 25. Itaque, crēdō,[16] sī cīvis Rōmānus Archiās lēgibus nōn esset, ut [17] ab aliquō imperātōre cīvitāte dōnārētur perficere nōn potuit. Sulla cum Hispānōs et Gallōs dōnāret,[18] crēdō, hunc petentem repudiāsset; quem [19] nōs in cōntiōne vīdimus, cum eī libellum malus 25 poēta dē populō [20] subiēcisset,[21] quod epigramma [22] in eum fēcisset, tantum modo alternīs versibus longiusculīs,[23] statim ex eīs rēbus quās tum vēndēbat iubēre eī praemium tribuī, sed eā condiciōne, nē quid posteā scrīberet. Quī [24] sēdulitātem malī poētae dūxerit aliquō tamen praemiō dignam, huius ingenium et virtūtem in scrībendō et cōpiam 30 nōn expetīsset? 26. Quid? Ā Q. Metellō Piō, familiārissimō suō, quī cīvitāte multōs dōnāvit, neque per sē neque per Lūcullōs [25] impetrāvisset? Quī praesertim usque eō [26] dē suīs rēbus scrībī cuperet ut etiam Cordubae [27] nātīs poētīs pingue quiddam sonantibus [28] atque peregrīnum tamen aurēs suās dēderet.   35

314. Word Study

expetō	proptereā	regiō	sānē	tumulus
fīnis	quārē	rūsticus	sonō	vēndō

---

[11] *Sigeum* (Sījĕ'um), *a promontory near Troy.*   [12] *since you.*
[13] *Our (Pompey) the Great,* in contrast with Alexander the Great.
[14] *Theŏph'anēs of Mytilē'ne.*   [15] *though.*   [16] Ironical.
[17] The clause is object of **perficere.**   [18] Supply **cīvitāte.**
[19] Sulla.
[20] *from among the common people.*
[21] *had thrust up,* to Sulla, who was sitting on a platform in the Forum while presiding at an auction sale of confiscated property.
[22] Greek neuter accusative: *an epigram which;* in apposition with **libellum.**
[23] *every other line being a little bit longer* (ablative absolute). The allusion is to elegiac verse, in which the even lines were shorter than the odd lines. The point is that it was verse, not poetry.
[24] *since he,* i.e., Sulla.   [25] The Luculli were relatives of Metellus.
[26] *to such an extent.*   [27] *Cordova,* a city in Spain.
[28] *having a sort of dull, foreign sound.* A century later Cordova produced the two well-known Senecas and Lucan.

315. THE STATESMAN'S REWARD IS IMMORTAL FAME

XI. Neque est hoc dissimulandum, quod obscūrārī nōn potest sed prae nōbīs ferendum: [1] trahimur omnēs studiō laudis, et optimus quisque [2] maximē glōriā dūcitur. Ipsī illī philosophī etiam in eīs libellīs quōs dē contemnendā glōriā scrībunt nōmen suum īnscrībunt;
5 in eō ipsō [3] in quō praedicātiōnem nōbilitātemque dēspiciunt praedicārī dē sē ac nōminārī [4] volunt.

27. Decimus quidem Brūtus, summus vir et imperātor, Accī, amīcissimī suī, carminibus templōrum ac monumentōrum aditūs exōrnāvit suōrum. Iam vērō ille quī cum Aetōlīs, Enniō comite, bel-
10 lāvit Fulvius nōn dubitāvit Mārtis manubiās [5] Mūsīs cōnsecrāre. Quārē in quā urbe imperātōrēs prope armātī [6] poētārum nōmen et Mūsārum dēlūbra coluērunt, in eā nōn dēbent togātī iūdicēs ā Mūsārum honōre et ā poētārum salūte abhorrēre.

28. Atque ut id [7] libentius faciātis, iam mē vōbīs, iūdicēs, indi-
15 cābō, et dē meō quōdam amōre glōriae, nimis ācrī fortasse, vērum tamen honestō, vōbīs cōnfitēbor. Nam quās rēs nōs [8] in cōnsulātū nostrō vōbīscum simul prō salūte huius urbis atque imperī et prō vītā cīvium prōque ūniversā rē pūblicā gessimus, attigit hic [9] versibus atque inchoāvit.[10] Quibus audītīs, quod mihi magna rēs et iūcunda vīsa est,
20 hunc ad perficiendum adōrnāvī.[11] Nūllam enim virtūs aliam mercēdem labōrum perīculōrumque dēsīderat praeter hanc laudis et glōriae; quā quidem dētrāctā, iūdicēs, quid est quod [12] in hōc tam exiguō vītae curriculō et tam brevī tantīs nōs [13] in labōribus exerceāmus? 29. Certē, sī nihil animus praesentīret [14] in posterum, et sī quibus regiōnibus [15]
25 vītae spatium circumscrīptum est, eīsdem omnēs cōgitātiōnēs termināret suās, nec tantīs sē labōribus frangeret neque tot cūrīs vigiliīsque

---

[1] *must be frankly admitted;* literally, *must be carried in front of us.*
[2] *all the best men.*   [3] *in the very action.*
[4] Impersonal; we would make **sē** the subject of the infinitives.
[5] *spoils of war* (**Mārtis**).
[6] *almost* (*still*) *in uniform,* i.e., just after returning from war.
[7] i.e., see to the welfare of poets.
[8] Plural of modesty, for **ego.**   [9] Archias.
[10] The relative clause is the object. As Archias seems not to have finished the poem, Cicero wrote one himself, in both Greek and Latin versions. It has disappeared except for a few lines such as **Ō fortūnātam nātam mē cōnsule Rōmam,** which was made fun of in antiquity.
[11] *I furnished him* (*with the facts*).   [12] *for which.*
[13] Object of verb.
[14] Contrary-to-fact condition (**483,** 2); **animus** is subject of all the verbs.
[15] *boundaries.*

192

angerētur nec totiēns dē ipsā vītā dīmicāret. Nunc [16] īnsidet quaedam in optimō quōque virtūs,[17] quae noctēs ac diēs animum glōriae stimulīs concitat atque admonet, nōn cum [18] vītae tempore esse dīmittendam commemorātiōnem nōminis nostrī sed cum omnī posteritāte adae- 30 quandam.

316. Word Study

aditus	bellō	inchoō	merx	stimulus
attingō	dēspiciō	libellus	praeter	totiēns

[16] *as it is,* i.e., according to, not contrary to, fact.
[17] *good quality.*   [18] Preposition. Fame should last for all time.

A Greek temple of the sixth century B.C. in Selinunte, Sicily.

Plato, a bust in the Vatican Museum.

317. BE KIND TO THE POET

XII, 30. An vērō tam parvī animī [1] videāmur [2] esse omnēs quī in rē
pūblicā atque in hīs vītae perīculīs labōribusque versāmur ut, cum
usque ad extrēmum spatium [3] nūllum tranquillum atque ōtiōsum
spīritum dūxerīmus, nōbīscum simul moritūra omnia arbitrēmur? An [4]
5 statuās et imāginēs, nōn animōrum simulācra sed corporum, studiōsē
multī summī hominēs relīquērunt; cōnsiliōrum relinquere ac virtūtum
nostrārum effigiem nōnne multō mālle dēbēmus summīs ingeniīs [5]
expressam et polītam? Ego vērō omnia quae gerēbam iam tum in
gerendō [6] spargere [7] mē ac dissēmināre arbitrābar in orbis terrae
10 memoriam sempiternam. Haec [8] vērō sīve ā meō sēnsū post mortem
āfutūra est sīve, ut sapientissimī hominēs [9] putāvērunt, ad aliquam
animī meī partem pertinēbit,[10] nunc quidem certē cōgitātiōne quādam
spēque dēlector.

---

[1] Predicate genitive of description: *of such limited outlook;* literally, *so small-
minded.*
[2] Deliberative subjunctive (**482,** 18): *are we to seem?*
[3] Supply **vītae.**
[4] Introduces a question, but best translated by *if* or *when.*
[5] *by the greatest geniuses,* or *by* (*men of*) *the greatest genius.*
[6] *even in doing* (*them*).
[7] The next infinitive explains the metaphor.   [8] i.e., **memoria.**
[9] Men such as Socrates and Plato who believed in the immortality of the soul.
Cicero accepted their views.
[10] *shall belong to,* i.e., *shall be known to.*

31. Quārē cōnservāte, iūdicēs, hominem pudōre [11] eō quem amīcōrum [12] vidētis comprobārī cum dignitāte, tum etiam vetustāte, in- 15
geniō [13] autem tantō quantum id convenit exīstimārī, quod summōrum
hominum ingeniīs expetītum esse videātis, causā [14] vērō eius modī quae
beneficiō lēgis,[15] auctōritāte mūnicipī, testimōniō Lūcullī, tabulīs
Metellī comprobētur. Quae cum ita sint, petimus ā vōbīs, iūdicēs, sī
qua nōn modo hūmāna vērum etiam dīvīna in tantīs ingeniīs com- 20
mendātiō dēbet esse, ut eum [16] quī vōs, quī vestrōs imperātōrēs, quī
populī Rōmānī rēs gestās semper ōrnāvit, quī etiam hīs recentibus
nostrīs vestrīsque domesticīs perīculīs [17] aeternum sē testimōnium
laudis datūrum esse profitētur estque ex eō numerō quī semper apud
omnēs sānctī sunt habitī itaque [18] dictī, sīc in vestram accipiātis fidem 25
ut hūmānitāte vestrā levātus potius quam acerbitāte violātus esse
vīdeātur.

Quae dē causā prō meā cōnsuētūdine breviter simpliciterque dīxī,
iūdicēs, ea cōnfīdō probāta esse omnibus: quae ā forēnsī aliēna
iūdiciālīque cōnsuētūdine et dē hominis ingeniō et commūniter dē 30
ipsō studiō locūtus sum, ea, iūdicēs, ā vōbīs spērō esse in bonam
partem accepta; ab eō [19] quī iūdicium exercet certō sciō.

318. Vocabulary Drill

auctōritās	effigiēs	orbis terrae	simpliciter	statua
cōgitātiō	exprimō	poliō	spatium	tranquillus

319. Word Study

What Latin words are related to **dissēminō, domesticus, forēnsis,
mūnicipium, ōtiōsus, profiteor?**

In **317** find five words with the suffix **–tās** and two with the suffix **–tiō.**

---

[11] Ablative of description.
[12] With **dignitāte** and **vetustāte:** *proved not only by the high position of but also
by the long acquaintance with his friends.*
[13] *a man of so much genius as it is fitting to be judged (to be) such as you
see has been sought out by men of the greatest genius.*
[14] (*a man*) *with a case.*
[15] The law of 89 B.C.; see **298,** lines 6–10.
[16] Object of **accipiātis,** which is in a volitive clause (without **ut**), object of
petimus.
[17] The conspiracy of Catiline, about which Archias had promised to write.
[18] = **et ita.**
[19] Do you remember who the presiding judge was? See **293,** footnote 5.

UNIT VI

CICERO AGAINST VERRES AND ANTONY

From the Sixth to the Third century B.C., Agrigento, located on the island of Sicily, was a prosperous Greek colony. One of the oldest surviving monuments from that period is this temple at Segesta. When the Romans gained control over this, and many other Greek colonies, from the third century on, they both admired and preserved many of these beautiful Greek temples.

Erich Lessing/PhotoEdit

Cicero, a bust in the Capitoline Museum, Rome.

320. VERRES AND ANTONY

Cicero's first great success as an orator was achieved by the speeches against Verres, his last success by the speeches against Antony.

In 75 B.C. Cicero was elected quaestor and served in Sicily. His fair treatment of the Sicilians won their respect and friendship, and they asked him to serve as their attorney in the prosecution of their former praetor, Verres, whose plundering of Sicilian towns seems to have broken all records. At the trial of Verres, Cicero made such a devastating attack that Verres went into voluntary exile, thus admitting his guilt. But Cicero had still more evidence against Verres, which he wrote up in five other speeches that were published but not delivered. These speeches against Verres established Cicero's fame, and he became the chief lawyer and orator in Rome.

———

Toward the end of his life, Cicero had outlived his great triumphs— his consulship and his defeat of Catiline. The murder of Caesar in 44 temporarily raised Cicero's hopes for a return to the senatorial form of government, but these hopes were dashed by the activities of Antony. Cicero attacked Antony in fourteen speeches, written in 44–43 B.C., named *Philippics* because they recalled Demosthenes' well-known speeches against King Philip of Macedon. The most famous *Philippic* (Juvenal called it "divine"), the second, was not delivered but was circulated as a political document. Cicero's reward for these speeches was death—at the hands of agents of Antony.

198

321. THE IMPORTANCE OF SICILY

II, 2. Atque antequam dē incommodīs Siciliae dīcō, pauca mihi videntur esse dē prōvinciae dignitāte, vetustāte, ūtilitāte dīcenda. Nam cum omnium sociōrum prōvinciārumque ratiōnem dīligenter habēre dēbētis, tum praecipuē Siciliae, iūdicēs, plūrimīs iūstissimīsque dē causīs, prīmum quod omnium nātiōnum exterārum prīnceps Sicilia sē 5 ad amīcitiam fidemque populī Rōmānī applicāvit. Prīma omnium, id quod [1] ōrnāmentum imperī est, prōvincia est appellāta; prīma docuit maiōrēs nostrōs quam praeclārum esset exterīs gentibus imperāre; sōla fuit eā fidē benevolentiāque ergā populum Rōmānum ut cīvitātēs eius īnsulae, quae semel [2] in amīcitiam nostram vēnissent, numquam posteā 10 dēficerent, plēraeque autem et maximē illūstrēs in amīcitiā perpetuō manērent. 3. Itaque maiōribus nostrīs in Āfricam ex hāc prōvinciā gradus [3] imperī factus est; neque enim tam facile opēs Carthāginis tantae concidissent nisi illud et reī frūmentāriae subsidium et receptā-culum classibus nostrīs patēret. Quārē P. Āfricānus, Carthāgine dēlētā,[4] 15 Siculōrum urbīs signīs monumentīsque pulcherrimīs exōrnāvit, ut, quōs [5] victōriā populī Rōmānī maximē laetārī arbitrābātur, apud eōs monumenta victōriae plūrima collocāret. 4. Dēnique ille ipse M. Mārcellus,[6] cuius in Siciliā virtūtem hostēs, misericordiam victī, fidem cēterī Siculī perspexērunt, nōn sōlum sociīs in eō bellō cōnsuluit,[7] 20 vērum etiam superātīs hostibus temperāvit.[8] Urbem pulcherrimam Syrācūsās (quae cum manū [9] mūnītissima esset, tum locī nātūrā terrā ac marī claudērētur), cum vī cōnsiliōque cēpisset, nōn sōlum in-columem passus est esse, sed ita relīquit ōrnātam ut esset idem [10] monumentum victōriae, mānsuētūdinis, continentiae, cum hominēs 25 vidērent et quid expugnāsset et quibus pepercisset et quae relīquisset: tantum ille honōrem habendum Siciliae putāvit ut nē hostium quidem

---

[1] *a thing which.*
[2] *once they had;* literally, *which once.* The subjunctive is due to attraction (**482**, 15).
[3] *the step to empire;* Sicily was a stepping stone in the growth of the empire.
[4] 146 B.C.
[5] The antecedent is **eōs,** the Sicilians.
[6] Marcellus fought against Hannibal and in 211 B.C. captured Syracuse in Sicily. Archimedes, the great Greek mathematician and engineer, who in-vented machines to fight the Romans, was killed in the battle.
[7] *looked out for,* with dative.   [8] *spared,* with dative.
[9] *by the hand (of man).*
[10] *at the same time;* literally, *the same memorial.*

An ancient Greek quarry, once used as a prison, in Syracuse, Sicily.

urbem ex sociōrum īnsulā tollendam [11] arbitrārētur. 5. Itaque ad omnīs rēs sīc illā prōvinciā semper ūsī sumus ut, quicquid [12] ex sēsē posset
30 efferre, id nōn apud nōs nāscī, sed domī nostrae conditum iam putārē-mus.[12] Quandō illa frūmentum quod dēbēret nōn ad diem [13] dedit? Quandō id quod opus esse putāret nōn ultrō pollicita est? Quandō id quod imperārētur recūsāvit? Itaque ille M. Catō Sapiēns [14] cellam penāriam [15] reī pūblicae nostrae, nūtrīcem plēbis Rōmānae Siciliam
35 nōminābat.

322. Vocabulary Drill

| antequam | classis | laetor | ratiō | subsidium |
| benevolentia | externus | parcō | semel | ūtilitās |

---

[11] destroyed; literally, removed.
[12] whatever she was able to produce from her own (soil) we have come to consider as not grown at home but stored there.
[13] on the day (due).   [14] Cato the Elder.
[15] storehouse.

323. VERRES' "INTEREST" IN ART

IV, 1. Veniō nunc ad istīus,[1] quem ad modum ipse appellat, studium,[2] ut amīcī eius, morbum et īnsāniam, ut Siculī, latrōcinium; ego quō nōmine appellem nesciō; rem vōbīs prōpōnam, vōs eam suō, nōn nōminis, pondere penditōte.[3] Genus ipsum prius cognōscite, iūdicēs; deinde fortasse nōn magnō opere quaerētis quō id nōmine appellandum 5 putētis. Negō in Siciliā tōtā, tam locuplētī, tam vetere prōvinciā, tot oppidīs,[4] tot familiīs tam cōpiōsīs, ūllum argenteum vās, ūllum Corinthium[5] aut Dēliacum fuisse, ūllam gemmam aut margarītam,[6] quicquam ex aurō aut ebore factum, signum ūllum aēneum, marmoreum, eburneum, negō ūllam pictūram neque in tabulā neque in textilī[7] 10 quīn[8] conquīsierit, īnspexerit, quod placitum sit abstulerit. 2. Magnum videor dīcere: attendite etiam quem ad modum dīcam. Nōn enim verbī neque crīminis augendī causā complector omnia: cum dīcō nihil istum eius modī rērum in tōtā prōvinciā relīquisse, Latīnē[9] mē scītōte, nōn accūsātōriē loquī. Etiam plānius: nihil in aedibus cuiusquam, nē in 15 hospitis[10] quidem, nihil in locīs commūnibus, nē in fānīs quidem, nihil apud Siculum, nihil apud cīvem Rōmānum, dēnique nihil istum, quod ad oculōs animumque acciderit, neque prīvātī neque pūblicī neque profānī neque sacrī tōtā in Siciliā relīquisse.

3. Unde igitur potius incipiam quam ab eā cīvitāte quae tibi ūna in 20 amōre atque in dēliciīs fuit, aut ex quō potius numerō quam ex ipsīs laudātōribus tuīs? Facilius enim perspiciētur quālis apud eōs fuerīs quī tē ōdērunt, quī accūsant, quī persequuntur, cum apud tuōs Māmertīnōs[11] inveniāre improbissimā ratiōne esse praedātus.[12] 25

---

[1] Verres.

[2] *interest.* The point is whether Verres was just interested in art, or crazy about it, or merely a thief.

[3] *judge the matter by its own importance, not that of a name.*

[4] Ablative of description: *with so many towns.*

[5] *Corinthian* was an alloy similar to bronze, the secret of whose manufacture had been lost; hence its value. *Delian* ware was also famous.

[6] *pearl,* not strictly a gem, which is a stone.

[7] *woven (cloth).*

[8] *that he did not* (**482**, 10, *Note*).

[9] i.e., *the straight truth,* in the old Roman fashion.

[10] Supply **aedibus.**

[11] *Your (pets) the people of Messina.* Note the emphasis on **tuōs,** placed before its noun.

[12] *to have plundered in a most wicked manner.*

324. THE HOUSE OF HEIUS

IV, 3. C. Heius est Māmertīnus (omnēs hoc mihi quī Messānam accessērunt facile concēdunt) omnibus rēbus illā in cīvitāte ōrnātissimus. Huius domus est vel [1] optima Messānae, nōtissima quidem certē et nostrīs [2] hominibus apertissima maximēque hospitālis. Ea
5 domus ante istīus adventum ōrnāta sīc fuit ut urbī quoque esset ōrnāmentō; nam ipsa Messāna, quae sitū, moenibus, portūque ōrnāta sit, ab hīs rēbus [3] quibus iste dēlectātur sānē vacua atque nūda est.
4. Erat apud Heium sacrārium magnā cum dignitāte in aedibus ā maiōribus trāditum perantīquum, in quō signa pulcherrima quattuor
10 summō artificiō, summā nōbilitāte, quae nōn modo istum [4] hominem ingeniōsum et intellegentem, vērum etiam quemvīs nostrum,[5] quōs iste idiōtās [6] appellat, dēlectāre possent, ūnum Cupīdinis marmoreum Praxitelī; [7] nīmīrum didicī etiam, dum in istum inquīrō, artificum nōmina.[8] 5. Vērum ut ad illud sacrārium redeam, signum erat hoc
15 quod dīcō Cupīdinis ē marmore, ex alterā parte Herculēs ēgregiē factus ex aere. Is dīcēbātur esse Myrōnis,[9] ut opīnor, et certē.[10] Item ante hōs deōs erant ārulae, quae cuivīs religiōnem [11] sacrārī significāre possent. Erant aēnea duo praetereā signa, nōn maxima vērum eximiā venustāte, virginālī habitū [12] atque vestītū, quae, manibus sublātīs,
20 sacra quaedam mōre Athēniēnsium virginum reposita in capitibus sustinēbant; Canēphoroe [13] ipsae vocābantur; sed eārum artificem— quem? Quemnam? Rēctē admonēs—Polyclītum esse dīcēbant.[14] Messānam ut [15] quisque nostrum vēnerat, haec vīsere solēbat; omnibus haec ad vīsendum patēbant cotīdiē; domus erat nōn dominō magis

---

[1] *even, quite.*   [2] i.e., Romans.

[3] i.e., works of art.   [4] Verres.

[5] Genitive of **nōs.**

[6] *ignoramuses.* Most Romans knew little and cared less about art; in fact they rather despised it.

[7] Praxiteles was one of the greatest Greek sculptors.

[8] Cicero was somewhat of a connoisseur of art and certainly was familiar with the names of the great Greek artists. Here he pretends not to have known anything about them in order to ingratiate himself with the jurors: he wants to make it appear that he is just a rough uncultured Roman like them.

[9] Myron, another famous sculptor, especially known for his statue of the discus thrower.

[10] Cicero corrects himself: *yes, it certainly was.* See footnote 8.

[11] *sacred nature.*   [12] *pose.*   [13] The Greek word means *basket bearers.*

[14] See footnote 8. Polyclitus was still another of the great Greek sculptors, known for his statues of athletes, especially his statue of the spear bearer.

[15] *when.*

The Hermes (Mercury) of Praxiteles,
with the infant Dionysus (Bacchus),
in the museum of Olympia, Greece.

ōrnāmentō quam cīvitātī. 7. Haec omnia quae dīxī signa, iūdicēs, ab 25
Heiō ē sacrāriō Verrēs abstulit; nūllum, inquam, hōrum relīquit neque
aliud ūllum tamen praeter ūnum pervetus ligneum, Bonam Fortūnam,
ut opīnor; eam iste habēre domī suae nōluit.

Prō [16] deum hominumque fidem! Quid hoc est? Quae haec causa
est, quae ista impudentia? Quae dīcō signa, antequam abs tē sublāta 30
sunt, Messānam cum imperiō [17] nēmō vēnit quīn [18] vīserit. Tot
praetōrēs, tot cōnsulēs in Siciliā cum in pāce tum etiam in bellō
fuērunt, tot hominēs cuiusque modī (nōn loquor dē integrīs, inno-
centibus, religiōsīs) tot cupidī, tot improbī, tot audācēs, quōrum
nēmō sibi tam vehemēns, tam potēns, tam nōbilis vīsus est quī ex illō 35
sacrāriō quicquam poscere aut tollere aut attingere audēret; [19] Verrēs
quod ubīque erit pulcherrimum auferet? Nihil habēre cuiquam
praetereā licēbit? Tot domūs locuplētissimās istīus domus ūna capiet?
Idcircō nēmō superiōrum [20] attigit ut hic tolleret?

325. Vocabulary Drill

aedēs	artifex	nūdus	portus	trādō
aes	fānum	pondus	significō	vīsō

---

[16] *O!* Followed by the accusative of exclamation (**476, 7**).
[17] Only praetors and consuls had **imperium,** the highest power.
[18] *without* (**482,** 10, *Note*).
[19] Relative clause of result (**482,** 10, *Note*).   [20] *previous* (*officials*).

326. THE TEMPLE OF HERCULES

IV, 94. Herculis templum est apud Agrigentīnōs [1] nōn longē ā forō, sānē sānctum apud illōs et religiōsum. Ibi est ex aere simulācrum ipsīus Herculis, quō [2] nōn facile dīxerim [3] quicquam mē vīdisse pulchrius (tametsī nōn tam multum in istīs rēbus intellegō quam multa
5 vīdī) usque eō, iūdicēs, ut rictum eius ac mentum paulō sit attrītius, quod in precibus et grātulātiōnibus nōn sōlum id venerārī vērum etiam ōsculārī solent. [4] Ad hoc templum, cum esset iste [5] Agrigentī, repente nocte intempestā servōrum armātōrum fit concursus atque impetus. Clāmor ā vigilibus fānīque custōdibus tollitur; quī prīmō cum
10 obsistere ac dēfendere cōnārentur, male mulcātī clāvīs ac fūstibus repelluntur. Intereā ex clāmōre fāma tōtā urbe [6] percrēbruit expugnārī deōs patriōs, nōn hostium adventū necopīnātō neque repentīnō praedōnum impetū, sed ex domō atque ex cohorte praetōriā manum fugitīvōrum īnstrūctam armātamque vēnisse. 95. Nēmō Agrigentī
15 neque aetāte tam affectā neque vīribus tam īnfirmīs fuit quī nōn illā nocte eō nūntiō excitātus surrēxerit, tēlumque quod cuique fors offerēbat arripuerit. Itaque brevī tempore ad fānum ex urbe tōtā concurritur.[7] Ac repente Agrigentīnī concurrunt; fit magna lapidātiō; dant sēsē in fugam istīus praeclārī imperātōris nocturnī mīlitēs. Duo
20 tamen sigilla perparvula tollunt, nē omnīnō inānēs ad istum praedōnem religiōnum [8] revertantur. Numquam tam male est Siculīs quīn [9] aliquid facētē et commodē dīcant, velut in hāc rē aiēbant in labōrēs Herculis nōn minus hunc immānissimum verrem [10] quam illum aprum Erymanthium [11] referrī oportēre.

---

[1] Agrigentum, now called Agrigento, has several temples still standing.
[2] Ablative of comparison (**477,** 5).   [3] Potential subjunctive (**482,** 20).
[4] Like the foot of the statue of St. Peter in St. Peter's, Rome.
[5] Verres.   [6] Ablative of place without **in** (**477,** 14).
[7] Impersonal: *people run.*   [8] *plunderer of sacred places.*
[9] *that not, to keep them from* (**482,** 6).
[10] A pun on Verres' name: **verrēs** means a *boar.*
[11] The killing of the Erymanthian boar was one of the twelve labors of Hercules.

A sixteenth-century statue of Ceres,
with a torch in her hand.

327. CERES AND PROSERPINA

IV, 106. Vetus est haec opīniō, iūdicēs, quae cōnstat ex antīquissimīs Graecōrum litterīs ac monumentīs, īnsulam Siciliam tōtam esse Cererī et Līberae cōnsecrātam. Nam et nātās esse hās in iīs locīs deās et frūgēs[1] in eā terrā prīmum repertās esse arbitrantur, et raptam esse Līberam, quam eandem Prōserpinam vocant, ex Hennēnsium nemore,[2] quī locus, quod in mediā est īnsulā situs, umbilīcus[3] Siciliae nōminātur. Quam[4] cum invēstīgāre et conquīrere Cerēs vellet, dīcitur īnflammāsse taedās[5] iīs ignibus quī ex Aetnae vertice ērumpunt; quās sibi cum ipsa praeferret,[6] orbem omnem peragrāsse terrārum. 107. Henna autem, ubi ea quae dīcō gesta esse memorantur, est locō perexcelsō atque ēditō, quō in summō est aequāta agrī plānitiēs et aquae perennēs, tōta vērō ab omnī aditū circumcīsa atque dīrēcta est;[7] quam circā lacūs lūcīque sunt plūrimī atque laetissimī flōrēs omnī tempore

[1] *grain crops.*   [2] *the forest of Henna,* a city now called Enna.
[3] *navel.*   [4] Proserpina.
[5] *torches.*
[6] *carrying which before her;* literally, *when she carried which before her.*
[7] *steep and straight down.*

annī, locus ut ipse [8] raptum [9] illum virginis quem iam ā puerīs accēpi-
15 mus dēclārāre videātur. Etenim prope est spēlunca quaedam conversa
ad aquilōnem īnfīnītā altitūdine, quā Dītem [10] patrem ferunt repente
cum currū exstitisse abreptamque ex eō locō virginem sēcum asportāsse
et subitō nōn longē ā Syrācūsīs penetrāsse sub terrās, lacumque in eō
locō repente exstitisse, ubi usque ad hoc tempus Syrācūsānī fēstōs diēs
20 anniversāriōs agunt celeberrimō virōrum mulierumque conventū.
Propter huius opīniōnis vetustātem, quod hōrum [11] in hīs locīs vēstīgia
ac prope incūnābula reperiuntur deōrum, mīra quaedam tōtā Siciliā
prīvātim ac pūblicē religiō est Cereris Hennēnsis. 109. Hoc dīcō, hanc
ipsam Cererem antīquissimam, religiōsissimam, prīncipem omnium
25 sacrōrum quae apud omnīs gentīs nātiōnēsque fīunt, ā C. Verre ex
suīs templīs ac sēdibus esse sublātam. 111. Hic dolor erat tantus ut
Verrēs alter Orcus vēnisse Hennam et nōn Prōserpinam asportāsse sed
ipsam abripuisse Cererem vidērētur. Etenim urbs illa nōn urbs vidētur,
sed fānum Cereris esse; habitāre apud sēsē Cererem Hennēnsēs arbi-
30 trantur, ut mihi nōn cīvēs illīus cīvitātis, sed omnēs sacerdōtēs, omnēs
accolae atque antistitēs Cereris esse videantur. 112. Hennā [12] tū simulācrum Cereris tollere audēbās, Hennā tū dē manū Cereris Victōriam
ēripere et deam deae [13] dētrahere cōnātus es?

328. Vocabulary Drill

altitūdō	currus	lūcus	perennis	vertex
celeber	laetus	opīniō	subitō	vēstīgium

329. Word Study

The ancient grammarians felt that there must be a relationship
between **lūcus** and **lūx**—but how did a grove of trees have anything to
do with light? They decided that the relationship was by opposites:
lūcus ā nōn lūcendō, *a grove of trees* (*is so called*) *from not giving
light*. The idea was so far-fetched that the phrase has become the name
of a type of absurd derivation or reasoning.

Give the Latin word from which the following are derived: *celebrated, excelsior, perennial, rapacious, vestige*.

---

[8] *so that the location itself.*

[9] Noun: *carrying off.*

[10] *Pluto.*

[11] With **deōrum.**

[12] *from Henna* (**477**, 2, *Note*).

[13] *the goddess* (Victory) *from the goddess* (Ceres). The latter held a statuette
of Victory in her hand.

330. A ROMAN CITIZEN IS CRUCIFIED

V, 162. Caedēbātur virgīs [1] in mediō forō Messānae cīvis Rōmānus, iūdicēs, cum intereā nūllus gemitus, nūlla vōx alia illīus miserī inter dolōrem crepitumque plāgārum audiēbātur nisi haec, "Cīvis Rōmānus sum!" Hāc sē commemorātiōne cīvitātis omnia verbera dēpulsūrum, cruciātumque ā corpore dēiectūrum arbitrābātur. Is nōn modo hoc 5 nōn perfēcit, ut virgārum vim dēprecārētur; sed cum implōrāret saepius ūsūrpāretque nōmen cīvitātis, crux [2]—crux, inquam—īnfēlīcī [3] et aerumnōsō, quī numquam istam pestem [4] vīderat, comparābātur.

163. Ō nōmen dulce lībertātis! Ō iūs eximium nostrae cīvitātis! Ō lēx Porcia, lēgēsque Semprōniae! [5] Ō graviter dēsīderāta, et ali- 10 quandō reddita [6] plēbī Rōmānae tribūnicia potestās! Hūcine [7] tandem haec omnia recidērunt, ut cīvis Rōmānus in prōvinciā populī Rōmānī, in oppidō foederātōrum, ab eō quī beneficiō populī Rōmānī fascīs et secūrīs habēret dēligātus in forō virgīs caederētur? Quid? Cum ignēs ārdentēsque lāminae [8] cēterīque cruciātūs admovēbantur, sī tē [9] illīus 15 acerba implōrātiō et vōx miserābilis nōn inhibēbat, nē cīvium quidem Rōmānōrum quī tum aderant flētū et gemitū maximō commovēbāre?

---

[1] *was beaten with rods.* The rods were taken from the fasces carried by Verres' lictors, who administered the beating.

[2] Only slaves were supposed to be hanged on crosses and beaten. No wonder that Cicero is horrified at the thought of a Roman citizen's being beaten.

[3] *for the unfortunate fellow;* with **comparābātur.**

[4] i.e., the cross—or does he mean Verres?

[5] According to these laws a magistrate, such as Verres, was forbidden to beat or put to death a Roman citizen without trial by the people.

[6] With **potestās.** Sulla had reduced the tribune's power to protect a citizen, but that power had just been restored.

[7] For **hūcne;** the original form was **hūcene,** just as **hic** was **hice,** etc.: *have things come to this point?*

[8] *hot plates* of metal, applied to the bodies of the tortured.   [9] Verres.

Coin of about 80 B.C. showing grain, fasces, and the wand of Mercury.

In crucem tū agere ausus es quemquam quī sē cīvem Rōmānum esse dīceret?

20 166. Sī tū apud Persās aut in extrēmā Indiā dēprehēnsus, Verrēs, ad supplicium dūcerēre, quid aliud clāmitārēs nisi tē cīvem esse Rōmānum? Et sī tibi ignōtō apud ignōtōs, apud barbarōs, apud hominēs in extrēmīs atque ultimīs gentibus positōs, nōbile et illūstre apud omnīs nōmen cīvitātis tuae prōfuisset, ille,[10] quisquis erat, quem 25 tū in crucem rapiēbās, quī tibi esset ignōtus, cum cīvem sē Rōmānum esse dīceret, apud tē praetōrem, sī nōn effugium, nē moram [11] quidem mortis mentiōne atque ūsūrpātiōne cīvitātis assequī potuit?

167. Hominēs tenuēs, obscūrō locō [12] nātī, nāvigant, adeunt ad ea loca quae numquam anteā vīdērunt, ubi neque nōtī esse eīs quō vēnē-30 runt, neque semper cum cognitōribus [13] esse possunt. Hāc ūnā tamen fīdūciā cīvitātis nōn modo apud nostrōs magistrātūs, quī et lēgum et exīstimātiōnis [14] perīculō continentur, neque apud cīvīs sōlum Rō-mānōs, quī et sermōnis [15] et iūris et multārum rērum societāte iūnctī sunt, fore sē tūtōs arbitrantur, sed, quōcumque vēnerint, hanc sibi rem 35 praesidiō spērant futūram. Tolle hanc spem, tolle hoc praesidium cīvibus Rōmānīs, cōnstitue nihil esse opis in hāc vōce, "Cīvis Rōmānus sum," posse [16] impūne praetōrem aut alium quempiam supplicium quod velit in eum cōnstituere quī sē cīvem Rōmānum esse dīcat, quod [17] quī sit ignōret: iam omnīs prōvinciās, iam omnia rēgna, iam 40 omnīs līberās cīvitātēs, iam omnem orbem terrārum, quī semper nostrīs hominibus maximē patuit, cīvibus Rōmānīs istā dēfēnsiōne praeclūseris.

331. Vocabulary Drill

anteā	barbarus	ignōtus	plēbs	ūsūrpō
assequor	gemitus	impūne	supplicium	verber

332. Word Study

Define *attenuate, fascicle, impunity, nascent, pestiferous.*

To what Latin words are the following related: **assequor, cruciātus, fīdūcia, reddō, societās?**

---

[10] The man who was beaten in Messina.
[11] *delay* to insure trial before the people.   [12] *position* (**477,** 3).
[13] *witnesses,* who could identify them as Roman citizens.
[14] *public opinion.*   [15] *language.*
[16] Depends, like **esse,** on **cōnstitue:** *decide that a praetor can.*
[17] *on the ground that he does not know who* (*the man*) *is* (**482,** 16).

The Greek Temple of Concord in Agrigento, Sicily. It is one of the best-preserved ancient temples.

333. THE STRUGGLES OF A NOVUS HOMO

V, 180. Quaeret aliquis fortasse, "Tantumne igitur labōrem, tantās inimīcitiās tot hominum susceptūrus es?" Nōn studiō [1] quidem hercule [2] ūllō neque voluntāte; sed nōn idem licet mihi quod iīs quī nōbilī genere nātī sunt, quibus omnia populī Rōmānī beneficia dormientibus [3] dēferuntur; longē aliā mihi lēge in hāc cīvitāte et condiciōne vīvendum 5 est. 181. Vidēmus quantā sit in invidiā quantōque in odiō apud quōsdam nōbilīs hominēs novōrum hominum virtūs et industria; sī tantulum [4] oculōs dēiēcerīmus, praestō [5] esse īnsidiās; sī ūllum locum aperuerīmus suspīciōnī aut crīminī, accipiendum statim vulnus esse; semper nōbīs vigilandum, semper labōrandum vidēmus. 182. Inimī- 10 citiae sunt,[6] subeantur; labor, suscipiātur; etenim tacitae magis et occultae inimīcitiae timendae sunt quam indictae atque apertae. Hominum nōbilium nōn ferē quisquam nostrae industriae [7] favet; nūllīs nostrīs officiīs benevolentiam illōrum allicere possumus; quasi nātūrā et genere dīiūnctī sint,[8] ita dissident ā nōbīs animō ac voluntāte. Quārē 15 quid habent eōrum inimīcitiae perīculī quōrum animōs iam ante habuerīs inimīcōs et invidōs quam ūllās inimīcitiās suscēperīs?

---

[1] *on purpose.*   [2] *by Hercules.*

[3] *while they are asleep,* i.e., with no effort on their part.   [4] *just a little bit.*

[5] *at hand, being used.* The infinitives depend on **vidēmus,** at the beginning and end of the sentence.

[6] An abbreviated condition: *if there are enmities, let them be endured.* Similarly **labor,** *trouble,* with **est** understood.

[7] Most of the **equitēs** (of which class the novus homo Cicero was a member) were rich, hardworking businessmen and capitalists.

[8] For the subjunctive see **482, 22.**

334. CICERO, CAESAR, AND POMPEY

23. Quod vērō dīcere ausus es idque multīs verbīs, operā meā Pompeium ā Caesaris amīcitiā esse dīiūnctum ob eamque [1] causam culpā meā bellum cīvīle esse nātum, in eō nōn tū quidem tōtā rē sed, quod maximum est, temporibus errāstī. Ego, M. Bibulō, praestantis-
5 simō cīve, cōnsule, nihil [2] praetermīsī, quantum facere ēnītīque potuī, quīn [2] Pompeium ā Caesaris coniūnctiōne āvocārem. In quō Caesar fēlīcior fuit. Ipse enim Pompeium ā meā familiāritāte dīiūnxit. Posteā vērō quam sē tōtum Pompeius Caesarī trādidit, quid ego illum [3] ab eō distrahere cōnārer? [4] Stultī erat [5] spērāre, suādēre impudentis. 24.
10 Duo tamen tempora incidērunt quibus aliquid contrā Caesarem Pompeiō suāserim. Ea velim [6] reprehendās, sī potes: ūnum nē quīnquennī [7] imperium Caesarī prōrogāret, alterum nē paterētur ferrī ut absentis eius ratiō habērētur.[8] Quōrum sī utrumvīs persuāsissem, in hās miseriās numquam incidissēmus. Atque īdem ego, cum iam opēs
15 omnīs et suās et populī Rōmānī Pompeius ad Caesarem dētulisset, sērōque ea sentīre cocpisset quae multō ante prōvīderam, īnferrīque patriae bellum vidērem nefārium, pācis, concordiae, compositiōnis auctor esse non dēstitī, meaque illa vōx est nōta multīs: "Utinam, Cn. Pompeī, cum C. Caesare societātem aut numquam coīssēs aut num-
20 quam dirēmissēs! Fuit alterum gravitātis,[9] alterum prūdentiae tuae." Haec mea, M. Antōnī, semper et dē Pompeiō et dē rē pūblicā cōnsilia fuērunt. Quae sī valuissent, rēs pūblica stāret, tū tuīs flāgitiīs,[10] egestātc, īnfamiā concidissēs.

335. I AM NOT AFRAID OF YOU, ANTONY

116. Fuit in illo [1] ingenium, ratiō, memoria, litterae, cūra, cōgitātiō, dīligentia; rēs bellō gesserat, quamvīs reī pūblicae calamitōsās,

---

[1] The conjunction **–que** is not usually attached to a monosyllabic preposition.
[2] *I have tried everything, as far as I could, to separate Pompey from Caesar;* literally, *I have omitted nothing* (*to prevent me*) *from*, etc. See **482,** 6.
[3] Pompey.   [4] *why should I have tried?* See **482,** 18.
[5] *it was* (*characteristic*) *of a foolish person.*
[6] *I should like you to find fault* (**482,** 20).
[7] The five-year prolongation of Caesar's command in Gaul to 49 B.C.
[8] *that consideration be given to his absence.* Caesar wanted to be allowed to run for the consulship while in Gaul in 49.
[9] (*a matter of*) *consistency.*   [10] Ablative of cause (**477,** 11).

---

[1] Caesar.

at tamen magnās; multōs annōs rēgnāre meditātus, magnō labōre, magnīs perīculīs quod cōgitārat effēcerat; mūneribus,[2] monumentīs, congiāriīs,[3] epulīs multitūdinem imperītam dēlēnierat; suōs prae- 5 miīs, adversāriōs clēmentiae speciē dēvīnxerat. Quid multa? Attulerat iam līberae cīvitātī partim metū, partim patientiā cōnsuē-tūdinem serviendī. Cum illō ego tē dominandī cupiditāte cōnferre possum, cēterīs vērō rēbus nūllō modō comparandus es. 117. Sed ex plūrimīs malīs quae ab illō reī pūblicae sunt inusta hoc tamen bonī 10 est,[4] quod didicit iam populus Rōmānus quantum cuique crēderet,[5] quibus sē committeret, ā quibus cavēret. Haec nōn cōgitās, neque intellegis satis esse virīs fortibus didicisse quam sit rē pulchrum,[6] bene-ficiō grātum, fāmā glōriōsum tyrannum occīdere? An, cum illum [7] hominēs nōn tulerint, tē ferent? 118. Certātim posthāc, mihi crēde, ad 15 hoc opus [8] currētur neque occāsiōnis tarditās exspectābitur.[9]

Respice, quaesō, aliquandō rem pūblicam, M. Antōnī, quibus [10] ortus sīs, nōn quibuscum vīvās cōnsīderā; mēcum, ut volēs: [11] redī cum rē pūblicā in grātiam. Sed dē tē tū vīderis; [12] ego dē mē ipse profitēbor. Dēfendī rem pūblicam adulēscēns, nōn dēseram senex; 20 contempsī Catilīnae gladiōs, nōn pertimēscam tuōs. Quīn etiam corpus libenter obtulerim,[13] sī repraesentārī [14] morte meā lībertās cīvitātis potest. 119. Etenim sī abhinc annōs prope vīgintī hōc ipsō in templō [15] negāvī posse mortem immātūram esse cōnsulārī, quantō vērius nunc negābō senī! [16] Mihi vērō, patrēs cōnscrīptī, iam etiam optanda mors 25 est, perfūnctō [17] rēbus eīs quās adeptus sum quāsque gessī. Duo modo haec optō, ūnum ut moriēns populum Rōmānum līberum relinquam (hōc [18] mihi maius ab dīs immortālibus darī nihil potest), alterum ut ita cuique ēveniat ut [19] dē rē pūblicā quisque mereātur.

---

[2] shows (of gladiators).

[3] gifts.   [4] there is this much good.

[5] trust every man. The Romans have learned whom to trust, whom not.

[6] how fine it is in fact, how gratifying it is because of its good deed. The sub-ject of sit is occīdere.

[7] Caesar.   [8] Killing a tyrant.

[9] the slowness of the occasion will not be awaited, i.e., it will happen soon.

[10] He was of noble ancestry; his present associates belong to the riffraff.

[11] From the following supply redī in grātiam: Return to friendship with me (or not): (at any rate).   [12] you will see to yourself.

[13] I would offer.   [14] brought about at once.

[15] The temple of Concord, in which he made the fourth speech against Catiline, containing these words.

[16] Supply mortem immātūram esse.

[17] Modifies Mihi and governs rēbus (477, 10).

[18] Ablative (477, 5).   [19] as.

UNIT VII

CICERO'S LETTERS

Hadrian's magnificent villa at Tivoli, near Rome, was more like a small town. The buildings and grounds were constructed to remind Hadrian of his extensive travels, including visits to Athens, Egypt, and Thessaly. Hadrian was a skilled architect and played a direct supervisory role in building the various dwellings, theaters, baths, libraries, and basilica.

Photo Nimatallah/Art Resource

336. CICERO'S LETTERS

A number of collections of Cicero's letters were published after his death. About half of the collections have survived, notably the sixteen books addressed to his best friend Atticus, who published these letters, and the sixteen books published by Tiro, Cicero's secretary. In modern times, the collection published by Tiro has been given the title *Epistulae ad familiares,* "Letters to Friends," an inaccurate title because some of the letters are to people who are not, strictly speaking, Cicero's friends and because some of the letters are *to* Cicero, not *from* him.

It must be remembered that Cicero's letters were not intended for publication, and many of them were confidential. They are extremely interesting for the light they throw on politics, private life, language, and Cicero's character. Some put Cicero in an unfavorable light, especially some of the confidential letters to Atticus, who did his great friend no service in publishing them. Not many prominent men of the last 2000 years could afford to have *all* their personal letters published.

Nearly 900 of Cicero's letters are extant.

Roman roads were carefully built of various layers of stone, gravel, and cement, then paved with the polygonal green-black volcanic rock called basalt.

Albert Moldvay

337. THE CAMPAIGN FOR THE CONSULSHIP[1]

Petītiōnis [2] nostrae, quam tibi summae cūrae esse sciō, huius modī ratiō est, quod [3] adhūc coniectūrā prōvidērī possit. Prēnsat [4] ūnus P. Galba; sine fūcō ac fallāciīs mōre maiōrum negātur.[5] Ut opīniō est hominum, nōn aliēna ratiōnī nostrae fuit illīus haec praepropera prēnsātiō; nam illī ita negant vulgō ut mihi sē dēbēre dīcant. Ita quid- 5 dam spērō nōbīs prōficī, cum hoc percrēbrēscit, plūrimōs nostrōs amīcōs invenīrī. Nōs autem initium prēnsandī facere cōgitārāmus [6] eō ipsō tempore quō tuum puerum [7] cum hīs litterīs proficīscī Cīncius [8] dīcēbat,[6] in campō [9] comitiīs tribūnīciīs a. d. XVI Kal. Sextīlēs.[10] Competītōrēs quī certī esse videantur Galba et Antōnius et Q. Cornifi- 10 cius.[11] Catilīna, sī iūdicātum erit merīdiē nōn lūcēre,[12] certus erit competītor; dē Aufidiō et dē Palicānō nōn putō tē exspectāre dum scrībam. Dē iīs quī nunc[13] petunt, Caesar [14] certus putātur; Thermus cum Silānō contendere exīstimātur, quī sīc inopēs et ab [15] amīcīs et exīstimātiōne sunt ut mihi videātur nōn esse ἀδύνατον [16] Cūrium 15 obdūcere,[17] sed hoc praeter mē nēminī vidētur. Nostrīs ratiōnibus maximē condūcere vidētur Thermum fierī cum Caesare. Nēmō est enim ex iīs quī nunc petunt quī, sī in nostrum annum reciderit, firmior candidātus fore videātur, proptereā quod cūrātor est viae Flāminiae,

---

[1] To Atticus, July, 65 B.C., just a year before the elections at which Cicero won the consulship. So today presidential candidates begin campaigning a year ahead.

[2] *seeking (for office), candidacy.*   [3] *as far as.*

[4] *is canvassing;* literally, *is grasping (hands).* He is on a handshaking tour.

[5] *He is being turned down in the good old-fashioned way without pretense;* literally, *without paint and pretense.* Such popular expressions are often alliterative.

[6] Epistolary tense (**480,** 6).   [7] *servant.*

[8] A Roman agent of Atticus.   [9] The Campus Martius.

[10] For **ante diem XVI Kalendās Sextīlēs,** *the sixteenth day before the Calends of August,* i.e., July 17 (not July 16, for the Romans counted in both ends).

[11] These three and two others were candidates. Antonius and Cicero were elected.

[12] Catiline had been charged with graft during his provincial office and therefore could not run for office unless he was acquitted. If the jurors decide that the sun never shines at noon (which is of course impossible), they will acquit Catiline and he will run for the consulship. In other words, Cicero thinks Catiline is guilty.

[13] i.e., for the consulship of 64.   [14] L. (not C.) Caesar.

[15] *from (the standpoint of).*

[16] **adynaton,** *impossible.* Cicero uses many Greek words in writing to Atticus, who for many years had been living in Athens.

[17] *to run Curius for the consulship.*

20 quae tum erit absolūta sānē facile; [18] eum libenter nunc Caesarī cōnsulem accūderim.[19] Petītōrum haec est īnfōrmāta adhūc cōgitātiō.
Nōs [20] in omnī mūnere candidātōriō fungendō summam adhibēbimus
dīligentiam et fortasse, quoniam vidētur in suffrāgiīs multum posse [21]
Gallia,[22] cum Rōmae ā iūdiciīs forum refrīxerit,[23] excurrēmus mēnse
25 Septembrī lēgātī [24] ad Pīsōnem, ut Iānuāriō revertāmur. Cum per-
spexerō voluntātēs nōbilium, scrībam ad tē. (*A.* I, 1, 1–2)

---

[18] Roadbuilding is still one of the best ways of winning popular favor.
[19] *I would gladly add him to Caesar as consul.*
[20] The plural of modesty, for **ego.**　　　[21] *has much influence.*
[22] Cisalpine Gaul, now northern Italy.
[23] *has cooled off in regard to trials.* The **lūdī Rōmānī** kept the courts closed
during much of September, and there were other interruptions until after the
Saturnalia in December.
[24] *as a commissioner.* In other words this position, which involved little work,
enabled him to travel at public expense, like our junketing Congressmen.

**The Pantheon, built by Augustus' general, Agrippa, is in the Campus Martius.
It is the best-preserved ancient temple in Rome.**

Head of a small Roman child.

338. IT'S A BOY!

L. Iūliō Caesare, C. Mārciō Figulō cōnsulibus,[1] fīliolō mē auctum [2] scītō,[3] salvā Terentiā. Abs tē tam diū nihil litterārum! Ego dē meīs ad tē ratiōnibus scrīpsī anteā dīligenter. Hōc tempore Catilīnam, competītōrem nostrum, dēfendere cōgitāmus.[4] Iūdicēs habēmus quōs voluimus, summā accūsātōris voluntāte. Spērō, sī absolūtus erit, 5 coniūnctiōrem illum nōbīs fore in ratiōne petītiōnis; sīn aliter acciderit, hūmāniter ferēmus.

Tuō adventū nōbīs opus est mātūrō; nam prōrsus summa hominum est opīniō tuōs familiārēs,[5] nōbilēs hominēs, adversāriōs honōrī [6] nostrō fore. Ad eōrum voluntātem mihi conciliandam maximō tē mihi 10 ūsuī fore videō. Quārē Iānuāriō mēnse, ut cōnstituistī, cūrā ut Rōmae sīs.[7] (*A.* I, 2)

---

[1] Consuls for 64 but the letter was written in 65. Probably this is a way of announcing their election, which had just taken place.

[2] *blessed.*

[3] Imperative, but we would say *I should like you to know.*

[4] We say, "Politics makes strange bedfellows," and here we have an example. But nothing came of the plan. The charges against Catiline were brought by a friend with the thought of obtaining an acquittal, thus preventing Catiline's political enemies from bringing the charges. He may or may not have been guilty.

[5] Though Atticus was not himself a noble, he had a great deal of influence among them.

[6] *my election.*

[7] From the fact that Cicero's next letter to Atticus is not until 61, we may infer that Atticus came to Rome and presumably worked hard and well in his friend's behalf.

217

Altar of Bona Dea at Glanum (now St. Rémy, France). Inside the wreath are the two ears of the goddess, listening to her worshipers. Similarly at the top is the inscription "auribus." Below this, "Loreia Pia ministra."

339. THE TRIAL OF CLODIUS [1]

Quaeris ex mē quid acciderit dē iūdiciō, quod tam praeter opīniōnem omnium factum sit, et simul vīs scīre quō modō ego minus quam soleam proeliātus sim. Respondēbō tibi ὕστερον πρότερον Ὁμηρικῶς.[2] Ego enim, quam diū senātūs auctōritās mihi dēfendenda fuit, sīc
5 ācriter et vehementer proeliātus sum ut clāmor concursusque maximā cum meā laude fierent. Quod sī tibi umquam sum vīsus in rē pūblicā fortis, certē mē in illā causā admīrātus essēs. Cum enim ille ad cōntiōnēs [3] cōnfūgisset, in iīsque meō nōmine ad invidiam ūterētur, dī immortālēs, quās ego pugnās et quantās strāgēs ēdidī, quōs impetūs
10 in Pīsōnem, in Cūriōnem,[4] in tōtam illam manum fēcī! Quō modō sum īnsectātus levitātem senum, libīdinem iuventūtis!

[1] To Atticus, July, 61 B.C. Cicero had appeared as a witness against Clodius, on trial for sacrilege. Bribery enabled Clodius to go free, but he never forgave Cicero, later bringing about his exile.

[2] **hysteron proteron Homerikos,** *the second* (*point*) *first in Homeric fashion.* In the *Odyssey* Homer narrates some of Odysseus' later adventures before the earlier ones.

[3] *mass meetings,* in which he denounced Cicero and others.

[4] Supporters of Clodius.

Itaque, sī causam quaeris absolūtiōnis, ut iam πρὸς τὸ πρότερον [5] revertar, egestās [6] iūdicum fuit et turpitūdō. Summō discessū [7] bonō-rum, plēnō forō servōrum,[8] XXV iūdicēs ita fortēs tamen fuērunt ut, summō prōpositō perīculō, vel [9] perīre māluerint quam perdere 15 omnia; [10] XXXI fuērunt quōs famēs magis quam fāma commōverit; [11] quōrum Catulus cum vīdisset quendam, "Quid vōs?" inquit, "praesi-dium ā nōbīs postulābātis? [12] An nē nummī vōbīs ēriperentur timē-bātis?" Habēs, ut [13] brevissimē potuī, genus iūdicī et causam abso-lūtiōnis.   20

Ut Īdibus Maiīs in senātum convēnimus, rogātus ego sententiam multa dīxī dē summā rē pūblicā. "Quō usque," inquit,[14] "hunc rēgem ferēmus?" "Rēgem appellās," inquam, "cum Rēx tuī mentiōnem nūl-lam fēcerit?" [15] Ille autem Rēgis hērēditātem spē dēvorārat.— "Domum," [16] inquit, "ēmistī." "Putēs," [17] inquam, "dīcere: iūdicēs 25 ēmistī."—"Iūrantī," inquit, "tibi nōn crēdidērunt." "Mihi vērō," inquam, "xxv iūdicēs crēdidērunt, xxxI, quoniam nummōs ante accē-pērunt, tibi nihil crēdidērunt." [18] Magnīs clāmōribus afflīctus conticuit et concidit.

Nunc est exspectātiō comitiōrum, in quae, omnibus invītīs, trūdit 30 noster Magnus [19] Aulī fīlium,[20] atque in eō neque auctōritāte neque grātiā pugnat, sed quibus [21] Philippus [22] omnia castella expugnārī posse dīcēbat in quae modo [23] asellus onustus aurō posset ascendere. (*A.* I, 16, 1–2, 5, 9–10, 12)

---

[5] **pros to proteron,** *to the first* (*point*).
[6] Their poverty made them easy targets for bribes.   [7] *in spite of the withdrawal.*
[8] Clodius' thugs, whose function it was to overawe decent citizens.
[9] *even.*   [10] They voted for conviction.
[11] They accepted bribes to vote for acquittal, more aware of their empty stomachs than their reputations. Majority vote decided cases; a unanimous vote was not required, as it is in our courts.
[12] They had asked for police protection, ostensibly against Clodius' slaves (men-tioned above).   [13] *as briefly as.*
[14] Clodius. The trial is over and Cicero is making a speech. Clodius tries to defend himself.
[15] Clodius had been disappointed in not being left a legacy by a man named Rex ("Mr. King"). This gives Cicero another opportunity to make a pun.
[16] Cicero had bought a very expensive house on the Palatine Hill; Clodius im-plies, "Where did you get the money?"
[17] *one would think you said;* indefinite second singular (**482,** 23).
[18] A pun on the two meanings of **crēdō.**   [19] Pompey.
[20] *the son of Aulus* is equivalent to saying *a nobody;* cf. "John Doe."
[21] *with those* (*means*) *with which.*   [22] The father of Alexander the Great.
[23] *provided that into these* (**482,** 17). Explain Philip's meaning; the important words are **onustus aurō.**

340. CLODIUS' THREATS

Noster Pūblius [1] mihi minitātur, inimīcus est; impendet negōtium, [2] ad quod tū scīlicet advolābis. Videor mihi nostrum illum cōnsulārem exercitum [3] bonōrum omnium, etiam satis bonōrum [4] habēre firmissimum. Pompeius significat studium ergā mē nōn mediocre. Īdem 5 affirmat verbum dē mē illum [5] nōn esse factūrum, in quō nōn mē ille fallit, sed ipse fallitur. Caesar mē sibi vult esse lēgātum. Honestior [6] haec dēclīnātiō perīculī; sed ego hoc nōn repudiō. Quid ergō est? Pugnāre mālō. Nihil tamen certī. Iterum dīcō: utinam adessēs! Sed tamen, sī erit necesse, arcessēmus. Quid aliud? Quid? Hoc opīnor: 10 certī sumus perīsse omnia. Sed haec scrīpsī properāns et mehercule [7] timidē. Posthāc ad tē aut, sī perfidēlem habēbō cui dem, [8] scrībam plānē omnia, aut, sī obscūrē scrībam, tū tamen intellegēs. In iīs epistulīs mē Laelium, tē Fūrium [9] faciam; cētera erunt ἐν αἰνιγμοῖς. [10] Hīc Caecilium [11] colimus et observāmus dīligenter. Ēdicta Bibulī [12] 15 audiō ad tē missa. Iīs [13] ārdet dolōre et īrā noster Pompeius. (*A.* II, 19, 4–5)

341. ON THE WAY TO EXILE [1]

Utinam illum diem videam cum tibi agam grātiās quod mē vīvere coēgistī! [2] Adhūc quidem valdē mē paenitet. [3] Sed tē ōrō ut ad mē

---

[1] Clodius. The letter was written to Atticus in July, 59 B.C.
[2] *trouble.*
[3] Not to be taken literally; he means his conservative supporters.
[4] *somewhat conservative.*   [5] Clodius.
[6] *more honorable.* This and another position that he had been offered would get Cicero out of Rome and assure his safety. Cicero's anxiety is shown by his shifting attitude.
[7] *by Hercules.*
[8] Descriptive: *to whom I can give* a letter for delivery.
[9] Laelius and Furius were both friends of the younger Scipio.
[10] **en ainigmois,** *in enigmas,* i.e., obscure to everyone but Atticus should the letters go to the wrong person.
[11] Atticus' somewhat unreasonable uncle.
[12] Caesar's colleague in the consulship. Ignored by Caesar, he responded by protesting his colleague's actions.
[13] *On account of them.* Pompey and Caesar were associated in the first triumvirate.

---

[1] To Atticus, April, 58 B.C. Clodius had succeeded in getting Cicero banished.
[2] Cicero had planned to commit suicide but was dissuaded by Atticus.
[3] He regrets that he did not commit suicide.

Vibōnem [4] statim veniās, quō ego multīs dē causīs convertī iter meum.
Sed eō sī vēneris, dē tōtō itinere ac fugā [5] meā cōnsilium capere poterō;
sī id nōn fēceris, mīrābor, sed cōnfīdō tē esse factūrum. (*A.* III, 3)   5

342. NOTHING TO WRITE [1]

Nōlī putāre mē ad quemquam longiōrēs epistulās scrībere, nisi sī [2]
quis ad mē plūra scrīpsit cui putō rescrībī [3] oportēre; nec enim habeō
quid scrībam, nec hōc tempore quicquam difficilius faciō. Ad tē vērō
et ad nostram Tulliolam [4] nōn queō sine plūrimīs lacrimīs scrībere;
vōs enim videō esse miserrimās, quās ego beātissimās semper esse voluī   5
idque praestāre dēbuī et, nisi tam timidī [5] fuissēmus, praestitissem.
(*F.* XIV, 2, 1)

[4] A town in the toe of Italy.   [5] *exile.*

---

[1] To his wife Terentia, daughter Tullia, and son Cicero, October, 58 B.C.
[2] Unnecessary; omit in translation.
[3] Impersonal: *an answer should be sent.*   [4] Diminutive of affection.
[5] By going into exile instead of resisting Clodius in Rome.

A view through arches of the Colosseum. Through the arch at the left is the Arch of Titus in the Forum. Through the right arch one sees the street that runs through the imperial fora to the modern monument of Victor Emmanuel.

The amphitheater of Verona prepared for the presentation of the opera *Carmen*.

343. THE SHOWS WERE POOR [1]

Omnīnō, sī quaeris, lūdī apparātissimī, sed nōn tuī stomachī; [2] coniectūram enim faciō dē meō. Nam prīmum honōris causā in scaenam redierant iī quōs ego honōris causā [3] dē scaenā dēcesse [4] arbitrābar; dēliciae [5] vērō tuae, noster Aesōpus, [6] eius modī fuit ut eī
5 dēsinere per [7] omnīs hominēs licēret. Is iūrāre cum coepisset, vōx eum dēfēcit in illō locō: "Sī sciēns fallō." [8] Quid tibi ego alia nārrem? [9] Nōstī enim reliquōs lūdōs, quī nē id quidem lepōris habuērunt quod solent mediocrēs lūdī. Apparātūs enim spectātiō tollēbat omnem hilaritātem, quō quidem apparātū [10] nōn dubitō quīn animō aequis-
10 simō caruerīs. Quid enim dēlectātiōnis habent sescentī [11] mūlī in Clytaemestrā, [12] aut in Equō Trōiānō [12] crēterrārum [13] tria mīlia, aut armātūra varia peditātūs et equitātūs in aliquā pugnā? Quae popu- lārem admīrātiōnem habuērunt, dēlectātiōnem tibi nūllam attulissent.

Reliquae sunt vēnātiōnēs [14] bīnae per diēs quīnque, magnificae—
15 nēmō negat—sed quae potest hominī esse polītō dēlectātiō, cum aut homō imbēcillus ā valentissimā bēstiā laniātur aut praeclāra bēstia vēnābulō trānsverberātur? Quae tamen, sī videnda sunt, saepe vīdistī;

[1] To M. Marius, 55 B.C., telling of the magnificent but boring shows at the dedication of Pompey's theater.
[2] *to your taste* (**474**, 2).
[3] A pun on two different meanings of the phrase: *for the sake of honoring* (*the occasion*), *for the sake of their honor.*
[4] = **dēcessisse.**   [5] *favorite;* plural in a singular sense.
[6] Once a leading actor.   [7] *by.*
[8] In the play he takes an oath, saying: "If knowingly I fail,"—and just then his voice failed him.
[9] See **482**, 18.   [10] With **caruerīs.**
[11] Often used for an indefinitely large number, as we use thousand.
[12] These are the names of tragedies; we say *Clytaemnestra.*
[13] (*gold*) *bowls*, seized as loot in the Trojan War.
[14] *hunts,* fights between man and beast in the arena.

222

neque nōs quī haec spectāmus quicquam novī vīdimus. Extrēmus elephantōrum diēs fuit. In quō admīrātiō magna vulgī atque turbae, dēlectātiō nūlla exstitit; quīn etiam misericordia quaedam cōnsecūta 20 est atque opīniō eius modī, esse quandam illī bēluae cum genere hū-mānō societātem. (*F.* VII, 1, 2–3)

344. A TRAGEDY ABOUT BRITAIN? [1]

Veniō nunc ad id quod nesciō an [2] prīmum esse dēbuerit. Ō iūcundās mihi tuās dē Britanniā litterās! Timēbam Ōceanum, timēbam lītus īnsulae. Reliqua nōn equidem contemnō, sed plūs habent tamen speī quam timōris, magisque sum sollicitus exspectātiōne eā quam metū. Tē vērō ὑπόθεσιν [3] scrībendī ēgregiam habēre videō. Quōs tū 5 situs, quās nātūrās rērum et locōrum, quōs mōrēs, quās gentēs, quās pugnās, quem vērō ipsum imperātōrem habēs! Ego tē libenter, ut rogās,[4] quibus rēbus vīs adiuvābō et tibi versūs quōs rogās, hoc est "Athēnās noctuam," [5] mittam. Sed heus tu, cēlārī [6] videor ā tē. Quōmodōnam, mi frāter, dē nostrīs versibus [7] Caesar? Nam prīmum 10 librum sē lēgisse scrīpsit ad mē ante, et prīma [8] sīc ut neget sē nē Graeca quidem meliōra lēgisse; reliqua ad quendam locum ῥᾳθυμότερα [9]—hōc enim ūtimur verbō.[10] Dīc mihi vērum: num aut rēs eum aut χαρακτήρ [11] nōn dēlectat? Nihil est quod vereāre; ego enim nē pilō [12] quidem minus mē amābō. Hāc dē rē φιλαλήθως [13] et, 15 ut solēs scrībere, fraternē. (*Q. Fr.* II, 16, 4–5)

---

[1] To his brother Quintus, who was with Caesar in Britain, August, 54 B.C.
[2] *perhaps;* literally, *I do not know whether.*
[3] **hypothesin,** *story, outline* (for a tragedy); accusative feminine.
[4] Quintus evidently asked his brother to send some verses.
[5] *owl to Athens,* a proverbial expression like the English *coals to Newcastle.* Americans might say *oil to Texas* or *fruit to Florida.* Athens was full of owls.
[6] *to be kept in the dark.*   [7] The poem on Cicero's consulship.
[8] *the first* (*parts*) *of the first book.*
[9] **rhathumotera,** *rather easy-going, rather careless.*
[10] Cicero means that this is his word, not Caesar's who was not apt to introduce Greek words.   [11] **charakter,** *style.*
[12] *not a bit;* literally, *not by even a hair.*   [13] **philalethos,** *truthfully*

"Owl to Athens": An Athenian coin; the first three letters of the city's name are at the right.

345. THE BEST LAWYER IN—SAMAROBRIVA [1]

Quid agātis et ecquid [2] in Italiam ventūrī sītis hāc hieme fac plānē
sciam.[3] Balbus mihi cōnfirmāvit tē dīvitem futūrum. Id utrum Rōmānō
mōre [4] locūtūs sit, bene nummātum [5] tē futūrum, an quō modō Stoicī
dīcunt, omnēs esse dīvitēs quī caelō et terrā fruī possint, posteā vidēbō.
5 Quī istinc veniunt superbiam tuam accūsant, quod negent tē percon-
tantibus respondēre.[6] Sed tamen est quod [7] gaudeās; cōnstat enim inter
omnīs nēminem tē [8] ūnō Samarobrīvae [9] iūris perītiōrem esse. (*F.* VII,
16, 3)

346. TREBATIUS IS NO CHANNEL SWIMMER [1]

Lēgī tuās litterās, ex quibus intellēxī tē Caesarī nostrō valdē iūre
cōnsultum [2] vidērī. Est quod gaudeās tē in ista loca vēnisse ubi aliquid
sapere vidērēre.[3] Quod sī in Britanniam quoque profectus essēs,[4] profectō nēmō in illā tantā īnsulā perītior tē fuisset. Vērum tamen
5 (rīdeāmus licet; sum enim ā tē invītātus) subinvideō [5] tibi, ultrō etiam
accersītum ab eō ad quem cēterī nōn propter superbiam eius sed
propter occupātiōnem aspīrāre nōn possunt. Sed tū in istā epistulā
nihil mihi scrīpsistī dē tuīs rēbus, quae mercule [6] mihi nōn minōrī
cūrae sunt quam meae. Valdē metuō nē frīgeās in hībernīs. Quamquam
10 vōs nunc istīc satis calēre [7] audiō; quō quidem nūntiō valdē mercule
dē tē timueram. Sed tū in rē mīlitārī multō es cautior quam in advo-
cātiōnibus, quī neque in Ōceanō natāre [8] voluerīs, studiōsissimus homō

---

[1] November, 54 B.C., to Trebatius, a young lawyer whom Caesar had added to
his staff in Gaul on Cicero's recommendation. Cicero jokes with Trebatius
in most of his letters, perhaps to cheer him up.

[2] *whether.* [3] *let me know for sure.*

[4] i.e., literally, not figuratively.

[5] Almost slang: *well-heeled, with lots of coin.*

[6] A pun: in the literal and in the legal sense, to give legal advice.

[7] *there is (something for) which.* [8] See **477, 5.**

[9] A small town, now Amiens in northern France. Trebatius, being the only
lawyer there was the best—or the worst. Caesar had his winter quarters there.

---

[1] To Trebatius, December, 54 B.C. [2] *an expert in the law.*

[3] *where you appear to know something,* being the best (and only) lawyer in
Samarobriva.

[4] The contrary-to-fact condition shows that Trebatius had refused Caesar's
invitation to go to Britain.

[5] The prefix means *just a little bit.* [6] Like **mehercule,** *by Hercules.*

[7] The Gauls are making it "hot" for the Romans.

[8] Not literally. It never occurred to Cicero that one day people would actually
swim the English Channel.

natandī, neque spectāre essedāriōs,[9] quem anteā nē andābatā [10] quidem
dēfraudāre poterāmus. Sed iam satis iocātī sumus. Ego dē tē ad
Caesarem quam dīligenter scrīpserim, tūte scīs, quam saepe, ego; 15
sed mercule iam intermīseram, nē vidērer līberālissimī hominis meīque
amantissimī voluntātī ergā mē diffīdere.[11] (*F.* VII, 10, 1–3)

347. THE PANTHERS PROTEST [1]

Dē pantherīs, per eōs quī vēnārī solent agitur mandātū meō dīligenter; sed mīra paucitās est, et eās quae sunt valdē aiunt querī quod
nihil cuiquam īnsidiārum in meā prōvinciā nisi sibi fīat; itaque cōn-
stituisse dīcuntur in Cāriam ex nostrā prōvinciā dēcēdere. Sed tamen
sēdulō fit. Quicquid erit, tibi erit, sed quid esset plānē nesciēbāmus.[2] 5
Mihi mercule magnae cūrae est aedīlitās tua; ipse diēs mē admonēbat,[2]
scrīpsī [2] enim haec ipsīs Megalēnsibus.[3] Tū velim ad mē dē omnī reī
pūblicae statū quam dīligentissimē perscrībās; ea enim certissima
putābō quae ex tē cognōrō. (*F.* II, 11, 2)

---

[9] *chariot fighters.* British chariots were equipped with knives to mow down the
enemy. The Romans used them in their gladiatorial shows.
[10] *blindfolded gladiator,* with **dēfraudāre.** Trebatius was a real fan and never
missed a show in Rome.
[11] With dative.

---

[1] To Caelius, April, 50 B.C. Cicero was now governor of the province of Cilicia,
in Asia Minor. Caelius, as aedile in Rome, had charge of the games and asked
Cicero to send him some live panthers. Cicero answers partly jestingly, partly
seriously.
[2] Epistolary tense (**480,** 6).
[3] The festival of the goddess Cybele, or Magna Mater, at which time important
games were held.

A mosaic floor of the second century
A.D. at Verulamium (now St. Albans),
England. It has the shape of a shell.

348. GET WELL! [1]

Tertiam ad tē hanc epistulam scrīpsī eōdem diē, magis īnstitūtī [2]
meī tenendī causā, quia nactus eram cui darem,[3] quam quō [4] habērem
quid scrīberem. Igitur illa: quantum mē dīligis, tantum adhibē in tē
dīligentiae; ad tua innumerābilia in mē officia adde hoc, quod mihi
5 erit grātissimum omnium. Cum valētūdinis ratiōnem, ut spērō, ha-
bueris, habētō etiam nāvigātiōnis. In Italiam euntibus omnibus ad mē
litterās dabis, ut ego euntem Patrās [5] nēminem praetermittō. Cūrā,
cūrā tē, mī [6] Tīrō. Quoniam nōn contigit ut simul nāvigārēs, nihil
est [7] quod festīnēs, nec quicquam cūrēs nisi ut valeās. Etiam atque
10 etiam valē. VII Īdūs Nov.[8] Actiō vesperī. (F. XVI, 6)

349. PEACE OR WAR [1]

Lippitūdinis [2] meae signum tibi sit librārī manus [3] et eadem causa
brevitātis, etsī nunc quidem quod scrīberem nihil erat.[4] Omnis exspectātiō nostra erat in nūntiīs Brundisīnīs.[5] Sī nactus hic [6] esset
Gnaeum nostrum, spēs dubia pācis; sīn ille [7] ante trāmīsisset, exitiōsī
5 bellī metus. Sed vidēsne in quem hominem [8] inciderit rēs pūblica,
quam acūtum, quam vigilantem, quam parātum? Sī mehercule nēminem occīderit nec cuiquam [9] quicquam adēmerit, ab iīs quī eum
maximē timuerant maximē dīligētur. Multum mēcum mūnicipālēs
hominēs loquuntur, multum rūsticānī. Nihil prōrsus aliud cūrant nisi

---

[1] Sent by Cicero, his son, brother, and nephew to Cicero's great friend and
secretary Tiro in November, 50 B.C. Cicero was on his way home from Cilicia
when Tiro became ill and had to be left in Greece. The letter was sent from
Actium, on the west coast of Greece. This is one of a group of affectionate
letters to Tiro.
[2] *plan,* of writing whenever he found someone to carry a letter. As there was
no mail service, Cicero had to depend on anyone he met to deliver letters.
[3] *to whom I could give (a letter).*
[4] *that, because.*
[5] *Patrae* (now Patras) in western Greece, still a favorite landing place for ships
from Italy.
[6] Vocative of **meus.**
[7] *there is no (reason) that.*   [8] November 7.

---

[1] To Atticus, March, 49 B.C.   [2] *sore eyes.*
[3] *handwriting;* subject.   [4] Epistolary tense.
[5] *reports from Brundisium,* a seaport on the east coast where Pompey was getting ready to flee by sea.
[6] Caesar.   [7] Pompey.   [8] Caesar.
[9] *from anyone* (**475,** 4). Caesar's **clēmentia** known from the war in Gaul, was
being continued and was having an effect.

226

Column marking the end of the Appian Way at Brindisi (ancient Brundisium).

agrōs, nisi vīllulās, nisi nummulōs [10] suōs. Et vidē quam conversa rēs 10 est: [11] illum quō [12] anteā cōnfīdēbant metuunt, hunc amant quem timēbant. Id quantīs nostrīs peccātīs vitiīsque ēvēnerit nōn possum sine molestiā cōgitāre. Quae autem impendēre putārem,[4] scrīpseram [4] ad tē et iam tuās litterās exspectābam.[4] (*A.* VIII, 13)

350. COME BACK TO ROME [1]

Cum Furnium nostrum tantum vīdissem, neque loquī neque audīre meō commodō potuissem, properārem [2] atque essem in itinere, praemissīs iam legiōnibus, praeterīre tamen nōn potuī quīn [3] et scrīberem ad tē et illum mitterem grātiāsque agerem, etsī hoc et fēcī saepe et saepius mihi factūrus videor: ita dē mē merēris. In prīmīs ā tē petō, 5 quoniam cōnfīdō mē celeriter ad urbem ventūrum, ut tē ibi videam, ut tuō cōnsiliō, grātiā, dignitāte, ope omnium rērum ūtī possim. Ad prōpositum revertar: festīnātiōnī meae brevitātīque litterārum ignōscēs;[4] reliqua ex Furniō cognōscēs. (*A.* IX, 6A)

---

[10] The diminutives show contempt: *their precious farm houses and their filthy money.*

[11] An indirect question in the indicative, a survival from early Latin, preserved in everyday speech.   [12] See **477,** 21.

---

[1] A very friendly letter of Caesar to Cicero, March, 49 B.C. Caesar was hurrying to Brundisium to catch Pompey; Cicero was at Formiae. He sent a copy of this letter on to Atticus. Caesar wanted Cicero to side with him; Cicero wanted to stay neutral and to patch up a peace between Caesar and Pompey.

[2] Still with **cum.**   [3] *without.*   [4] With dative.

227

Formia (ancient Formiae), Italy.

351. *CICERO THE PEACEMAKER* [1]

Ut lēgī tuās litterās, quās ā Furniō nostrō accēperam, quibus mēcum
agēbās ut ad urbem essem, tē velle ūtī cōnsiliō et dignitāte meā minus
sum admīrātus; dē grātiā et dē ope quid significārēs, mēcum ipse
quaerēbam, spē tamen dēdūcēbar ad eam cōgitātiōnem, ut tē pro tuā
5 admīrābilī ac singulārī sapientiā dē ōtiō, dē pāce, dē concordiā cīvium
agī velle arbitrārer, et ad eam ratiōnem exīstimābam satis aptam esse
et nātūram et persōnam meam. Quod sī ita est et sī qua [2] dē Pompeiō
nostrō tuendō et tibi ac reī pūblicae reconciliandō cūra tē attingit,
magis idōneum quam ego sum ad eam causam profectō reperiēs
10 nēminem, quī et illī semper et senātuī, cum prīmum potuī, pācis auctor
fuī, nec, sūmptīs armīs, bellī [3] ūllam partem attigī, iūdicāvīque eō
bellō tē violārī, contrā cuius honōrem populī Rōmānī beneficiō [4]
concessum inimīcī atque invidī nīterentur. Sed, ut eō tempore nōn
modo ipse fautor dignitātis tuae fuī, vērum etiam cēterīs auctor ad tē
15 adiuvandum, sīc mē nunc Pompeī dignitās vehementer movet; aliquot
enim sunt annī cum vōs duo dēlēgī quōs praecipuē colerem et quibus
essem, sīcut sum, amīcissimus. Quam ob rem ā tē petō vel potius
omnibus tē precibus ōrō et obtestor ut in tuīs maximīs cūrīs aliquid

---

[1] To Caesar, in answer to the preceding letter, March, 49 B.C.
[2] With **cūra.**   [3] Cicero had not yet joined Pompey.
[4] A law had been passed permitting Caesar to run for the consulship while still
in Gaul.

impertiās temporis huic quoque cōgitātiōnī, ut tuō beneficiō [5] bonus [6] vir, grātus, pius [7] dēnique esse in maximī beneficī memoriā possim. 20
(*A*. IX, 11A)

352. TULLIA'S ILLNESS [1]

In maximīs meīs dolōribus excruciat [2] mē valētūdō Tulliae nostrae, dē quā nihil est quod ad tē plūra scrībam; tibi enim aequē magnae cūrae esse certō sciō. Quod [3] mē propius vultis accēdere, videō ita esse faciendum; etiam ante fēcissem, sed mē multa impedīvērunt,[4] quae nē nunc quidem expedīta sunt. Sed ā Pompōniō [5] exspectō lit- 5 terās, quās ad mē quam prīmum perferendās cūrēs velim. Dā operam ut valeās. (*F*. XIV, 19)

353. TULLIA HAS ARRIVED [1]

S. v. b. E. v.[2] Tullia nostra vēnit ad mē pr.[3] Īdūs Iūn. Cuius summā virtūte et singulārī hūmānitāte graviōre etiam sum dolōre affectus nostrā [4] factum esse neglegentiā, ut longē aliā [5] in fortūnā esset atque [5] eius pietās [6] ac dignitās postulābat. Nōbīs erat [7] in animō Cicerōnem [8] ad Caesarem mittere, et cum eō Cn. Sallustium.[9] Sī profectus erit, 5 faciam tē certiōrem. Valētūdinem tuam cūrā dīligenter. Valē. XVII Kal. Quīnctīlīs. (*F*. XIV, 11)

---

[5] By not forcing Cicero to choose sides between Caesar and Pompey.
[6] A conservative politically, siding with the senate.
[7] *loyal* to Pompey.

---

[1] To his wife Terentia, from Brundisium, November, 48 B.C. Cicero had finally joined Pompey but after the latter's defeat at Pharsalus returned to Italy.
[2] *tortures.*
[3] *as to the fact that.*
[4] For one thing, Cicero had not yet received Caesar's permission to stay in Italy.
[5] Atticus, who would send his letters to Cicero at Rome, where Terentia was.

---

[1] To Terentia, from Brundisium, June, 47 B.C.
[2] **Sī valēs benest** (for **bene est**). **Ego valeō.** A very formal old-fashioned formula, which confirms that he and Terentia were not getting along well. They were divorced soon after.
[3] = **prīdiē.**
[4] The position of **nostrā** and its separation from **neglegentiā** gives great emphasis. The implication is that Terentia is to blame for Tullia's marriage to Dolabella, which ended in divorce.
[5] *different than.*   [6] *devotion* to her family.
[7] Epistolary tense.   [8] Cicero's son.   [9] Not the historian Sallust.

354. HAVE EVERYTHING READY [1]

In Tusculānum [2] nōs ventūrōs putāmus aut Nōnīs aut postrīdiē. Ibi ut [3] sint omnia parāta. Plūrēs enim fortasse nōbīscum erunt et, ut arbitror, diūtius ibi commorābimur.[4] Lābrum [5] sī in balineō nōn est, ut [3] sit; item cētera quae sunt ad vīctum et ad valētūdinem neces-
5 sāria. Valē. Kal. Oct. dē Venusīnō.[6] (*F.* XIV, 20).

[1] To Terentia, 47 B.C. The last letter to her. He finally comes home after two years' absence.
[2] *country home at Tusculum* (not far from Rome).
[3] The **ut** clause depends on a verb such as **cūrā** to be supplied.
[4] This is rather casual, perhaps intended to infuriate Terentia: How many guests? How long will they stay? When will they arrive?
[5] *tub.*   [6] *country home at Venusia.*

The theater at Tusculum, in the hills southeast of Rome. Tusculum was the birth-place of Cato the Elder and a resort favored by Cicero, who had a villa there.

355. MY DAY [1]

Haec igitur est nunc vīta nostra: māne salūtāmus [2] domī et bonōs [3] virōs multōs, sed trīstīs, et hōs laetōs victōrēs, quī mē quidem peroffīciōsē et peramanter observant. Ubi salūtātiō dēflūxit,[4] litterīs mē involvō: aut scrībō aut legō. Veniunt etiam quī mē audiunt quasi doctum hominem, quia paulō sum quam ipsī doctior. Inde corporī [5] 5 omne tempus datur. Patriam ēlūxī [6] iam et gravius et diūtius quam ūlla māter ūnicum fīlium. Sed cūrā, sī mē amās, ut valeās, nē ego, tē iacente,[7] bona tua comedim;[8] statuī enim tibi nē aegrōtō quidem parcere. (*F.* IX. 20, 3)

356. ONLY SOLITUDE BRINGS COMFORT [1]

Tē, tuīs negōtiīs relīctīs, nōlō ad mē venīre. Ego potius accēdam, sī diūtius impediēre; etsī´ nē discessissem quidem ē cōnspectū tuō, nisi mē plānē nihil ūlla rēs adiuvāret. Quod sī esset aliquod levāmen, id esset in tē ūnō, et cum prīmum ab aliquō poterit esse, ā tē erit. Nunc tamen ipsum [2] sine tē esse nōn possum. Sed nec tuae domī 5 probābātur [3] nec meae poteram,[4] nec, sī propius essem uspiam, tēcum tamen essem; idem enim tē impedīret quō minus mēcum essēs quod nunc etiam impedit. Mihi adhūc nihil prius [5] fuit hāc sōlitūdine, quam vereor nē Philippus [6] tollat; herī enim vesperī vēnerat.[7] Mē scrīptiō [8] et litterae [8] nōn lēniunt, sed obturbant. (*A.* XII, 16) 10

---

[1] To a young friend, Paetus, August, 46.

[2] At the morning **salūtātiō** (reception).

[3] In the usual sense of *conservatives;* they are sad because they are not in control.

[4] *is ended.* The metaphor is a good one, for the visitors seem to *flow away*.

[5] i.e., to exercise, baths, naps, eating, etc.

[6] From **ēlūgeō**, *I have mourned for.*

[7] *while you lie ill.*

[8] An old form for **comedam:** *eat up.* Paetus had become an expert in cooking and eating, and Cicero constantly makes fun of him.

---

[1] To Atticus, March, 45 B.C. The death of his beloved daughter Tullia had occurred a few weeks before, and Cicero was inconsolable.

[2] *at this very time;* literally, *now itself.*

[3] He had stayed a few days at one of Atticus' country homes but then had moved to one of his own. The verb is impersonal: *I did not like it;* literally, *it was not approved* (by me).

[4] Supply **esse.**   [5] *preferable, better.*

[6] A neighbor.   [7] i.e., he arrived at his own villa from Rome.

[8] Hendiadys: *literary writing.*

Haec ad tē meā manū.² Vidē, quaesō, quid agendum sit. Pūblilia ad
mē scrīpsit mātrem suam—ut cum Pūbliliō loquerer ³—ad mē cum
illō ventūram et sē ūnā,⁴ sī ego paterer. Ōrat multīs et supplicibus
verbīs ut liceat et ut sibi rescrībam. Rēs quam molesta sit vidēs.
5 Rescrīpsī mihi etiam gravius esse quam tum cum illī dīxissem mē
sōlum esse velle; quārē nōlle mē hōc tempore eam ad mē venīre.
Putābam, sī nihil rescrīpsissem, illam cum mātre ventūram, nunc nōn
putō; appārēbat enim illās litterās nōn illīus esse.⁵ Illud autem quod
fore videō ipsum volō vītāre, nē illae ad mē veniant. Et ūna est
10 vītātiō, ut aliō: ⁶ nōllem,⁷ sed necesse est. Tē hoc nunc rogō ut ex-
plōrēs ad quam diem hīc ita possim esse ut nē opprimar. Agēs, ut
scrībis, temperātē.

Cicerōnī ⁸ velim hoc prōpōnās, ita ⁹ tamen sī ⁹ tibi nōn inīquum
vidēbitur, ut sūmptūs ¹⁰ huius peregrīnātiōnis, quibus,¹¹ sī Rōmae
15 esset domumque condūceret, quod facere cōgitābat, facile contentus
futūrus erat, accommodet ad mercēdēs Argilētī et Aventīnī ¹² et, cum
eī prōposueris, ipse velim reliqua moderēre, quemadmodum ex iīs
mercēdibus suppeditēmus eī quod opus sit. Praestābō nec Bibulum
nec Acidīnum nec Messallam,¹³ quōs Athēnīs futūrōs audiō, maiōrēs
20 sūmptūs factūrōs quam quod ex iīs mercēdibus recipiētur. Itaque
velim videās, prīmum, conductōrēs ¹⁴ quī sint et quantī,¹⁵ deinde, ut
sint quī ad diem ¹⁶ solvant, et quid viāticī, quid īnstrūmentī satis sit.
Iūmentō ¹⁷ certē Athēnīs nihil opus erit; quibus autem in viā ūtātur,
domī sunt plūra quam opus erit, quod etiam tū animadvertis. (A.
XII, 32)

---

¹ To Atticus, March, 45 B.C. After he divorced Terentia, Cicero married a
young woman named Publilia, who apparently was jealous of Tullia, and did
not grieve at her death. So Cicero left her. Now her mother and brother want
to see Cicero and talk things over.
² This implies that many of his letters were dictated to a secretary. This one was
confidential.
³ Cicero is so excited that he is incoherent; he should have said that the mother
and brother were coming.   ⁴ *along (with them).*
⁵ i.e., the letter was written by the mother in Publilia's name.
⁶ Supply **discēdam:** *that I go elsewhere.*   ⁷ *I could wish not.*
⁸ Cicero, Jr., who was going to Athens to do university work.   ⁹ *only if.*
¹⁰ Object of **accommodet.**   ¹¹ The antecedent is **mercēdēs.**
¹² Cicero owned and rented out apartment houses in the Argiletum, a street
running north from the Forum, and on the Aventine Hill.
¹³ Rich fellow students, of the best families in Rome.
¹⁴ *renters* of Cicero's apartments.   ¹⁵ Genitive: *at what price.*
¹⁶ *on the day (due).*   ¹⁷ *horses,* for carrying baggage.

358. WHAT A FATHER LIKES TO HEAR [1]

Athēnās vēnī a. d. XI Kal. Iūn. atque ibi, quod maximē optābam, vīdī fīlium tuum dēditum optimīs studiīs summāque modestiae fāmā.[2] Quā ex rē quantam voluptātem cēperim scīre poteris, etiam mē tacente; nōn enim nescīs quantī[3] tē faciam et quam prō[4] nostrō veterrimō vērissimōque amōre omnibus tuīs etiam minimīs commodīs, 5 nōn modo tantō bonō[5] gaudeam. Nōlī putāre, mī Cicerō, mē hoc auribus tuīs dare;[6] nihil[7] adulēscente[8] tuō atque adeō[9] nostrō (nihil enim mihi ā tē potest esse sēiūnctum) aut amābilius omnibus iīs[10] quī Athēnīs sunt est aut studiōsius eārum artium quās tū maximē amās, hoc est optimārum. Itaque tibi, quod vērē facere possum, 10 libenter quoque grātulor nec minus etiam nōbīs, quod eum, quem necesse erat dīligere quāliscumque esset, tālem habēmus ut libenter quoque dīligāmus.

Quī cum mihi in sermōne iniēcisset[11] sē velle Asiam vīsere, nōn modo invītātus, sed etiam rogātus est ā mē ut id, potissimum nōbīs 15 obtinentibus prōvinciam,[12] faceret; cui nōs et cāritāte et amōre tuum officium praestātūrōs[13] nōn dēbēs dubitāre. Illud quoque erit nōbīs cūrae, ut Cratippus[14] ūnā cum eō sit, nē putēs in Asiā fēriātum[15] illum ab iīs studiīs in quae tuā cohortātiōne incitātur futūrum; nam illum parātum, ut videō, et ingressum plēnō gradū[16] cohortārī nōn 20 intermittēmus, quō[17] in diēs longius discendō exercendōque sē prōcēdat. (F. XII, 16, 1–2)

---

[1] Written by Trebonius to Cicero, May, 55 B.C., reporting on the young Cicero's progress in Athens. The latter must have gone all out to impress Trebonius, as other reports were not so favorable. His college expenses were unusually high. He evidently was keeping up with the Jones, i.e., Messalla, etc. (357 and footnote 13).   [2] *and with the highest reputation for proper behavior.*
[3] *how highly I value you.*   [4] *on account of.*
[5] *such a blessing* (as having such a son).
[6] *that I am flattering you;* literally, *(just) giving this to your ears.*
[7] We should expect **nēmō;** the neuter is more comprehensive and therefore more emphatic.   [8] With **amābilius (477, 5).**
[9] *in fact.*   [10] *to those.*
[11] *brought into the conversation,* i.e., *hinted.*
[12] Trebonius stopped in Athens on his way to his province in Asia Minor. Isn't it more likely that young Cicero made a point of meeting Trebonius so as to hint that he would like to go along than that the much older Trebonius looked him up?   [13] *perform your function* (as a father).
[14] The young man's philosophy teacher. Of course it was the young Cicero's suggestion that Cratippus come along.
[15] *on vacation from,* with **illum.**   [16] *at a run;* literally, *with full step.*
[17] = **ut;** usual in clauses containing a comparative.

A frieze of the Parthenon in Athens, showing a sacrificial procession.

359. CICERO, JR., PUTS ON THE CHARM [1]

Cum vehementer tabellāriōs exspectārem cotīdiē, aliquandō vēnērunt post diem quadrāgēsimum et sextum quam [2] ā vōbīs discesserant. Quōrum mihi fuit adventus exoptātissimus; nam cum maximam cēpissem laetitiam ex hūmānissimī et cārissimī patris epistulā, tum
5 vērō iūcundissimae [3] tuae litterae cumulum mihi gaudī attulērunt.

Grātōs tibi optātōsque esse quī dē mē rūmōrēs [4] afferuntur nōn dubitō, mī dulcissime Tīrō, praestābōque et ēnītar ut in diēs magis magisque haec nāscēns dē mē duplicētur opīniō. Quārē, quod pollicēris tē būcinātōrem [5] fore exīstimātiōnis meae, firmō id cōnstantīque animō
10 faciās licet; tantum enim mihi dolōrem cruciātumque attulērunt errāta aetātis meae ut nōn sōlum animus ā factīs, sed aurēs quoque ā commemorātiōne abhorreant.[6] Quoniam igitur tum ex mē doluistī, nunc ut duplicētur tuum ex mē gaudium praestābō. Cratippō mē scītō [7] nōn ut discipulum sed ut fīlium esse coniūnctissimum; nam cum audiō

---

[1] Cicero, Jr., to Tiro, July-October, 44 B.C.   [2] With **post.**
[3] Note all the superlatives.   [4] Favorable, of course.
[5] *trumpeter;* Tiro will blow Cicero's horn for him.
[6] Cicero admits the truth about his extravagance and wild living. The question is whether he had really reformed.
[7] Imperative: *know, I assure you.*

illum libenter, tum etiam propriam eius suāvitātem vehementer am-15 plector. Sum tōtōs diēs cum eō noctisque saepenumerō [8] partem; exōrō enim ut mēcum quam saepissimē cēnet. Hāc intrōductā cōnsuētūdine, saepe īnscientibus nōbīs et cēnantibus obrēpit, sublātāque sevēritāte philosophiae, hūmānissimē nōbīscum iocātur. Quārē dā operam ut hunc tālem, tam iūcundum, tam excellentem virum videās 20 quam prīmum. Nam quid ego dē Bruttiō dīcam? Huic ego locum in proximō [9] condūxī et, ut possum, ex meīs angustiīs [10] illīus sustentō tenuitātem. Praetereā dēclāmitāre Graecē apud Cassium īnstituī; Latīnē autem apud Bruttium exercērī volō.

De Gorgiā autem quod mihi scrībis, erat quidem ille in cotīdiānā 25 dēclāmātiōne ūtilis, sed omnia postposuī dum modo praeceptīs patris pārērem; [11] διαρρήδην [12] enim scrīpserat ut eum dīmitterem statim. Tergiversārī [13] nōluī, nē mea nimia σπουδή [14] suspīciōnem eī [15] aliquam importāret; deinde illud etiam mihi succurrēbat, grave esse mē dē iūdiciō patris iūdicāre. Tuum tamen studium et cōnsilium grātum 30 acceptumque est mihi. Excūsātiōnem angustiārum [16] tuī temporis accipiō; sciō enim quam soleās esse occupātus.

Ēmisse tē praedium vehementer gaudeō, fēlīciterque tibi rem istam ēvenīre cupiō. Rūsticus Rōmānus factus es. Quō modō ego mihi nunc ante oculōs tuum iūcundissimum cōnspectum prōpōnō? Videor 35 enim vidēre ementem tē rūsticās rēs, cum vīlicō loquentem, in laciniā [17] servantem ex mēnsā secundā [18] sēmina.

De mandātīs, quod tibi cūrae fuit, est mihi grātum; sed petō ā tē ut quam celerrimē mihi librārius [19] mittātur, maximē quidem Graecus; multum mihi enim ēripitur operae in exscrībendīs hypomnēmatīs.[20] 40 (*F.* XVI, 21, 1–4, 6–8)

360. *Vocabulary Drill*

amplector	cotīdiānus	dulcis	in diēs	rūmor
cōnspectus	cumulus	ēnītor	praedium	suspīciō

---

[8] = **saepe.**   [9] *nearby.*
[10] *slender means;* anything but true. He seems to be spending pretty freely.
[11] Cicero, Sr., had ordered his son to dismiss Gorgias for his bad influence.
[12] **diarreden,** *definitely.*   [13] *be evasive.*
[14] **spoude,** *zeal* for Gorgias.
[15] The father, who might get the idea that his son really liked Gorgias.
[16] *lack.*   [17] *in a fold* of your tunic.
[18] *dessert;* the seeds would therefore be fruit seeds.
[19] *secretary,* to copy his notes. "The poor boy," Tiro may have said, "has to copy his own notes."   [20] *notes.*

UNIT VIII

CICERO'S PHILOSOPHICAL WORKS

Located on the lower slopes of Mount Parnassus, in Greece, Delphi was a sacred place not only to the Greeks, but to many other civilizations of ancient times, including the Romans. Delphi became a place of great wealth due to the many generous gifts sent by believers in the mystical power of the oracle of Delphi. Roman statesmen, poets, philosophers, and others, made special pilgrimages to Delphi seeking wisdom and inspiration.

Perhaps the word philosophy suggests to you something obscure and formidable. Sometimes it is just that; for example, the philosophy of the ancient Greek Zeno. But it is not frightening in the form in which Cicero offered it. He presented Greek philosophy in a popular way to his Latin-speaking audience.

It is difficult to describe the nature and boundaries of the study of philosophy, especially since philosophers themselves have not always agreed on this point. However, we can say that over the centuries many philosophers have wrestled with some of the same questions, among them: What is truth? What is beauty? How should we act to achieve happiness?

Ethics, the branch of philosophy dealing with this last type of question, was particularly attractive to the practical Romans, who were interested in such considerations as the relationship of conduct to the good life, or happiness. And so Cicero's *De officiis,* "On Duties," written for his son, a student in Athens, had great appeal (but probably not for its chief target). As is apparent from letters of this period (**357–359**), young Cicero needed something of this sort, though there is no indication that he profited by it.

The *De senectute,* "On Old Age," is put in the form of a dialogue between Cato the Elder and two young men. Cato is chosen because he is a good example of a man who remained vigorous in old age. The essay denies that old age is something undesirable and stresses its positive advantages.

The *De amicitia,* "On Friendship," treats fully of that subject, again in dialogue form. Both treatises are dedicated to Cicero's old friend Atticus; you have read some of Cicero's letters to him.

We are indebted to Cicero the philosopher chiefly because he made the glories of Greek thought available and palatable to his fellow Romans and to later ages, and also because he created a Latin philosophical vocabulary whose influence is felt even in modern times.

A manuscript of Cicero's *Academica* (1406), with a "marginal index" of the philosophers mentioned in the text. The note at the bottom bewails the carelessness of preceding ages that caused the loss of the rest of the work and hopes that they are getting a fitting award for their laziness.

362. JUSTICE

Sed cum statuissem scrībere ad tē [1] aliquid hōc tempore, multa posthāc, ab eō ōrdīrī maximē voluī quod et aetātī tuae esset [2] aptissimum et auctōritātī meae. Nam cum [3] multa sint in philosophiā et gravia et ūtilia accūrātē cōpiōsēque ā philosophīs disputāta, lātissimē patēre [4] videntur ea quae dē officiīs trādita ab illīs et praecepta sunt. 5 Nūlla enim vītae pars neque pūblicīs neque prīvātīs, neque forēnsibus neque domesticīs in rēbus, neque sī tēcum agās quid [5] neque sī cum alterō contrahās, vacāre officiō [6] potest, in eōque [7] et colendō sita vītae est honestās [8] omnis et neglegendō turpitūdō.

Sed iūstitiae prīmum mūnus est ut nē cui quis noceat nisi lacessītus 10 iniūriā, deinde ut commūnibus prō [9] commūnibus ūtātur, prīvātīs ut suīs. Sunt autem prīvāta nūlla nātūrā, sed aut vetere occupātiōne, ut quī quondam in vacua [10] vēnērunt, aut victōriā, ut quī bellō potītī sunt, aut lēge,[11] pactiōne,[12] condiciōne,[12] sorte; [12] ex quō fit ut ager Arpīnās Arpīnātium [13] dīcātur, Tusculānus Tusculānōrum, similisque est prīvā- 15 tārum possessiōnum discrīptiō.[14] Ex quō, quia suum [15] cuiusque fit eōrum quae nātūrā fuerant commūnia,[15] quod cuique obtigit, id quisque teneat; eō plūs [16] sī quis sibi appetet, violābit iūs hūmānae societātis.

Fundāmentum autem est iūstitiae fidēs, id est dictōrum [17] conven- 20 tōrumque cōnstantia et vēritās.[17]

Meminerīmus autem etiam adversus [18] īnfimōs iūstitiam esse servandam. Est autem īnfima condiciō et fortūna servōrum, quibus [19]

---

[1] Cicero's son.
[2] *would be.*　　　[3] *although.*
[4] *to have the widest practical application;* literally, *to spread most widely.* Here speaks the practical Roman.
[5] For **aliquid** after **sī**: *if you are dealing with something by yourself.*
[6] *be free from duty* (**477**, 1).
[7] For **inque eō,** but **–que** is not attached to monosyllabic prepositions.
[8] *all that is honorable.*
[9] *as.* He could not use **ut** because it had just been used in another sense.
[10] *unoccupied* (*lands*).
[11] Such as laws giving public land to veterans.
[12] *agreement, terms* (of purchase), or *allotment.*
[13] *to belong to the people of Arpinum;* predicate genitive of possession.
[14] *assignment.*
[15] *of those things which had been common* (*property*) (*part*) *becomes the property of an individual.*
[16] *more than that* (**477**, 5).
[17] *truthfully abiding by things promised and agreed upon.*
[18] Preposition: *towards.*　　　[19] With **ūtī:** *to use whom.*

nōn male praecipiunt quī ita iubent ūtī ut mercennāriīs: [20] operam
25 exigendam, iūsta praebenda.[21] Cum autem duōbus modīs, id est aut
vī aut fraude, fīat iniūria, fraus quasi vulpēculae,[22] vīs leōnis vidētur:
utrumque homine aliēnissimum,[23] sed fraus odiō digna maiōre. Tōtīus
autem iniūstitiae nūlla capitālior [24] est quam eōrum [25] quī tum cum
maximē fallunt id agunt ut virī bonī esse videantur. Dē iūstitiā satis
30 dictum. (*Off.* I, 4, 20, 23, 41)

363. DUTY TO COUNTRY AND FAMILY

Sed sī contentiō quaedam et comparātiō fīat quibus plūrimum
tribuendum sit officī, prīncipēs sint patria et parentēs, quōrum beneficiīs [1] maximīs obligātī sumus, proximī līberī tōtaque domus, quae
spectat [2] in nōs sōlōs neque aliud ūllum potest habēre perfugium,
5 deinceps bene convenientēs [3] propinquī, quibuscum commūnis etiam
fortūna plērumque est. (*Off.* I, 58)

364. CIVIC COURAGE

Illud autem optimum est, in quod invādī [1] solēre ab improbīs et
invidīs audiō:

Cēdant arma togae, concēdat laurea laudī.[2]

Ut enim aliōs omittam,[3] nōbīs rem pūblicam gubernantibus, nōnne togae
5 arma cessērunt? Neque enim perīculum in rē pūblicā fuit gravius
umquam nec maius ōtium.[4] Ita cōnsiliīs dīligentiāque nostrā celeriter
dē manibus audācissimōrum cīvium dēlāpsa arma ipsa cecidērunt.
Quae rēs igitur gesta umquam in bellō tanta? Quī triumphus cōn-
ferendus?

[20] *hired men.*
[21] *necessities to be furnished* (food, clothing, etc.).
[22] *fox.*
[23] We say *alien to* rather than *from.*
[24] *more deserving of capital punishment.*
[25] i.e., hypocrites.

---

[1] *services.* [2] *looks to us* (for help). [3] *friendly.*

---

[1] Impersonal: *attack is made.*
[2] From Cicero's poem on his consulship: *Let arms yield to the toga* (worn by
civilians); *let the laurel wreath* (of the general) *yield to* (civilian) *glory.*
[3] *to omit.* [4] *peace.*

A palimpsest, i.e., a manuscript used twice for the sake of economy. The larger, original writing is Cicero's De officiis of the fourth century, the smaller is Augustine of the seventh or eighth century.

Licet enim mihi, M. fīlī, apud tē glōriārī, ad quem et hērēditās huius 10 glōriae et factōrum imitātiō pertinet. Mihi quidem certē vir abundāns bellicīs laudibus, Cn. Pompeius, multīs audientibus, hoc tribuit, ut dīceret frūstrā sē triumphum tertium dēportātūrum fuisse [5] nisi meō in rem pūblicam beneficiō ubi [6] triumphāret esset habitūrus. Sunt igitur domesticae fortitūdinēs [7] nōn īnferiōrēs mīlitāribus; in quibus 15 plūs etiam quam in hīs operae studīque pōnendum est. (*Off.* I, 77–78)

---

[5] Represents a contrary-to-fact conclusion in indirect discourse: *he would have gained.*

[6] (*a place*) *where.* The triumph was held in Rome, saved by Cicero. The clause is one of purpose.

[7] *civic courage.*

365 CHOICE OF A CAREER

Cōnstituendum est quōs nōs et quālēs esse velīmus et in quō genere [1] vītae; quae dēlīberātiō est omnium difficillima. Ineunte enim adulēscentiā,[2] cum est maxima imbecillitās cōnsilī,[3] tum id sibi quisque genus aetātis dēgendae cōnstituit quod maximē adamāvit. Itaque
5 ante [4] implicātur aliquō certō genere cursūque vīvendī quam potuit quod optimum esset iūdicāre. Plērumque autem parentium praeceptīs imbūtī ad eōrum cōnsuētūdinem mōremque [5] dēdūcimur. Aliī multitūdinis iūdiciō feruntur,[6] quaeque maiōrī partī pulcherrima videntur, ea maximē exoptant; nōn nūllī tamen sīve fēlīcitāte quādam [7] sīve
10 bonitāte nātūrae sine parentium disciplīnā rēctam vītae secūtī sunt viam. Illud autem maximē rārum genus est eōrum quī aut excellentī ingenī magnitūdine aut praeclārā ērudītiōne atque doctrīnā aut utrāque rē ōrnātī spatium etiam dēlīberandī habuērunt quem potissimum vītae cursum sequī vellent; in quā dēlīberātiōne ad suam
15 cuiusque nātūram cōnsilium est omne revocandum.[8] (*Off.* I, 117–119)

366. PERSONAL APPEARANCE

Cum autem pulchritūdinis duo genera sint, quōrum in alterō venustās [1] sit, in alterō dignitās, venustātem muliebrem dūcere [2] dēbēmus, dignitātem virīlem. Ergō et ā fōrmā removeātur omnis virō nōn dignus ōrnātus [3] et huic simile vitium in gestū mōtūque caveātur. Nam et
5 palaestricī mōtūs [4] sunt saepe odiōsiōrēs et histriōnum nōn nūllī gestūs [5] ineptiīs [6] nōn vacant et in utrōque genere quae sunt rēcta et simplicia laudantur. Fōrmae autem dignitās colōris [7] bonitāte tuenda est, color exercitātiōnibus corporis. Adhibenda praetereā munditia est nōn odiōsa neque exquīsīta nimis, tantum [8] quae fugiat agrestem
10 et inhūmānam neglegentiam. Eadem ratiō est habenda vestītūs, in quō, sīcut in plērīsque rēbus, mediocritās optima est. (*Off.* I, 130)

---

[1] *career.*   [2] *at the beginning of youth.*   [3] *judgment.*
[4] With **quam.**   [5] *their* (the parents') *customs and manners.*
[6] *are carried away.*   [7] *by a sort of good luck.*
[8] *the judgment must be based on each person's nature;* literally, *must be called back to.*

---

[1] *loveliness.*   [2] *consider.*
[3] *every adornment not becoming to a man.*
[4] *the movements* (*taught in the*) *gymnasium.* In some gymnasia rather effeminate body movements and gestures were taught.
[5] *some gestures of actors.*   [6] *affectation.*
[7] *complexion.*   [8] *only enough to avoid.*

Tomb of a shoemaker, with lasts above, one with a shoe on it. Now in a Roman museum.

367. CAREERS FOR GENTLEMEN [1]

Iam dē artificiīs et quaestibus,[2] quī līberālēs habendī, quī sordidī sint, haec ferē accēpimus. Prīmum improbantur iī quaestūs quī in odia hominum incurrunt, ut portītōrum,[3] ut faenerātōrum. Illīberālēs autem et sordidī quaestūs mercennāriōrum omnium, quōrum operae,[4] nōn
5 quōrum artēs emuntur; est enim in illīs ipsa mercēs auctōrāmentum [5] servitūtis. Sordidī etiam putandī quī mercantur ā mercātōribus quod statim vēndant; [6] nihil enim prōficiant nisi admodum mentiantur,[7] nec vērō est quicquam turpius vānitāte.[8] Opificēsque omnēs in sordidā arte versantur; nec enim quicquam ingenuum potest habēre officīna.
10 Minimēque artēs eae probandae quae ministrae sunt voluptātum:

Cētāriī, laniī, coquī, fartōrēs, piscātōrēs,[9]

ut ait Terentius. Adde hūc, sī placet, unguentāriōs, saltātōrēs, tō-tumque lūdum tālārium.[10] In quibus autem artibus aut prūdentia maior

---

[1] In no respect was the Roman attitude more different from ours than in that toward occupations and professions. The "best" people could engage only in law and public life, big business, and agriculture—the only "liberal arts," those worthy of a freeman.   [2] *trades and gainful occupations.*

[3] *tax collectors and usurers.* The attitude toward the former is indicated by the bad connotation of the word *publican* in the English versions of the New Testament.   [4] *manual labor.*   [5] *contract.*   [6] i.e., *retailers.*

[7] Business standards were evidently not very high: dealers lied about quality. For the subjunctive see **483**, 3.   [8] *fraud.*

[9] *Fishsellers, butchers, cooks, sausage makers, fishermen,* quoted from Terence, the comedy writer.   [10] *burlesque show.*

inest aut nōn mediocris ūtilitās quaeritur, ut medicīna, ut architectūra, ut doctrīna [11] rērum honestārum, hae [12] sunt eīs quōrum ōrdinī con- 15 veniunt honestae.[12] Mercātūra autem, sī tenuis est, sordida putanda est; sīn magna et cōpiōsa, multa undique apportāns [13] multīsque sine vānitāte impertiēns,[14] nōn est admodum vituperanda, atque etiam sī satiāta [15] quaestū vel contenta potius, ut saepe ex altō in portum,[16] ex ipsō portū sē in agrōs possessiōnēsque contulit, vidētur iūre optimō 20 posse laudārī. Omnium autem rērum ex quibus aliquid acquīritur, nihil est agrī cultūrā melius, nihil dulcius, nihil ūberius, nihil homine līberō dignius; [17] dē quā quoniam in Catōne maiōre [18] satis multa dīximus, illinc assūmēs quae ad hunc locum pertinēbunt. (*Off.* I, 150–151)

368. Vocabulary Drill

acquīrō	agrī cultūra	medicīna	prōficiō	servitūs
admodum	līberālis	mercātor	quaestus	sordidus

[11] *the teaching of worthy subjects.*
[12] *these are honorable for those whose social status they suit.* Teaching and medicine are not suitable for the senatorial class but are for a middle class, above the shopkeepers.
[13] *importing.*
[14] *distributing to many without fraud.*
[15] Modifies **mercātūra** but actually refers to those engaged in business.
[16] *as they often made their way from the high seas to the harbor, so they made their way from the harbor to the country.* This is exactly like the rich men today who retire from business and become "gentlemen" farmers.
[17] Farming was traditionally a suitable occupation for senators.
[18] Cicero's *De senectute,* named after the chief speaker in it.

A counter in a foodshop in Pompeii.

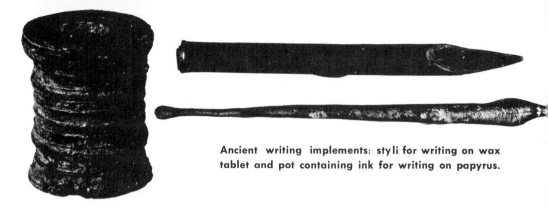

Ancient writing implements: styli for writing on wax
tablet and pot containing ink for writing on papyrus.

369. KNOWLEDGE AND COURAGE AND THEIR VALUE IN SOCIETY

Atque ut apium exāmina [1] nōn fingendōrum favōrum [2] causā congregantur, sed, cum congregābilia nātūrā sint, fingunt favōs, sīc hominēs (ac multō etiam magis nātūrā congregātī) adhibent agendī cōgitandīque [3] sollertiam. Itaque nisi ea virtūs [4] quae cōnstat ex homi-
5 nibus tuendīs, id est ex societāte generis hūmānī, attingat [5] cognitiōnem rērum, sōlivaga [6] cognitiō et iēiūna videātur, itemque magnitūdō animī,[7] remōtā commūnitāte coniūnctiōneque hūmānā,[8] feritās sit quaedam et immānitās. Ita fit ut vincat cognitiōnis studium cōnsociātiō hominum atque commūnitās.[9] Nec vērum est quod dīcitur ā
10 quibusdam, propter necessitātem vītae,[10] quod ea quae nātūra dēsīderāret cōnsequī sine aliīs atque efficere nōn possēmus, idcircō initam esse cum hominibus commūnitātem et societātem; quod sī omnia nōbīs quae ad vīctum cultumque pertinent, quasi virgulā [11] dīvīnā, ut aiunt, suppeditārentur, tum optimō quisque ingeniō, negō-
15 tiīs omnibus omissīs, tōtum sē in cognitiōne et scientiā collocāret. Nōn est ita. Nam et sōlitūdinem fugeret et socium studī quaereret, tum docēre, tum discere vellet, tum audīre, tum dīcere. Ergō omne officium quod ad coniūnctiōnem hominum et ad societātem tuendam valet antepōnendum est illī officiō quod cognitiōne et scientiā con-
20 tinētur. (*Off.* I, 157–158)

---

[1] *swarms of bees.*   [2] *honeycombs.*
[3] i.e., together with others.   [4] i.e., justice.
[5] *is attached to.*   [6] *solitary.*
[7] *courage.*   [8] *if a social attitude is left out;* literally, *is removed.*
[9] *social needs take precedence over the pursuit of knowledge (by an individual).*
[10] In translating put the last part of the sentence (from **idcircō**) next, then the
quod clause: *it is not true that social life began on account of the need of obtaining food because,* etc.
[11] *wand,* like that of a fairy; **ut aiunt** shows that this was a common expression.

370. HONOR AMONG THIEVES

Atque eīs etiam quī vēndunt, emunt, condūcunt, locant, contra-hendīsque negōtiīs implicantur, iūstitia ad rem gerendam necessāria est, cuius tanta vīs est ut nē illī quidem quī maleficiō et scelere pāscuntur [1] possint sine ūllā particulā iūstitiae vīvere. Nam quī eōrum cuipiam [2] quī ūnā [3] latrōcinantur fūrātur aliquid aut ēripit, is sibi nē in 5 latrōciniō quidem relinquit locum; [4] ille autem qui archipīrāta dīcitur, nisi aequābiliter praedam dispertiat, aut interficiātur ā sociīs aut relinquātur. Quīn etiam lēgēs latrōnum esse dīcuntur, quibus pāreant, quās observent. Itaque propter aequābilem praedae partītiōnem et Bardūlis Illyrius latrō, dē quō est apud Theopompum,[5] magnās opēs 10 habuit et multō maiōrēs Viriāthus Lūsitānus, cui quidem etiam exer-citūs nostrī imperātōrēsque cessērunt, quem C. Laelius, is quī Sapiēns ūsūrpātur,[6] praetor frēgit et comminuit ferōcitātemque eius ita re-pressit ut facile bellum reliquīs trāderet. Cum igitur tanta vīs iūstitiae sit ut ea etiam latrōnum opēs firmet atque augeat, quantam eius vim 15 inter lēgēs et iūdicia et in cōnstitūtā rē pūblicā fore putāmus? (*Off.* II, 40)

---

[1] *live by crime.*   [2] *from any of those who* (**475,** 4).
[3] *with him.*   [4] i.e., he loses his place in the gang of robbers (**latrōciniō**).
[5] A Greek historian.   [6] *uses* (*the name of*) *the Wise.*

A Roman of early days. In a Munich museum.

371. THE DUTY OF GIVING

Id quidem nōn dubium est, quīn [1] illa benignitās quae cōnstet ex
operā [2] et industriā et honestior sit et lātius pateat [3] et possit prōdesse
plūribus; nōn numquam tamen est largiendum,[4] nec hoc benignitātis
genus omnīnō repudiandum est et saepe idōneīs hominibus indigenti-
5 bus dē rē familiārī [5] impertiendum, sed dīligenter atque moderātē.
Multī enim patrimōnia effūdērunt incōnsultē largiendō.

Atque etiam illae impēnsae meliōrēs, mūrī, nāvālia,[6] portūs, aquārum ductūs omniaque quae ad ūsum reī pūblicae pertinent. Quamquam quod praesēns tamquam in manum [7] datur iūcundius est; tamen
10 haec in posterum grātiōra. Theātra, porticūs, nova templa verē-
cundius [8] reprehendō propter Pompeium. Tōta igitur ratiō tālium [9]
largītiōnum genere [10] vitiōsa est, temporibus [11] necessāria, et tum
ipsum [12] et ad facultātēs accommodanda et mediocritāte moderanda
est. In illō autem alterō genere largiendī,[13] quod ā līberālitāte prō-
15 ficīscitur, nōn ūnō modō in disparibus causīs affectī esse dēbēmus.
Alia causa est eius quī calamitāte premitur et eius quī rēs meliōrēs
quaerit, nūllīs suīs rēbus adversīs.[14] Prōpēnsior benignitās esse dēbēbit
in calamitōsōs, nisi forte erunt dignī calamitāte. (*Off.* II, 54, 60, 61)

---

[1] *that* (**482,** 6).

[2] *service.*

[3] *covers more ground,* i.e., affects more people.   [4] *money should be given.*

[5] *from one's resources.*

[6] *docks.* Cicero is now speaking of private gifts for public purposes, in which
the Romans have not been surpassed by any nation.

[7] *cash in hand, so to speak,* as presents to individuals.

[8] *with more restraint.* Pompey had built the first permanent theater, with a
temple of Venus, in 55 B.C. Cicero thinks less well of such gifts than of
useful gifts such as harbors.

[9] i.e., of such large amounts.   [10] *in nature, essentially.*

[11] (*but*) *necessary in* (*certain*) *circumstances.*   [12] *even then;* literally, *then itself.*

[13] i.e., to individuals.   [14] *though none of his affairs is in bad shape.*

"Porticus, nova templa," etc. From the film *The Fall of the Roman Empire*.

372. CANCELLATION OF DEBTS

Tabulae vērō novae [1] quid habent argumentī,[2] nisi ut emās meā [3] pecūniā fundum, eum tū habeās, ego nōn habeam pecūniam? Quam ob rem nē sit aes aliēnum quod [4] reī pūblicae noceat, prōvidendum est; quod multīs ratiōnibus cavērī potest; nōn,[5] sī fuerit, ut locuplētēs suum perdant, dēbitōrēs lucrentur aliēnum.[6] Nec enim ūlla rēs vehe- 5 mentius rem pūblicam continet [7] quam fidēs, quae esse nūlla potest nisi erit necessāria solūtiō rērum crēditārum.[8] Numquam vehementius āctum est quam, mē cōnsule, nē solverētur.[9] Armīs et castrīs temptāta rēs est ab omnī genere hominum et ōrdine; quibus ita restitī ut hoc tōtum malum dē rē pūblicā tollerētur. Numquam nec maius aes 10 aliēnum fuit nec melius nec [10] facilius dissolūtum est; fraudandī enim spē sublātā, solvendī necessitās cōnsecūta est. At vērō hic nunc victor,[11] tum quidem victus, quae cōgitārat ea perfēcit, cum eius iam nihil interesset.[12] Tanta in eō peccandī libīdō fuit ut hoc ipsum eum dēlectāret, peccāre, etiam sī causa nōn esset. (*Off.* II, 84) 15

[1] *Cancellation of debts,* as in *Cat.* II, 18; literally, *new accounts.*
[2] *what is their meaning.*   [3] i.e., that of the lender.
[4] Descriptive: *a debt which would injure.*
[5] *if there should be* (*a debt*), (*it should*) *not* (*happen*) *that.*
[6] *profit* (*by*) *someone else's money.*   [7] *holds together.*   [8] *debts.*
[9] *Never was there more violent agitation that* (*debts*) *be not paid than in any consulship.*   [10] We would say *or.*
[11] Caesar, who, it is said, worked behind the scenes with Catiline.
[12] *though no longer advantageous to him.* He had been in debt in Cicero's consulship, but his conquest of Gaul made him rich. Still he persisted in having a law passed abolishing interest payments.

249

Skillful in match-making, these cupids are bad luck on the highway. "Non viribus aut velocitate aut celeritate corporum res magnae geruntur, sed consilio, auctoritate, sententia."

373. THE ACTIVITIES OF OLD AGE [1]

Ā rēbus gerendīs senectūs abstrahit.[2] Quibus? An eīs quae iuventūte geruntur et vīribus? Nūllaene igitur rēs sunt senīlēs, quae, vel īnfirmīs corporibus, animō tamen administrentur?

Nihil igitur afferunt quī in rē gerendā versārī senectūtem negant,
5 similēsque [3] sunt ut sī quī gubernātōrem in nāvigandō nihil agere dīcant, cum aliī mālōs scandant, aliī per forōs cursent, aliī sentīnam exhauriant, ille autem clāvum tenēns quiētus sedeat in puppī. Nōn facit ea quae iuvenēs, at vērō multō maiōra et meliōra facit. Nōn vīribus aut vēlōcitāte aut celeritāte corporum rēs magnae geruntur, sed
10 cōnsiliō, auctōritāte, sententiā; quibus [4] nōn modo nōn orbārī, sed etiam augērī senectūs solet. Nisi forte [5] ego vōbīs, quī et mīles et tribūnus et lēgātus et cōnsul versātus sum in variō genere bellōrum, cessāre nunc videor cum bella nōn gerō. At senātuī quae sint gerenda praescrībō et quō modō; Carthāginī male iam diū cōgitantī [6] bellum
15 multō ante dēnūntiō; dē quā verērī nōn ante dēsinam quam illam excīsam esse cognōverō. (*Sen.* 15, 17–18)

---

[1] Cato is speaking in this imaginary dialogue set in the year 150 B.C.
[2] This is the charge made by some people.
[3] *they are like (people) who say.*
[4] Two constructions: separation with **orbārī,** means with **augērī.**
[5] Ironical.   [6] *plotting evil.*

374. A BUSY OLD AGE

Cedo,[1] quī [2] vestram rem pūblicam tantam āmīsistis tam citō?

Sīc enim percontantur in Naevī [3] poētae Lūdō; respondentur et alia et hoc in prīmīs:

> Prōveniēbant ōrātōrēs novī, stultī adulēscentulī.

Temeritās est vidēlicet flōrentis aetātis, prūdentia senēscentis.   5

    Possum nōmināre ex agrō Sabīnō [4] rūsticōs Rōmānōs, vīcīnōs et familiārēs meōs, quibus absentibus, numquam ferē ūlla in agrō maiōra opera fīunt, nōn serendīs,[5] nōn percipiendīs, nōn condendīs frūctibus. Quamquam in aliīs [6] minus hoc mīrum est; nēmō enim est tam senex quī sē annum [7] nōn putet posse vīvere; sed īdem in eīs ēlabōrant 10 quae sciunt nihil ad sē omnīnō pertinēre:

> Serit arborēs quae alterī saeculō prōsint,[8]

ut ait Stātius [9] noster in Synephēbīs.[10]

---

[1] *Tell me,* an old imperative form, not related to **cēdō.**
[2] Adverb: *how.*
[3] Naevius was an early Roman poet; the *Ludus* was apparently a play of his.
[4] Cato had a farm in the Sabine hills, east of Rome.
[5] *at (the time of) sowing.*
[6] *other things* than the one which follows, about planting trees.
[7] *(another) year.*   [8] Purpose clause.
[9] Caecilius Statius, a comedy writer.   [10] A play: *The Young Companions.*

Horace's Sabine Farm, which the poet immortalized in verse.

Vidētis ut [11] senectūs nōn modo languida atque iners nōn sit, vērum
15 etiam sit operōsa et semper agēns aliquid et mōliēns, tāle scīlicet quāle
cuiusque studium in superiōre vītā fuit. Quid quī [12] etiam addiscunt
aliquid? Ut et [13] Solōnem versibus glōriantem vidēmus, quī sē cotīdiē
aliquid addiscentem dīcit senem fierī, et ego fēcī, quī litterās Graecās
senex didicī; quās quidem sīc avidē arripuī (quasi diūturnam sitim
20 explēre cupiēns) ut ea ipsa mihi nōta essent quibus mē nunc ex-
emplīs [14] ūtī vidētis. Quod cum fēcisse Sōcratem in fidibus audīrem,[15]
vellem [16] equidem etiam illud (discēbant enim fidibus [17] antīquī), sed
in litterīs certē ēlabōrāvī. (*Sen.* 20, 24, 26)

375. Vocabulary Drill

arbor	exemplum	iners	scīlicet	serō
diūturnus	familiāris	nōminō	senex	vīcīnus

376. Word Study

Define *arboreal, efflorescence, inert, senescent, temerity, vicinity.*
Sc. is an abbreviation of *scilicet,* used in the sense of *namely, that is.*

---

[11] *how.*   [12] *What of those who?*
[13] With the next **et:** *not only . . . but also.*
[14] *as examples.* **Exempla** were illustrations from history, such as Cicero frequently uses.
[15] *when I heard that Socrates had done this* (i.e., learned in old age) *on the lyre.*
[16] *I could have wished.*   [17] Supply **canere,** *to play.*

Socrates.

A statuette in bronze showing a cart drawn by oxen.

377. OLD MEN CAN WRITE AND FARM

Quid in leviōribus studiīs, sed tamen acūtīs? [1] Quam gaudēbat bellō suō Pūnicō [2] Naevius! Quam Truculentō Plautus, quam Pseudolō! [3] Vīdī etiam senem Līvium; [4] quī cum sex annīs ante quam ego nātus sum, fābulam docuisset,[5] Centōne Tuditānōque cōnsulibus,[6] usque ad adulēscentiam meam prōcessit aetāte.[7]　　　　　5

Veniō nunc ad voluptātēs agricolārum, quibus ego incrēdibiliter dēlector; quae nec ūllā impediuntur senectūte et mihi ad sapientis vītam proximē videntur accēdere. Habent enim ratiōnem [8] cum terrā, quae numquam recūsat imperium [9] nec umquam sine ūsūrā reddit quod accēpit, sed aliās [10] minōre, plērumque maiōre cum faenore. 10 Quamquam mē quidem nōn frūctus modo, sed etiam ipsīus terrae vīs ac nātūra [11] dēlectat.

Sed veniō ad agricolās, nē ā mē ipsō recēdam. In agrīs erant [12] tum senātōrēs, id est senēs,[13] siquidem arantī L. Quīnctiō Cincinnātō nūntiātum est eum dictātōrem esse factum; cuius dictātōris iussū 15 magister equitum,[14] C. Servīlius Ahāla, Sp. Maelium rēgnum appetentem occupātum interēmit.[15] (*Sen.* 50, 51, 56)

---

[1] i.e., that demand keenness.

[2] An epic poem on the First Punic War, known to us only in fragments.

[3] We know from this that these two comedies, still extant, were among Plautus' latest.

[4] Livius Andronicus, one of the early Roman poets, who translated the *Odyssey* into Latin.

[5] *had produced a play;* literally, *he,* as author, *taught* it to the actors.

[6] 240 B.C.　　　[7] *continued to live;* literally, *went on in life.*

[8] *account.* The language from here on is drawn from business.

[9] *draft,* a demand for payment.

[10] *at times.*　　　[11] Hendiadys: *the natural forces of the earth.*

[12] i.e., they lived on farms.　　　[13] **Senātor** is derived from **senex.**

[14] The *master of the horse* was the dictator's assistant.

[15] *took by surprise and put to death.*

253

378. AUTHORITY, THE REWARD OF OLD AGE

Sed in omnī ōrātiōne ¹ mementōte eam mē senectūtem laudāre quae fundāmentīs adulēscentiae cōnstitūta sit.² Ex quō efficitur, id quod ego magnō quondam cum assēnsū omnium dīxī, miseram esse senectūtem quae sē ōrātiōne dēfenderet. Nōn cānī ³ nec rūgae repente auctōritātem
5 arripere possunt, sed honestē ācta superior aetās frūctūs capit auctōritātis extrēmōs.⁴ Haec enim ipsa sunt honōrābilia, quae videntur levia atque commūnia, salūtārī,⁵ appetī, dēcēdī, assurgī, dēdūcī,⁶ redūcī,⁶ cōnsulī; quae et apud nōs et in aliīs cīvitātibus, ut quaeque optimē mōrāta est,⁷ ita dīligentissimē observantur. Lysandrum Lacedaemonium
10 dīcere aiunt solitum Lacedaemonem esse honestissimum domicilium senectūtis; nusquam enim tantum tribuitur ⁸ aetātī, nusquam est senectūs honōrātior. Quīn etiam memoriae prōditum est, cum Athēnīs lūdīs ⁹ quīdam in theātrum grandis nātū ¹⁰ vēnisset, magnō consessū,¹¹ locum nusquam eī datum ā suīs cīvibus; cum autem ad
15 Lacedaemoniōs accessisset, quī lēgātī cum essent,¹² certō ¹³ in locō cōnsēderant, cōnsurrēxisse omnēs illī dīcuntur et senem sessum ¹⁴ recēpisse. Quibus cum ā cūnctō cōnsessū plausus esset multiplex datus, dīxisse ex eīs quendam Athēniēnsēs scīre quae rēcta essent, sed facere nōlle. (*Sen.* 62–64)

379. Vocabulary Drill

dēdūcō	levis	ōrātiō	prōdō	senectūs
grandis nātū	nusquam	plausus	redūcō	superior

---

¹ Supply **meā.** Note that **ōrātiō** means not merely an oration but any formal presentation.
² Descriptive clause: *that kind of old age which.*
³ Supply **capillī:** *white hair.*
⁴ *at the end;* literally, *last,* with **frūctūs.**
⁵ In translating it would be well to use the active, since two of the infinitives, **dēcēdī** and **assurgī**, are impersonal: *that people greet us,* etc.
⁶ *that they escort us* (to the Forum) *and back* (home).
⁷ *to the degree that each state has a high code of morals.*
⁸ *so much respect shown.*
⁹ *at the games.*
¹⁰ Supine (**491**, *b*): *old man;* literally, *great as to birth* (or *age*).
¹¹ Ablative absolute: *in the great crowd.*
¹² *being ambassadors;* literally, *who, since they were ambassadors.*
¹³ *fixed, reserved.*
¹⁴ *to sit down;* supine (**491**, *a*).

380. Word Study

Distinguish **numquam,** *never,* and **nusquam,** *nowhere.*

Ōrātiō is derived from **ōrō,** which in turn comes from **ōs,** *mouth.* **Ōrō** developed two different senses, *pray* and *speak.* Similarly **ōrātiō** is *speech* or *prayer.* The English derivatives too preserve these distinctions: *oratory* means both *speaking in public* and a *place for praying.* An *oratorio* is a musical composition originally performed in an *oratory.* An *orison* is a *prayer.*

A young Greek in a statue of the fourth century B.C. It is in an Athens museum.

381. THE MEANING OF FRIENDSHIP

Est enim amīcitia nihil aliud nisi omnium dīvīnārum hūmānārum-
que rērum cum benevolentiā et cāritāte cōnsēnsiō; quā quidem haud
sciō an,[1] exceptā sapientiā, nihil melius hominī sit ā dīs immortālibus
datum. Dīvitiās aliī praepōnunt, bonam aliī valētūdinem, aliī po-
5 tentiam, aliī honōrēs,[2] multī etiam voluptātēs. Bēluārum hoc quidem
extrēmum,[3] illa autem superiōra cadūca et incerta, posita [4] nōn tam
in cōnsiliīs nostrīs quam in fortūnae temeritāte. Quī autem in virtūte
summum bonum [5] pōnunt, praeclārē illī quidem,[6] sed haec ipsa virtūs
amīcitiam et gignit et continet,[7] nec sine virtūte amīcitia esse ūllō
10 pactō potest.

Quid dulcius quam habēre quīcum [8] omnia audeās sīc loquī ut
tēcum? Quī [9] esset tantus frūctus in prōsperīs rēbus, nisi habērēs quī
illīs aequē ac [10] tū ipse gaudēret? Adversās [11] vērō ferre difficile esset
sine eō quī illās gravius etiam quam tū ferret. (*Am.* 20, 22)

382. THE ULTIMATE IN FRIENDSHIP

Quī clāmōrēs tōtā caveā [1] nūper in hospitis et amīcī meī M. Pācuvī [2]
novā fābulā, cum, ignōrante rēge [3] uter Orestēs esset, Pyladēs Orestem
sē esse dīceret, ut prō illō necārētur, Orestēs autem, ita ut erat, Orestem
sē esse persevērāret. Stantēs [4] plaudēbant in rē fictā; quid arbitrāmur
5 in vērā factūrōs fuisse? Facile indicābat ipsa natūra vim suam, cum
hominēs, quod [5] facere ipsī nōn possent, id rēctē fierī in alterō iūdi-
cārent. (*Am.* 24)

---

[1] **haud sciō an** = **nesciō an,** *perhaps;* literally, *I do not know whether.*
[2] *political offices.*
[3] *this last* (i.e., **voluptātēs**) *is* (*characteristic*) *of wild beasts.*
[4] *dependent on.*
[5] *the highest good,* much discussed by the Greek philosophers.
[6] Supply **faciunt.**   [7] *preserves.*
[8] = **quōcum, cum quō.**   [9] *how.*
[10] *equally as.*
[11] Supply **rēs;** in contrast with **prōsperīs.**

---

[1] *theater.*   [2] A writer of tragedies.
[3] In the play the two close friends Orestes and Pylades are brought before a
king. When Orestes is condemned to death, Pylades asserts that he is Orestes
so that he can die for his friend, but Orestes insists that he is the one condemned.
[4] i.e., the audience in the theater.
[5] i.e., die for someone else.

383. *THE FRIENDSHIP OF LAELIUS AND SCIPIO* [1]

Sed quoniam rēs hūmānae fragilēs cadūcaeque sunt, semper aliquī anquīrendī sunt quōs dīligāmus et ā quibus dīligāmur; cāritāte enim benevolentiāque sublātā, omnis est ē vītā sublāta iūcunditās. Mihi [2] quidem Scīpiō, quamquam est subitō ēreptus,[3] vīvit tamen semperque vīvet; virtūtem [4] enim amāvī illīus virī, quae exstīncta nōn est; nec mihi 5 sōlī versātur ante oculōs, quī illam semper in manibus habuī,[5] sed etiam posterīs erit clāra et īnsignis. Nēmō umquam animō aut spē maiōra [6] suscipiet quī sibi nōn illīus memoriam atque imāginem prōpōnendam putet.[7] Equidem ex omnibus rēbus quās mihi aut fortūna aut nātūra tribuit nihil habeō quod cum amīcitiā Scīpiōnis possim 10 comparāre. In hāc mihi dē rē pūblicā cōnsēnsus, in hāc rērum prīvātārum cōnsilium, in eādem requiēs plēna oblectātiōnis fuit. Numquam illum nē minimā quidem rē offendī, quod [8] quidem sēnserim, nihil audīvī ex eō ipse quod nōllem; ūna domus erat, īdem vīctus isque commūnis, neque sōlum mīlitia [9] sed etiam peregrīnātiōnēs 15 rūsticātiōnēsque commūnēs. Nam quid ego dē studiīs dīcam cognōscendī semper aliquid atque discendī? In quibus remōtī ab oculīs populī omne ōtiōsum tempus contrīvimus. Quārum rērum recordātiō et memoria sī ūnā cum illō occidisset, dēsīderium coniūnctissimī atque amantissimī virī ferre nūllō modō possem. Sed nec [10] illa [11] exstīncta 20 sunt alunturque potius et augentur cōgitātiōne et memoriā meā, et, sī illīs plānē orbātus essem, magnum tamen affert mihi aetās [12] ipsa sōlācium. Diūtius enim iam in hōc dēsīderiō esse nōn possum. Omnia autem brevia tolerābilia esse dēbent, etiam sī magna sunt. (*Am.* 102–104).

---

[1] The speaker is Laelius, the close friend of Scipio the Younger.
[2] *for me.*
[3] Scipio died in 129, the imaginary date of this essay.
[4] *fine character.*
[5] *For I* (**quī**) *have always had it* (**virtūtem**) *at my disposal;* literally, *in my hands.*
[6] *more* (*than usually*) *important.*
[7] *without thinking;* literally, *who does not think.*
[8] *so far as I realized, at any rate.*
[9] One of the subjects of **erant,** to be supplied; **commūnēs** is predicate adjective.
[10] = **et nōn,** correlative with the following **et.**
[11] i.e., **recordātiō et memoria.**
[12] *age.* As the next sentence says, he has not much longer to live. This passage seems to indicate that Cicero knew that Laelius died soon after 129 B.C., the imaginary date of the dialogue.

UNIT IX

TWO THOUSAND YEARS OF LATIN

The theater of ancient Rome owes much to the Greek theater which preceded it. In both instances, the actors performed on a stage. Between the acting area and the audience was the orchestra. The spectators sat in a semi-circular arrangement. Over the centuries, in the larger Roman cities, theaters were built on level ground, rather than in a sunken amphitheater, and the seating was raised. The best example of this Roman refinement is the Theater of Marcellus, in Rome. In both Greek and Roman theater, stock masks were used so that the audience could identify the various characters at a glance. Two of the most familiar of these masks, those of Tragedy and Comedy, appear in this Roman mosaic.

Albert Moldvay

Mosaic showing a scene from a comedy. From Pompeii, now in the Naples Museum.

384. PLAUTUS

The third and second centuries B.C. were the great centuries of Roman comedy, which was an adaptation and imitation of the Greek comedy of Menander and others. The plays of two Roman comedy writers, Plautus (ca. 254–184 B.C.) and Terence (ca. 190–159 B.C.), have survived. The *Menaechmi* of Plautus is named after twin brothers who look so much alike that they are constantly confused with each other—and by the confusion hangs the humor. The Menaechmi were separated in boyhood. After Menaechmus II grows up, he travels around looking for his brother. Unaware that he has arrived at the town where his brother lives, he meets a girl who takes him for Menaechmus I and gives him an expensive dress to be altered. The dress is one that Menaechmus I had taken from his wife's wardrobe and given to the girl. The scene below shows Menaechmus II and the wife (*Matrona*) of Menaechmus I. The *Matrona* mistakes Menaechmus II for her husband and recognizes the dress.

As in other Roman comedies, the characters in the *Menaechmi* are Greek, and the scenes are laid in Greece.

This play has often been imitated. Best known of the imitations is Shakespeare's *Comedy of Errors*.

260

385. WHO IS WHO?

MA. Adībō atque hominem accipiam quibus dictīs meret.
Nōn tē pudet prōdīre in cōnspectum meum,
flāgitium hominis,[1] cum istōc ōrnātū? ME. Quid est?
Quae tē rēs agitat, mulier? MA. Etiamne, impudēns,   710
muttīre verbum ūnum audēs aut mēcum loquī?
ME. Quid tandem admīsī in mē [2] ut loquī nōn audeam?
MA. Rogās mē? Hominis impudentem audāciam!
ME. Nōn tū scīs, mulier, Hecubam [3] quāpropter canem
Grāiī esse praedicābant? Ma. Nōn equidem sciō.   715
ME. Quia idem faciēbat Hecuba quod tū nunc facis.
Omnia mala [4] ingerēbat quemquem aspexerat.
Itaque adeō iūre coepta appellārī est canēs.[5]
MA. Nōn ego istaec flāgitia possum perpetī.
Nam mēd [6] aetātem [7] viduam esse māvelim [8]   720
quam istaec flāgitia tua patī quae tū facis.
ME. Quid id ad mē, tū tē nuptam possīs [9] perpetī,
an sīs abitūra ā tuō virō? An mōs hīc ita est,
peregrīnō ut advenientī nārrent fābulās?
MA. Quās fābulās? Nōn, inquam, patiar praeterhāc,   725
quīn vidua vīvam quam [10] tuōs mōrēs perferam.
ME. Meā quidem hercle causā [11] vidua vīvitō
vel usque dum [12] rēgnum obtinēbit Iuppiter.
MA. At mihi negābās dūdum surrupuisse tē,
nunc eandem ante oculōs attinēs? Nōn tē pudet?   730
ME. Heu, hercle, mulier, multum et audāx et mala es.
Tūn [13] tibi hanc surruptam dīcere audēs quam mihi
dedit alia mulier, ut concinnandam darem?
MA. Nē istūc [14] mēcastor iam patrem arcessam meum
atque eī nārrābō tua flāgitia quae facis.   735
Ī, Deciō,[15] quaere meum patrem, tēcum simul

---

[1] *disgrace of a man.*
[2] *What have I brought on myself;* i.e., *what have I done?*
[3] Wife of Priam of Troy, said to have been turned into a dog because of her
bitter talk.   [4] *curses on.*   [5] Nominative for **canis.**
[6] Old form of **mē.**   [7] *(all my) life.*
[8] Old form of **mālim.**   [9] Indirect question; supply *whether* in translation.
[10] *(rather) than.*   [11] *for my part.*
[12] *as long as.*   [13] = **Tūne.**
[14] *surely for that reason;* **nē** is not the negative but an interjection used before
pronouns.   [15] A slave.

ut veniat ad mē: ita rem esse dīcitō.
Iam ego aperiam istaec tua flāgitia. ME. Sānan [16] es?
Quae mea flāgitia? MA. Pallam atque aurum meum
740 domō suppīlās tuae uxōrī et tuae
dēgeris amīcae. Satin [17] haec rēctē fābulor?
ME. Quaesō hercle, mulier, sī scīs, mōnstrā quod bibam,[18]
tuam quī [19] possim perpetī petulantiam.
Quem tū hominem mēd [6] arbitrēre, nesciō;
745 ego tē simītū [20] nōvī cum Porthāone.[21]
MA. Sī mē dērīdēs, et pol illum nōn potes,
patrem meum, quī hūc advenit. Quīn respicis?
Nōvistīn tū illum? ME. Nōvī cum Calchā [21] simul:
eōdem diē [22] illum vīdī quō tē ante hunc diem.
750 MA. Negās nōvisse mē? Negās patrem meum?
ME. Idem hercle dīcam sī avum vīs addūcere.
MA. Ēcastor pariter hoc atque aliās rēs solēs.[23]

[16] = **Sānane.** [17] = **Satisne.**
[18] *something to drink;* some sort of magic drink.   [19] Purpose; *in order that I.*
[20] Old form of **simul.**   [21] A mythological character.
[22] He had never seen either of them.   [23] Supply **agere.**

**Apollo and the Muses, along with masks on a sarcophagus in the National
Museum, Rome.**

386. CATULLUS

Do you remember Catullus, who wrote about the death of the pet sparrow of his sweetheart Lesbia? He wrote other charming poems, of which the following are samples.

C. Valerius Catullus died in 54 B.C. in his early thirties, while Caesar was conquering the Gauls or perhaps invading Britain. In one of his last poems he speaks of the **ultimōs Britannōs,** just being conquered by Caesar.

387. A Dinner Invitation [1]

> Cēnābis bene, mī Fabulle, apud mē
> paucīs, sī tibi dī favent, diēbus,
> sī tēcum attuleris bonam atque magnam
> cēnam, nōn sine candidā puellā
> et vīnō et sale et omnibus cachinnīs.[2]   5
> Haec sī, inquam, attuleris, venuste noster,
> cēnābis bene; nam tuī Catullī
> plēnus sacculus est—arāneārum.[3]
> Sed contrā accipiēs merōs amōrēs
> seu quid suāvius ēlegantiusve est;   10
> nam unguentum dabo quod meae puellae
> dōnārunt Venerēs Cupīdinēsque,[4]
> quod tū cum olfaciēs, deōs rogābis
> tōtum ut tē faciant, Fabulle, nāsum!
>
>   (13)

---

[1] You will have a good dinner, says Catullus, if you bring it with you.
[2] *laughter.*   [3] *cobwebs.*
[4] i.e., all the gods of beauty and love. Wall paintings at Pompeii show groups of Cupids engaged in various occupations.

The pyramid is the tomb of Cestius, a pagan Roman priest. It was erected in about 12 B.C. To the right is the gate of the Roman wall, with medieval battlements on top.

388. Writ in Water

Nūllī sē dīcit mulier mea nūbere [1] mālle
    quam mihi, nōn sī sē Iuppiter ipse petat.
Dīcit; sed mulier cupidō quod dīcit amantī,
    in ventō et rapidā scrībere oportet aquā.
(70)

389. Mixed Feelings

Ōdī et amō. Quārē id faciam fortasse requīris.
    Nescio, sed fierī sentiō et excrucior.
(85)

390. At His Brother's Tomb [1]

Multās per gentēs et multa per aequora vectus
    adveniō hās miserās, frāter, ad īnferiās,[2]
ut tē postrēmō dōnārem mūnere mortis
    et mūtam nēquīquam alloquerer cinerem,
5   quandoquidem fortūna mihī tētē abstulit ipsum,
    heu, miser indignē frāter adēmpte mihi.
Nunc tamen intereā haec, prīscō quae mōre parentum
    trādita sunt trīstī mūnere ad [3] īnferiās,
accipe frāternō multum mānantia flētū
10   atque in perpetuum, frāter, avē [4] atque valē.
(101)

---

[1] Used only of women marrying; literally, *take the (marriage) veil for.*

---

[1] Catullus visits the tomb of his brother in Asia Minor, near Troy. The brother had died far from home, and this was Catullus' first opportunity to visit his grave. Note the effective use throughout of alliteration with *m.*
[2] *offerings,* as we might offer a wreath or a bunch of flowers.
[3] *for offerings.*   [4] *hail and farewell.*

391. LIVY

Livy (Titus Livius) was born in 59 B.C. at Padua, in northern Italy, not far from Verona, Catullus' birthplace.

You have read stories of early Rome based on Livy's history. His history filled 142 books, but only about a third of it has survived—Books 1–10, dealing with early history, and Books 21–45, beginning with the Second Punic War. Livy considered this war so important that he stopped to write a preface to his account of it, as if he were beginning a new work. And, as a matter of fact, this war had an incalculable effect on the future of the world. We can only speculate what the world would be today had the Carthaginians won. But Rome conquered and became the dominant power. It was fitting that Livy's patriotic presentation of Rome's accomplishments should be written during the reign of Augustus, who has been called the architect of the Roman Empire.

392. HANNIBAL

I. In parte operis meī licet mihi praefārī quod in prīncipiō summae [1] tōtīus professī plērīque sunt rērum [2] scrīptōrēs, bellum maximē omnium memorābile quae umquam gesta sint mē scrīptūrum, quod, Hannibale duce, Carthāginiēnsēs cum populō Rōmānō gessēre. Nam neque validiōrēs opibus ūllae inter sē cīvitātēs gentēsque contulērunt arma neque 5 hīs ipsīs tantum umquam vīrium [3] aut rōboris [3] fuit, et haud ignōtās

[1] Noun: *the entire work.*   [2] For **rērum gestārum**, *history.*
[3] *offensive and defensive strength.*

A papyrus manuscript of Livy of the third or fourth century. It is in the British Museum, London.

bellī artēs inter sēsē sed expertās prīmō Pūnicō cōnserēbant bellō, et
adeō varia fortūna bellī ancepsque Mārs⁴ fuit ut propius⁵ perīculum
fuerint quī vīcērunt. Odiīs etiam prope maiōribus certārunt quam
10 vīribus, Rōmānīs indignantibus quod victōribus victī ultrō īnferrent
arma, Poenīs⁶ quod superbē avārēque crēderent imperitātum⁷ victīs
esse. Fāma est etiam Hannibalem, annōrum fermē novem, puerīliter
blandientem⁸ patrī Hamilcarī ut dūcerētur in Hispāniam, cum, per-
fectō Āfricō bellō,⁹ exercitum eō¹⁰ trāiectūrus sacrificāret, altāribus
15 admōtum,¹¹ tāctīs sacrīs,¹² iūre iūrandō adāctum, sē cum prīmum
posset hostem fore populō Rōmānō. Angēbant ingentis spīritūs virum¹³
Sicilia Sardiniaque āmissae;¹⁴ nam et Siciliam nimis celerī dēspērā-
tiōne rērum concessam et Sardiniam inter mōtum Āfricae fraude
Rōmānōrum, stīpendiō etiam īnsuper impositō, interceptam.
20   II. Hīs ānxius cūrīs ita sē Āfricō bellō, quod fuit sub¹⁵ recentem
Rōmānam pācem, per quīnque annōs, ita deinde novem annīs in
Hispāniā augendō Pūnicō imperiō gessit ut appārēret maius eum
quam quod gereret agitāre in animō bellum et, sī diūtius vīxisset,
Hamilcare duce, Poenōs arma Italiae illātūrōs fuisse,¹⁶ quī Hannibalis
25 ductū intūlērunt.
      Mors Hamilcaris peropportūna¹⁷ et pueritia Hannibalis distulērunt
bellum. Medius Hasdrubal inter patrem ac fīlium octō fermē annōs
imperium obtinuit.
      III. In Hasdrubalis locum haud dubia rēs fuit quīn praerogātīvam¹⁸
30 mīlitārem, quā extemplō iuvenis Hannibal in praetōrium dēlātus im-
perātorque ingentī omnium clāmōre atque assēnsū appellātus erat,
favor plēbis sequerētur.

---

⁴ *Mars,* the god of war, *was impartial.*
⁵ Preposition with the accusative: *nearer.*
⁶ i.e., **indignantibus.**
⁷ Impersonal: *they, the conquered, had been ruled.*
⁸ *coaxing,* with dative.
⁹ When some of Carthage's mercenary troops revolted.
¹⁰ *there,* i.e., to Spain.
¹¹ He was so small that he had to be lifted up.
¹² Presumably some of the sacred utensils, like touching the Bible today.
¹³ Hamilcar.
¹⁴ *the loss of Sicily and Sardinia;* literally, *Sicily and Sardinia lost.* This was a
    favorite form of expression of Livy. The loss of the islands took place after
    the First Punic War.
¹⁵ *just after.*
¹⁶ *would have brought;* contrary-to-fact conclusion in indirect discourse.
¹⁷ Of course from the Roman point of view.
¹⁸ *first choice of the soldiers.*

393. HANNIBAL'S VIRTUES AND VICES

IV. Missus Hannibal in Hispāniam prīmō statim adventū omnem exercitum in sē convertit; Hamilcarem iuvenem redditum sibi veterēs mīlitēs crēdere; [1] eundem vigōrem in vultū vimque in oculīs, habitum ōris līneāmentaque intuērī.[1] Dein brevī [2] effēcit ut pater in sē [3] minimum mōmentum [4] ad favōrem conciliandum esse. Numquam ingenium 5 idem ad rēs dīversissimās, pārendum [5] atque imperandum, habilius [6] fuit. Itaque haud facile discernerēs [7] utrum imperātōrī an exercituī cārior esset; neque Hasdrubal alium quemquam praeficere mālle [1] ubi quid fortiter ac strēnuē agendum esset, neque mīlitēs aliō duce plūs cōnfīdere aut audēre.[1] Plūrimum audāciae ad perīcula capessenda, 10 plūrimum cōnsiliī inter ipsa perīcula erat. Nūllō labōre aut corpus fatīgārī aut animus vincī poterat. Calōris ac frīgoris patientia pār; cibī potiōnisque dēsīderiō nātūralī, nōn voluptāte modus fīnītus; vigiliārum somnīque nec diē nec nocte discrīmināta tempora: id quod gerendīs rēbus [8] superesset quiētī datum; ea neque mollī strātō neque 15 silentiō accersita; multī saepe mīlitārī sagulō opertum humī iacentem inter custōdiās statiōnēsque mīlitum cōnspexērunt. Vestītus nihil [9] inter aequālēs excellēns, arma atque equī cōnspiciēbantur. Equitum peditumque īdem longē prīmus erat; prīnceps in proelium ībat, ultimus, cōnsertō proeliō, excēdēbat. Hās tantās virī virtūtēs ingentia vitia 20 aequābant: inhūmāna crūdēlitās, perfidia plūs quam Pūnica,[10] nihil vērī, nihil sānctī, nūllus deum metus, nūllum iūs iūrandum, nūlla religiō. Cum hāc indole virtūtum atque vitiōrum trienniō sub Hasdrubale imperātōre meruit, nūllā rē quae agenda videndaque magnō futūrō ducī [11] esset praetermissā. 25

---

[1] Historical infinitive (**490**, 5).   [2] Supply **tempore.**
[3] *the father in him,* i.e., *his likeness to his father.*
[4] *impulse.*   [5] *obeying and commanding.*
[6] *more suitable.*   [7] *could you distinguish* (**482**, 20).
[8] *from doing things;* dative with **superesset.**   [9] *not at all.*
[10] **Pūnica fidēs** was proverbial in the sense of **perfidia.** The Romans said the same of the Greeks.
[11] Dative of agent with **videnda.**

394. HORACE

The Augustan Age was the greatest in Roman literature, producing such writers as Virgil, Horace, Ovid, Livy, Tibullus, and Propertius. It was to Roman literature what the Age of Pericles was to Athens and the Elizabethan Age to England. Horace (Q. Horatius Flaccus) was one of the glories of the Augustan Age. He is famous for his *Odes, Satires,* and *Epistles.* The charm of his writing, described in antiquity as **cūriōsa fēlīcitās,** "happy turns of expression worked out with great care," is a notable characteristic. In the following poem we have an ode in which he draws a moral lesson from an adventure. Remember that this is poetry, not history, that the lesson he draws is not based on fact but is true only in a poetic sense. The other selection, part of a longer poem, is a fable to be applied to human beings: the simple life of the country is to be preferred to the elaborate luxury of city life.

Mt. Soracte, of whose snowy top Horace wrote in a famous poem.

395. *Integer Vītae*

Integer vītae scelerisque pūrus [1]
nōn eget Maurīs iaculīs neque arcū
nec venēnātīs gravidā sagittīs,
    Fusce, pharetrā,

sīve per Syrtīs [2] iter aestuōsās,   5
sīve factūrus per inhospitālem
Caucasum vel quae loca fābulōsus
    lambit Hydaspēs.[3]

Namque mē silvā lupus in Sabīnā,
dum meam cantō Lalagēn [4] et ultrā   10
terminum cūrīs vagor expedītīs,
    fūgit inermem,[5]

quāle portentum neque mīlitāris
Dauniās [6] lātīs alit aesculētīs
nec Iubae tellūs [7] generat, leōnum   15
    ārida nūtrīx.

Pōne mē pigrīs [8] ubi nūlla campīs
arbor aestīvā recreātur aurā,
quod latus mundī [9] nebulae malusque
    Iuppiter [10] urget.   20

Pōne sub currū nimium propinquī
sōlis in terrā domibus [11] negātā:
dulce rīdentem Lalagēn amābō,
    dulce loquentem.

                  (*Od.* I, 22)

---

[1] *upright in* (literally, *of*) *life and free from crime.*
[2] Quicksands on the coast of northern Africa.
[3] A river in India.
[4] Accusative, name of his sweetheart.
[5] Note the contrast: the wolf ran away though Horace was unarmed.
[6] Apulia, where Horace was born.
[7] Juba land is Mauritania in northern Africa.
[8] *frozen;* literally, *sluggish* (from cold).
[9] = **latus mundī quod.**
[10] Jupiter is god of the sky; therefore this means a dark, cloudy sky.
[11] *denied to* (*human*) *habitation* on account of the heat.

396. The City Mouse and His Country Cousin [1]

80   Rūsticus urbānum mūrem mūs paupere fertur
      accēpisse cavō, veterem vetus hospes amīcum,[2]
      asper et attentus quaesītīs,[3] ut tamen artum
      solveret hospitiīs animum. Quid multa? Neque ille
      sēpositī ciceris nec longae invīdit [4] avēnae,
85   āridum et ōre ferēns acinum sēmēsaque lardī
      frūsta dedit, cupiēns variā fastīdia cēnā
      vincere tangentis male [5] singula dente superbō;
      cum pater ipse [6] domūs paleā porrēctus in hōrnā [7]
      ēsset [8] ador [9] loliumque,[9] dapis meliōra relinquēns.
90   Tandem urbānus ad hunc, "quid tē iuvat," inquit, "amīce,
      praeruptī [10] nemoris patientem vīvere dorsō? [11]
      Vīs [12] tū hominēs urbemque ferīs praepōnere silvīs?
      Carpe viam, mihi crēde, comes; terrestria quandō
      mortālīs animās vīvunt sortīta, neque ūlla est
95   aut magnō aut parvō lētī fuga: quō, bone, circā,[13']
      dum licet, in rēbus iūcundīs vīve beātus,
      vīve memor quam sīs aevī brevis." Haec ubi dicta
      agrestem pepulēre,[14] domō levis exsilit; inde
      ambō prōpositum peragunt iter, urbis aventēs
100   moenia nocturnī subrēpere. Iamque tenēbat
      nox medium caelī spatium, cum pōnit uterque
      in locuplēte domō vēstīgia, rubrō ubi coccō
      tīncta super lectōs candēret vestis eburnōs,

---

[1] This fable is meant to show how much the simple life of the country is to be preferred to city luxury.

[2] Note the word order: first **rūsticus mūs** "embraces" **urbānum mūrem,** then **veterem amīcum** surrounds **vetus hospes.**

[3] He was "tight" (**artum**) and attentive to gain but he did not stint hospitality.

[4] *begrudge*, with genitive.

[5] *hardly touching the items.*

[6] *the host*, i.e., the country mouse.

[7] *this year's straw.* They used straw mattresses in the country, filled with fresh straw every year.

[8] From **edō,** *eat.*

[9] *spelt*, an old-fashioned wheat, and *darnel*, a weed.

[10] *steep.*

[11] *ridge.*

[12] *Won't you.*

[13] With **quō** = *therefore.*

[14] *affected, influenced.*

Cave canem!—this ancient Roman dog in Lyons, France, may be a Molossian.

multaque dē magnā superessent fercula [15] cēnā,
quae procul [16] exstrūctīs inerant hesterna [17] canistrīs.   105
Ergō ubi purpureā porrēctum in veste locāvit
agrestem, velutī succīnctus [18] cursitat hospes
continuatque dapēs, nec nōn vernīliter ipsīs
fungitur officiīs, praelambēns omne quod affert.
Ille cubāns gaudet mūtātā sorte bonīsque   110
rēbus agit [19] laetum convīvam, cum subitō ingēns
valvārum strepitus lectīs excussit utrumque.
Currere [20] per tōtum pavidī conclāve, magisque
exanimēs trepidāre, simul [21] domus alta Molossīs [22]
personuit canibus. Tum rūsticus, "haud mihi vītā   115
est opus hāc," ait et "valeās; me silva cavusque
tūtus ab īnsidiīs tenuī sōlābitur ervō."

(*Sat.* II, 6, 80–117)

[15] *courses.*
[16] *to one side.*
[17] *of the evening before.* It was after midnight when they got into the house.
[18] (*his tunic*) *pulled up,* like a servant (**vernīliter).** He even stuck his fingers in everything and then licked them (**praelambēns).**
[19] *acts, plays,* with dependent accusative.
[20] Historical infinitive; actually it indicates haste.
[21] *as soon as, when.*
[22] Large, fierce dogs.

271

The two mules of our poem, from an old book of the fables of La Fontaine, the seventeenth-century French poet.

397. PHAEDRUS

Fables, which are part of folklore, were passed on by word of mouth. The Greek writer Aesop wrote some of them down; his fables are still famous and have been translated into many languages. The Roman Phaedrus translated them into Latin verse during the Age of Augustus. For a long time fables of Phaedrus, and versions of them, were the ones generally known, until in modern times Aesop was again translated.

398. *Mūlī Duo et Raptōrēs*

Mūlī gravātī sarcinīs ībant duo:
ūnus ferēbat fiscōs [1] cum pecūniā,
alter tumentēs multō saccōs hordeō.[2]

---

[1] *money bags.*   [2] *barley.*

Ille onere dīves celsā cervīce ēminet
clārumque collō iactat tintinnābulum;   5
comes quiētō sequitur et placidō gradū.
Subitō latrōnēs ex īnsidiīs advolant
interque caedem ferrō mūlum sauciant,
dīripiunt nummōs, neglegunt vīle hordeum.
Spoliātus igitur cāsūs cum flēret suōs: 10
"Equidem," inquit alter, "mē contemptum gaudeō,
nam nīl āmīsī nec sum laesus vulnere."
    Hōc argumentō tūta est hominum tenuitās; [3]
Magnae perīclō [4] sunt opēs obnoxiae.[5]

(II, 7)

399. Lupus ad Canem

Quam dulcis sit lībertās breviter prōloquar.
Canī perpāstō [1] maciē cōnfectus lupus
forte occucurrit. Dein salūtātum [2] invicem
ut [3] restitērunt: "Unde sīc, quaesō, nitēs?
Aut quō cibō fēcistī tantum corporis?   5
Ego, quī sum longē fortior, pereō fame."
Canis simpliciter: "Eadem est condiciō tibi,
Praestāre dominō sī pār officium potes."
"Quod?" inquit ille. "Custōs ut sīs līminis,
ā fūribus tueāris et noctū domum."   10
"Ego vērō sum parātus; nunc patior nivēs
imbrēsque in silvīs asperam vītam trahēns.
Quantō est facilius mihi sub tēctō vīvere,
et ōtiōsum largō satiārī cibō!"
"Venī ergō mēcum." Dum prōcēdunt, aspicit   15
lupus ā catēnā collum dētrītum canī.[4]
"Unde hoc, amīce?" "Nihil est." "Dīc, quaesō, tamen."
"Quia videor ācer, alligant mē interdiū,
lūce ut quiēscam, et vigilem nox cum vēnerit;
crepusculō [5] solūtus, quā vīsum est [6] vagor.   20
Affertur ultrō pānis; dē mēnsā suā
dat ossa dominus; frūsta iactant familia

---

[3] *poverty.*　　　　[4] For **perīculō.**　　　[5] *subject to.*

---

[1] *well fed.*　　　[2] Supine (**491,** *a*): *to greet each other.*
[3] *when.*　　　　[4] *for the dog;* we would say *of.*
[5] *at twilight.*　　[6] *wherever I like.*

et quod fastīdit quisque pulmentārium.[7]
Sīc sine labōre venter implētur meus."
25 "Age, abīre sī quō est animus, est licentia?"
"Nōn plānē est," inquit. "Fruere quae laudās, canis;
rēgnāre nōlō, līber ut [8] nōn sim mihi."

(III, 7)

400. Soror et Frāter

Praeceptō monitus saepe tē cōnsīderā.[1]
Habēbat quīdam fīliam turpissimam
īdemque īnsignem pulchrā faciē fīlium.
Hī, speculum in cathedrā mātris ut positum fuit,
5 puerīliter lūdentēs forte īnspexērunt.
Hic sē formōsum iactat; illa īrāscitur
nec glōriantis [2] sustinet frātris iocōs,
accipiēns quippe cūncta in contumēliam.[3]
Ergō ad patrem dēcurrit laesūra [4] invicem
10 magnāque invidiā crīminātur fīlium,
vir nātus quod rem fēminārum tetigerit.[5]
Amplexus ille utrumque et carpēns ōscula
dulcemque in ambōs cāritātem partiēns;
"cotīdiē," inquit, "speculō vōs ūtī volō;
15 tū fōrmam nē corrumpās nēquitiae malīs;
tū faciem ut istam mōribus vincās bonīs."

(III, 8)

401. Dē Vitiīs Hominum

Pērās [1] imposuit Iuppiter nōbīs duās:
propriīs replētam vitiīs post tergum dedit,
aliēnīs [2] ante pectus suspendit gravem.
Hāc rē vidēre nostra mala nōn possumus;
5 aliī simul [3] dēlinquunt, cēnsōrēs sumus.

(IV, 10)

---

[7] *whatever food anyone doesn't like.*
[8] *on condition that.*

---

[1] *look at yourself.*   [2] *boasting brother.*
[3] *as an insult* (to herself).   [4] *to hurt* (her brother).
[5] *because, though born a man, he touched women's things* (i.e., mirrors).

---

[1] *sacks.*   [2] Supply **vitiīs.**   [3] *as soon as.*

A fourteenth-century manuscript of Seneca's letters, now in Florence.

402. SENECA

Seneca the Younger wrote verse tragedies which had a great influence on Shakespeare and other Elizabethan writers, and philosophical works in prose, in which he preached Stoic doctrines. These too had a wide influence.

Seneca was Nero's tutor and later became his adviser, in effect his prime minister during the first five "golden years," as they were called, of Nero's reign. Then Nero forced Seneca to commit suicide and started on his mad course.

The following selections are from Seneca's letters to his friend Lucilius. They are not really letters, but essays.

403. Read Intensively, Not Extensively

Illud autem vidē, nē ista lēctiō auctōrum multōrum et omnis generis volūminum habeat aliquid vagum et īnstabile. Certīs ingeniīs [1] immorārī et innūtrīrī oportet, sī velīs aliquid trahere quod in animō

---

[1] i.e., books written by geniuses.

fidēliter sedeat. Nusquam est quī ubīque est. Vītam in peregrīnātiōne
5 exigentibus hoc ēvenit, ut multa hospitia habeant, nūllās amīcitiās.
Idem accidat necesse est hīs quī nūllīus sē ingeniō familiāriter appli-
cant, sed omnia cursim et properantēs trānsmittunt. Nōn prōdest cibus
nec corporī accēdit quī statim sūmptus ēmittitur. Nihil aequē sāni-
tātem impedit quam remediōrum crēbra mūtātiō. Nōn venit vulnus ad
10 cicātrīcem in quō medicāmenta temptantur.[2] Nōn convalēscit planta
quae saepe trānsfertur. Nihil tam ūtile est ut in trānsitū [3] prōsit: dis-
tringit librōrum multitūdō. Itaque cum legere nōn possīs quantum
habuerīs, satis est habēre quantum legās. "Sed modo," inquis, "hunc
librum ēvolvere volō, modo illum." Fastīdientis stomachī est multa
15 dēgustāre, quae ubi varia sunt et dīversa, inquinant, nōn alunt. Pro-
bātōs itaque semper lege, et sī quandō ad aliōs dīvertī libuerit, ad
priōrēs redī; aliquid cotīdiē adversus paupertātem, aliquid adversus
mortem auxiliī comparā, nec minus adversus cēterās pestēs. Et cum
multa percurreris, ūnum excerpe quod illō diē concoquās.[4] Hoc ipse
20 quoque faciō: ex plūribus quae lēgī aliquid apprehendō. Hodiernum
hoc est quod apud Epicūrum nānctus sum (soleō enim et in aliēna
castra trānsīre, nōn tamquam trānsfuga, sed tamquam explōrātor): [5]
"Honesta," inquit, "rēs est laeta paupertās." Illa vērō nōn est paupertās,
sī laeta est; cui cum paupertāte bene convenit,[6] dīves est. Nōn quī
25 parum habet, sed quī plūs cupit, pauper est. (*Epist.* 2, 2–6)

404. The Proper Treatment of Slaves[1]

Libenter ex hīs quī ā tē veniunt cognōvī familiāriter tē cum servīs
tuīs vīvere. Hoc prūdentiam tuam, hoc ērudītiōnem decet. "Servī
sunt." Immō hominēs. "Servī sunt." Immō contubernālēs. "Servī sunt."
Immō humilēs amīcī. "Servī sunt." Immō cōnservī. Itaque rīdeō istōs
5 quī turpe exīstimant cum servō suō cēnāre. Quārē? Nisi quia superbis-
sima cōnsuētūdō cēnantī dominō stantium servōrum turbam circum-
dedit. Deinde eiusdem arrogantiae prōverbium iactātur: *totidem hostēs
esse quot servōs.* Nōn habēmus illōs hostēs sed facimus. Alius pre-
tiōsās avēs scindit: [2] per pectus et clūnēs certīs ductibus circumferēns

---

[2] i.e., wounds will not heal properly if you keep on applying medicines.
[3] *in transit*, i.e., when used only in passing.   [4] *can digest.*
[5] The Epicurean philosophers were enemies of the Stoics. Seneca goes to the
enemy camp, not as a deserter but as a spy.
[6] *he who is on good terms with poverty.*

---

[1] The Stoics believed that all men were born free and equal, and Seneca voices
that opinion here.   [2] The expert carver.

ērudītam manum frūsta excutit. Īnfēlīx quī huic ūnī reī vīvit, ut altilia 10
decenter secet; nisi quod miserior est quī hoc voluptātis causā docet
quam quī necessitātis [3] discit. Adice obsōnātōrēs,[4] quibus dominicī
palātī nōtitia subtilis est, quī sciunt cuius illum reī sapor excitet,[5] cuius
dēlectet aspectus, cuius novitāte nausiābundus ērigī possit, quid iam
ipsā satietāte fastīdiat, quid illō diē ēsuriat.[6] Cum hīs cēnāre nōn 15
sustinet et maiestātis suae dīminūtiōnem putat ad eandem mēnsam
cum servō suō accēdere. Vīs tū [7] cōgitāre istum quem servum tuum
vocās, ex iīsdem sēminibus ortum, eōdem fruī caelō, aequē spīrāre,
aequē vīvere, aequē morī? Nōlō in ingentem mē locum immittere et
dē ūsū servōrum disputāre, in quōs superbissimī, crūdēlissimī, con- 20
tumēliōsissimī sumus. Haec tamen praeceptī meī summa est: sīc cum
īnferiōre vīvās quemadmodum tēcum superiōrem [8] velīs vīvere. Quotiēns in mentem venerit quantum tibi in servum liceat, veniat in
mentem tantundem in tē dominō tuō licēre. Vīve cum servō clēmenter,
comiter quoque, et in sermōnem illum admitte et in cōnsilium et in 25
convīctum. Nē illud quidem vidētis quam [9] omnem invidiam maiōrēs
nostrī dominīs, omnem contumēliam servīs dētrāxerint? Dominum
patrem familiae appellāvērunt, servōs, familiārēs. Īnstituērunt diem
fēstum, nōn quō sōlō cum servīs dominī vēscerentur, sed quō utique
honōrēs illīs in domō gerere, iūs dīcere permīsērunt et domum pusillam 30
rem pūblicam esse iūdicāvērunt. Quid ergō? Omnēs servōs admovēbō
mēnsae meae? Nōn magis quam omnēs līberōs. Errās sī exīstimās mē
quōsdam quasi sordidiōris operae reiectūrum, ut putā [10] illum mū-
liōnem et illum bubulcum: nōn ministeriīs illōs aestimābō, sed mōribus.
Sibi quisque dat mōrēs: ministeria cāsus [11] assignat. Nōn est, mī Lūcilī, 35
quod amīcum tantum in forō et in cūriā quaerās; sī dīligenter atten-
deris, et domī inveniēs. "Servus est." Sed fortasse līber animō. "Servus
est." Hoc illī nocēbit? Ostende quis nōn sit: alius libīdinī servit, alius
avāritiae, alius ambitiōnī, omnēs timōrī. (*Epist.* 47, 1–2, 5–6, 8,
10–11, 13–17)

[3] Supply **causā.**
[4] *The ones who go to market,* who must know all about the master's taste.
[5] *the taste of what thing will tempt the master.*
[6] *what he is hungry for.*
[7] *Won't you.*
[8] *your master.* We all have masters.
[9] *how.*
[10] *for example.*
[11] *chance assigns their jobs.*

The Greek theater in Taormina, Sicily, with Mt. Aetna in the distance. The theater was reconstructed by the Romans in the second century A.D.

405. PETRONIUS

Petronius, who lived in the age of Nero, wrote a novel telling of the adventures of three rascals as they wandered about southern Italy, constantly getting into difficulties through cheating, stealing, and similar activities. Unfortunately much of the novel has been lost, but we do have the description of a dinner party given by an extremely rich self-made man, whose education left much to be desired. In the following selection the host, Trimalchio, boasts of his collection of antiques.

Quam [1] cum Agamemnōn [2] propius cōnsīderāret, ait Trimalchiō: "Sōlus sum quī vēra Corinthia habeam." Exspectābam ut prō [3] reliquā īnsolentiā dīceret sibi vāsa Corinthō [4] afferrī. Sed ille melius et "forsitan," inquit, "quaeris quārē sōlus Corinthia vēra possideam. Quia
5 scīlicet aerārius [5] ā quō emō Corinthus vocātur.[6] Quid est autem Corinthium nisi quis Corinthum [7] habeat? Et nē mē putētis nesapium [8] esse, valdē bene sciō unde prīmum Corinthia nāta sint. Cum Īlium captum est, Hannibal, homō vafer et magnus stēliō,[9] omnēs statuās aēneās et aureās et argenteās in ūnum rogum congessit et eās incendit.[10]
10 Factae sunt in ūnum aera miscellānea.[11] Ita ex hāc māssā fabrī sustulērunt et fēcērunt catilla [12] et parapsidēs [12] et statuncula. Sīc Corinthia nāta sunt, ex omnibus in ūnum, nec hoc nec illud." (50, 2–6)

[1] A platter made of Corinthian ware, a kind of bronze, the secret of whose composition had been lost. Therefore genuine Corinthian was rare and expensive.   [2] One of the guests.
[3] *in accordance with.*   [4] *from Corinth,* a city in Greece.   [5] *worker in bronze.*
[6] This recalls the fact that many people used to be taken in by products stamped "Made in USA." The Japanese named a city Usa, so that products made there could legitimately be said to have been manufactured in USA—not, of course, in the U. S. A.
[7] *has a Corinthus (to make it).*   [8] *nit-wit,* a slang word.   [9] *rascal.*
[10] Straighten out Trimalchio's history and mythology for him.
[11] The grammar is as hopeless as the history: *into one miscellaneous mass.*
[12] *dishes.*

406. QUINTILIAN

The school teacher M. Fabius Quintilianus (ca. 35–96 A.D.) has left us a famous textbook on teaching, called *Institutio Oratoria, Introduction to Public Speaking*. How could a textbook on public speaking be a textbook on teaching? Because most teaching, especially at the higher levels, prepared for law and a public career, and therefore involved public speaking. This passage deals with the education of the young.

Mihi ille dētur puer quem laus excitet, quem glōria iuvet, quī victus fleat. Hic erit alendus ambitū, hunc mordēbit obiurgātiō, hunc honor excitābit, in hōc dēsidiam numquam verēbor. Danda est tamen omnibus aliqua remissiō,[1] nōn sōlum quia nūlla rēs est quae perferre possit continuum labōrem, atque ea quoque quae sēnsū et animā carent, ut 5 servāre vim suam possint, velut quiēte alternā retenduntur,[2] sed quod studium discendī voluntāte, quae cōgī nōn potest, cōnstat.[3] Itaque et vīrium plūs afferunt ad discendum renovātī ac recentēs et ācriōrem animum, quī ferē necessitātibus[4] repugnat. Nec me offenderit lūsus in puerīs (est et hoc signum alacritātis). Modus tamen sit remissiōnibus, 10 nē aut odium studiōrum faciant negātae[5] aut ōtiī cōnsuētūdinem nimiae.[5] Sunt etiam nōnnūllī acuendīs puerōrum ingeniīs nōn inūtilēs lūsūs, cum positīs invicem cuiusque generis quaestiunculīs aemulantur.[6] Mōrēs quoque sē inter lūdendum simplicius dētegunt. (I, 3, 7–12)

---

[1] *relaxation.*   [2] *are relaxed by alternating rest periods, so to speak.*
[3] *is based on willingness.*
[4] *fights against requirements.*
[5] *if denied . . . if excessive.*
[6] Two sides vie in answering questions.

A juggler; a terracotta statuette of the second century B.C., now in a Berlin museum.

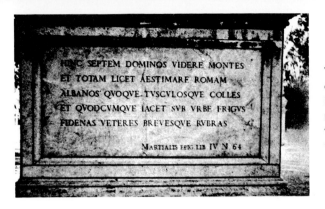

The base of this monument quotes a poem of Martial telling of the fine view from this point of the Janiculum Hill: the seven hills, all of Rome, the Alban Hills. This view is still one of the finest in Rome.

407. MARTIAL

The first century A.D. was the Spanish century of Latin literature. As at an earlier date Catullus, Virgil, Livy, and others had come from Cisalpine Gaul (nothern Italy), so now we have the two Senecas, Lucan, Martial, and Quintilian from Spain. Martial is famous for his epigrams; in fact, it was he who gave the word epigram its present meaning—a short poem with a clever point, sometimes not revealed until the last word.

1. Petit Gemellus nūptiās Marōnillae
   et cupit et īnstat et precātur et dōnat.
   Adeōne pulchra est? Immō foedius nīl est.
   Quid ergō in illā petitur et placet? Tussit.[1]

   (I, 10)

2. Nōn amo tē, Sabidī, nec possum dīcere quārē;
   hoc tantum possum dīcere, nōn amo tē.[2]

   (I, 32)

3. Nūper erat medicus, nunc est vispillo [3] Diaulus;
   quod vispillo facit, fēcerat et medicus.

   (I, 47)

4. Vērōna doctī syllabās amat vātis,[4]
       Marōne [5] fēlīx Mantua est,
   cēnsētur Aponī [6] Līviō suō tellus
       Stēllaque [7] nec Flaccō [7] minus,
5   Apollodōrō [8] plaudit imbrifer Nīlus,

---

[1] The point is in the last word; do you need to have it explained?
[2] Cf. **389.**   [3] *undertaker.*
[4] Catullus.   [5] Virgil.
[6] Aponus was a spring near Padua, Livy's birthplace.
[7] Unknown contemporary writer from Padua.
[8] Another unknown.

Nāsōne Paelignī [9] sonant,
duōs Senecās ūnicumque Lūcānum
  fācunda loquitur [10] Corduba,[11]
gaudent iocōsae Caniō suō Gādēs,[12]
  Ēmerita [13] Deciānō meō: 10
tē, Liciniāne, glōriābitur nostra
  nec mē tacēbit Bilbilis.

                                  (I, 61)

5. "Rīdē, sī sapis, Ō puella, rīdē,"
    Paelignus, putō, dīxerat poēta; [14]
    sed nōn dīxerat omnibus puellīs.
    Vērum ut [15] dīxerit omnibus puellīs,
    nōn dīxit tibi; tū puella nōn es,   5
    et trēs [16] sunt tibi, Maximīna, dentēs,
    sed plānē piceīque buxeīque.[17]
    Quārē sī speculō mihīque crēdis,
    dēbēs nōn aliter timēre rīsum
    quam ventum Spanius manumque Prīscus,[18]   10
    quam crētāta [19] timet Fabulla nimbum,
    cērussāta [20] timet Sabella sōlem.
    Vultūs indue tū magis sevērōs
    quam coniūnx Priamī nurusque [21] maior.
    Mīmōs rīdiculī Philistiōnis   15
    et convīvia nequiōra vītā [22]
    et quicquid lepidā procācitāte
    laxat perspicuō labella rīsū.
    tē maestae decet assidēre mātrī
    lūgentīque virum piumve frātrem,   20

---

[9] Ovid's birthplace was Sulmo, in the country of the Paeligni.
[10] *speaks of.*   [11] Now Cordova in Spain.
[12] Now Cadiz, Spain, once famous for its dancing girls; hence **iocōsae.**
[13] Merida.   [14] Ovid.
[15] *grant that.*   [16] (*only*) *three.*
[17] *black and brown;* literally, *like fir and boxwood.*
[18] Spanius fears that the wind might disarrange his carefully combed hair; Priscus did not want to have his toga disturbed. It was quite an art to get one's toga set just right.
[19] *powdered;* literally, *chalked.*
[20] *painted with white lead,* which would darken in the sun. Cosmetics were not so good in those days.
[21] The wife of Priam was Hecuba; the daughter-in-law, Andromache. They led sad lives.   [22] Verb.

et tantum tragicīs vacāre Mūsīs.
at tū iūdicium secūta nostrum
plōrā, sī sapis, Ō puella, plōrā.

(II, 41)

6. Hanc tibi, Fronto pater, genetrīx Flācilla, puellam [23]
    ōscula [24] commendō dēliciāsque meās,
    parvula nē nigrās horrēscat Erōtion umbrās
    ōraque Tartareī [25] prōdigiōsa canis.
5   Implētūra fuit sextae modo frīgora brūmae,
    vīxisset totidem [26] nī minus illa diēs.
    Inter tam veterēs lūdat lascīva patrōnōs
    et nōmen blaesō garriat ōre meum.
    Mollia nōn rigidus caespes tegat ossa nec illī,
10   terra, gravis fuerīs: [27] nōn fuit illa tibi.

(V, 34)

7. Vītam quae faciant beātiōrem,
    iūcundissime Martiālis,[28] haec sunt:
    rēs [29] nōn parta labōre sed relīcta,[30]
    nōn ingrātus ager, focus perennis,
5   līs numquam, toga rāra, mēns quiēta,
    vīrēs ingenuae,[31] salūbre corpus,
    prūdēns simplicitās, parēs amīcī,
    convīctus facilis, sine arte [32] mēnsa,
    nox nōn ēbria sed solūta cūrīs,
10   nōn trīstis torus et tamen pudīcus,
    somnus quī faciat brevēs tenebrās,
    quod sīs esse velīs [33] nihilque mālīs,
    summum nec metuās diem nec optēs.

(X, 47)

---

[23] Unlike most of the epigrams of Martial, this one accords with the early Greek sense of an epitaph; it is about a little girl named Erotion, *Lovey*, similar to *Mabel*, from *Amabilis*. He asks his father and mother, now in the Lower World, to take care of the girl.

[24] In apposition with **puellam:** *sweetheart.*

[25] *of Tartarus*, referring to Cerberus.   [26] i.e., six.

[27] A variant of the formula found on hundreds of Roman tombstones: **sit tibi terra levis.**

[28] Not the poet but a friend by the same name.

[29] *property.*   [30] *left, inherited.*

[31] *suitable for a "gentleman,"* not an athlete or a working man.

[32] *plain, not fancy.*

[33] *wish to be what you are and prefer nothing else.*

Psyche discovers Cupid.

408. APULEIUS

Apuleius was born in northern Africa about 125 A.D. His greatest work was the *Metamorphoses,* in which he tells the charming story of Cupid and Psyche. Psyche was so beautiful that, human though she was, she made the goddess Venus jealous. So Venus told her son Cupid to marry her off to some impossible man. But Cupid fell in love with her and married her, though remaining invisible. With the aid of a lamp, Psyche discovered that her husband was very handsome. But then her troubles began, for she was punished by Venus. Finally Cupid appealed to Jupiter, and everything ended happily with a marriage in heaven.

Nec mora,[1] cum cēna nūptiālis affluēns exhibētur. Accumbēbat summum torum marītus, Psȳchēn gremiō suō complexus. Sīc et cum suā Iūnōne Iuppiter ac deinde per ōrdinem tōtī[2] deī. Tunc, dum pōculum nectaris, quod vīnum deōrum est, Iovī quidem suus pōcillātor,[3] ille rūsticus puer, cēterīs vērō Līber ministrābat, Vulcānus 5 cēnam coquēbat, Hōrae rosīs et cēterīs flōribus purpurābant omnia, Grātiae spargēbant balsama, Apollō cantābat ad citharam, Mūsae quoque canōra personābant, Venus suāvī mūsicae superingressa[4] fōrmōsa saltāvit, scaenā sibi sīc concinnātā ut Mūsae quidem chorum canerent et tībiās īnflārent, Satyrus et Pāniscus ad fistulam dīcerent. 10 Sīc rītē Psȳchē convenit in manum Cupīdinis et nāscitur illīs mātūrō partū fīlia, quam Voluptātem nōmināmus. (*Met.* VI, 23)

---

[1] *without delay;* literally, (*there is*) *no delay when.*

[2] For **omnēs.** This became common in spoken Latin. So French *tout,* Spanish *todo,* meaning *all,* are derived from **tōtus.**

[3] *cupbearer,* referring to Ganymede.   [4] *coming in to the music.*

The emperor Hadrian in marble and gold. The colossal bust is in the Villa Borghese; the coin tells of his being consul for the third time, and p(ater) p(atriae).

409. HADRIAN

The historian Spartianus, in the collection of biographies of emperors called *Scriptores Historiae Augustae,* tells us that on his deathbed the emperor Hadrian, who died in 138, composed these verses about his soul:

> Animula [1] vagula, blandula,
> hospes comesque corporis,
> quae nunc abībis in loca [2]
> pallidula, rigida, nūdula,
> nec, ut solēs, dabis iocōs.
>
> (25)

5

---

[1] Note the diminutives (of affection) from **anima, vaga, blanda, pallida, nūda**. **Anima** is not merely *soul* in our sense, but *life, the breath of life.*

[2] The Lower World is pictured as dark, cold, and bare.

410. MACROBIUS

About the year 400 Macrobius wrote a book called *Saturnalia,* somewhat similar to the *Attic Nights* of Aulus Gellius. A group of cultured men meet on the Saturnalia and discuss literary and historical subjects. They get to talking about Cicero's jokes. Macrobius found these in a Cicero jokebook prepared by Cicero's secretary Tiro. The purpose of the book was to supply material for public speakers.

Sed mīror omnēs vōs ioca tacuisse [1] Cicerōnis, in quibus fācundissimus, ut in omnibus, fuit. Cicerō, cum apud Damasippum cēnāret, et ille, mediocrī [2] vīnō positō, dīceret: "Bibite Falernum [3] hoc; annōrum quadrāgintā est," "Bene," inquit, "aetātem fert." [4]

Īdem cum Lentulum, generum suum, exiguae statūrae hominem, 5 longō gladiō accīnctum vīdisset, "Quis," inquit, "generum meum ad gladium alligāvit?"

Nec Q. Cicerōnī frātrī pepercit. Nam cum in eā prōvinciā quam ille [5] rēxerat vīdisset imāginem eius [6] ingentibus līneāmentīs usque ad pectus ex mōre pictam (erat autem Quīntus ipse statūrae parvae), ait: 10 "Frāter meus dīmidius [7] maior est quam tōtus."

In cōnsulātū Vatīniī, quem paucīs diēbus [8] gessit, notābilis Cicerōnis urbānitās circumferēbātur. "Magnum ostentum," [9] inquit, "annō Vatīniī factum est, quod, illō cōnsule, nec brūma nec vēr nec aestās nec autumnus fuit." 15

Querentī deinde Vatīniō, quod gravātus esset [10] ad sē īnfirmum venīre, respondit: "Voluī in cōnsulātū tuō venīre, sed nox mē comprehendit."

Pompeius Cicerōnis facētiārum impatiēns fuit. Cum Cicerō ad Pompeium [11] vēnisset, dīcentibus [12] sērō eum vēnisse respondit: 20 "Minimē sērō vēnī: nam nihil hīc parātum videō." Deinde interrogantī Pompeiō ubi gener eius Dolābella [13] esset, Cicerō respondit: "Cum socerō tuō." (II, 3)

---

[1] Transitive: *have kept silent about the jokes.*
[2] In the sense of the English derivative *mediocre.*
[3] An excellent brand of wine.
[4] *It doesn't show its age.*   [5] Marcus Cicero.   [6] Quintus.
[7] The painting showed the bust but was larger than the whole of the real Quintus.
[8] Ablative of time and extent of time are sometimes confused. Here we expect the accusative.   [9] *miracle.*   [10] *Cicero had been reluctant.*
[11] During the Civil War Cicero did not join Pompey at once.
[12] *those saying* (dative).
[13] Pompey, knowing that Dolabella had joined Caesar, reproaches Cicero for having a relative on the other side. Cicero neatly reminds Pompey that he (Pompey) was the son-in-law of Caesar.

411. THE VULGATE

The Vulgate is the Latin translation of the Bible made by Jerome (Hieronymus) before and after the year 400. He translated the Old Testament from the Hebrew and the New Testament from the Greek. Jerome's translation is still the accepted version used in the Catholic Church. The following selection is from the first chapter of Genesis.

In prīncipiō creāvit Deus caelum et terram.

Terra autem erat inānis et vacua, et tenebrae erant super faciem abyssī; et Spīritus Deī ferēbātur super aquās.

Dīxitque Deus: "Fīat lūx." Et facta est lūx.

5 Et vīdit Deus lūcem quod [1] esset bona, et dīvīsit lūcem ā tenebrīs.

Appellāvitque lūcem diem, et tenebrās noctem; factumque est vespere et māne, diēs ūnus.

Dīxit quoque Deus: "Fīat firmāmentum in mediō aquārum; et dīvidat aquās ab aquīs."

10 Et fēcit Deus firmāmentum dīvīsitque aquās quae erant sub firmāmentō ab hīs quae erant super firmāmentum. Et factum est ita.

Vocāvitque Deus firmāmentum caelum; et factum est vespere et māne, diēs secundus.

Dīxit vērō Deus: "Congregentur aquae quae sub caelō sunt in 15 locum ūnum, et appāreat ārida." Et factum est ita.

Et vocāvit Deus āridam terram, congregātiōnēsque aquārum appellāvit maria. Et vīdit Deus quod esset bonum.

Et ait: "Germinet terra herbam virentem et facientem sēmen, et lignum pōmiferum faciēns frūctum iūxtā genus suum, cuius sēmen in 20 sēmetipsō [2] sit super terram." Et factum est ita.

Et prōtulit terra herbam virentem et facientem sēmen iūxtā genus suum, lignumque faciēns frūctum et habēns ūnumquodque [3] sēmentem secundum speciem suam. Et vīdit Deus quod esset bonum.

Et factum est vespere et māne, diēs tertius.

25 Dīxit autem Deus: "Fīant lūmināria in firmāmentō caelī, et dīvidant diem ac noctem, et sint in [4] signa et tempora et diēs et annōs,

Ut lūceant in firmāmentō caelī et illūminent terram." Et factum est ita.

Fēcitque Deus duo lūmināria magna: lūmināre maius ut praeesset [5] 30 diēī, et lūmināre minus ut praeesset noctī, et stēllās.

Et posuit eās in firmāmentō caelī ut lūcērent super terram. (I, 1–17)

---

[1] *that.* In later Latin indirect statement was expressed by a **quod** clause instead of the infinitive.

[2] *in itself.*   [3] *each one.*

[4] *for.*   [5] *rule.*

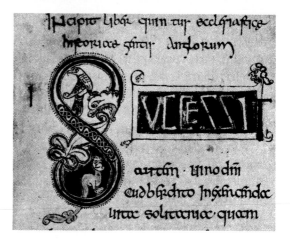

The beginning of the fifth book of Bede's history in a manuscript of the eighth century. It is in the British Museum, London.

412. BEDE

Bede was an Englishman who lived in the seventh century. The best of his writings is the *Historia ecclesiastica gentis Anglorum,* for which he has been called the father of English history. The selection that follows tells about the conversion of Britain to Christianity.

Nec silentiō praetereunda opīniō [1] quae dē beātō Gregoriō trāditiōne maiōrum ad nōs usque perlāta est; quā vidēlicet ex causā admonitus tam sēdulam ergā salūtem nostrae gentis cūram gesserit. Dīcunt quia [2] diē quādam cum, advenientibus nūper mercātōribus, multa vēnālia in forum fuissent collāta, multī ad emendum cōnflūxissent, et ipsum Gregorium inter aliōs advēnisse ac vīdisse inter alia puerōs vēnālēs positōs [3] candidī corporis ac venustī vultūs, capillōrum quoque fōrmā ēgregiā. Quōs cum aspiceret, interrogāvit, ut aiunt, dē quā regiōne vel terrā essent allātī. Dictumque est quia dē Britanniā īnsulā, cuius incolae tālis essent aspectūs. Rūrsus interrogāvit utrum īdem īnsulānī Chrīstiānī an pāgānīs adhūc errōribus essent implicātī. Dictum est quod essent pāgānī. At ille, intimō ex corde longa trahēns suspīria: "Heu, prō dolor!" [4] inquit, "quod tam lūcidī vultūs hominēs tenebrārum auctor [5] possidet, tantaque grātia frontispiciī [6] mentem ab internā grātiā [7] vacuam gestat!" Rūrsus ergō interrogāvit quod esset vocābulum gentis illīus. Respōnsum est quod Anglī vocārentur. At ille: "Bene," inquit; "nam et angelicam habent faciem, et tālēs angelōrum in caelīs decet esse cohērēdēs. Quod habet nōmen ipsa prōvincia dē quā istī sunt allātī?" Respōnsum est

---

[1] *story.*

[2] Indirect statement in the indicative or subjunctive, introduced by **quod** or **quia,** became the regular thing in medieval Latin. Note that the infinitive is also used in this sentence.　　[3] *placed* there for sale as slaves.

[4] *O grief.* **Prō** is an interjection, sometimes spelled **prōh,** very common in the Middle Ages.　　[5] *the author of darkness* is, of course, the Devil.

[6] *such beauty of an exterior.*　　[7] In the Christian sense of *grace.*

20 quod Deīrī vocārentur īdem prōvinciālēs. At ille: "Bene," inquit, "Deīrī; dē īrā ērutī, et ad misericordiam Chrīstī vocātī. Rēx prōvinciae illīus quōmodō appellātur?" Respōnsum est quod Aellī dīcerētur. At ille allūdēns ad nōmen ait: "Allēlūia, laudem Deī Creātōris, illīs in partibus oportet cantārī."

25 Accēdēnsque ad pontificem Rōmānae et apostolicae sēdis [8] (nōndum enim erat ipse pontifex factus), rogāvit ut gentī Anglōrum in Britanniam aliquōs verbī [9] ministrōs per quōs ad Chrīstum converterētur mitteret; sē ipsum parātum esse in hoc opus, Dominō cooperante, perficiendum, sī tamen apostolicō papae hoc ut fieret placēret. Quod 30 dum perficere nōn posset, quia, etsī pontifex concēdere illī quod petierat voluit, nōn tamen cīvēs Rōmānī ut tam longē ab urbe sēcēderet potuēre permittere; mox ut ipse pontificātūs officiō [10] fūnctus est, perfēcit opus diū dēsīderātum. (II, 1)

413. PAULUS DIACONUS

Paul the Deacon was a Lombard from northern Italy who lived in the eighth century. He was a Benedictine monk of the famous monastery of Monte Cassino. The following selection is from his history of the Lombards.

Haud ab rē esse arbitror paulisper nārrandī ōrdinem postpōnere, et quia adhūc stilus [1] in Germāniā vertitur, mīrāculum quod illīc apud omnēs celebre habētur, seu [2] et quaedam alia breviter intimāre. In extrēmīs circium versus [3] Germāniae fīnibus, in ipsō ōceanī lītore, 5 antrum sub ēminentī rūpe cōnspicitur, ubi septem virī, incertum ex quō tempore, longō sōpitī sopōre quiēscunt, ita illaesīs nōn sōlum corporibus sed etiam vestīmentīs, ut ex hōc ipsō, quod sine ūllā per tot annōrum curricula corruptiōne perdūrant, apud indocilēs eāsdem et barbarās nātiōnēs venerātiōne habeantur. Hī dēnique, quantum ad 10 habitum spectat, Rōmānī esse cernuntur. Ē quibus dum ūnum quīdam cupiditāte stimulātus vellet exuere,[4] mox eius, ut dīcitur, bracchia āruērunt,[5] poenaque sua [6] cēterōs perterruit nē quis eōs ulterius contingere audēret. (I, 4)

---

[8] The noun *see* is derived from this.   [9] *the word (of God).*
[10] 590–604 A.D.

---

[1] **stilus vertitur** literally means *my stilus is turned* (for erasure) but here means *my pen is engaged.*   [2] with **et**: *and also.*
[3] *toward the northwest.* Dissyllabic prepositions often follow the noun.
[4] *strip, take off his clothes.*   [5] *dried up, withered.*
[6] For **eius,** common in medieval Latin.

414. CAESAR OF HEISTERBACH

Caesar was a monk in the monastery of Heisterbach, near Bonn, in the thirteenth century. He wrote a book of miracles, of which the following is one.

In ecclēsiā sānctī Simeōnis diōcēsis Trēverēnsis [1] scholāris parvulus erat. Hic cum diē quādam, datā eī māteriā [2] ā magistrō suō, versūs ex eā compōnere nequīret trīstisque sedēret, sōlī sīc sedentī diabolus in speciē hominis appāruit. Cui cum dīceret: "Quid dolēs, puer, quid sīc trīstis sedēs?" respondit puer: "Magistrum meum timeō, quia de 5 themate quod ab eō recēpī versūs compōnere nequeō." Et ille: "Vīs mihi facere hominium [3] et ego versūs tibi compōnam?" Puerō vērō nōn intelligente quod inimīcus omnium diabolus tenderet ad malum suum, respondit: "Etiam, [4] domine, parātus sum facere quicquid iusseris, dum modo versūs habeam et nōn vāpulem." Nesciēbat enim 10 quis esset. Porrēxit eī manum, hominium eī faciēns. Ā quō continuō versūs dictātōs in tabulīs accipiēns, dictātōrem amplius nōn vīdit.

Quōs [5] cum tempore congruō magistrō suō redderet, ille versuum excellentiam mīrātus expāvit, dīvīnam, nōn hominis, in illīs cōnsīderāns scientiam. Quī ait: "Dīc mihi, quis tibi dictāvit hōs versūs?" 15 Dīcente puerō, "Ego, magister," et ille omnīnō, dum nōn crēderet, immō puerum dīligentius īnstāret interrogātiōnis verbum saepius repetēns, cōnfessus est puer omnia secundum ōrdinem quae gesserat. Tunc ait magister: "Fīlī, malus ille versificātor fuit, scīlicet diabolus," et adiēcit: "Cārissime, paeniteat tē sēductōrī illī hominium fēcisse?" 20 Respondente puerō: "Etiam, magister," ait ille: "Modo abrenūntiā diabolō et hominiō eius et omnibus pompīs eius et omnibus eius operibus." Et fēcit sīc. Magister autem superpellicī [6] eius manicās abscīdēns diabolō iactāvit dīcēns: "Hae manicae tuae sunt, hominum sēductor, nīl aliud in hāc deī creātūrā possidēbis." Statimque raptae sunt 25 manicae cōram [7] omnibus et fulminātae [8] sunt, corpore tamen puerī incorruptō. Haec mihi dicta sunt ā quōdam priōre Trēverēnsis ecclēsiae. (II, 14)

[1] *of Treves.*
[2] *subject, theme.*
[3] *homage,* a promise to carry out his wishes.
[4] *yes.*
[5] i.e., the verses.
[6] *surplice,* an outer garment: *cutting off the sleeves from the surplice.*
[7] Preposition with ablative: *in the presence of.*
[8] *were struck by lightning.*

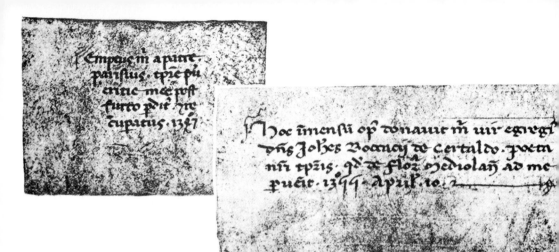

Petrarch's handwriting. *Left:* Petrarch states that this book was bought by his father in Paris. Later it was stolen and recovered in 1347. *Right:* Petrarch says that Boccaccio brought this big book to him in Milan from Florence in 1355.

415. PETRARCH

Petrarch (1304–1374) was born at Arezzo, Italy, but early in life he went to southern France. He is most famous for his Italian poems but he wrote far more in Latin, including his letters. He had a great enthusiasm for the ancient classics and awakened other people's interest in them. Cicero was one of his favorite authors.

Petrarch searched far and wide for copies of the classics. He played a very important part in starting the movement called the Renaissance, which, in the first instance, meant a revival of interest in the classics.

416. *The Craving for Books*

Ūna inexplēbilis cupiditās mē tenet, quam frēnāre hāctenus nec potuī certē nec voluī; mihi enim interblandior [1] honestārum rērum nōn inhonestam esse cupīdinem. Exspectās audīre morbī genus? Librīs satiārī nequeō. Et habeō plūrēs forte quam oportet; sed sīcut in
5 cēterīs rēbus, sīc et in librīs accidit: quaerendī successus avāritiae calcar est. Quīn immō, singulāre quiddam in librīs est: aurum, argentum, gemmae, purpurea vestis, marmorea domus, cultus ager, pictae tabulae, cēteraque id genus,[2] mūtam habent et superficiāriam voluptātem; librī medullitus [3] dēlectant, colloquuntur, cōnsulunt et
10 vīvā quādam nōbīs atque argūtā familiāritāte iunguntur, neque sōlum

---

[1] *I flatter myself.*   [2] *other things of this sort.*
[3] *to the heart, deep within* (adverb).

sēsē lēctōribus quisque suīs īnsinuat, sed et aliōrum nōmen ingerit
et alter alterius dēsīderium facit. Ac nē rēs egeat exemplō, Mārcum
mihi Varrōnem cārum et amābilem Cicerōnis *Acadēmicus*[4] fēcit;
Enniī nōmen in *Officiōrum* librīs audīvī; prīmum Terentiī amōrem
ex *Tusculānārum quaestiōnum* lēctiōne concēpī.   15

Sunt quī librōs, ut cētera, nōn ūtendī studiō cumulent, sed habendī
libīdine, neque tam ut ingeniī praesidium, quam ut thalamī ōrnāmentum. Ammōnicus Serēnus bibliothēcam habuisse memorātur sexāgintā duo librōrum mīlia continentem, quōs omnēs Gordiānō minōrī,
quī tunc erat imperātor, amantissimō discipulō suō, moriēns relīquit; 20
quae rēs nōn minus illum quōdam modō quam imperium honestāvit.
Haec prō excūsātiōne vitiī meī prōque sōlāciō tantōrum comitum
dicta sint. Tū vērō, sī tibi cārus sum, aliquibus fīdīs et litterātīs virīs
hanc cūram impōnitō: Etrūriam perquīrant, religiōsōrum[5] armāria[6]
ēvolvant cēterōrumque studiōsōrum hominum, sī quid usquam ēmer- 25
geret lēniendae dīcam an[7] irrītandae sitī meae idōneum. Quōque
vigilantior fīās, scītō mē eāsdem precēs amīcīs aliīs in Britanniam
Galliāsque et Hispāniās dēstināsse. (*Fam.* III, 18)

417. To Marcus Tullius Cicero[1]

Ō Rōmānī ēloquiī summe parēns, nec sōlus ego sed omnēs tibi
grātiās agimus, quīcumque Latīnae linguae flōribus ōrnāmur; tuīs
enim prāta dē fontibus irrigāmus, tuō ducātū dīrēctōs,[2] tuīs suffrāgiīs
adiūtōs,[2] tuō nōs lūmine illūstrātōs ingenuē profitēmur; tuīs dēnique,
ut ita dīcam, auspiciīs ad hanc, quantulacumque est, scrībendī facul- 5
tātem ac prōpositum pervēnisse.

Quid dē vītā, quid dē ingeniō tuō sentiam, audīstī. Exspectās audīre
dē librīs tuīs, quaenam illōs excēperit fortūna, quam seu vulgō seu
doctiōribus probentur?[3] Exstant equidem praeclāra volūmina, quae
nē dīcam[4] perlegere, sed nec[5] ēnumerāre sufficimus. Fāma rērum 10
tuārum celeberrima atque ingēns et sonōrum nōmen; perrārī autem
studiōsī,[6] seu temporum adversitās seu ingeniōrum hebetūdō ac
sēgnitiēs seu, quod magis arbitror, aliō[7] cōgēns animōs cupiditās

---

[4] Title of a book by Cicero.   [5] *monks.*
[6] *shelves*   [7] *or shall I say.*

---

[1] Petrarch wrote to Cicero and other ancients as if they were still alive.
[2] With **nōs.**
[3] *how they are regarded by the common people and the more learned.*
[4] *not to say.*   [5] *not even.*
[6] Supply **sunt.**   [7] *in other directions.*

causa est. Itaque librōrum aliquī, nesciō quidem an irreparābiliter,
15 nōbīs tamen quī nunc vīvimus, nisi fallor, periēre; magnus dolor meus,
magnus saeculī nostrī pudor, magna posteritātis iniūria.

Reliquum est ut urbis Rōmae ac Rōmānae reī pūblicae statum
audīre velīs, quae patriae faciēs, quae cīvium concordia, ad quōs
rērum summa pervēnerit, quibus manibus quantōque cōnsiliō frēna
20 trāctentur imperiī; Histerne [8] et Gangēs, Hibērus, Nīlus et Tanais
līmitēs nostrī sint, an vērō quisquam surrēxerit "Imperium Ōceanō,
fāmam quī terminet astrīs." [9] Vērum enimvērō tacēre melius fuerit;
crēde enim mihi, Cicerō, sī quō in statū rēs nostrae sint audieris,
excident tibi lacrimae, quamlibet [10] vel caelī vel Erebī partem tenēs.
25 Aeternum valē. (*Fam.* XXIV, 4)

[8] *whether the Danube.*   [9] Virgil, *Aeneid* I, 287.   [10] *whatever.*

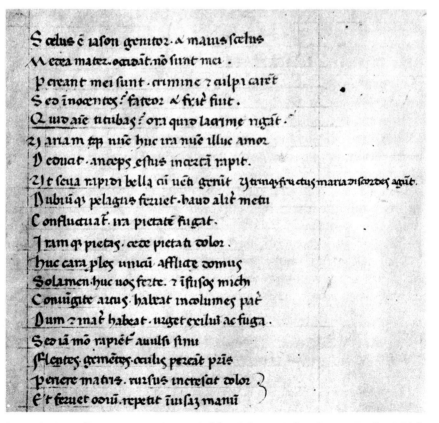

Seneca's Tragedies, a manuscript copied by Coluccio Salutati, now in the British
Museum, London.

292

418. COLUCCIO SALUTATI

Coluccio Salutati (1331–1406) was a busy man as chancellor of Florence for more than thirty years, but he still had time to follow in Petrarch's footsteps, becoming an eager reader of the ancient classics and interesting a large number of young men in them. Thus he founded the group of humanists who made Florence the center of the new learning and developed the great movement called the Renaissance. He was chiefly responsible for bringing the Greek teacher Manuel Chrysoloras to Florence in 1396, thus starting the study of Greek, largely unknown in the West before that time.

419. To Manuel Chrysoloras

. . . Nunc autem scītō mē tibi quod [1] in hāc urbe rēgiā Graecās doceās litterās salāriō pūblicō prōcūrāsse; [1] nec pigēbit, ut arbitror, mūtāsse caelum,[2] cum hīc et honōrābilem vītam et plūrimōs quī tē colent invēneris. Quid tē deceat quī tam ā longē [3] vocāris, Graecus in Italiam, Thrācius in Tusciam et Byzantius Flōrentiam, tū vidēbis.   5

420. The Defense of Poetry [1]

Vīdī nūper et rīsī, venerābilis in Chrīstō pater, litterās tuās quās mittis ad ēgregium virum Angelum Corbinellum, dīlēctissimum fīlium [2] meum, quibus eum mōre tuō cōnāris ā poēticīs et saeculāribus studiīs revocāre, vel, quō rēctius dīxerim,[3] dēterrēre. Quod an rēctē faciās tū vīderīs.[4] Vērum tē videō nōndum quaestiōnis terminōs intellegere 5 versārīque in illō tuae simplicitātis errōre, quō reputās ista nostra poētica grave et inexpiābile nefās esse et pernīciōsa mendācia. Quod sī vērum est, nec potest sub verbōrum cortice mendācium [5] latēre pūritās et integritās vēritātis, dīc, obsecrō, quō modō vērum est: "spīritus Dominī ferēbātur super aquas"; et illud: "dīxit Deus: 'fīat 10

---

[1] *that I have arranged that.*   [2] i.e., changed your home.
[3] *from so far away.*

---

[1] Many persons throughout the Middle Ages were convinced that the reading of pagan literature, especially poetry, was a great danger to the spiritual life. The chief argument against this attitude was that poetry was not to be understood literally, that it was allegorical. Coluccio defended poetry against several attacks, maintaining that one could be a good Christian and still enjoy poetry.
[2] Not literally.
[3] *to put it more correctly.*
[4] *that's up to you;* literally, *you see to it.*
[5] Adjective, from **mendāx.**

lūx' "; [6] et sescenta [7] tālia? Quō modō fertur enim, quod corporālium
est, "spīritus Dominī super aquās," quī prōrsus incorporeus est? Quō
modō: "dīxit Deus: 'fīat lūx' "; cum Deus nec ōs habeat nec linguam,
quae sunt necessāria membra īnstrūmentaque dīcentis? Vērum haec
15 aliās. Nunc autem, quō vidēre possīs liquidius vēritātem, ostendam
prius quid per poēticam intellegere dēbeāmus; cōnsequenter clārum
efficiam sacrās litterās dīvīnamque Scrīptūram nēdum [8] habēre cum
istā [9] commercium, sed vērē nihil esse nisi poēticam; tertiō vērō
quantum oportet annītar ostendere etiam fidēlibus Chrīstiānīs nōn esse
20 prohibendam gentīlium poētarum lēctiōnem; tandemque cōnābor ad
illa quae dīxerīs respondēre.

Quid inter istōs est cūr dēbeant prohibērī? Sciō legōque cotīdiē
apud Hieronymum, Ambrosium, et Augustīnum ēgregia philoso-
phōrum et ōrātōrum dicta carminaque poētarum, quae velut sīdus
25 aliquod inter trāctātūs illōs sānctissimōs ēminent et resplendent; quae
quidem tē nōn arbitror quasi crīmen aliquod condemnāre. Sī vēra,
sī sāncta, sī decōra pulchraque sunt apud istōs doctōrēs inventa et
ibi sine peccātō leguntur, cūr apud auctōrēs suōs dīcī dēbent nefāria
vel profāna? Cūr nōbīs prohibita, sī sacrīs doctōribus concessa sunt?

421. LEONARDO BRUNI [1]

Sī valēs, bene est; ego quidem valeō. Lēgī apud Nīcolāum [2] nostrum
litterās quās dē hāc ultimā profectiōne ac dē inventiōne quōrundam
librōrum scrīpsistī. Nec tantum dē iīs sed dē optimā spē quam prō
cēterōrum adeptiōne suscēpisse tē videō laetandum exīstimō. Erit prō-
5 fectō haec tua glōria, ut āmissa iam ac perdita excellentium virōrum
scrīpta tuō labōre ac dīligentiā saeculō nostrō restituās. Nec ea rēs
sōlum nōbīs grāta erit sed et posterīs nostrīs, id est studiōrum nos-
trōrum successōribus. Neque enim silēbuntur ista nec oblitterābuntur
sed exstābit memoriā haec [3] dūdum longō intervāllō perdita et iam
10 plānē dēplōrāta per tuam industriam recuperāta ac restitūta nōbīs
fuisse. Utque Camillus secundus ā Rōmulō conditor [4] dictus est, quod

---

[6] Coluccio's point is that these two passages from the Bible cannot be understood literally, that therefore poetry need not be so understood.
[7] We would say *thousand.*   [8] *not only.*   [9] i.e., poetry.

---

[1] Leonardo Bruni was a disciple of Coluccio. In this letter he writes to Poggio,
another of Coluccio's disciples, about Poggio's discoveries of manuscripts of
previously unknown authors and better manuscripts of other authors.
[2] Niccolò Niccoli was another disciple of Coluccio.
[3] i.e., **scrīpta.**   [4] *second founder (of Rome) after Romulus.*

ille [5] statuit urbem, hic āmissam restituit, sīc tū omnium quae iam āmissa tuā virtūte ac dīligentiā nōbīs restitūta fuerint secundus auctor meritō nuncupābere.

Quārē tē hortātum ōrātumque maximē velim, nē in hōc praeclārō 15 opere dēsideās, sed ērigās tē atque īnsistās. Nam reī pecūniāriae tenuitās nē tibi impedīmentō sit, nostra iam hīc prōvidentia erit, atque in hāc inventiōne tuā scītō maius lucrum factum esse quam tū sentīre videāris. Quīntiliānus enim prius lacer atque discerptus [6] cūncta membra sua per tē recuperābit. Vīdī enim capita librōrum; tōtus est, 20 cum vix nōbīs media pars et ea ipsa lacera superesset. Ō lucrum ingēns! Ō īnspērātum gaudium! Ego tē, Ō Mārce Fabī,[7] tōtum integrumque aspiciam? Ōrō tē, Poggī, fac mē quam cito huius dēsīderiī compotem, ut hunc prius vīderim quam ē vītā dēcēdam. Nam dē Ascōniō quidem et Flaccō,[8] licet uterque placeat, tamen nōn usque 25 adeō labōrandum exīstimō; quōrum sī neuter umquam fuisset, nihilō

[5] Romulus.
[6] The manuscripts of Quintilian previously known lacked portions of the text.
[7] Quintilian.
[8] Asconius wrote a commentary on some of Cicero's speeches. Valerius Flaccus was a poet.

A word square, or palindrome, which can be read backwards and up or down. Found in Cirencester, England.

ferē minus Latīnitās habēret. At Quīntiliānus, rhētoricae pater et ōrā-
tōriae magister, eius modī est, ut, cum tū illum diūturnō ac ferreō
barbarōrum carcere līberātum hūc mīseris, omnēs Etrūriae [9] populī
30 grātulātum [10] concurrere dēbeant; mīrorque tē et illōs quī tēcum erant
nōn statim in hunc [11] manūs avidās iniēcisse, sed leviōribus perscrī-
bendīs hunc posthabuisse,[12] quem ego post Cicerōnis *Dē rē pūblicā*
librōs plūrimum ā Latīnīs dēsīderātum et prae cūnctīs dēplōrātum
affirmāre ausim.
35   Proximum est, ut tē moneam, nē in iīs quae hīc habēmus tempus
terās, sed quae nōn habēmus conquīrās, quōrum maximē Varrōnis et
Cicerōnis opera tibi prōposita sint. Valē et mē amā. Flōrentiae, Īdibus
Septembr. MCCCCXVI.

422. *POGGIO BRACCIOLINI*[1]

   Sed quam temere persaepe ēveniunt quae nōn audeās optāre! ut
inquit Terentius noster. Fortūna quaedam fuit cum sua tum maximē
nostrā [2] ut, cum essēmus Cōnstantiae ōtiōsī, cupīdō incesseret videndī
eius locī quō ille [3] reclūsus tenēbātur. Est autem monastērium Sānctī
5 Gallī prope urbem hanc. Itaque nōnnūllī [4] animī [5] laxandī et simul
perquīrendōrum librōrum, quōrum magnus numerus esse dīcēbātur,
grātiā eō perrēximus. Ibi inter cōnfertissimam librōrum cōpiam, quōs
longum esset recēnsēre, Quīntiliānum comperimus adhūc salvum et
incolumem, plēnum tamen situ et pulvere squālentem. Erant enim nōn
10 in bibliothēcā librī illī, ut eōrum dignitās postulābat, sed in taeterrimō
quōdam et obscūrō carcere, fundō scīlicet ūnīus turris, quō nē capi-
tālis quidem reī damnātī [6] retrūderentur. Atquī ego prō certō exīstimō,
sī essent quī haec barbarōrum ergastula, quibus hōs dētinent virōs,[7]
rīmārentur ac recognōscerent mōre maiōrum, similem fortūnam ex-
15 pertūrōs in multīs.

---

[9] Tuscany, where Florence is situated, was the ancient Etruria.
[10] Supine: *to congratulate.*   [11] The Quintilian manuscript.
[12] *postponed this in favor of copying less important books.*

---

[1] Poggio was Coluccio's most important disciple, particularly famous for dis-
covering manuscripts, especially at the monastery of St. Gall in Switzerland,
which he visited while attending a church council at Constance, Germany.
He spent several years in England and helped spread the new gospel of
humanism (the reading of the classics) there. He was a papal secretary and,
like Bruni, chancellor of Florence.
[2] *not only his* (Quintilian's) *but especially mine,* with **fortūna.**
[3] Quintilian.   [4] *several (of us).*   [5] With **grātiā.**
[6] *not even those convicted of a capital crime.*   [7] i.e., their writings.

The Tarpeian rock on the Capitoline Hill, from which criminals were said to have been thrown.

423. The Ruins of Rome [1]

Nūper, cum pontifex Martīnus,[2] paulō antequam diem suum obīret,[3] ab urbe in agrum Tusculānum [4] sēcessisset valētūdinis grātiā, nōs autem essēmus negōtiīs cūrīsque pūblicīs vacuī, vīsēbāmus saepe dēserta urbis, Antōnius Luscus,[5] vir clārissimus, egoque, admīrantēs animō tum ob veterem collāpsōrum aedificiōrum magnitūdinem et 5 vāstās urbis antīquae ruīnās, tum ob tantī imperiī ingentem strāgem stupendam profectō ac dēplōrandam fortūnae varietātem: Cum autem cōnscendissēmus aliquandō Capitōlīnum collem, Antōnius obequitandō paulum fessus cum quiētem appeteret, dēscendentēs ex equīs cōnsēdimus in ipsīs Tarpeiae arcis [6] ruīnīs pōne [7] ingēns portae cuius- 10 dam, ut putō, templī marmoreum līmen plūrimāsque passim cōnfrāctās columnās, unde magnā ex parte prōspectus urbis patet.

Hīc Antōnius, cum aliquantum hūc illūc oculōs circumtulisset, suspīrāns stupentīque similis,[8] "Ō quantum," inquit, "Poggī, haec Capitōlia ab illīs distant quae noster Marō [9] cecinit,   15

      Aurea nunc, ōlim silvestribus horrida dūmīs!

---

[1] From Poggio's treatise *De varietate fortunae*.   [2] Pope Martin V (1417–1431).
[3] *met his day*, i.e., *died*.   [4] Tusculum was in the hills southeast of Rome.
[5] Antonio Loschi was still another of Coluccio's disciples.
[6] The Capitoline Hill, where the Tarpeian rock was.
[7] Preposition: *behind.*   [8] *like one who was stupefied.*
[9] Virgil, *Aeneid* VIII, 348.

297

Ēvolvās licet [10] historiās omnēs, omnia scrīptōrum monumenta per-
trāctēs, omnēs gestārum rērum annālēs scrūtēris, nūlla umquam
exempla mūtātiōnis suae maiōra fortūna prōtulit quam urbem Rōmam,
20 pulcherrimam ōlim ac magnificentissimam omnium quae aut fuēre aut
futūrae sunt.

Id vērō gravissimum et haud parvā cum admīrātiōne recēnsendum,
hunc Capitōliī collem, caput quondam Rōmānī imperiī atque orbis
terrārum arcem, quem omnēs rēgēs ac prīncipēs tremēbant, in quem
25 triumphantēs tot imperātōrēs ascendērunt, dōnīs ac spoliīs tot tantā-
rumque gentium ōrnātum flōrentemque ac ūniversō orbī spectandum,
adeō dēsōlātum atque ēversum et ā priōre illō statū immūtātum ut
vīneae in senātōrum subsellia successerint.

424. LORENZO VALLA [1]

Magnum Latīnī sermōnis sacrāmentum [2] est, magnum profectō
nūmen, quod apud peregrīnōs, apud barbarōs, apud hostēs sānctē ac
religiōsē per tot saecula custōdītur, ut nōn tam dolendum nōbīs
Rōmānīs [3] quam gaudendum sit atque, ipsō etiam terrārum orbe
5 exaudiente, glōriandum. Āmīsimus Rōmam, āmīsimus rēgnum, āmīsimus dominātum, tametsī nōn nostrā sed temporum culpā, vērum
tamen per hunc splendidiōrem dominātum [4] in magnā adhūc orbis
parte rēgnāmus. Nostra est Italia, nostra Gallia, nostra Hispānia,
Germānia, Pannonia, Dalmatia, Illyricum, multaeque aliae nātiōnēs.
10 Ibi namque Rōmānum imperium est ubicumque Rōmāna lingua
dominātur.

425. PIUS II (Enea Silvio Piccolomini) [1]

Rettulit mihi Nannēs, pater tuus, tē, dum puer adhūc forēs, mīrō
litterārum amōre fuisse incēnsum, postquam vērō ex ephēbīs [2] exces-
sistī, nēminem esse quī tibi amplius ut studeās queat persuādēre; quae
rēs nōn mīra tantum mihi sed stupenda fuit. Cēterī enim pueritiam
5 simul et stultitiam dēpōnunt, virīlem togam et prūdentiam induentēs.

---

[10] *though.*

---

[1] Lorenzo Valla (1407–1457) wrote a book on the Latin language.
[2] *sacred nature.*
[3] *by us Romans.*
[4] i.e., of the Latin language.

---

[1] Pope Pius II (1405–1464) giving advice to his nephew.
[2] *from boyhood.*

Tū contrā sapiēns puer, stultus vir cupis vidērī et barbam quasi umbrāculum [3] virtūtis recipis. Doleō certē tuī causā nec quid dē tē futūrum sit sciō. Iubet Cicerō ut quīlibet in adulēscentiā viam ēligat et genus vītae honestum quō ūtī dēbeat. Idem Herculēs factitāvit. Nam cum per quiētem [4] duae sibi mulierēs suprā hūmānam fōrmam venustae 10 appārērent et altera sibi voluptātem, labōrem altera prōmitteret, hanc secūtus est sciēns quod post labōrem praemium certāminis datur. Nec corōnātur, ut inquit apostolus, nisi quī lēgitimē certāverit. Tū vērō, ut audiō, vagārī vīs semper nec aliquod genus vītae honestum amplectī studēs. Litterās, quās puer amāstī, iam vir odiō habēs. Pudet mē tuī 15 causā. Nesciō enim quid esse possīs absque [5] litterīs, nisi asinus bipēs. Quid enim homō est absque doctrīnā quantumvīs [6] dīves, quantumvīs potēns? Quid inter hominem illitterātum et marmoream statuam interest? Nōn dux, nōn rēx, nōn imperātor alicuius pretiī est litterārum ignārus. 20

---

[3] umbrella.   [4] in sleep.   [5] without.   [6] no matter how.

Egyptian obelisk in the square of St. Peter, Rome. In about 40 A.D., the emperor Caligula had this monument taken from Heliopolis near Cairo and barged down the Nile. It was then loaded on a ship and sailed across the Mediterranean, transferred to another barge to get it up the Tiber, and re-erected in the Circus of Caligula and Nero, its original Roman site. A masterpiece of traffic engineering.

UNIT X

OVID

Apollo was the ancient god of eternal youth and beauty, and of music, and poetry. In art, he is typically shown as a beardless young man with long hair, and sometimes accompanied by a bow and arrow, an apple, a dolphin, a griffin, or a swan. He always wears a sprig of laurel in his hair, as seen in this painting by Claude Gellee (1600–1683), entitled *Apollo and Muses on Mount Helicon*. The Romans worshipped Apollo from as early as the Fifth Century B.C..

Museum of Fine Arts Boston

Augustus in cameo. Brown on bluish white. The jewel was found in Cyprus.

426. OVID

Publius Ovidius Naso was born in 43 B.C. in Sulmo, about ninety miles southeast of Rome. After studying law, Ovid began a career in public life, but soon turned away to give his full attention to the writing of poetry. He said of himself that he was unable to write prose, that every statement came out as poetry. He became the most cherished poet of the smart set, brilliant and witty and popular. At the age of fifty he was removed from his position as a poet of pleasure in cosmopolitan Rome by exile to Tomi on the Black Sea, where he died in 17 A.D. The reasons for his exile, resulting from the displeasure of the emperor Augustus, are still a mystery; the allusions Ovid makes to those reasons are couched in veiled terms.

In his earlier years Ovid was acclaimed for his love poems (*Amores, Ars Amatoria, Heroides*), but his greatest work was the *Metamor′phoses,* fifteen books of stories of transformation of animals, human beings, and inanimate objects into other forms. A work on the calendar, the *Fasti,* was left unfinished (six books, one for each month of the first half of the year), interrupted by exile. At Tomi Ovid wrote the *Tristia* and *Epistulae ex Ponto,* elegies with some pleas for recall.

The *Metamorphoses,* comprising 250 stories of changes, from the creation of the world out of chaos down to the transformation of Julius Caesar into a star, constitutes our main storehouse of Greek and Roman mythology. Ovid was an excellent poet technically, writing with grace, humor, and charm. He is one of the great poets of Rome.

427. POETIC WORD ORDER

The order of words in Latin poetry is even freer than in prose. Words that belong together are often widely separated. This is especially true of adjectives and their nouns. Note particularly the following points, illustrated by references to lines in the first selection, "Pyramus and Thisbe":

1. The order adjective—preposition—noun is common. Often a number of other words come between the adjective and the preposition. In such cases preposition and noun are likely to be at the end of the line. Cf. lines 100, 166.

2. An interlocking order, in which two or more phrases are involved, occurs frequently. A particular favorite is the use of two nouns

and two adjectives in all possible combinations. Cf. lines 57–58, 69–70, 81, 100, 104.

3. A verb or participle is particularly likely to come between adjective and noun. Cf. lines 57, 62, 81, 82, 83, 87.

4. Subjects and other words often precede the introductory word of the subordinate clauses to which they belong. Cf. lines 111, 147.

5. Coordinate conjunctions (**et, sed,** etc.) sometimes come second instead of first in their clauses.

6. Other remarkable characteristics are illustrated in the following lines: 64 **(magis tegitur, tēctus magis)**; 71 **(hinc Thisbē, Pȳramus illinc)**; 91–92 **(lūx . . . praecipitātur aquīs et aquīs nox exit)**; 117 **(dedit nōtae lacrimās, dedit ōscula vestī).**

428. READING LATIN VERSE

The rhythm of Latin verse does not depend on word accent as does that of English but on the length of syllables. The rules for determining the length of syllables are:

1. A syllable is *naturally* long if it contains a long vowel or a diphthong.

2. A syllable is long *by position* if it contains a short vowel followed by two or more consonants or the consonant **x (= cs).**

A mute **(p, b, t, d, c, g)** followed by a liquid **(l, r)** does not make a syllable long. There are occasional exceptions.

H is disregarded entirely. The combinations **qu** and **gu** (before a vowel) constitute one consonant; the **u** is disregarded.

In poetry a long syllable is treated as twice the length of a short syllable. Since a line of poetry is considered one long word, in a case like **is facit** the first word is a long syllable because the (short) vowel is followed by two consonants **(s, f).**

Several syllables are combined to form a foot. The dactyl is a foot consisting of a long syllable followed by two short syllables, written – ⌣ ⌣.[1] The spondee consists of two long syllables, – –. When a line contains six feet, it is called a hexameter. The *Metamorphoses* is written in the dactylic hexameter. A spondee may be substituted for a dactyl in every foot except the fifth, though occasionally a spondee is used even here. The sixth foot is always a spondee.[2] The beat is on the first syllable of each foot.

---

[1] Do not confuse this marking of syllables with the identical signs used in marking vowels.

[2] The last syllable is often short, but the "rest" at the end of the line fills out the foot.

429. Elision

If a word ends in a vowel or a vowel plus **m** and the next word begins with a vowel (or **h**), the first vowel disappears entirely (called "elision"; the vowel is said to be "elided"): **Quant(um) erat,** pronounced **Quanterat; nimi(um) est,** pronounced **nimiest: foribusqu(e) excēdere,** pronounced **foribusquexcēdere.**

430. Scansion

The first five lines of **431** are scanned (marked) to show the meter, as follows:

   ‒ ◡◡ | ‒ ‒ | ‒ ‒ | ◡◡ ‒ | ‒ ◡◡ | ‒ ‒
   Pȳramus | et This|bē, iuve|num pul|cherrimus | alter, |
   ‒ ◡◡ | ‒ ‒ | ‒ ‒ | ‒ ‒ | ‒ ◡◡ | ‒ ‒
   altera, | quās Ori|ēns habu|it, prae|lāta pu|ellīs, |
   ‒ ◡◡ ‒ | ◡◡ ‒ | ◡◡ ◡ | ‒ ‒ | ‒ ◡◡ | ‒ ‒
   contigu|ās tenu|ēre do|mōs, ubi | dīcitur | altam |
   ‒ ◡◡ ‒ | ‒ ‒ | ‒ ‒ | ‒ ◡◡ | ‒ ◡◡ | ‒ ‒
   coctili|bus mū|rīs cīn|xisse Se|mīramis | urbem. |
   ‒ ◡◡ | ‒ ‒ | ‒ ‒ | ◡◡ ‒ | ◡◡ ‒ | ‒ ‒
   Nōtiti|am prī|mōsque gra|dūs vī|cīnia | fēcit |

Stucco relief in the Underground Basilica, Rome, showing, left to right, palm trees, a pygmy, two men with a fallen jar, a woman feeding two dogs.

    Pȳramus et Thisbē, iuvenum pulcherrimus alter,   55
altera, quās [2] Oriēns habuit, praelāta puellīs,
contiguās tenuēre domōs, ubi dīcitur altam
coctilibus [3] mūrīs cīnxisse Semīramis [4] urbem.
Nōtitiam prīmōsque gradūs [5] vīcīnia fēcit,
tempore crēvit amor; taedae quoque iūre [6] coīssent,[7]   60
sed vetuēre patrēs. Quod nōn potuēre vetāre,
ex aequō captīs ārdēbant mentibus ambō.
Cōnscius omnis abest; nūtū signīsque loquuntur,
quōque [8] magis tegitur, tēctus [9] magis aestuat ignis.[10]
    Fissus erat [11] tenuī rīmā, quam dūxerat [12] ōlim   65
cum fieret, pariēs domuī commūnis utrīque.
Id vitium nūllī per saecula longa notātum
(quid nōn sentit amor?) prīmī vīdistis amantēs
et vōcis fēcistis iter; [13] tūtaeque per illud
murmure blanditiae minimō trānsīre solēbant.   70
Saepe, ubi cōnstiterant, hinc Thisbē, Pȳramus illinc,
inque vicēs fuerat captātus anhēlitus ōris,[14]
"Invide," dīcēbant, "pariēs, quid amantibus obstās?
Quantum erat [15] ut sinerēs tōtō nōs corpore iungī,
aut, hoc sī nimium est, vel ad ōscula danda patērēs! [16]   75
Nec sumus ingrātī; tibi nōs dēbēre fatēmur
quod [17] datus est verbīs ad amīcās trānsitus aurēs."

---

[1] This is the famous story of two lovers living in adjacent homes in ancient
Babylonia who were forbidden by their parents to see each other. Conversing
through a crack in the common wall between the two houses, they arranged
a secret meeting at night outside the city. Their trysting place was under a
mulberry tree. The metamorphosis in this story is the change in the color of
the fruit of the mulberry from white to red, from the blood of the young
people.

[2] The relative clause precedes the antecedent, **puellīs.**

[3] *of brick;* literally, *baked.*

[4] The queen and legendary founder of Babylon.   [5] i.e., *of love.*

[6] *in lawful wedlock;* literally, *by the law of the torch.* The bride was escorted
to her home in the evening by a procession of youths with torches.

[7] Contrary-to-fact condition.   [8] *the more.*

[9] Note the use of **tegō** in two different forms.

[10] This would not be true of a real fire.   [11] The subject is **pariēs.**

[12] *it had acquired.*   [13] *a passage for the voice.*

[14] *and each had heard the other's breathing.*   [15] *how small a thing it would be.*

[16] i.e., wide enough (from **pateō**).   [17] *the fact that.*

Thisbe fleeing from the lion. Ivory carving by Baldassare degli Embriachi, 1390–1400.

Tālia dīversā nēquīquam sēde locūtī
sub noctem [18] dīxēre, "Valē," partīque dedēre
80   ōscula quisque [19] suae nōn pervenientia contrā.
   Postera nocturnōs Aurōra remōverat ignēs,
sōlque pruīnōsās radiīs siccāverat herbās;
ad solitum coiēre locum. Tum murmure parvō
multa prius questī,[20] statuunt ut nocte silentī
85   fallere custōdēs foribusque excēdere temptent,[21]
cumque domō exierint, urbis quoque tēcta relinquant,[21]
nēve sit errandum lātō spatiantibus [22] arvō,
conveniant [21] ad busta Ninī [23] lateantque [21] sub umbrā
arboris: arbor ibī niveīs ūberrima pōmīs,
90   ardua mōrus,[24] erat gelidō contermina fontī.
Pācta placent; et lūx [25] tardē discēdere vīsa
praecipitātur aquīs [26] et aquīs nox exit ab īsdem.
Callida per tenebrās, versātō cardine,[27] Thisbē
ēgreditur fallitque suōs adopertaque vultum [28]
95   pervenit ad tumulum dictāque sub arbore sēdit.

[18] *at nightfall.*
[19] *each,* in apposition with the subject of **dedēre.**
[20] From **queror.**
[21] Volitive clause, object of **statuunt.**
[22] Modifies **eīs** understood, dative of agent: *that they need not wander at random.*
[23] Semiramis' husband.
[24] Feminine: *mulberry tree.*
[25] *daylight.*
[26] It was believed that the sun set in the ocean.
[27] *opening the door;* literally, *turning the hinge.*
[28] See **476,** 8.

Audācem [29] faciēbat amor. Venit ecce recentī
caede leaena boum [30] spūmantēs oblita [31] rictūs [32]
dēpositūra [33] sitim vīcīnī fontis in undā.
Quam procul ad lūnae radiōs Babylōnia Thisbē
vīdit et obscūrum timidō pede fūgit in antrum;   100
dumque fugit tergō [34] vēlāmina lāpsa relīquit.
Ut lea saeva sitim multā compescuit undā,
dum redit in silvās, inventōs forte sine ipsā [35]
ōre cruentātō tenuēs laniāvit amictūs.

　　Sērius ēgressus vēstīgia vīdit in altō   105
pulvere certa ferae tōtōque expalluit ōre
Pȳramus. Ut vērō vestem quoque sanguine tīnctam
repperit, "Ūna duōs," inquit, "nox perdet amantēs,
ē quibus illa fuit longā dignissima vītā;
nostra nocēns anima est. Ego tē, miseranda, perēmī,   110
in loca plēna metūs quī iussī nocte venīrēs [36]
nec prior hūc vēnī. Nostrum dīvellite corpus
et scelerāta ferō cōnsūmite vīscera morsū,
Ō quīcumque sub hāc habitātis rūpe, leōnēs!
Sed timidī [37] est optāre necem!" Vēlāmina Thisbēs [38]   115
tollit et ad pāctae sēcum fert arboris umbram.

---

[29] Supply **eam**.　　　[30] From **bōs**; genitive with **caede**.
[31] *smeared* (from **oblinō**).　　　[32] *jaws* (**476**, 8).
[33] Purpose: *to quench*.　　　[34] With **lāpsa**: *from her back*.
[35] i.e., Thisbe.
[36] Volitive noun clause (**482**, 5).
[37] Predicate genitive: *it is (the part of) a coward*.　　　[38] Genitive.

Pyramus falls on his sword. From the
same source.

Utque dedit nōtae [39] lacrimās, dedit ōscula vestī,
"Accipe nunc," inquit, "nostrī quoque sanguinis haustūs."
Quōque [40] erat accīnctus dēmīsit in īlia ferrum,
120   nec mora,[41] ferventī moriēns ē vulnere trāxit [42]
et iacuit resupīnus humō.[43] Cruor ēmicat altē,
nōn aliter [44] quam cum vitiātō fistula plumbō
scinditur et tenuī strīdente forāmine longās
ēiaculātur aquās atque ictibus āera rumpit.[44]
125   Arboreī fētūs aspergine [45] caedis in ātram
vertuntur faciem, madefactaque sanguine rādīx
purpureō tingit pendentia mōra colōre.
    Ecce metū nōndum positō, nē fallat amantem,
illa redit iuvenemque oculīs animōque requīrit,
130   quantaque vītārit nārrare perīcula gestit.[46]
Utque [47] locum et vīsā [48] cognōscit in arbore fōrmam,
sīc [47] facit incertam pōmī color: haeret an haec sit.
Dum dubitat, tremebunda videt pulsāre cruentum
membra solum [49] retrōque pedem tulit ōraque buxō [50]
135   pallidiōra gerēns exhorruit aequoris īnstar [51]
quod tremit exiguā cum summum [52] stringitur aurā.
Sed postquam remorāta suōs cognōvit amōrēs,[53]
percutit indignōs [54] clārō plangōre lacertōs
et laniāta comās amplexaque corpus amātum
140   vulnera supplēvit lacrimīs flētumque cruōrī
miscuit et gelidīs in vultibus ōscula fīgēns
"Pȳrame," clāmāvit, "quis tē mihi [55] cāsus adēmit?
Pȳrame, respondē! Tua tē cārissima Thisbē
nōminat; exaudī vultūsque attolle iacentēs!"
145   Ad nōmen Thisbēs oculōs ā morte gravātōs
Pȳramus ērēxit vīsāque recondidit illā.
Quae postquam vestemque suam cognōvit et ēnse [56]
vīdit ebur [57] vacuum, "Tua tē manus," inquit, "amorque

---

[39] Modifies **vestī**.   [40] = **quō** and **–que**; **ferrum** is the antecedent.
[41] Supply **est**.   [42] Supply **ferrum**.
[43] Ablative (instead of locative **humī**) : *on the ground.*
[44] *just as when a faulty lead water pipe splits and sends long (streams of) water through the small, hissing hole and bursts through the air with its jets.*
[45] *spray.*   [46] *is anxious.*   [47] *and although . . . yet.*
[48] *seen (before)*, with **arbore.**   [49] *ground.*   [50] *paler than boxwood.*
[51] *like the sea.*   [52] *surface.*   [53] *lover.*   [54] i.e., *they did not deserve a beating.*
[55] Dative of separation (**475,** 4).   [56] Ablative of separation with **vacuum.**
[57] *sheath;* literally, *ivory.*

perdidit, īnfēlīx. Est et mihi fortis in ūnum
hoc [58] manus; est et amor; dabit hic [59] in vulnera vīrēs.   150
Persequar exstīnctum [60] lētīque miserrima dīcar
causa comesque tuī; quīque ā mē morte revellī
heu sōlā poterās, poteris nec [61] morte revellī.
Hoc [62] tamen ambōrum verbīs estōte [63] rogātī,
Ō multum miserī meus illīusque parentēs,   155
ut quōs certus amor, quōs hōra novissima iūnxit,
compōnī tumulō nōn invideātis eōdem.
At tū quae rāmīs arbor [64] miserābile corpus
nunc tegis ūnīus, mox es tēctūra duōrum,
signa tenē caedis pullōsque et lūctibus aptōs   160
semper habē fētūs, geminī monumenta cruōris."
Dīxit et aptātō pectus mūcrōne sub īmum
incubuit ferrō, quod adhūc ā caede tepēbat.
Vōta tamen tetigēre deōs, tetigēre parentēs;
nam color in pōmō est, ubi permātūruit, āter,   165
quodque rogīs [65] superest, ūnā requiēscit in urnā.

(IV, 55–166)

[58] *for this one act.*
[59] The vowel is short, but the syllable is long because the word was once spelled
hicc.
[60] Supply **tē.**   [61] *not even.*   [62] Object of **rogātī.**
[63] Imperative second plural: *let me make this request;* literally, *be asked.*
[64] Prose order: **tū, arbor, quae.**
[65] Dative with **superest:** *and what remains from the pyres* (i.e., *the ashes*).

**Thisbe finds the dying Pyramus. From
the same source.**

432. MIDAS [1]

Quem [2] simul agnōvit [3] socium comitemque sacrōrum, [4]
95   hospitis adventū fēstum geniāliter ēgit
per bis quīnque diēs et iūnctās ōrdine noctēs.
Et iam stellārum sublīme coēgerat agmen
Lūcifer [5] ūndecimus, Lȳdōs cum laetus in agrōs
rēx venit et iuvenī Sīlēnum reddit alumnō. [6]
100   Huic deus optandī grātum sed inūtile fēcit
mūneris arbitrium, [7] gaudēns altōre [8] receptō.
Ille [9] male ūsūrus dōnīs ait, "Effice quicquid
corpore contigerō fulvum vertātur [10] in aurum."
Annuit optātīs [11] nocitūraque mūnera solvit
105   Līber [12] et indoluit quod nōn meliōra petīsset.
Laetus abit gaudetque malō Berecyntius hērōs [13]
pollicitīque fidem tangendō singula temptat.
Vixque sibī crēdēns, nōn altā [14] fronde virentem
īlice dētrāxit virgam: virga aurea facta est.
110   Tollit humō saxum: saxum quoque palluit aurō.
Contigit et glaebam: contāctū glaeba potentī
māssa fit. Ārentēs Cereris [15] dēcerpsit aristās:
aurea messis erat. Dēmptum tenet arbore pōmum:
Hesperidas [16] dōnāsse putēs. [17] Sī postibus altīs
115   admōvit digitōs, postēs radiāre videntur.
118   Vix spēs ipse suās animō capit, [18] aurea fingēns
omnia. Gaudentī [19] mēnsās posuēre ministrī
120   exstrūctās dapibus nec tostae frūgis egentēs. [20]
Tum vērō, sīve ille suā Cereālia dextrā
mūnera contigerat, Cereālia dōna rigēbant;

---

[1] Midas, king of Phrygia, helped restore to Bacchus his companion and attendant, the Satyr (half goat, half man) Silenus. In return for this service Bacchus offered Midas anything he desired.

[2] Bacchus.   [3] The subject is Midas.

[4] Midas was celebrating a festival.   [5] *day*.

[6] *foster son*, i.e., Bacchus.   [7] *free choice*.

[8] *foster father*.   [9] Midas.

[10] Supply **ut**.   [11] Supply **rēbus:** *his choice of gift*.

[12] Bacchus.   [13] Midas.

[14] Modifies **īlice**.   [15] *of Ceres*, the goddess of grain; therefore *grain*.

[16] Guardians of the tree bearing golden apples. Greek form of the accusative.

[17] *You would think*.   [18] *grasps*.   [19] Supply **eī**.

[20] *and not without bread;* literally, *not lacking baked grain*.

sīve dapēs avidō convellere dente parābat,
lāmina [21] fulva dapēs, admōtō dente, premēbat; [21]
miscuerat pūrīs auctōrem [22] mūneris undīs: 125
fūsile [23] per rictūs aurum fluitāre vidērēs.[23]
      Attonitus novitāte malī dīvēsque miserque
effugere optat opēs et quae modo vōverat ōdit.
Cōpia nūlla famem relevat; sitis ārida guttur
ūrit, et invīsō meritus torquētur ab aurō,   130
ad caelumque manūs et splendida bracchia tollēns,
"Dā veniam, Lēnaee [24] pater! Peccāvimus," inquit,
"sed miserēre, precor, speciōsōque ēripe [25] damnō."
Mīte deum [26] nūmen: Bacchus peccāsse fatentem
restituit factīque fidē [27] data mūnera solvit.[28]   135
"Nēve male optātō maneās circumlitus [29] aurō,
vāde," ait, "ad magnīs vīcīnum Sardibus amnem [30]
perque iugum Lȳdum lābentibus obvius undīs [31]
carpe viam, dōnec veniās ad flūminis ortūs.
Spūmigerōque tuum fontī, quā plūrimus exit,   140
subde caput corpusque simul, simul ēlue crīmen."
Rēx iussae succēdit aquae: vīs aurea tīnxit
flūmen et hūmānō dē corpore cessit in amnem.
Nunc quoque, iam veteris perceptō sēmine vēnae,[32]
arva rigent aurō [33] madidīs pallentia glaebīs.   145
      Ille perōsus opēs silvās et rūra colēbat
Pānaque [34] montānīs habitantem semper in antrīs.
Pingue [35] sed ingenium mānsit, nocitūraque, ut ante,
rūrsus erant dominō stultae praecordia mentis.[36]
Nam freta prōspiciēns lātē riget arduus altō   150
Tmōlus in ascēnsū clīvōque extēnsus utrōque
Sardibus hinc, illinc parvīs fīnītur Hypaepīs.

---

[21] *a golden layer covered the food.*
[22] *the author (giver) of the gift* (Bacchus), i.e., *wine.*
[23] *You might have seen liquid gold flowing over his jaws.*
[24] Vocative: *Bacchus.*   [25] Supply **mē** as object.
[26] Genitive plural.   [27] *a proof.*
[28] *removed the gift.*   [29] *smeared.*
[30] The Pactolus, a river of golden sands.
[31] *meeting the waters,* i.e., *going upstream.*
[32] *having received the seed of ancient vein.*
[33] With **madidīs.**   [34] Accusative singular.
[35] *fat,* i.e., *stupid.*   [36] **stultae praecordia mentis = stulta mēns.**

Pān ibi dum tenerīs iactat sua carmina nymphīs
et leve cērātā modulātur [37] harundine carmen,[37]
155 ausus Apollineōs prae [38] sē contemnere cantūs,
iūdice sub Tmōlō [39] certāmen vēnit ad impār.
        Monte suō senior iūdex cōnsēdit et aurēs
līberat arboribus. Quercū coma caerula tantum
cingitur, et pendent circum cava tempora glandēs.
160 Isque deum [40] pecoris spectāns, "In iūdice," dīxit,
"nūlla mora est." Calamīs agrestibus īnsonat ille
barbaricōque Midān [41] (aderat nam forte canentī)
carmine dēlēnit. Post hunc sacer ōra retorsit
Tmōlus ad ōs Phoebī; vultum sua silva secūta est.
165 Ille caput [42] flāvum laurō Parnāside vīnctus
verrit humum Tyriō saturātā mūrice pallā,
īnstrictamque fidem [43] gemmīs et dentibus Indīs
sustinet ā laevā,[44] tenuit manus altera plēctrum;
artificis status ipse fuit. Tum stāmina [45] doctō
170 pollice sollicitat, quōrum dulcēdine captus
Pāna iubet Tmōlus citharae [46] summittere cannās.
        Iūdicium sānctīque placet sententia montis
omnibus; arguitur [47] tamen atque iniūsta vocātur
ūnīus sermōne Midae. Nec Dēlius [48] aurēs
175 hūmānam stolidās patitur retinēre figūram,
sed trahit in spatium [49] vīllīsque albentibus implet
īnstabilēsque īmās [50] facit et dat [51] posse movērī.
Cētera sunt hominis; partem damnātur in ūnam [52]
induiturque [53] aurēs lentē gradientis asellī.
180 Ille quidem cēlāre cupit turpīque pudōre
tempora purpureīs temptat vēlāre tiārīs;
sed solitus longōs ferrō resecāre capillōs
vīderat hoc famulus; [54] quī cum nec prōdere vīsum

---

[37] *plays a song.* The pipes of Pan were reeds joined together by wax.
[38] *compared to himself.*   [39] Here the god of the mountain.
[40] Pan.   [41] Greek form of the accusative.
[42] See **476,** 8.   [43] *lyre.*
[44] *on the left* (*side*).   [45] *strings.*
[46] Dative.   [47] (*the judgment*) *is challenged.*
[48] Apollo.   [49] *lengthens them;* literally, *draws them into space.*
[50] *loose at the bottom.*   [51] *causes them.*
[52] *in respect to one part.*   [53] Middle voice (**486**).
[54] i.e., his servant saw it while cutting his hair.

312

A satyr, equipped with horns, long ears, and hoofs.

dēdecus audēret, cupiēns efferre sub aurās,[55]
nec posset reticēre tamen, sēcēdit humumque   185
effodit et, dominī quālēs aspexerit aurēs,
vōce refert parvā terraeque immurmurat haustae [56]
indiciumque suae vōcis, tellūre regestā,
obruit et scrobibus [57] tacitus discēdit opertīs.
Crēber harundinibus tremulīs ibi surgere lūcus   190
coepit et, ut prīmum plēnō mātūruit annō
prōdidit agricolam: [58] lēnī nam mōtus ab austrō
obruta verba refert dominīque coarguit aurēs.

(XI, 94–193)

---

[55] *in the open.*   [56] *dug out.*
[57] *hole.*   [58] i.e., the **famulus** (barber).

433. DAEDALUS [1]

Daedalus intereā, Crētēn [2] longumque perōsus
exsilium, tāctusque locī nātālis [3] amōre,
185 clausus erat pelagō. "Terrās licet," [4] inquit, "et undās
obstruat,[5] at [6] caelum certē patet; ībimus illāc.
Omnia possideat,[7] nōn possidet āera Mīnōs."

Dīxit, et ignōtās animum dīmittit [8] in artīs
nātūramque novat,[9] nam pōnit in ōrdine pennās,
190 ā minimā coeptās,[10] longam breviōre sequente,
ut clīvō crēvisse putēs; [11] sīc rūstica quondam
fistula [12] disparibus paulātim surgit avēnīs.
Tum līnō mediās et cērīs alligat īmās,
atque ita compositās parvō curvāmine flectit
195 ut vērās imitētur avīs. Puer Īcarus ūnā
stābat et, ignārus sua sē trāctāre perīcla,[13]
ōre renīdentī modo quās vaga mōverat aura
captābat plūmās, flāvam modo pollice cēram
mollībat,[14] lūsūque suō mīrābile patris
200 impediēbat opus. Postquam manus ultima [15] coeptō [16]
imposita est, geminās opifex lībrāvit [17] in ālās

---

[1] Daedalus, with his young son Icarus, had been imprisoned in the labyrinth to prevent his leaving Crete. Minos, king of Crete and father of the Minotaur, who was half man, half bull, to house whom Daedalus had built the labyrinth, was angry because Daedalus had helped in the escape of Theseus, the slayer of the Minotaur.   [2] Greek form of the accusative.   [3] Athens.
[4] *though.*   [5] Supply Minos as subject.   [6] *at least.*
[7] *although Minos possesses all things.*   [8] *directs.*
[9] *changes (the laws of) nature.*   [10] *beginning with the smallest.*
[11] *so that you would think they grew on a slope.*
[12] *a (shepherd's) pipe,* made of reeds.
[13] = **perīcula:** *not knowing that he was handling (things that were) dangerous to him.*   [14] = **molliēbat.**   [15] *final touch.*   [16] *(his) work.*   [17] *balanced.*

Theseus fighting the Minotaur. From a Greek vase of the sixth century B.C.

ipse suum corpus, mōtāque pependit in aurā.
Īnstruit et nātum, "Mediō" que "ut līmite currās,
Īcare," ait, "moneō, nē, sī dēmissior [18] ībis,
unda gravet pennās, sī celsior, ignis adūrat.   205
Inter utrumque volā. Nec tē spectāre Boōtēn [19]
aut Helicēn [19] iubeō strictumque Ōrīonis ēnsem:
mē duce, carpe viam." Pariter praecepta volandī
trādit et ignōtās umerīs accommodat ālās.
    Inter opus monitūsque genae [20] maduēre senīlēs,   210
et patriae tremuēre manūs; dedit ōscula nātō—
nōn iterum repetenda!—suō, pennīsque levātus
ante volat comitīque timet, velut āles, ab altō
quae teneram prōlem prōdūxit in āera nīdō,
hortāturque sequī [21] damnōsāsque ērudit artīs,   215
et movet ipse suās et nātī respicit ālās.
    Hōs aliquis, tremulā dum captat arundine piscīs,
aut pāstor baculō,[22] stīvāve [22] innīxus arātor,
vīdit et obstupuit, quīque aethera carpere [23] possent
crēdidit esse deōs. Et iam Iūnōnia laevā   220
parte Samos (fuerant Dēlosque Parosque relīctae),
dextra Lebinthus erat fēcundaque melle Calymnē,
cum puer audācī coepit gaudēre volātū
dēseruitque ducem caelīque cupīdine tāctus
altius ēgit iter; rapidī vīcīnia sōlis   225
mollit odōrātās, pennārum vincula, cērās.
Tābuerant cērae: nūdōs quatit ille lacertōs,
rēmigiōque [24] carēns nōn ūllās percipit aurās,[25]
ōraque caeruleā patrium clāmantia nōmen
excipiuntur aquā,[26] quae nōmen trāxit ab illō.[27]   230
    At pater īnfēlīx, nec iam pater, "Īcare," dīxit,
"Īcare," dīxit, "ubi es? Quā tē regiōne requīram?"
"Īcare," dīcēbat: pennās aspexit in undīs,
dēvōvitque suās artīs, corpusque sepulchrō
condidit. Et tellūs [28] ā nōmine dicta sepultī.   235

                    (VIII, 183–235)

---

[18] *too low.*   [19] Constellations. Greek form of the accusative.   [20] *cheeks.*
[21] *encourages him to follow.*   [22] *staff, plow;* ablatives with **innīxus.**   [23] *fly.*
[24] *wings;* literally, *rowing.*   [25] *does not take hold of the air.*
[26] *his mouth* (i.e., *voice*) *is drowned by the water.*   [27] The Icarian Sea.
[28] Icaria, an island near Samos.

434. NIOBE [1]

¹⁶⁵   Ecce venit comitum Niobē crēberrima [2] turbā,
vestibus intextō Phrygiīs spectābilis aurō
et, quantum īra sinit, fōrmōsa movēnsque decōrō
cum capite immissōs umerum per utrumque capillōs. [3]
Cōnstitit, utque oculōs circumtulit alta [4] superbōs,
¹⁷⁰ "Quis furor [5] audītōs," [6] inquit, "praepōnere vīsīs
caelestēs? Aut cūr colitur Lātōna per ārās,
nūmen adhūc sine tūre [7] meum est? Mihi Tantalus auctor, [8]
cui licuit sōlī superōrum tangere mēnsās;
Plēiadum soror est genetrīx [9] mea; maximus Atlās
¹⁷⁵ est avus, aetherium quī fert cervīcibus axem;
Iuppiter alter avus; socerō quoque glōrior illō. [10]
Mē gentēs metuunt Phrygiae, mē rēgia [11] Cadmī
sub dominā [12] est, fidibusque meī commissa [13] marītī
moenia cum populīs ā mēque virōque reguntur.
¹⁸⁰ In quamcumque domūs advertī lūmina partem
immēnsae spectantur opēs. Accēdit eōdem [14]
digna deā faciēs; hūc nātās adice septem
et totidem iuvenēs et mox generōsque nurūsque.
Quaerite nunc, habeat quam nostra superbia causam;
¹⁸⁵ nesciō quōque [15] audēte satam [16] Tītānida [16] Cōeō
Lātōnam praeferre mihī, cui maxima quondam
exiguam sēdem paritūrae [17] terra negāvit.

---

[1] Niobe, queen of Thebes, and beautiful mother of seven sons and seven daughters, feels that she is more worthy of honor and worship than Latona, the goddess mother of Apollo and Diana.

[2] *surrounded by a throng.*

[3] *tossing, along with her head, her hair flowing down on.*

[4] *tall, standing erect.*   [5] Supply **est.**

[6] *to prefer gods (merely) heard of to those (you have) seen.*

[7] *incense,* used in worship.   [8] *father.*

[9] Her mother was Dione, one of the Pleiades.

[10] Jupiter was also the father of Niobe's husband, Amphion.

[11] *royal palace.*   [12] With **mē.**

[13] *put together by the lyre.* The stones for the walls responded to the music of Amphion and arranged themselves.

[14] *There is in addition.*

[15] *some Coeus or other.* **Nesciō** here = two long syllables.

[16] *a Titan's daughter, born of Coeus.*

[17] With **cui,** *to whom about to give birth.* Latona, pursued by Juno's anger, was not able to find a place to bear her children by Jupiter.

Nec caelō nec humō nec aquīs dea vestra recepta est;
exsul erat mundī, dōnec miserāta [18] vagantem,
'Hospita tū terrīs errās, ego,' dīxit, 'in undīs,'   190
īnstabilemque [19] locum Dēlos dedit. Illa duōrum
facta parēns; uterī [20] pars haec est septima nostrī.
Sum fēlīx (quis enim neget hoc?) fēlīxque manēbō
(hoc quoque quis dubitet?) tūtam mē cōpia fēcit.
Maior sum quam cui possit Fortūna nocēre,[21]   195
multaque ut [22] ēripiat, multō mihi plūra relinquet.
Excessēre [23] metum mea iam bona.[23] Fingite [24] dēmī
huic aliquid populō nātōrum posse meōrum,[24]
nōn tamen ad numerum redigar spoliāta [25] duōrum,
Lātōnae turbae: [26] quae quantum distat ab orbā?   200
Īte satis properē sacrīs [27] laurumque capillīs
pōnite." [28] Dēpōnunt et sacra īnfecta [29] relinquunt,
quodque [30] licet, tacitō venerantur murmure nūmen.
     Indignāta dea est summōque in vertice Cynthī
tālibus est dictīs geminā cum prōle locūta: 205
"Ēn ego vestra parēns, vōbīs animōsa creātīs,[31]
et nisi Iūnōnī nūllī cessūra deārum,
an dea sim dubitor,[32] perque omnia saecula cultīs [33]
arceor, Ō nātī, nisi vōs succurritis, ārīs.
Nec dolor hic sōlus: dīrō convīcia factō   210
Tantalis [34] adiēcit vōsque est postpōnere nātīs
ausa suīs et mē (quod in ipsam reccidat) [35] orbam
dīxit et exhibuit linguam scelerāta paternam." [36]
Adiectūra precēs erat hīs Lātōna relātīs:
"Dēsine," Phoebus ait, "poenae mora longa querēla est."   215

---

[18] Modifies **Dēlos.**   [19] Delos was then a floating island.
[20] *offspring;* literally, *womb.*   [21] *I am too great for Fortune to harm.*
[22] *grant that.*   [23] *my wealth* (i.e., my children) *has gone beyond fear.*
[24] *suppose that something could be taken from this nation* (*that*) *my children
     constitute,* i.e., her children are so numerous that they form a nation.
[25] *even if I am robbed.*
[26] *Latona's crowd,* in apposition with **duōrum.** Ironic: two is a crowd for Latona.
[27] *Go away from the rites quickly.*   [28] = **dēpōnite.**
[29] *unfinished.*   [30] The antecedent is the clause which follows.
[31] *proud of you* (*whom I have*) *borne.*
[32] *My divinity is being questioned.* What literally?   [33] With **ārīs.**
[34] *daughter of Tantalus,* i.e., Niobe.   [35] *may this fall to her lot.*
[36] Tantalus had not kept Jupiter's secrets.

Dīxit idem Phoebē celerīque per āera lāpsū
contigerant tēctī [37] Cadmēida [38] nūbibus arcem.
Plānus erat lātēque patēns prope moenia campus,
assiduīs pulsātus equīs, ubi turba rotārum
220 dūraque mollierat subiectās ungula glaebās.
Pars ibi dē septem genitīs Amphīone [39] fortēs
cōnscendunt in equōs Tyriōque rubentia sūcō [40]
terga premunt aurōque gravēs moderantur habēnās.
Ē quibus Ismēnus, quī mātrī sarcina [41] quondam
225 prīma suae fuerat, dum certum flectit in orbem
quadrupedis cursūs spūmantiaque ōra coercet,
"Ei [42] mihi!" conclāmat mediōque in pectore fīxa
tēla gerit, frēnīsque manū moriente remissīs,
in latus [43] ā dextrō paulātim dēfluit armō.[44]
230 Proximus, audītō sonitū per ināne [45] pharetrae,
frēna dabat Sipylus, velutī cum praescius imbris
nūbe fugit vīsā, pendentiaque undique rēctor [46]
carbasa dēdūcit,[47] nē quā [48] levis effluat aura;
frēna tamen dantem nōn ēvītābile tēlum
235 cōnsequitur, summāque tremēns cervīce sagitta
haesit, et exstābat nūdum dē gutture ferrum.
Ille, ut erat prōnus, per colla admissa iubāsque [49]
volvitur et calidō tellūrem sanguine foedat.
Phaedimus īnfēlīx et avītī nōminis hērēs,
240 Tantalus, ut solitō fīnem imposuēre labōrī,
trānsierant ad opus nitidae iuvenāle palaestrae,[50]
et iam contulerant artō luctantia nexū
pectora pectoribus: contentō concita [51] nervō,
sīcut erant iūnctī, trāiēcit utrumque sagitta.
245 Ingemuēre simul, simul incurvāta [52] dolōre

---

[37] Nominative plural of the perfect participle of **tegō.**
[38] *of Cadmus;* with **arcem.**   [39] Ablative of origin (**477,** 5).
[40] *dye,* used on the saddlecloth. Tyrian dye was famous.
[41] *burden,* i.e., *child.*   [42] *Oh!* **Mihi** is dative of reference.
[43] Accusative of the noun **latus,** *side.*   [44] *shoulder* (*of the horse*).
[45] Noun.   [46] *pilot* (*of a ship*).   [47] *unfurls the sails.*
[48] *anywhere.*   [49] *the swift neck and the mane* (*of the horse*).
[50] *of the glistening* (*with oil*) *wrestling places;* actually it was the wrestlers who glistened with oil.
[51] With **sagitta:** *an arrow sent from the taut string* (*of the bow*). Note the double alliteration in this line.
[52] *writhing.*

Ilioneus, son of Niobe. A small bronze by the Italian Francesco Sant' Agata, active between 1520 and 1530.

membra solō [53] posuēre, simul suprēma [54] iacentēs
lūmina versārunt, animam simul exhālārunt.[55]
Aspicit Alphēnor laniātaque pectora plangēns [56]
ēvolat, ut gelidōs complexibus allevet artūs,
inque piō cadit officiō; nam Dēlius illī [57]   250
intima fātiferō rūpit praecordia ferrō.
Quod simul [58] ēductum est, pars [59] et pulmōnis in hāmīs
ēruta [59] cumque animā cruor est effūsus in aurās.
At nōn [60] intōnsum [61] simplex Damasichthona [62] vulnus
afficit: ictus erat quā crūs esse incipit et quā   255
mollia nervōsus facit internōdia poples.
Dumque manū temptat trahere exitiābile tēlum,
altera per iugulum pennīs tenus [63] ācta sagitta est.
Expulit hanc sanguis sēque ēiaculātus in altum
ēmicat et longē terebrātā prōsilit aurā.   260
Ultimus Īlioneus nōn prōfectūra [64] precandō
bracchia sustulerat "dī" que "Ō commūniter omnēs,"

[53] *on the ground.*   [54] With **lūmina:** *they moved their eyes (for the) last (time).*
[55] *expired.* This is a spondaic line, the sound suggesting the labored breathing.
[56] *beating his torn breast,* but of course it was not torn until he beat it.
[57] Dative of reference.   [58] For **simul ac.**
[59] *part of his lungs was torn out (and stuck to) the barbs (of the arrow).*
[60] With **simplex.**   [61] Greek boys did not cut their hair until manhood.
[62] Accusative (Greek form).   [63] Preposition: *up to the feathers.*
[64] i.e., *in vain.*

dīxerat, ignārus nōn omnēs [65] esse rogandōs,
"parcite!" Mōtus erat, cum iam revocābile tēlum
265 nōn fuit, Arcitenēns. Minimō tamen occidit ille
vulnere, nōn altē percussō corde sagittā.
Fāma malī populīque dolor lacrimaeque suōrum
tam subitae mātrem certam fēcēre ruīnae,[66]
mīrantem potuisse,[67] īrāscentemque quod ausī
270 hoc [68] essent superī, quod tantum iūris habērent.
Nam [69] pater Amphīōn, ferrō per pectus adāctō,
fīnierat moriēns pariter cum lūce dolōrem.
Heu quantum haec Niobē Niobē distābat ab illā
quae modo Lātōis populum summōverat ārīs
275 et mediam tulerat [70] gressūs resupīna per urbem,[70]
invidiōsa suīs, at nunc miseranda vel hostī!
Corporibus gelidīs incumbit et ōrdine nūllō
ōscula dispēnsat nātōs suprēma per omnēs.
Ā quibus ad caelum līventia [71] bracchia tollēns,
280 "pāscere,[72] crūdēlis, nostrō, Lātōna, dolōre;
pāscere," ait, "satiāque meō tua pectora lūctū
corque ferum satiā," dīxit. "Per fūnera septem
efferor.[73] Exsultā victrīxque inimīca triumphā!
Cūr autem victrīx? Miserae mihi plūra supersunt
285 quam tibi fēlīcī; post tot quoque fūnera vincō."
Dīxerat, et sonuit contentō nervus ab arcū,[74]
quī praeter Niobēn ūnam conterruit omnēs;
illa malō [75] est audāx. Stābant cum vestibus ātrīs
ante torōs [76] frātrum, dēmissō crīne, sorōrēs.
290 Ē quibus ūna trahēns haerentia vīscere tēla [77]

---

[65] A prayer to Apollo would have been preferable.
[66] *informed the mother of the sudden disaster.*
[67] *wondering (that the gods) could (do this).*
[68] The syllable is long because the word was originally **hocc.**
[69] This line and the next explain why Niobe was not joined in grief by her husband.
[70] *had walked proudly through the city.*
[71] As a result of beating herself in grief.
[72] Passive imperative, middle voice (**486**).
[73] *I am carried out* (i.e., *to the grave*). She has suffered seven deaths in the loss of her sons.
[74] Of Diana, who will kill the daughters.
[75] *because of her misfortune.*
[76] *biers.*
[77] *the weapon fixed in* (*her brother's*) *heart.*

Niobe tries to protect her youngest daughter from the divine revenge. An ancient statue.

impositō [78] frātrī moribunda relanguit ōre.
Altera sōlārī miserum cōnāta parentem
conticuit subitō duplicātaque [79] vulnere caecō est,
ōraque compressit, nisi postquam spīritus ībat.[80]
Haec frūstrā fugiēns collābitur; illa sorōrī   295
immoritur; latet haec; illam trepidāre vidērēs.
Sexque datīs lētō dīversaque vulnera passīs,
ultima restābat. Quam tōtō corpore māter,
tōtā veste tegēns, "Ūnam minimamque [81] relinque!
Dē multīs minimam poscō," clāmāvit, "et ūnam."   300
Dumque rogat, prō quā [82] rogat occidit. Orba resēdit
exanimēs inter nātōs nātāsque virumque
dēriguitque malīs; nūllōs movet aura capillōs,
in vultū color est sine sanguine, lūmina maestīs
stant immōta genīs, nihil est in imāgine vīvum.   305
Ipsa quoque interius cum dūrō lingua palātō
congelat, et vēnae dēsistunt posse movērī;
nec flectī cervīx nec bracchia reddere mōtūs
nec pēs īre potest; intrā quoque vīscera saxum est.
Flet tamen et validī circumdata turbine ventī [83]   310
in patriam [84] rapta est. Ibi fīxa cacūmine montis
līquitur, et lacrimās etiam nunc marmora mānant.[85]

(VI, 165–312)

[78] *her face placed upon her brother.*   [79] *was bent double.*
[80] *after her breath left her,* i.e., when she died, her mouth opened.
[81] *the youngest.*
[82] Supply **ea** as antecedent of **quā** and subject of **occidit.**
[83] *a strong gust of wind.*   [84] Phrygia.
[85] The rock on Mt. Sipylus was called Niobe and resembled a female form. The tears are explained by the spring trickling down the face of the figure. One is reminded of the huge figures carved in the Black Hills of South Dakota and on Stone Mountain, Georgia.

435. PHILEMON AND BAUCIS[1]

Iuppiter hūc[2] speciē mortālī, cumque parente
vēnit Atlantiadēs[3] positīs cādūcifer[4] ālīs.
Mīlle domōs adiēre locum requiemque[5] petentēs,
mīlle domōs clausēre serae.[6] Tamen ūna recēpit,

630 parva quidem stipulīs[7] et cannā tēcta palūstrī,[7]
sed pia Baucis anus[8] parilīque aetāte Philēmōn
illā[9] sunt annīs iūnctī iuvenālibus, illā[9]
cōnsenuēre casā paupertātemque fatendō
effēcēre levem nec inīquā mente ferendō.

635 Nec rēfert[10] dominōs illīc famulōsne requīrās;
tōta domus duo sunt, īdem pārentque iubentque.

Ergō ubi caelicolae parvōs tetigēre Penātēs[11]
submissōque humilēs intrārunt vertice[12] postēs,
membra senex positō iussit relevāre sedīlī,

640 quō superiniēcit textum rude sēdula Baucis;
inque focō tepidum cinerem dīmōvit et ignēs
suscitat hesternōs foliīsque et cortice siccō
nūtrit et ad flammās animā prōdūcit anīlī,
multifidāsque[13] facēs[13] rāmāliaque[14] ārida tēctō[15]

645 dētulit et minuit[16] parvōque admōvit aēnō.[17]
Quodque suus coniūnx riguō collēgerat hortō,
truncat holus foliīs. Furcā levat ille bicornī
sordida terga suis[18] nigrō pendentia tignō
servātōque diū resecat dē tergore partem

650 exiguam sectamque domat[19] ferventibus undīs.

---

[1] An aged couple of Phrygia, simple and good, entertain to the best of their resources Jupiter and Mercury who, disguised as wanderers, have been refused hospitality in other homes. The gods reward Philemon and Baucis for their purity with many blessings in life and in death.

[2] The home of Philemon and Baucis.

[3] Mercury was the son of Jupiter and Maia, a daughter of Atlas.

[4] *the bearer of the caduceus* (a wand), i.e., Mercury.

[5] What figure?   [6] *locks.*

[7] *covered with straw and marsh reeds.*   [8] *old woman.*

[9] With **casā.**   [10] *It does not matter whether . . . or* (**-ne**).

[11] *household gods,* i.e., *house.*   [12] *head(s).*

[13] *fine-split kindling.*   [14] *branches.*

[15] *from (under the) roof.*   [16] *broke into pieces.*

[17] *kettle.*   [18] **suis** *from* **sūs**, *pork blackened by smoke.*

[19] *makes tender.*

322

Baucis chasing the goose.

Intereā mediās fallunt [20] sermōnibus hōrās,	651
concutiuntque torum [21] dē mollī flūminis ulvā [22]	655
impositum lectō spondā [23] pedibusque salignīs.[23]	
Vestibus hunc vēlant quās nōn nisi tempore fēstō	
sternere cōnsuerant, sed et [24] haec vīlisque vetusque	
vestis erat lectō nōn indignanda salignō.	
Accubuēre [25] deī. Mēnsam succīncta [26] tremēnsque	660
pōnit anus, mēnsae sed erat pēs tertius impār: [27]	
testa parem fēcit; quae postquam subdita clīvum	
sustulit, aequātam mentae [28] tersēre virentēs.[28]	
Pōnitur hīc bicolor [29] sincērae bāca Minervae,[29]	
conditaque in liquidā corna [30] autumnālia faece [30]	665
intibaque [31] et rādīx et lactis [32] māssa coāctī,[32]	
ōvaque nōn ācrī leviter versāta favīllā,	
omnia fictilibus.[33] Post haec caelātus eōdem	
sistitur argentō [34] crāter fabricātaque fāgō	

[20] *they pass the time.* What literally?   [21] *mattress.*
[22] *sedge-grass.*   [23] *with willow frame and feet.*
[24] = **etiam.**   [25] *reclined at the table.*
[26] *with tucked up skirts;* literally, *girded up.*   [27] The table had three legs.
[28] *green mint wiped the balanced* (*table*).   [29] i.e., green and black (ripe) olives.
[30] *cornel berries preserved in the lees of wine.*
[31] *endive.*   [32] *cheese.*   [33] *earthenware dishes.*
[34] *the same silver,* a humorous reference to **fictilibus.**

670 pōcula, quā [35] cava sunt, flāventibus illita cērīs.[35]
Parva mora est, epulāsque focī mīsēre calentēs,
nec longae rūrsus referuntur vīna senectae,
dantque locum mēnsīs paulum sēducta secundīs.[36]
Hīc nux, hīc mixta est rūgōsīs cārica [37] palmīs
675 prūnaque et in patulīs redolentia māla canistrīs
et dē purpureīs collēctae vītibus ūvae.
Candidus in mediō favus est; super omnia vultūs
accessēre bonī nec iners pauperque voluntās.
Intereā totiēns haustum crātēra [38] replērī
680 sponte suā per sēque vident succrēscere vīna.
Attonitī novitāte pavent manibusque supīnīs
concipiunt Baucisque precēs timidusque Philēmōn
et veniam dapibus nūllīsque parātibus [39] ōrant.
Ūnicus ānser erat, minimae custōdia vīllae,
685 quem dīs hospitibus dominī mactāre parābant.
Ille celer pennā tardōs aetāte fatīgat
ēlūditque diū, tandemque est vīsus ad ipsōs
cōnfūgisse deōs; superī vetuēre necārī
"di" que "sumus, meritāsque luet vīcīnia poenās

[35] *coated on the inside* (literally, *where they are hollow*) *with yellow wax,* to
prevent leaks.
[36] *the second course,* i.e., dessert.   [37] *figs.*
[38] Accusative singular (Greek form).
[39] i.e., poor entertainment; literally, *for no preparation.*

**The goose takes refuge
with Jupiter.**

impia," dīxērunt; "vōbīs [40] immūnibus huius   690
esse malī dabitur.[40] Modo vestra relinquite tēcta
ac nostrōs comitāte gradūs et in ardua montis
īte simul." Pārent ambō baculīsque levātī
nītuntur longō vēstīgia pōnere clīvō.

Tantum aberant summō [41] quantum semel īre sagitta   695
missa potest; flexēre oculōs et mersa palūdē
cētera prōspiciunt, tantum sua tēcta manēre.
Dumque ea mīrantur, dum dēflent fāta suōrum,
illa vetus dominīs etiam casa parva duōbus
vertitur in templum. Furcās subiēre columnae,[42]   700
strāmina flāvēscunt, adopertaque marmore tellūs
caelātaeque forēs aurātaque tēcta videntur.

Tālia tum placidō Sāturnius [43] ēdidit ōre:
"Dīcite, iūste senex et fēmina coniuge iūstō
digna, quid optētis." Cum Baucide pauca locūtus   705
iūdicium superīs aperit commūne Philēmōn:
"Esse sacerdōtēs dēlūbraque vestra tuērī
poscimus, et quoniam concordēs ēgimus annōs,
auferat hōra duōs eadem, nec coniugis umquam
busta meae videam neu sim tumulandus [44] ab illā."   710
Vōta fidēs sequitur; [45] templī tutēla fuēre,
dōnec vīta data est. Annīs aevōque solūtī [46]
ante gradūs sacrōs cum stārent forte locīque
nārrārent cāsūs, frondēre Philēmona Baucis,
Baucida cōnspexit senior frondēre Philēmōn.   715
Iamque super geminōs crēscente cacūmine vultūs,
mūtua, dum licuit, reddēbant dicta "Valē" que
"Ō coniūnx" [47] dīxēre simul, simul abdita tēxit
ōra frutex.[48] Ostendit adhūc Thynēius [49] illīc
incola dē geminō vīcīnōs corpore truncōs.   720

Haec mihi nōn vānī (neque erat cūr fallere vellent)
nārrāvēre senēs. Equidem pendentia vīdī
serta super rāmōs pōnēnsque recentia dīxī
"Cūra deum dī sint, et quī coluēre colantur."
(VIII, 626–724)

---

[40] *you will be exempt from this misfortune.*   [41] *the top.*
[42] *columns took the place of the (wooden) supports (forks).*   [43] Jupiter.
[44] *buried.*   [45] i.e., their prayer was answered.
[46] *weakened.*   [47] *dear mate.*
[48] *foliage.*   [49] *Bithynian.*

436. DAPHNE AND APOLLO [1]

Prīmus [2] amor Phoebī Daphnē Pēnēia, quem nōn
fors ignāra dedit sed saeva Cupīdinis īra.
Dēlius [3] hunc, nūper victō serpente superbus,
455   vīderat adductō flectentem [4] cornua [5] nervō
"quid" que [6] "tibī,[7] lascīve puer, cum fortibus armīs?"
dīxerat; "ista decent umerōs gestāmina [8] nostrōs,
quī dare certa ferae, dare vulnera possumus hostī,
quī modo pestiferō tot iūgera ventre prementem
460   strāvimus innumerīs tumidum Pȳthōna [9] sagittīs.
Tū face nesciō quōs [10] estō contentus amōrēs
irrītāre tuā,[11] nec laudēs assere nostrās." [12]
Fīlius huic Veneris, "Fīgat [13] tuus omnia, Phoebe,
tē meus arcus," ait, "quantōque [14] animālia cēdunt
465   cūncta deō,[14] tantō minor est tua glōria nostrā."
Dīxit et, ēlīsō [15] percussīs āere pennīs,[15]
impiger umbrōsā Parnāsī [16] cōnstitit arce
ēque [17] sagittiferā prōmpsit duo tēla pharetrā
dīversōrum operum: [18] fugat hoc,[19] facit illud [19] amōrem.
470   Quod [20] facit, aurātum est et cuspide fulget acūtā;
quod fugat, obtūsum est et habet sub harundine plumbum.[21]
Hoc deus in nymphā Pēnēide [22] fīxit; at illō
laesit [23] Apollineās trāiecta per ossa medullās.[23]
Prōtinus alter amat, fugit altera nōmen amantis

---

[1] Apollo, the god of archery, falls in love with Daphne, the daughter of the river god Peneus. Cupid, out of envy and revenge, inspired Apollo with his passion for Daphne, a passion made hopeless by her resistance, also caused by Cupid. She turned into a laurel tree.

[2] i.e., after the re-creation of the world destroyed by the flood. Apollo had just slain the monster Python, a creature that emerged from the flood.

[3] Apollo.   [4] Supply **eum,** Cupid.

[5] *bow.*   [6] Connects the two verbs **vīderat** and **dīxerat.**

[7] Originally the second *i* of tibi was long. Supply **est.**

[8] *equipment,* i.e., the bow and arrow.   [9] Accusative (Greek form).

[10] With **amōrēs:** *some love or other.*   [11] Modifies **face.**

[12] *do not lay claim to my honors.*   [13] Volitive subjunctive.

[14] *as much as all living things yield to* (*you*), *a god.*

[15] *striking the air by beating his wings.*   [16] A mountain sacred to Apollo.

[17] = **ē** and **–que.**   [18] *of opposite effects.*   [19] Supply **tēlum.**

[20] *the* (*arrow*) *which.*   [21] *is tipped with lead;* literally, *has lead under the shaft.*

[22] Ablative of **Pēnēis,** daughter of Peneus, i.e., Daphne.

[23] *struck the heart of Apollo, piercing the bones.*

silvārum latebrīs captīvārumque ferārum   475
exuviīs gaudēns innuptaeque aemula Phoebēs.[24]
Vitta coercēbat positōs sine lēge capillōs.
Multī illam petiēre, illa āversāta petentēs [25]
impatiēns expersque virī nemora āvia lūstrat,
nec quid Hymēn,[26] quid Amor, quid sint cōnūbia cūrat.   480
Saepe pater dīxit, "generum mihi, fīlia, dēbēs";
saepe pater dīxit, "dēbēs mihi, nāta, nepōtēs."
Illa, velut crīmen taedās exōsa iugālēs
pulchra verēcundō suffūderat ōra rubōre
inque patris blandīs haerēns cervīce lacertīs,   485
"Dā [27] mihi perpetuā, genitor cārissime," dīxit,
"virginitāte fruī.[27] Dedit hoc pater ante [28] Diānae."
Ille quidem obsequitur. Sed tē decor iste quod [29] optās
esse vetat,[29] vōtōque tuō tua fōrma repugnat.
Phoebus amat vīsaeque [30] cupit cōnūbia Daphnēs,   490
quodque cupit, spērat, suaque illum ōrācula [31] fallunt.
Utque levēs stipulae dēmptīs [32] adolentur aristīs,[32]
ut facibus saepēs ārdent quās forte viātor
vel nimis admōvit vel iam sub lūce relīquit,
sīc deus in flammās abiit,[33] sīc pectore tōtō   495
ūritur et sterilem spērandō nūtrit amōrem.

[24] *the rival of the maiden Diana.*
[25] Object of **āversāta,** *rejecting.*
[26] The god of marriage.   [27] *grant me to enjoy.*   [28] Adverb.
[29] *forbids you to be what you desire* (i.e., remain unmarried).
[30] With **Daphnēs,** genitive (Greek form): *at first sight.*   [31] i.e., gifts of prophecy.
[32] *when the grain has been harvested.*   [33] *went up in flames* (of love).

Apollo slaying the python.

Spectat inōrnātōs collō pendēre capillōs,
et "quid sī cōmantur?" ait; videt igne micantēs
sīderibus similēs oculōs, videt ōscula,[34] quae nōn
500 est vīdisse satis; laudat digitōsque manūsque
bracchiaque et nūdōs [35] mediā plūs parte lacertōs; [35]
sī qua latent meliōra putat.[36] Fugit ōcior aurā
illa levī neque ad haec revocantis verba resistit:
"Nympha, precor, Pēnēi, manē! Nōn īnsequor hostis; [37]
505 nympha, manē! Sīc agna lupum, sīc cerva leōnem,
sīc aquilam pennā fugiunt trepidante columbae,
hostēs quaeque suōs: amor est mihi causa sequendī.
Mē miserum! [38] Nē [39] prōna cadās, indignave [40] laedī
crūra notent sentēs,[41] et sim tibi causa dolōris.
510 Aspera quā properās loca sunt. Moderātius, ōrō,
curre fugamque inhibē, moderātius īnsequar ipse.
Cui placeās,[42] inquīre tamen: nōn incola montis,
nōn ego sum pāstor, nōn hīc armenta gregēsque
horridus observō. Nescīs, temerāria, nescīs
515 quem fugiās, ideōque fugis. Mihi Delphica tellūs
et Claros et Tenedos Patarēaque rēgia servit; [43]
Iuppiter est genitor; per mē quod eritque fuitque
estque patet; per mē concordant carmina nervīs.[44]
Certa quidem nostra est,[45] nostrā tamen ūna sagitta
520 certior, in vacuō quae vulnera pectore fēcit.
Inventum medicīna meum est,[46] opiferque per orbem
dīcor, et herbārum subiecta potentia nōbīs.
Ei mihi, quod nūllīs amor est sānābilis herbīs,
nec prōsunt dominō quae prōsunt omnibus artēs!"
525 Plūra locūtūrum timidō Pēnēia cursū
fūgit cumque ipsō verba imperfecta relīquit.[47]
Tum quoque vīsa decēns; nūdābant corpora ventī,

---

[34] *mouth*, which then came to mean *kiss.*   [35] *arms more than half bare.*
[36] *he believes her hidden features lovelier.*   [37] Nominative singular: *as an enemy.*
[38] *How wretched I am!* Accusative of exclamation.   [39] *for fear that.*
[40] With **crūra:** *that do not deserve it.*
[41] *thorns.*   [42] *who your suitor is.* What literally?
[43] Lands associated with the worship of Apollo.
[44] *songs harmonize with the strings* (*of the lyre*). Apollo was the god of music.
[45] *my arrow is unerring, to be sure.* But Cupid's arrow was better.
[46] Apollo was also the god of healing: *Medicine is my invention.*
[47] *left him and his unfinished words.*

obviaque adversās vibrābant flāmina vestēs,
et levis impulsōs retrō dabat aura capillōs,
auctaque fōrma fugā est. Sed enim nōn [48] sustinet ultrā   530
perdere blanditiās iuvenis deus,[48] utque movēbat
ipse amor, admissō [49] sequitur vēstīgia passū.[49]
Ut canis in vacuō leporem cum Gallicus arvō
vīdit, et hic [50] praedam pedibus petit, ille salūtem;
alter inhaesūrō similis [51] iam iamque tenēre   535
spērat et extentō [52] stringit vēstigia rōstrō; [52]
alter in ambiguō est an sit comprēnsus et ipsīs
morsibus ēripitur [53] tangentiaque ōra relinquit,
sīc deus et virgō; est hic spē celer, illa timōre.
Quī tamen īnsequitur, pennīs adiūtus amōris   540
ōcior est requiemque negat tergōque fugācis
imminet et crīnem [54] sparsum cervīcibus afflat.[54]
Vīribus absūmptīs, expalluit illa citaeque
victa labōre fugae spectāns Pēnēidas undās,
"fer, pater," inquit, "opem, sī flūmina nūmen habētis!   545
Quā [55] nimium placuī, mūtandō perde figūram!" [55]   547
Vix prece fīnītā, torpor gravis occupat artūs,
mollia cinguntur tenuī praecordia librō,[56]
in frondem crīnēs, in rāmōs bracchia crēscunt;   550
pēs [57] modo tam vēlōx pigrīs rādīcibus haeret,
ōra cacūmen habet.[58] Remanet nitor ūnus in illā.[59]

    Hanc [60] quoque Phoebus amat, positāque in stīpite dextrā,
sentit adhūc trepidāre novō sub cortice pectus,
complexusque suīs rāmōs, ut membra,[61] lacertīs   555
ōscula dat lignō: refugit tamen ōscula lignum.
Cui deus, "at quoniam coniūnx mea nōn potes esse,
arbor eris certē," dīxit, "mea. Semper habēbunt
tē coma,[62] tē citharae, tē nostrae, laure, pharetrae.

---

[48] *The youthful god cannot bear to waste his persuasive words further.*
[49] *at quickened pace.*   [50] *i.e., the dog.*   [51] *like one about to pounce.*
[52] *grazes the heels (of the hare) with outstretched muzzle.*   [53] *escapes from.*
[54] *breathes upon her hair streaming down her neck.*
[55] *destroy by changing (this) form by which I pleased too much.*
[56] *bark,* the original meaning. It was used for writing in early times.
[57] For **pedēs.**   [58] *a treetop has (is) her face.*
[59] *her beauty alone remains.*   [60] i.e., Daphne changed into a tree.
[61] *as though (they were human) limbs.*   [62] Apollo's long hair.

560 Tū ducibus Latiīs aderis, cum laeta Triumphum
     vōx canet et vīsent longās Capitōlia pompās.[63]
     Postibus Augustīs eadem fīdissima custōs
     ante forēs stābis [64] mediamque tuēbere quercum,[65]
     utque meum intōnsīs caput est iuvenāle capillīs,[66]
565 tū quoque perpetuōs [67] semper gere frondis honōrēs."
     Fīnierat Paeān.[68] Factīs modo laurea rāmīs[69]
     annuit utque caput [70] vīsa est agitāsse cacūmen.

                                        (I, 452–567)

[63] The triumphal processions of Roman generals are referred to here. The laurel
wreath was worn by the victors. Daphne means laurel in Greek.
[64] Two laurels stood at the entrance of Augustus' palace on the Palatine.
[65] A wreath of oak leaves was over the door of the palace.
[66] Apollo was the long-haired god.   [67] The laurel is an evergreen.
[68] Apollo.   [69] *with its newly made branches.*   [70] *like a head.*

APPENDIX

437. IMPORTANT DATES, EVENTS, AND PEOPLE

B.C.

753	(Traditonal date) Rome founded
753–509	Legendary kings
509	Republic established
494	Secession of the plebs
451–450	Laws of the Twelve Tables
390	Gauls capture Rome
280–275	War with Pyrrhus
264–241	First Punic War
254–184	Plautus, comic writer
218–201	Second Punic War
149–146	Third Punic War
146	Capture of Corinth
111–106	War with Jugurtha
106–48	Pompey, general
106–43	Cicero, orator, statesman
100–44	Caesar, general, statesman
99?–24?	Cornelius Nepos
96?–55	Lucretius, poet
90–88	Social War
87?–54?	Catullus, poet
86–34	Sallust, historian
70	Cicero against Verres
70–19	Virgil, poet
65–8	Horace, poet
63–A.D. 14	Augustus
62	Cicero defends Archias
60	First triumvirate (Caesar, Crassus, Pompey)
59–A.D. 17	Livy, historian
58–50	Caesar in Gaul
51	Cicero governor of Cilicia
49	Caesar crosses the Rubicon, thus precipitating civil war
48	Battle of Pharsalus— Pompey defeated
46	Caesar reforms calendar
44	Caesar assassinated, March 15. Cicero against Antony
43	Cicero's death
43–A.D. 17	Ovid, poet
31–A.D. 14	Reign of Augustus
15?–A.D. 50?	Phaedrus, fabulist
4?–A.D. 65	Seneca, philosopher
?–A.D. 66?	Petronius

A.D.

8	Ovid banished
14–37	Reign of Tiberius
35–96?	Quintilian, teacher
37–41	Reign of Caligula
40?–104	Martial, epigrammatist
41–54	Reign of Claudius
54–68	Reign of Nero
62–114?	Pliny the Younger
68–69	Reigns of Galba, Otho, Vitellius
69–79	Reign of Vespasian
79–81	Reign of Titus
81–96	Reign of Domitian
96–98	Reign of Nerva
98–117	Reign of Trajan
117–138	Reign of Hadrian
125?–?	Apuleius, philosopher
138–161	Reign of Antoninus Pius
161–180	Reign of Marcus Aurelius

BASIC FORMS

Nouns

438.   *First Declension*   *Second Declension*

	SINGULAR	PLURAL	SINGULAR	PLURAL
NOM.	via	viae	servus	servī
GEN.	viae	viārum	servī	servōrum
DAT.	viae	viīs	servō	servīs
ACC.	viam	viās	servum	servōs
ABL.	viā	viīs	servō	servīs
VOC.			serve	

Nouns in **–ius** often have **–ī** in the genitive and vocative singular: **fīlī, Cornēlī.** The accent does not change.[1]

439.   *Second Declension*

	SING.	PLUR.	SING.	PLUR.	SING.	PLUR.
NOM.	ager	agrī	puer	puerī	signum	signa
GEN.	agrī	agrōrum	puerī	puerōrum	signī	signōrum
DAT.	agrō	agrīs	puerō	puerīs	signō	signīs
ACC.	agrum	agrōs	puerum	puerōs	signum	signa
ABL.	agrō	agrīs	puerō	puerīs	signō	signīs

Nouns in **–ium** often have **–ī** in the genitive singular: **cōnsilī.** The accent does not change.[1]

440.   *Third Declension*

	SINGULAR	PLURAL	SINGULAR	PLURAL	SINGULAR	PLURAL
NOM.	mīles	mīlitēs	lēx	lēgēs	corpus	corpora
GEN.	mīlitis	mīlitum	lēgis	lēgum	corporis	corporum
DAT.	mīlitī	mīlitibus	lēgī	lēgibus	corporī	corporibus
ACC.	mīlitem	mīlitēs	lēgem	lēgēs	corpus	corpora
ABL.	mīlite	mīlitibus	lēge	lēgibus	corpore	corporibus

441.   *Third Declension I-Stems*

	SINGULAR	PLURAL	SINGULAR	PLURAL
NOM.	cīvis	cīvēs	mare	maria
GEN.	cīvis	cīvium	maris	marium
DAT.	cīvī	cīvibus	marī	maribus
ACC.	cīvem	cīvēs (–īs)	mare	maria
ABL.	cīve	cīvibus	marī	maribus

[1] From the time of Augustus, the form in **–iī** becomes common.

Turris and a few proper nouns have **–im** in the accusative singular. **Turris, ignis, nāvis,** and a few proper nouns sometimes have **–ī** in the ablative singular.

(*a*) The classes of masculine and feminine ī-stem nouns are:

1. Nouns ending in **–is** and **–ēs** having no more syllables in the genitive than in the nominative: **cīvis, nūbēs.**
2. Nouns of one syllable whose base ends in two consonants: **pars** (gen. **part–is**), **nox** (gen. **noct–is**).
3. Nouns whose base ends in **–nt** or **–rt: cliēns** (gen. **client–is**).

(*b*) Neuter **i**-stem nouns end in **–e, –al, –ar: mare, animal, calcar.**

442. Fourth Declension

	SING.	PLUR.	SING.	PLUR.
NOM.	cāsus	cāsūs	cornū	cornua
GEN.	cāsūs	cāsuum	cornūs	cornuum
DAT.	cāsuī	cāsibus	cornū	cornibus
ACC.	cāsum	cāsūs	cornū	cornua
ABL.	cāsū	cāsibus	cornū	cornibus

443. Fifth Declension

	SING.	PLUR.	SING.	PLUR.
NOM.	diēs	diēs	rēs	rēs
GEN.	diēī	diērum	reī	rērum
DAT.	diēī	diēbus	reī	rēbus
ACC.	diem	diēs	rem	rēs
ABL.	diē	diēbus	rē	rēbus

444. Irregular Nouns

	SING.	PLUR.	SING.	SING.	PLUR.
NOM.	vīs	vīrēs	nēmō	domus	domūs
GEN.	——	vīrium	(nūllīus)	domūs (–ī)	domuum (–ōrum)
DAT.	——	vīribus	nēminī	domuī (–ō)	domibus
ACC.	vim	vīrēs (–īs)	nēminem	domum	domōs (–ūs)
ABL.	vī	vīribus	(nūllō)	domō (–ū)	domibus
LOC.				domī	

Adjectives and Adverbs

445. First and Second Declensions

	SINGULAR			PLURAL		
	M.	F.	N.	M.	F.	N.
NOM.	magnus	magna	magnum	magnī	magnae	magna
GEN.	magnī	magnae	magnī	magnōrum	magnārum	magnōrum
DAT.	magnō	magnae	magnō	magnīs	magnīs	magnīs
ACC.	magnum	magnam	magnum	magnōs	magnās	magna
ABL.	magnō	magnā	magnō	magnīs	magnīs	magnīs
VOC.	magne					

First and Second Declensions

	SINGULAR M.	F.	N.	PLURAL M.	F.	N.
NOM.	līber	lībera	līberum	noster	nostra	nostrum
GEN.	līberī	līberae	līberī	nostrī	nostrae	nostrī
DAT.	līberō	līberae	līberō	nostrō	nostrae	nostrō
ACC.	līberum	līberam	līberum	nostrum	nostram	nostrum
ABL.	līberō	līberā	līberō	nostrō	nostrā	nostrō

Plural, **līberī, līberae, lībera,** etc. Plural, **nostrī, –ae, –a,** etc.

446. *Third Declension*

(a) THREE ENDINGS

	SINGULAR M.	F.	N.	PLURAL M.	F.	N.
NOM.	ācer	ācris	ācre	ācrēs	ācrēs	ācria
GEN.	ācris	ācris	ācris	ācrium	ācrium	ācrium
DAT.	ācrī	ācrī	ācrī	ācribus	ācribus	ācribus
ACC.	ācrem	ācrem	ācre	ācrēs (–īs)	ācrēs (–īs)	ācria
ABL.	ācrī	ācrī	ācrī	ācribus	ācribus	ācribus

(b) TWO ENDINGS

	SINGULAR M.F.	N.	PLURAL M.F.	N.
NOM.	fortis	forte	fortēs	fortia
GEN.	fortis	fortis	fortium	fortium
DAT.	fortī	fortī	fortibus	fortibus
ACC.	fortem	forte	fortēs (–īs)	fortia
ABL.	fortī	fortī	fortibus	fortibus

(c) ONE ENDING [1]

	SINGULAR M.F.	N.	PLURAL M.F.	N.
NOM.	pār	pār	parēs	paria
GEN.	paris	paris	parium	parium
DAT.	parī	parī	paribus	paribus
ACC.	parem	pār	parēs (–īs)	paria
ABL.	parī	parī	paribus	paribus

447. PRESENT PARTICIPLE

	SINGULAR M.F.	N.	PLURAL M.F.	N.
NOM.	portāns	portāns	portantēs	portantia
GEN.	portantis	portantis	portantium	portantium
DAT.	portantī	portantī	portantibus	portantibus
ACC.	portantem	portāns	portantēs (–īs)	portantia
ABL.	portante (–ī)	portante (–ī)	portantibus	portantibus

The ablative singular regularly ends in **–e,** but **–ī** is used wherever the participle is used simply as an adjective.

[1] **Vetus** has **vetere** in the ablative singular and **veterum** in the genitive plural.

	M.	F.	N.	M.F.	N.
NOM.	ūnus	ūna	ūnum	trēs	tria
GEN.	ūnīus	ūnīus	ūnīus	trium	trium
DAT.	ūnī	ūnī	ūnī	tribus	tribus
ACC.	ūnum	ūnam	ūnum	trēs	tria
ABL.	ūnō	ūnā	ūnō	tribus	tribus

	M.	F.	N.	M.F.N. (*adj.*)	N. (*noun*)
NOM.	duo	duae	duo	mīlle	mīlia
GEN.	duōrum	duārum	duōrum	mīlle	mīlium
DAT.	duōbus	duābus	duōbus	mīlle	mīlibus
ACC.	duōs	duās	duo	mīlle	mīlia
ABL.	duōbus	duābus	duōbus	mīlle	mīlibus

Like **ūnus** are **alius, alter, ūllus, nūllus, sōlus, tōtus, uter, neuter, uterque;** plural regular. The nominative and accusative singular neuter of **alius** is **aliud;** for the genitive singular, **alterius** is generally used. **Ambō** is declined like **duo.**

449.   *Comparison of Regular Adjectives and Adverbs*

POSITIVE		COMPARATIVE		SUPERLATIVE	
ADJ.	ADV.	ADJ.	ADV.	ADJ.	ADV.
altus	altē	altior	altius	altissimus	altissimē
fortis	fortiter	fortior	fortius	fortissimus	fortissimē
līber	līberē	līberior	līberius	līberrimus	līberrimē
ācer	ācriter	ācrior	ācrius	ācerrimus	ācerrimē
facilis	facile	facilior	facilius	facillimus	facillimē

Like **facilis** are **difficilis, similis, dissimilis, gracilis, humilis,** but their adverbs (not used in this book) vary in the positive degree. Adjectives in **—er** are like **līber** or **ācer.**

450.   *Comparison of Irregular Adjectives*

POSITIVE	COMPARATIVE	SUPERLATIVE
bonus	melior	optimus
malus	peior	pessimus
magnus	maior	maximus
parvus	minor	minimus
multus	——, plūs	plūrimus
īnferus	īnferior	īnfimus *or* īmus
superus	superior	suprēmus *or* summus
——	prior	prīmus
——	propior	proximus
——	ulterior	ultimus

Comparison of Irregular Adverbs

ben**e**	mel**ius**	optim**ē**
mal**e**	pe**ius**	pessim**ē**
(magnopere)	mag**is**	maxim**ē**
———	min**us**	minim**ē**
mult**um**	pl**ūs**	plūr**imum**
diū	diūt**ius**	diūtissim**ē**
prop**e**	prop**ius**	proxim**ē**

452.

Declension of Comparatives

	SINGULAR		PLURAL		SINGULAR	PLURAL	
	M.F.	N.	M.F.	N.	N.	M.F.	N.
NOM.	altior	altius	altiōr**ēs**	altiōr**a**	plūs [1]	plūr**ēs**	plūr**a**
GEN.	altiōr**īs**	altiōr**is**	altiōr**um**	altiōr**um**	plūr**is**	plūr**ium**	plūr**ium**
DAT.	altiōr**ī**	altiōr**ī**	altiōr**ibus**	altiōr**ibus**	———	plūr**ibus**	plūr**ibus**
ACC.	altiōr**em**	altius	altiōr**ēs**	altiōr**a**	plūs	plūr**ēs**	plūr**a**
ABL.	altiōr**e**	altiōr**e**	altiōr**ibus**	altiōr**ibus**	plūr**e**	plūr**ibus**	plūr**ibus**

[1] Masculine and feminine lacking in the singular.

Freighters in a mosaic at Ostia. One of a group of pictures in the square devoted to the shipper's associations, ancient organizations whose members came from various countries.

453. *Numerals*

	ROMAN	CARDINAL	ORDINAL
1.	I	ūnus, –a, –um	prīmus, –a, –um
2.	II	duo, duae, duo	secundus (alter)
3.	III	trēs, tria	tertius
4.	IIII *or* IV	quattuor	quārtus
5.	V	quīnque	quīntus
6.	VI	sex	sextus
7.	VII	septem	septimus
8.	VIII	octō	octāvus
9.	VIIII *or* IX	novem	nōnus
10.	X	decem	decimus
11.	XI	ūndecim	ūndecimus
12.	XII	duodecim	duodecimus
13.	XIII	tredecim	tertius decimus
14.	XIIII *or* XIV	quattuordecim	quārtus decimus
15.	XV	quīndecim	quīntus decimus
16.	XVI	sēdecim	sextus decimus
17.	XVII	septendecim	septimus decimus
18.	XVIII	duodēvīgintī	duodēvīcēsimus [1]
19.	XVIIII *or* XIX	ūndēvīgintī	ūndēvīcēsimus
20.	XX	vīgintī	vīcēsimus
21.	XXI	vīgintī ūnus *or* ūnus et vīgintī	vīcēsimus prīmus *or* ūnus et vīcēsimus
30.	XXX	trīgintā	trīcēsimus
40.	XXXX *or* XL	quadrāgintā	quadrāgēsimus
50.	L	quīnquāgintā	quīnquāgēsimus
60.	LX	sexāgintā	sexāgēsimus
70.	LXX	septuāgintā	septuāgēsimus
80.	LXXX	octōgintā	octōgēsimus
90.	LXXXX *or* XC	nōnāgintā	nōnāgēsimus
100.	C	centum	centēsimus
101.	CI	centum (et) ūnus	centēsimus (et) prīmus
200.	CC	ducentī, –ae, –a	ducentēsimus
300.	CCC	trecentī, –ae, –a	trecentēsimus
400.	CCCC	quadringentī, –ae, –a	quadringentēsimus
500.	D	quīngentī, –ae, –a	quīngentēsimus
600.	DC	sescentī, –ae, –a	sescentēsimus
700.	DCC	septingentī, –ae, –a	septingentēsimus
800.	DCCC	octingentī, –ae, –a	octingentēsimus
900.	DCCCC	nōngentī, –ae, –a	nōngentēsimus
1000.	M	mīlle	mīllēsimus
2000.	MM	duo mīlia	bis mīllēsimus

[1] The forms in **–ēsimus** are sometimes spelled **–ēnsimus.**

Pronouns

454. *Personal*

	SING.	PLUR.		SING.	PLUR.		M.	F.	N.
NOM.	ego	nōs		tū	vōs		is	ea	id
GEN.	meī	nostrum (nostrī)		tuī	vestrum (–trī)		(for declension
DAT.	mihi	nōbīs		tibi	vōbīs		see **456**—
ACC.	mē	nōs		tē	vōs		demonstrative **is**)
ABL.	mē	nōbīs		tē	vōbīs		

455. *Reflexive*

	FIRST PERSON		SECOND PERSON		THIRD PERSON	
	SINGULAR	PLURAL	SINGULAR	PLURAL	SINGULAR	PLURAL
GEN.	meī	nostrī	tuī	vestrī	suī	suī
DAT.	mihi	nōbīs	tibi	vōbīs	sibi	sibi
ACC.	mē	nōs	tē	vōs	sē (sēsē)	sē (sēsē)
ABL.	mē	nōbīs	tē	vōbīs	sē (sēsē)	sē (sēsē)

Not being used in the nominative, reflexives have no nominative form.

456. *Demonstrative*

	SINGULAR			PLURAL		
	M.	F.	N.	M.	F.	N.
NOM.	hic	haec	hoc	hī	hae	haec
GEN.	huius	huius	huius	hōrum	hārum	hōrum
DAT.	huic	huic	huic	hīs	hīs	hīs
ACC.	hunc	hanc	hoc	hōs	hās	haec
ABL.	hōc	hāc	hōc	hīs	hīs	hīs
NOM.	is	ea	id	eī (iī)	eae	ea
GEN.	eius	eius	eius	eōrum	eārum	eōrum
DAT.	eī	eī	eī	eīs (iīs)	eīs (iīs)	eīs (iīs)
ACC.	eum	eam	id	eōs	eās	ea
ABL.	eō	eā	eō	eīs (iīs)	eīs (iīs)	eīs (iīs)

	SINGULAR			PLURAL		
	M.	F.	N.	M.	F.	N.
NOM.	īdem	eadem	idem	eīdem (īdem)	eaedem	eadem
GEN.	eiusdem	eiusdem	eiusdem	eōrundem	eārundem	eōrundem
DAT.	eīdem	eīdem	eīdem	eīsdem (īsdem)	eīsdem (īsdem)	eīsdem (īsdem)
ACC.	eundem	eandem	idem	eōsdem	eāsdem	eadem
ABL.	eōdem	eādem	eōdem	eīsdem (īsdem)	eīsdem (īsdem)	eīsdem (īsdem)

	SINGULAR			SINGULAR		
	M.	F.	N.	M.	F.	N.
NOM.	ille	illa	illud	ipse	ipsa	ipsum
GEN.	illīus	illīus	illīus	ipsīus	ipsīus	ipsīus
DAT.	illī	illī	illī	ipsī	ipsī	ipsī
ACC.	illum	illam	illud	ipsum	ipsam	ipsum
ABL.	illō	illā	illō	ipsō	ipsā	ipsō

(Plural regular like **magnus**)   (Plural regular)

Iste is declined like **ille**.

457.   Relative   Interrogative

	SINGULAR			PLURAL			SINGULAR	
	M.	F.	N.	M.	F.	N.	M.F.	N.
NOM.	quī	quae	quod	quī	quae	quae	quis	quid
GEN.	cuius	cuius	cuius	quōrum	quārum	quōrum	cuius	cuius
DAT.	cui	cui	cui	quibus	quibus	quibus	cui	cui
ACC.	quem	quam	quod	quōs	quās	quae	quem	quid
ABL.	quō	quā	quō	quibus	quibus	quibus	quō	quō

Plural of **quis** like **quī.** Interrogative adjective **quī** like relative **quī.**
Both parts of **quisquis** are declined like **quis,** except that the neuter is usually **quicquid.**

458.   Indefinite

	SINGULAR		PLURAL		
	M.F.	N.	M.	F.	N.
NOM.	aliquis	aliquid	aliquī	aliquae	aliqua
GEN.	alicuius	alicuius	aliquōrum	aliquārum	aliquōrum
DAT.	alicui	alicui	aliquibus	aliquibus	aliquibus
ACC.	aliquem	aliquid	aliquōs	aliquās	aliqua
ABL.	aliquō	aliquō	aliquibus	aliquibus	aliquibus

The adjective form is **aliquī, –qua, –quod,** etc.

	SINGULAR		
	M.	F.	N.
NOM.	quīdam	quaedam	quiddam
GEN.	cuiusdam	cuiusdam	cuiusdam
DAT.	cuidam	cuidam	cuidam
ACC.	quendam	quandam	quiddam
ABL.	quōdam	quādam	quōdam

PLURAL

NOM.	quīdam	quaedam	quaedam
GEN.	quōrundam	quārundam	quōrundam
DAT.	quibusdam	quibusdam	quibusdam
ACC.	quōsdam	quāsdam	quaedam
ABL.	quibusdam	quibusdam	quibusdam

The adjective has **quoddam** for **quiddam**.

SINGULAR   SINGULAR

	M.F.	N.	M.F.	N.
NOM.	quisquam	quicquam (quidquam)	quisque	quidque
GEN.	cuiusquam	cuiusquam	cuiusque	cuiusque
DAT.	cuiquam	cuiquam	cuique	cuique
ACC.	quemquam	quicquam (quidquam)	quemque	quidque
ABL.	quōquam	quōquam	quōque	quōque

(Plural lacking)   (Plural rare)

The adjective form of **quisque** is **quisque, quaeque, quodque**, etc.

The indefinite pronoun **quis** (declined like the interrogative) and adjective **quī** (declined like the relative, but in the nominative feminine singular and the nominative and accusative neuter plural **qua** may be used for **quae**) are used chiefly after **sī, nisi,** and **nē.**

Faun, or young satyr.

Verbs

459.

First Conjugation

PRINCIPAL PARTS: **portō, portāre, portāvī, portātus**

ACTIVE   PASSIVE

INDICATIVE

	ACTIVE		PASSIVE	
PRESENT	*I carry,* etc.		*I am carried,* etc.	
	portō	portāmus	portor	portāmur
	portās	portātis	portāris (–re)	portāminī
	portat	portant	portātur	portantur
IMPERFECT	*I was carrying,* etc.		*I was (being) carried,* etc.	
	portābam	portābāmus	portābar	portābāmur
	portābās	portābātis	portābāris (–re)	portābāminī
	portābat	portābant	portābātur	portābantur
FUTURE	*I shall carry,* etc.		*I shall be carried,* etc.	
	portābō	portābimus	portābor	portābimur
	portābis	portābitis	portāberis (–re)	portābiminī
	portābit	portābunt	portābitur	portābuntur

	ACTIVE		PASSIVE	
PERFECT	*I carried, have carried,* etc.		*I was carried, have been carried,* etc.	
	portāvī	portāvimus	portātus ⌈ sum	portātī ⌈ sumus
	portāvistī	portāvistis	(–a, –um) ⟨ es	(–ae, –a) ⟨ estis
	portāvit	portāvērunt(–ēre)	⌊ est	⌊ sunt
PAST PERFECT	*I had carried,* etc.		*I had been carried,* etc.	
	portāveram	portāverāmus	portātus ⌈ eram	portātī ⌈ erāmus
	portāverās	portāverātis	(–a, –um) ⟨ erās	(–ae, –a) ⟨ erātis
	portāverat	portāverant	⌊ erat	⌊ erant
FUTURE PERFECT	*I shall have carried,* etc.		*I shall have been carried,* etc.	
	portāverō	portāverimus	portātus ⌈ erō	portātī ⌈ erimus
	portāveris	portāveritis	(–a, –um) ⟨ eris	(–ae, –a) ⟨ eritis
	portāverit	portāverint	⌊ erit	⌊ erunt

SUBJUNCTIVE

	ACTIVE		PASSIVE	
PRESENT	portem	portēmus	porter	portēmur
	portēs	portētis	portēris (–re)	portēminī
	portet	portent	portētur	portentur
IMPERFECT	portārem	portārēmus	portārer	portārēmur
	portārēs	portārētis	portārēris (–re)	portārēminī
	portāret	portārent	portārētur	portārentur
PERFECT	portāverim	portāverīmus	portātus ⌈ sim	portātī ⌈ sīmus
	portāverīs	portāverītis	(–a, –um) ⟨ sīs	(–ae, –a) ⟨ sītis
	portāverit	portāverint	⌊ sit	⌊ sint
PAST PERFECT	portāvissem	portāvissēmus	portātus ⌈ essem	portātī ⌈ essēmus
	portāvissēs	portāvissētis	(–a, –um) ⟨ essēs	(–ae, –a) ⟨ essētis
	portāvisset	portāvissent	⌊ esset	⌊ essent

	ACTIVE	PASSIVE

PRESENT IMPERATIVE

	ACTIVE	PASSIVE
2D SING.	portā, *carry*	portāre, *be carried*
2D PLUR.	portāte, *carry*	portāminī, *be carried*

FUTURE IMPERATIVE

	ACTIVE	PASSIVE
2D SING.	portātō, *carry*	portātor, *be carried*
3D SING.	portātō, *he shall carry*	portātor, *he shall be carried*
2D PLUR.	portātōte, *carry*	
3D PLUR.	portantō, *they shall carry*	portantor, *they shall be carried*

INFINITIVE

	ACTIVE	PASSIVE
PRESENT	portāre, *to carry*	portārī, *to be carried*
PERFECT	portāvisse, *to have carried*	portātus esse *to have been carried*
FUTURE	portātūrus esse, *to be going to carry*	(portātum īrī, *to be going to be carried*)

PARTICIPLE

	ACTIVE	PASSIVE
PRESENT	portāns, *carrying*	
PERFECT		portātus, (*having been*) *carried*
FUTURE	portātūrus, *going to carry*	portandus, (*necessary*) *to be carried*

GERUND

GEN. portandī   DAT. portandō   ACC. portandum   ABL. portandō, *of carrying,* etc.

SUPINE

ACC. portātum, *in order to carry*   ABL. portātū, *in carrying*

460.   *Second, Third, and Fourth Conjugations*

2d Conj.	*3d Conj.*	*4th Conj.*	*3d Conj. (–iō)*

PRINCIPAL PARTS

	2d Conj.	3d Conj.	4th Conj.	3d Conj. (–iō)
	doceō	pōnō	mūniō	capiō
	docēre	pōnere	mūnīre	capere
	docuī	posuī	mūnīvī	cēpī
	doctus	positus	mūnītus	captus

INDICATIVE ACTIVE

	2d Conj.	3d Conj.	4th Conj.	3d Conj. (–iō)
PRESENT	doceō	pōnō	mūniō	capiō
	docēs	pōnis	mūnīs	capis
	docet	pōnit	mūnit	capit
	docēmus	pōnimus	mūnīmus	capimus
	docētis	pōnitis	mūnītis	capitis
	docent	pōnunt	mūniunt	capiunt

	2d Conj.	3d Conj.	4th Conj.	3d Conj. (–iō)
IMPERFECT	docēbam	pōnēbam	mūniēbam	capiēbam
	docēbās	pōnēbās	mūniēbās	capiēbās
	docēbat	pōnēbat	mūniēbat	capiēbat
	docēbāmus	pōnēbāmus	mūniēbāmus	capiēbāmus
	docēbātis	pōnēbātis	mūniēbātis	capiēbātis
	docēbant	pōnēbant	mūniēbant	capiēbant
FUTURE	docēbō	pōnam	mūniam	capiam
	docēbis	pōnēs	mūniēs	capiēs
	docēbit	pōnet	mūniet	capiet
	docēbimus	pōnēmus	mūniēmus	capiēmus
	docēbitis	pōnētis	mūniētis	capiētis
	docēbunt	pōnent	mūnient	capient
PERFECT	docuī	posuī	mūnīvī	cēpī
	docuistī	posuistī	mūnīvistī	cēpistī
	docuit	posuit	mūnīvit	cēpit
	docuimus	posuimus	mūnīvimus	cēpimus
	docuistis	posuistis	mūnīvistis	cēpistis
	docuērunt	posuērunt	mūnīvērunt	cēpērunt
	(–ēre)	(–ēre)	(–ēre)	(–ēre)
PAST PERFECT	docueram	posueram	mūnīveram	cēperam
	docuerās	posuerās	mūnīverās	cēperās
	docuerat	posuerat	mūnīverat	cēperat
	docuerāmus	posuerāmus	mūnīverāmus	cēperāmus
	docuerātis	posuerātis	mūnīverātis	cēperātis
	docuerant	posuerant	mūnīverant	cēperant
FUTURE PERFECT	docuerō	posuerō	mūnīverō	cēperō
	docueris	posueris	mūnīveris	cēperis
	docuerit	posuerit	mūnīverit	cēperit
	docuerimus	posuerimus	mūnīverimus	cēperimus
	docueritis	posueritis	mūnīveritis	cēperitis
	docuerint	posuerint	mūnīverint	cēperint

SUBJUNCTIVE ACTIVE

	2d Conj.	3d Conj.	4th Conj.	3d Conj. (–iō)
PRESENT	doceam	pōnam	mūniam	capiam
	doceās	pōnās	mūniās	capiās
	doceat	pōnat	mūniat	capiat
	doceāmus	pōnāmus	mūniāmus	capiāmus
	doceātis	pōnātis	mūniātis	capiātis
	doceant	pōnant	mūniant	capiant

	2d Conj.	3d Conj.	4th Conj.	3d Conj. (–iō)
IMPERFECT	docērem	pōnerem	mūnīrem	caperem
	docērēs	pōnerēs	mūnīrēs	caperēs
	docēret	pōneret	mūnīret	caperet
	docērēmus	pōnerēmus	mūnīrēmus	caperēmus
	docērētis	pōnerētis	mūnīrētis	caperētis
	docērent	pōnerent	mūnīrent	caperent
PERFECT	docuerim	posuerim	mūnīverim	cēperim
	docuerīs	posuerīs	mūnīverīs	cēperīs
	docuerit	posuerit	mūnīverit	cēperit
	docuerīmus	posuerīmus	mūnīverīmus	cēperīmus
	docuerītis	posuerītis	mūnīverītis	cēperītis
	docuerint	posuerint	mūnīverint	cēperint
PAST	docuissem	posuissem	mūnīvissem	cēpissem
PERFECT	docuissēs	posuissēs	mūnīvissēs	cēpissēs
	docuisset	posuisset	mūnīvisset	cēpisset
	docuissēmus	posuissēmus	mūnīvissēmus	cēpissēmus
	docuissētis	posuissētis	mūnīvissētis	cēpissētis
	docuissent	posuissent	mūnīvissent	cēpissent

PRESENT IMPERATIVE ACTIVE

2D SING.	docē	pōne [1]	mūnī	cape [1]
2D PLUR.	docēte	pōnite	mūnīte	capite

FUTURE IMPERATIVE ACTIVE

2D SING.	docētō	pōnitō	mūnītō	capitō
3D SING.	docētō	pōnitō	mūnītō	capitō
2D PLUR.	docētōte	pōnitōte	mūnītōte	capitōte
3D PLUR.	docentō	pōnuntō	mūniuntō	capiuntō

INFINITIVE ACTIVE

PRESENT	docēre	pōnere	mūnīre	capere
PERFECT	docuisse	posuisse	mūnīvisse	cēpisse
FUTURE	doctūrus esse	positūrus esse	mūnītūrus esse	captūrus esse

PARTICIPLE ACTIVE

PRESENT	docēns	pōnēns	mūniēns	capiēns
FUTURE	doctūrus	positūrus	mūnītūrus	captūrus

[1] **Dīcō, dūcō,** and **faciō** have **dīc, dūc, fac** in the imperative singular.

344

	2d Conj.	3d Conj.	4th Conj.	3d Conj. (–iō)

GERUND

GEN.	docendī	pōnendī	mūniendī	capiendī
DAT.	docendō	pōnendō	mūniendō	capiendō
ACC.	docendum	pōnendum	mūniendum	capiendum
ABL.	docendō	pōnendō	mūniendō	capiendō

SUPINE

ACC.	doctum	positum	mūnītum	captum
ABL.	doctū	positū	mūnītū	captū

INDICATIVE PASSIVE

PRESENT	doceor	pōnor	mūnior	capior
	docēris (–re)	pōneris (–re)	mūnīris (–re)	caperis (–re)
	docētur	pōnitur	mūnītur	capitur
	docēmur	pōnimur	mūnīmur	capimur
	docēminī	pōniminī	mūnīminī	capiminī
	docentur	pōnuntur	mūniuntur	capiuntur
IMPERFECT	docēbar	pōnēbar	mūniēbar	capiēbar
	docēbāris	pōnēbāris	mūniēbāris	capiēbāris
	(–re)	(–re)	(–re)	(–re)
	docēbātur	pōnēbātur	mūniēbātur	capiēbātur
	docēbāmur	pōnēbāmur	mūniēbāmur	capiēbāmur
	docēbāminī	pōnēbāminī	mūniēbāminī	capiēbāminī
	docēbantur	pōnēbantur	mūniēbantur	capiēbantur
FUTURE	docēbor	pōnar	mūniar	capiar
	docēberis (–re)	pōnēris (–re)	mūniēris (–re)	capiēris (–re)
	docēbitur	pōnētur	mūniētur	capiētur
	docēbimur	pōnēmur	mūniēmur	capiēmur
	docēbiminī	pōnēminī	mūniēminī	capiēminī
	docēbuntur	pōnentur	mūnientur	capientur
PERFECT	doctus sum	positus sum	mūnītus sum	captus sum
	doctus es	positus es	mūnītus es	captus es
	doctus est	positus est	mūnītus est	captus est
	doctī sumus	positī sumus	mūnītī sumus	captī sumus
	doctī estis	positī estis	mūnītī estis	captī estis
	doctī sunt	positī sunt	mūnītī sunt	captī sunt
PAST PERFECT	doctus eram	positus eram	mūnītus eram	captus eram
	doctus erās	positus erās	mūnītus erās	captus erās
	doctus erat	positus erat	mūnītus erat	captus erat
	doctī erāmus	positī erāmus	mūnītī erāmus	captī erāmus
	doctī erātis	positī erātis	mūnītī erātis	captī erātis
	doctī erant	positī erant	mūnītī erant	captī erant

345

	2d Conj.	3d Conj.	4th Conj.	3d Conj. (–iō)
FUTURE	doctus erō	positus erō	mūnītus erō	captus erō
PERFECT	doctus eris	positus eris	mūnītus eris	captus eris
	doctus erit	positus erit	mūnītus erit	captus erit
	doctī erimus	positī erimus	mūnītī erimus	captī erimus
	doctī eritis	positī eritis	mūnītī eritis	captī eritis
	doctī erunt	positī erunt	mūnītī erunt	captī erunt

SUBJUNCTIVE PASSIVE

	2d Conj.	3d Conj.	4th Conj.	3d Conj. (–iō)
PRESENT	docear	pōnar	mūniar	capiar
	doceāris (–re)	pōnāris (–re)	mūniāris (–re)	capiāris (–re)
	doceātur	pōnātur	mūniātur	capiātur
	doceāmur	pōnāmur	mūniāmur	capiāmur
	doceāminī	pōnāminī	mūniāminī	capiāminī
	doceantur	pōnantur	mūniantur	capiantur
IMPERFECT	docērer	pōnerer	mūnīrer	caperer
	docērēris (–re)	pōnerēris (–re)	mūnīrēris (–re)	caperēris (–re)
	docērētur	pōnerētur	mūnīrētur	caperētur
	docērēmur	pōnerēmur	mūnīrēmur	caperēmur
	docērēminī	pōnerēminī	mūnīrēminī	caperēminī
	docērentur	pōnerentur	mūnīrentur	caperentur
PERFECT	doctus sim	positus sim	mūnītus sim	captus sim
	doctus sīs	positus sīs	mūnītus sīs	captus sīs
	doctus sit	positus sit	mūnītus sit	captus sit
	doctī sīmus	positī sīmus	mūnītī sīmus	captī sīmus
	doctī sītis	positī sītis	mūnītī sītis	captī sītis
	doctī sint	positī sint	mūnītī sint	captī sint
PAST	doctus essem	positus essem	mūnitus essem	captus essem
PERFECT	doctus essēs	positus essēs	mūnītus essēs	captus essēs
	doctus esset	positus esset	mūnītus esset	captus esset
	doctī essēmus	positī essēmus	mūnītī essēmus	captī essēmus
	doctī essētis	positī essētis	mūnītī essētis	captī essētis
	doctī essent	positī essent	mūnītī essent	captī essent

PRESENT IMPERATIVE PASSIVE

	2d Conj.	3d Conj.	4th Conj.	3d Conj. (–iō)
2D SING.	docēre	pōnere	mūnīre	capere
2D PLUR.	docēminī	pōniminī	mūnīminī	capiminī

FUTURE IMPERATIVE PASSIVE

	2d Conj.	3d Conj.	4th Conj.	3d Conj. (–iō)
2D SING.	docētor	pōnitor	mūnītor	capitor
3D SING.	docētor	pōnitor	mūnītor	capitor
3D PLUR.	docentor	pōnuntor	mūniuntor	capiuntor

346

	2d Conj.	3d Conj.	4th Conj.	3d Conj. (–iō)
		INFINITIVE PASSIVE		
PRESENT	docērī	pōnī	mūnīrī	capī
PERFECT	doctus esse	positus esse	mūnītus esse	captus esse
(FUTURE	doctum īrī	positum īrī	mūnītum īrī	captum īrī)
PERFECT	doctus	positus	mūnītus	captus
FUTURE	docendus	pōnendus	mūniendus	capiendus

461.   *Deponent Verbs*

Deponent verbs are active in meaning but passive in form, conjugated like the passive forms of the conjugations to which they belong: **arbitror**, *I think*. But the present and future participles and the future infinitive are active in both form and meaning. The perfect participle, though passive in form, is active in meaning.

	1st Conj.	2d Conj.	3d Conj.	4th Conj.	3d Conj. (–iō)
			PRINCIPAL PARTS		
	arbitror	**vereor**	**loquor**	**orior**	**gradior**
	arbitrārī	**verērī**	**loquī**	**orīrī**	**gradī**
	arbitrātus	**veritus**	**locūtus**	**ortus**	**gressus**
			INDICATIVE		
PRESENT	arbitror, *I think*	vereor, *I fear*	loquor, *I talk*	orior, *I rise*	gradior, *I walk*
IMPERFECT	arbitrābar	verēbar	loquēbar	oriēbar	gradiēbar
FUTURE	arbitrābor	verēbor	loquar	oriar	gradiar
PERFECT	arbitrātus sum	veritus sum	locūtus sum	ortus sum	gressus sum
PAST. PERF.	arbitrātus eram	veritus eram	locūtus eram	ortus eram	gressus eram
FUT. PERF.	arbitrātus erō	veritus erō	locūtus erō	ortus erō	gressus erō

PRESENT	arbitrer	verear	loquar	oriar	gradiar
IMPERFECT	arbitrārer	verērer	loquerer	orīrer	graderer
PERFECT	arbitrātus sim	veritus sim	locūtus sim	ortus sim	gressus sim
PAST PERF.	arbitrātus essem	veritus essem	locūtus essem	ortus essem	gressus essem

IMPERATIVE

PRESENT	arbitrāre	verēre	loquere	orīre	gradere
FUTURE	arbitrātor	verētor	loquitor	orītor	graditor

INFINITIVE

PRESENT	arbitrārī	verērī	loquī	orīrī	gradī
PERFECT	arbitrātus esse	veritus esse	locūtus esse	ortus esse	gressus esse
FUTURE	arbitrātūrus esse	veritūrus esse	locūtūrus esse	ortūrus esse	gressūrus esse

PARTICIPLE

PRESENT	arbitrāns	verēns	loquēns	oriēns	gradiēns
PERFECT	arbitrātus	veritus	locūtus	ortus	gressus
FUT. ACT.	arbitrātūrus	veritūrus	locūtūrus	ortūrus	gressūrus
FUT. PASS.	arbitrandus	verendus	loquendus	oriendus	gradiendus

GERUND

GEN.	arbitrandī, etc.	verendī, etc.	loquendī, etc.	oriendī, etc.	gradiendī, etc.

SUPINE

ACC.	arbitrātum	veritum	locūtum	ortum	gressum
ABL.	arbitrātū	veritū	locūtū	ortū	gressū

A few verbs (called "semideponent") are active in the present system and deponent in the perfect system, as **audeō, audēre, ausus.**

Irregular Verbs

462.   Principal Parts: **sum, esse, fuī, futūrus**

INDICATIVE			SUBJUNCTIVE		

PRESENT sum, *I am* sumus, *we are*   **PRESENT**   sim   sīmus
             es, *you are* estis, *you are*   sīs   sītis
             est, *he is*   sunt, *they are*   sit   sint

IMPERFECT *I was,* etc.

             eram   erāmus   **IMPERFECT** essem   essēmus
             erās   erātis   (forem)
             erat   erant   essēs   essētis
                                                  (forēs)
                                                   esset   essent
                                                  (foret)   (forent)

FUTURE   *I shall be,* etc.
             erō   erimus
             eris   eritis
             erit   erunt

PERFECT *I was,* etc.
             fuī   fuimus   **PERFECT**   fuerim   fuerīmus
             fuistī   fuistis   fuerīs   fuerītis
             fuit   fuērunt (–ēre)   fuerit   fuerint

PAST   *I had been,* etc.
PERFECT fueram   fuerāmus   **PAST**   fuissem   fuissēmus
             fuerās   fuerātis   **PERFECT**   fuissēs   fuissētis
             fuerat   fuerant   fuisset   fuissent

FUTURE   *I shall have been,* etc.
PERFECT fuerō   fuerimus
             fueris   fueritis
             fuerit   fuerint

INFINITIVE		PRESENT IMPERATIVE	

PRESENT esse, *to be*   2D SING.   es, *be*   2D PLUR. este, *be*
PERFECT fuisse, *to have been*
FUTURE   futūrus esse (fore) *to be*   FUTURE IMPERATIVE
             going to be

                                        2D SING. estō   2D PLUR.   estōte
                                        3D SING. estō   3D PLUR.   suntō
             PARTICIPLE

FUTURE   futūrus, *going to be*

463.   PRINCIPAL PARTS: **possum, posse, potuī, ——**

	INDICATIVE			SUBJUNCTIVE	
PRESENT	*I am able, I can,* etc.				
	possum	possumus	PRESENT	possim	possīmus
	potes	potestis		possīs	possītis
	potest	possunt		possit	possint
IMPERFECT	*I was able, I could,* etc.				
	poteram, etc.		IMPERFECT	possem, etc.	
FUTURE	*I shall be able,* etc.				
	poterō, etc.				
PERFECT	*I was able, I could,* etc.				
	potuī, etc.		PERFECT	potuerim, etc.	
PAST PERFECT	*I had been able,* etc.				
	potueram, etc.		PAST PERF.	potuissem, etc.	
FUTURE PERFECT	*I shall have been able,* etc.				
	potuerō, etc.				

	INFINITIVE		PARTICIPLE	
PRESENT	posse, *to be able*	PRESENT	potēns (*adj.*), *powerful*	
PERFECT	potuisse, *to have been able*			

464.   PRINCIPAL PARTS: **ferō, ferre, tulī, lātus**

ACTIVE   PASSIVE

INDICATIVE

PRESENT	ferō	ferimus		feror	ferimur
	fers	fertis		ferris (–re)	feriminī
	fert	ferunt		fertur	feruntur
IMPERFECT	ferēbam, etc.			ferēbar, etc.	
FUTURE	feram, ferēs, etc.			ferar, ferēris, etc.	
PERFECT	tulī, etc.			lātus sum, etc.	
PAST PERF.	tuleram, etc.			lātus eram, etc.	
FUT. PERF.	tulerō, etc.			lātus erō, etc.	

SUBJUNCTIVE

PRESENT	feram, ferās, etc.	ferar, ferāris, etc.
IMPERFECT	ferrem, etc.	ferrer, etc.
PERFECT	tulerim, etc.	lātus sim, etc.
PAST PERF.	tulissem, etc.	lātus essem, etc.

350

2D PERS.   fer   ferte   ferre   feriminī

2D PERS.   fertō   fertōte   fertor
3D PERS.   fertō   feruntō   fertor   feruntor

INFINITIVE

PRESENT   ferre   ferrī

PERFECT   tulisse   lātus esse

FUTURE   lātūrus esse   (lātum īrī)

PARTICIPLE

PRESENT   ferēns

PERFECT   lātus

FUTURE   lātūrus   ferendus

GERUND

GEN. ferendī   DAT. ferendō   ACC. ferendum   ABL. ferendō

SUPINE

ACC. lātum   ABL. lātū

465.   PRINCIPAL PARTS: eō, īre, iī, itūrus

	INDICATIVE		SUBJUNCTIVE	INFINITIVE
PRESENT	eō	īmus	eam, etc.	īre
	īs	ītis		
	it	eunt		
IMPERFECT	ībam, etc.		īrem, etc.	
FUTURE	ībō	ībimus		itūrus esse
	ībis	ībitis		
	ībit	ībunt		
PERFECT	iī	iimus	ierim, etc.	īsse
	īstī	īstis		
	iit	iērunt (–ēre)		
PAST PERF.	ieram, etc.		īssem, etc.	
FUT. PERF.	ierō, etc.			

	PARTICIPLE	IMPERATIVE	
PRESENT	iēns, GEN. euntis	ī	īte
FUTURE	itūrus (PASSIVE eundus)	ītō	ītōte
		ītō	euntō

	GERUND	SUPINE
GEN.	eundī	
DAT.	eundō	
ACC.	eundum	itum
ABL.	eundō	itū

466.

PRINCIPAL PARTS

volō	nōlō	mālō
velle	nōlle	mālle
voluī	nōluī	māluī

INDICATIVE

PRESENT	volō volumus	nōlō nōlumus	mālō mālumus
	vīs vultis	nōn vīs nōn vultis	māvīs māvultis
	vult volunt	nōn vult nōlunt	māvult mālunt
IMPERFECT	volēbam, etc.	nōlēbam, etc.	mālēbam, etc.
FUTURE	volam, volēs, etc.	nōlam, nōlēs, etc.	mālam, mālēs, etc.
PERFECT	voluī, etc.	nōluī, etc.	māluī, etc.
PAST PERF.	volueram, etc.	nōlueram, etc.	mālueram, etc.
FUT. PERF.	voluerō, etc.	nōluerō, etc.	māluerō, etc.

SUBJUNCTIVE

PRESENT	velim velīmus	nōlim nōlīmus	mālim mālīmus
	velīs velītis	nōlīs nōlītis	mālīs mālītis
	velit velint	nōlit nōlint	mālit mālint
IMPERFECT	vellem, etc.	nōllem, etc.	māllem, etc.
PERFECT	voluerim, etc.	nōluerim, etc.	māluerim, etc.
PAST PERF.	voluissem, etc.	nōluissem, etc.	māluissem, etc.

PRESENT AND FUTURE IMPERATIVE

2D PERS.	—— ——	nōlī	nōlīte	—— ——
2D PERS.	—— ——	nōlītō	nōlītōte	—— ——

PRESENT	**velle**	**nōlle**	**mālle**
PERFECT	**voluisse**	**nōluisse**	**māluisse**

PARTICIPLE

PRESENT	**volēns**	**nōlēns**	——

467. PRINCIPAL PARTS: **fīō, fierī, (factus)**

	INDICATIVE		SUBJUNCTIVE	IMPERATIVE		INFINITIVE
PRESENT	**fīō**	——	**fīam,** etc.			**fierī**
	——	——		**fī**	**fīte**	
	fit	**fīunt**				
IMPERFECT	**fīēbam,** etc.		**fierem,** etc.			
FUTURE	**fīam, fīēs,** etc.					

468.   *Defective Verbs*

Coepī is used only in the perfect system. For the present system **incipiō** is used. With a passive infinitive the passive of **coepī** is used: **Lapidēs iacī coeptī sunt,** *Stones began to be thrown.* **Meminī** and **ōdī** likewise are used only in the perfect system, but with present meaning. The former has an imperative **mementō, mementōte.**

The only forms of **inquam** in common use are in the present indicative: **inquam, inquis, inquit, inquiunt.** Similarly **aiō, ais, ait, aiunt,** and the imperfect: **aiēbam,** etc.

Impersonal verbs are used only in the third personal singular and the infinitive: **decet, libet, licet, miseret, oportet, piget, pudet, taedet.**

469.   *Contracted Forms*

Verbs having perfect stems ending in **–āv–** or **–ēv–** are sometimes contracted by dropping **–ve–** before **–r–** and **–vi–** before **–s–: amārunt, cōnsuēsse.** Verbs having perfect stems ending in **–īv–** drop **–vi–** before **–s–** but only **–v–** before **–r–: audīsset, audierat.**

One of the Furies, sleeping. In classical art and literature, the Furies represented conscience.

353

BASIC SYNTAX [1]

470. Questions

Some questions are introduced by interrogative pronouns or adverbs (**quis, ubi,** etc.). Others are introduced as follows:

1. In questions the answer to which might be either *yes* or *no* the particle **–ne** is attached to the first word.

> **Frāterne venit?** *Is your brother coming?*

2. In questions the answer to which is expected to be *yes* the introductory word is **nōnne** (i.e., **nōn + ne;** cf. English).

> **Nōnne frāter venit?** *Is not your brother coming?*

3. In questions the answer to which is expected to be *no* the introductory word is **num.**

> **Num frāter venit?** *Your brother is not coming, is he?*

Double questions are introduced by **utrum, –ne,** or nothing at all and are connected by **an.**

> **Frāterne bonus an malus est?** *Is your brother good or bad?*

Note. For *or not* in a double question Latin uses **annōn** or **necne.**

471. Reflexive Pronouns and Adjectives

The personal pronouns of the first and second persons and the possessive adjectives derived from them may be used reflexively. It is only in the third person that the Latin employs a distinct reflexive pronoun, **suī** (adjective **suus**).

a. Both **suī** and **suus** commonly refer to the subject of the clause in which they stand ("Direct Reflexive").

> **Sē suaque omnia dēdidērunt,** *They surrendered themselves and all their possessions.*

b. Sometimes **suī** or **suus,** occurring in a subordinate clause, refers not to the subject of its own clause, but to the subject of the main verb ("Indirect Reflexive").

> **Petēbant utī Caesar sibi potestātem faceret,** *They begged that Caesar give them a chance.*

Note. In order to avoid ambiguity, if it ever becomes necessary to refer to the subjects of both clauses, **ipse** is used as the indirect reflexive, and **suī** (or **suus**) as the direct reflexive.

[1] In this summary only those constructions are included which are relatively more important and which recur repeatedly in the text or are referred to in the book.

354

472. Agreement

1. *Adjectives.* Adjectives and participles agree in number, gender, and case with the nouns which they modify. When an adjective modifies several nouns of different numbers or genders, it either agrees with the last or is put in the neuter plural.

2. *Adjectives as Nouns.* Sometimes adjectives are used as nouns: **nostrī,** *our (men);* **malum,** *evil.*

3. *Verbs.* Verbs agree in person and number with their subjects. When two subjects are connected by **aut, aut . . . aut, neque . . . neque,** the verb agrees with the nearer subject.

Note. A plural verb may be used with a singular subject which is plural in thought.

4. *Relative Pronoun.* The relative pronoun agrees in gender and number with its antecedent but its case depends upon its use in its own clause.

Note. a. The antecedent of the relative is often omitted.

b. Sometimes the antecedent is represented by an entire clause, in which case the pronoun is best translated *a thing which.*

c. In Latin a relative pronoun is often used at the beginning of a sentence to refer to the thought of the preceding sentence. The English idiom calls for a demonstrative or personal pronoun.

> **quā de cāusā,** *for this reason.*

5. *Appositives.* Appositives agree in case.

Note. It is often best to supply *as* in translating the appositive.

> **eōdem homine magistrō ūtī,** *to use the same man as teacher.*

Noun Syntax

473. Nominative

1. *Subject.* The subject of a finite verb is in the nominative case.

2. *Predicate. a.* A noun or adjective used in the predicate with a linking verb (*is, are, seem,* etc.) is in the nominative.

> **Īnsula est magna,** *The island is large.*
> **Sicilia est īnsula,** *Sicily is an island.*

b. Predicate nouns and adjectives are used not only with **sum** but also with **fīō** and the passive voice of verbs meaning *call, choose, appoint, elect,* and the like.

Caesar dux factus est, *Caesar was made leader.*

Cicerō Pater Patriae appellātus est, *Cicero was called the Father of his Country.*

Note. With the active voice of these verbs two accusatives are used.

474. Genitive

1. *Of Possession.* Possession is expressed by the genitive.

> **viae īnsulae,** *the roads of the island.*

2. *Predicate.* The possessive genitive may be used in the predicate with **sum** (or **faciō**) (often translated *it is the part of, the duty of,* etc.).

> **Sapientiae est vidēre,** *It is the part of wisdom to see.*

3. *Of Description.* The genitive, if modified by an adjective, may be used to describe a person or thing.

> **virī magnae virtūtis,** *men of great courage.*

Note. The descriptive genitive is largely confined to permanent qualities such as measure and number.

> **spatium decem pedum,** *a space of ten feet.*

4. *Of the Whole.* The genitive of the whole (also called partitive genitive) represents the whole to which the part belongs.

> **hōrum omnium fortissimī,** *the bravest of all these.*
> **nihil praesidī,** *no guard.*

Note. a. This is similar to the English idiom except when the genitive is used with such words as **nihil, satis, quid.**

b. Instead of the genitive of the whole, the ablative with **ex** or **dē** is regularly used with cardinal numerals (except **mīlia**) and **quīdam,** often also with other words, such as **paucī** and **complūrēs.**

> **quīnque ex nostrīs,** *five of our men.*
> **quīdam ex mīlitibus,** *certain of the soldiers.*

5. *Subjective.* The subjective genitive expresses the subject of the verbal idea of the noun on which it depends. If this noun is turned into a verb, the genitive becomes subject:

> **timor populī,** *the fear of the people* (i.e., *the people feared*).

6. *Objective.* The objective genitive expresses the object of the verbal idea of the noun or adjective on which it depends. If this noun or adjective is turned into a verb, the genitive becomes object:

> **amantissimōs reī pūblicae virōs,** *patriotic men* (i.e., *they loved the state*).

356

7. *Of the Charge and Penalty.* With verbs of *accusing, condemning,* or *acquitting* the genitive is used to indicate either the charge or the penalty.

>**capitis damnātum,** *condemned to death* (lit., *of the head*).
>**Accūsō tē inertiae,** *I accuse you of inaction.*

8. *Of Indefinite Value.* The genitive is used with **sum** and other verbs to express indefinite value.

>**Est tantī,** *It is worth that much.*
>**parvī esse dūcenda,** *to be considered of little value.*

9. *With Special Verbs.* With **oblīvīscor** (*forget*), **meminī, reminīscor** (*remember*), **misereor** (*pity*), and occasionally **potior** (*get possession of*), the genitive is used.

>**Oblīvīscere caedis atque incendiōrum,** *Forget bloodshed and burning.*

Note. Sometimes the accusative is used with **meminī** and **reminīscor;** regularly so with **recordor** (*remember*).

10. *With Adjectives.* The genitive is used with certain adjectives. In many cases the English idiom is the same; in others, it is not.

>**bellandī cupidus,** *desirous of waging war.*
>**reī mīlitāris perītus,** *skilled in warfare.*
>**tuī similis,** *like you.*

11. *Of Plenty and Want.* With certain adjectives and verbs having the idea of plenty or want the genitive is regularly used: **plēnus** and **refertus,** *full of;* **inānis, inops,** and **expers,** *empty, without, devoid of.*

Note. The ablative is sometimes used with these words (except **expers**).

475. Dative

1. *Of Indirect Object.* The indirect object of a verb is in the dative. It is used with verbs of *giving, reporting, telling,* etc.

>**Nautae pecūniam dōnō,** *I give money to the sailor.*

2. *Of Purpose.* The dative is sometimes used to express purpose.

>**Locum castrīs dēlēgit,** *He chose a place for a camp.*

3. *Of Reference.* The dative of reference shows the person concerned or referred to.

>**sī mihi dignī esse vultis,** *if you wish to be worthy in my sight* (literally, *for me*).

Note. The dative of reference is often used with the dative of purpose to show the person or thing affected ("double" dative).

>**Haec castra erunt praesidiō oppidō,** *This camp will be (for) a protection to the town.*

4. *Of Separation.* The dative of separation (really reference) is usually confined to persons and occurs chiefly with verbs compounded with **ab, dē,** and **ex.**

    scūtō ūnī mīlitī dētrāctō, *having seized a shield from a soldier.*

5. *With Adjectives.* The dative is used with certain adjectives, as **amīcus, idōneus, pār, proximus, similis, ūtilis,** and their opposites. In many cases the English idiom is the same.

    Hic liber est similis illī, *This book is similar to that.*

6. *With Special Verbs.* The dative is used with a few intransitive verbs, such as **cōnfīdō, crēdō, dēsum, faveō, ignōscō, imperō, invideō, minitor, noceō, parcō, pāreō, persuādeō, placeō, praestō, resistō, serviō,** and **studeō.**

    Tibi pāret sed mihi resistit, *He obeys you but resists me.*

a. Some of these verbs become impersonal in the passive and the dative is retained. The perfect passive participle of such verbs is used only in the neuter.

    Eī persuāsum est, *He was persuaded.*

b. A neuter pronoun or adjective or an **ut** clause may be used as a direct object with **imperō** and **persuādeō.**

    Hoc mihi persuāsit, *He persuaded me of this.*

7. *With Compounds.* The dative is often used with certain compound verbs, especially when the noun goes closely with the prefix of the verb. No general rule can be given. Sometimes both an accusative and a dative are used when the main part of the verb is transitive.

    Gallīs bellum intulit, *He made war against the Gauls.*

8. *Possession.* The possessor may be expressed by the dative with **sum.**

    Liber mihi est, *I have a book.*

9. *Agent.* The dative of agent is used with the future passive participle to indicate the person upon whom the obligation rests **(488).** Occasionally it is used with the perfect participle.

    Hoc opus vōbīs faciendum est, *This work is to be done by you,* i.e., *This work must be done by you.*

476. Accusative

1. *Of Direct Object.* The direct object of a transitive verb is in the accusative.

    Viam parāmus, *We are preparing a way.*

2. *Of Extent*. Extent of time or space is expressed by the accusative.

> **Duōs annōs remānsit,** *He remained two years.*
> **Flūmen decem pedēs altum est,** *The river is ten feet deep.*

3. *Of Place to Which*. The accusative with **ad** (*to*) or **in** (*into*) expresses "place to which." These prepositions, however, are omitted before **domum** and names of towns and cities.

> **Lēgātōs ad eum mittunt,** *They send envoys to him.*
> **Rōmam eunt,** *They go to Rome.*

Note. When the preposition **ad** is used with names of towns it means *to the vicinity of*.

4. *Subject of Infinitive*. The subject of an infinitive is in the accusative.

> **Puerōs esse bonōs volumus,** *We want the boys to be good.*

5. *Two Accusatives*. With **trādūcō** and **trānsportō** two accusatives are used. In the passive the word closely connected with the prefix remains in the accusative.

> **Cōpiās Rhēnum trādūcit,** *He leads his forces across the Rhine.*
> **Cōpiae Rhēnum trādūcuntur,** *The forces are led across the Rhine.*

Note. For two accusatives with verbs meaning *call, choose*, etc., see **473**, 2, *b*, *Note*.

6. *With Prepositions*. The accusative is used with prepositions (except those listed in **477**, 19). When **in** and **sub** show the direction toward which a thing moves, the accusative is used.

7. *Of Exclamation*. The object of an emotion is expressed by the accusative.

> **Ō fortūnātam rem pūblicam,** *O fortunate republic!*
> **Ō tempora, Ō mōrēs!** *O what a time, what a state of affairs!*

8. *Of Respect*. In poetry the accusative of respect is used with verbs and adjectives to indicate the part affected:

> **hirsūta capillōs,** *with shaggy hair* (lit., *shaggy as to the hair*).

Note. Some examples are classed as direct objects of the passive verb used in a middle (reflexive) sense.

477. Ablative

Summary. The uses of the ablative may be grouped under three heads:

I. The *true* or *"from"* ablative (**ab**, *from,* and **lātus**, *carried*), used with the prepositions **ab, dē,** and **ex**—if any preposition is used.

II. The *associative* or *"with"* ablative, used with the preposition **cum**—if any preposition is used.

III. The *place or "in" ablative,* used with the prepositions **in** and **sub**—if any preposition is used.

1. *Of Separation.* Separation may be expressed by the ablative without a preposition, always so with **careō** and **līberō,** often also with **abstineō, dēsistō, excēdō,** and other verbs; also adjectives such as **līber** and **vacuus.**

Note. a. **Prohibeō,** *keep from,* is generally used without a preposition but occasionally with it.

> **Suīs fīnibus eōs prohibent,** *They keep them from their own territory.*

b. Other verbs expressing separation regularly require the prepositions **ab, dē,** or **ex.**

2. *Of Place from Which.* The ablative with **ab, dē,** or **ex** expresses "place from which."

> **ex agrīs,** *out of the fields.*

Note. The preposition is regularly omitted before **domō** as well as before names of towns and cities. When it is used with such names, it means *from the vicinity of.*

3. *Of Origin.* The ablative without or with a preposition (**ab, dē, ex**) expresses origin.

> **amplissimō genere nātus,** *born of most illustrious family.*

4. *Of Agent.* The ablative with **ā** or **ab** is used with a passive verb to show the person (or animal) by whom something is done.

> **Amāmur ab amīcīs,** *We are loved by our friends.*

5. *Of Comparison.* After a comparative the ablative is used when **quam** (*than*) is omitted.

> **amplius pedibus decem,** *more than ten feet.*
> **Nec locus tibi ūllus dulcior esse dēbet patriā,** *No spot ought to be dearer to you than your native land.*

6. *Of Accompaniment.* The ablative with **cum** expresses accompaniment.

> **Cum servō venit,** *He is coming with the slave.*

a. When **cum** is used with a personal, reflexive, or relative pronoun, it is attached to it as an enclitic: **vōbīscum,** *with you;* **sēcum,** *with himself;* **quibuscum,** *with whom.*

b. **Cum** may be omitted in military phrases indicating accompaniment, if modified by an adjective other than a numeral.

> **omnibus suīs cōpiīs,** *with all his forces.*
> **cum tribus legiōnibus,** *with three legions.*

360

7. *Of Manner.* The ablative of manner with **cum** describes how something is done. **Cum** is sometimes omitted if an adjective modifies the noun.

> **(Cum) magnō studiō labōrat,** *He labors with great eagerness (very eagerly).*

8. *Absolute.* A noun in the ablative used with a participle, adjective, or other noun and having no grammatical connection with any other word in its clause is called an ablative absolute.

In translating, an ablative absolute should, as a rule, be changed to a clause expressing *time, cause, condition, means,* or *concession,* according to the context. At times it may best be rendered by a coordinate clause.

> **Servō accūsātō, dominus discessit,** *After accusing the slave* (literally, *the slave having been accused), the master departed.*
> **Oppidīs nostrīs captīs, bellum gerēmus,** *If our towns are captured* (literally, *our towns captured), we shall wage war.*

9. *Of Means.* The means by which a thing is done is expressed by the ablative without a preposition.

> **Ratibus trānsībant,** *They were trying to cross by means of rafts.*

10. *With Special Verbs.* The ablative is used with a few verbs, notably **fruor, fungor, potior,** and **ūtor,** whose English equivalents generally govern a direct object.

> **Castrīs potītī sunt,** *They got possession of the camp.*

11. *Of Cause.* The ablative of cause is used chiefly with verbs and adjectives expressing feeling.

> **labōrāre iniūriā,** *to suffer because of the wrong.*
> **vīribus cōnfīsī,** *relying on their strength.*

12. *Of Measure of Difference.* The ablative without a preposition expresses the measure of difference.

> **tribus annīs ante,** *three years ago* (literally, *before by three years).*
> **multō maior,** *much larger* (literally, *larger by much).*

13. *Of Description.* The ablative, like the genitive, is used with an adjective to describe a noun. It is regularly used of temporary qualities, such as personal appearance.

> **hominēs inimīcā faciē,** *men with an unfriendly appearance.*

14. *Of Place Where.* The ablative with **in** or **sub** expresses "place where." The preposition may be omitted, however, with certain words like **locō, locīs,** and **parte,** also in certain fixed expressions like **tōtō orbe terrārum,** *in the whole world.* In poetry the omission of the preposition is more frequent. See also Locative.

15. *Of Time When.* "Time when" or "within which" is expressed by the ablative without a preposition.

aestāte, *in summer;* **paucīs diēbus,** *within a few days.*

16. *Of Respect.* The ablative tells in what respect the statement applies.

Nōs superant numerō, *They surpass us in number.*

17. *Of Accordance.* The ablative is used with a few words to express the idea *in accordance with.*

mōre suō, *in accordance with his custom.*

18. *With Dignus.* The ablative is used with **dignus** and **indignus.**

dignus patre, *worthy of his father.*

19. *With Prepositions.* The ablative is used with the prepositions **ab, cum, dē, ex, prae, prō, sine;** sometimes with **in** and **sub** (see 14).

20. *With Opus Est and Egeō.* **Opus est,** meaning *there is need,* and **egeō,** *need,* may be followed by the ablative.

Pecūniā opus est, *There is need of money.*

21. *With Cōnfīdō.* With **fīdō** and **cōnfīdō** (*trust*) the ablative may be used. Regularly the dative (of persons) is used.

cum affīnitāte Pompeī cōnfīderet, *since he trusted in his relationship with Pompey.*

22. *With Rēfert and Interest.* With **rēfert** and **interest,** *it concerns, it is for the interest of,* the genitive of the person or thing concerned, if a noun, is used; otherwise the feminine ablative singular of the possessive is used.

Rēgis rēfert, *It concerns the king.*
Meā videō quid intersit, *I see what is to my interest.*

Note. The construction originated in such expressions as **Quid meā rē fert?** *What does it bear on my affair?*

478. Locative

Domus and the names of towns and cities require a separate case, called the locative, to express "place where." The locative has the same ending as the genitive in the singular of nouns of the first and second declensions; it has the same ending as the ablative in the plural of these declensions and in the third declension, singular and plural.

domī, *at home;* **Rōmae,** *at Rome;* **Athēnīs,** *at Athens.*

479. Vocative

The vocative is used in addressing a person. Unless emphatic it never stands first.

Quid facis, amīce? *What are you doing, my friend?*

Verb Syntax

480. Tenses

The tenses of the indicative in Latin are in general used like those in English, but the following points are to be noted.

1. *Present.* The Latin present has the force of the English simple present and of the progressive present.

Vocat, *He calls,* or *He is calling.*

2. *Historical Present.* The historical present is used for vivid effect instead of a past tense in Latin as in English.

Rōmam proficīscuntur, *They depart(ed) for Rome.*

a. In clauses introduced by **dum** meaning *while,* the historical present is always used. In translating use the English past. For **dum** meaning *as long as* or *until* see **481,** 2; **482,** 12.

dum haec geruntur, *while these things were going on.*

3. *Imperfect.* The Latin imperfect expresses repeated, customary, or continuous action in the past and is usually best translated by the English progressive past, sometimes by the auxiliary *would,* or by a phrase, such as *used to* or *kept on.*

Pugnābant, *They were fighting.*

Sometimes the imperfect expresses attempted action (*trying to*).

4. *Perfect.* The Latin perfect is generally equivalent to the English past, occasionally to the present perfect.

Vīcī, *I conquered,* or *I have conquered.*

5. *Sequence of Tenses.* The subjunctive mood is used chiefly in subordinate clauses, in which its tenses are determined by the principle of "sequence of tenses," as shown in the following summary and examples:

a. PRIMARY TENSES   (referring to the present or future)
    Indicative: present, future, future perfect.
    Subjunctive: present, perfect.

1. **Venit ut mē videat,** *He is coming to see me* (*that he may see me*).
2. **Veniet ut mē videat,** *He will come to see me* (*that he may see me*).
3. **Excesserō priusquam veniat,** *I shall have departed before he comes.*

4. Rogō quid crās faciās (*or* **factūrus sīs**), *I ask what you will do to-morrow.*

5. Rogō quid herī fēcerīs, *I ask what you did yesterday.*

    b. SECONDARY TENSES   (referring to the past)
      Indicative: imperfect, perfect, past perfect.
      Subjunctive: imperfect, past perfect.

    1. Vēnit ut mē vidēret, *He came to see me* (*that he might see me*).

    2. Rogābam quid facerēs, *I kept asking what you were doing.*

    3. Rogābam quid anteā fēcissēs, *I kept asking what you had done before.*

    4. Excesseram priusquam venīret, *I had departed before he came.*

Primary indicative tenses are followed by primary subjunctive tenses, secondary by secondary.

Note. a. The "historical" present (**480,** 2), used for vivid effect in describing a past action, is often followed by a secondary tense.

b. In result clauses, the perfect subjunctive sometimes follows a secondary tense.

6. *Epistolary Tenses.* In writing letters the Roman determined the tense from the standpoint of the reader, not the writer. Therefore he used a past tense for events going on when he wrote. Such tense usage is known as epistolary.

    Hanc epistulam scrīpsī, *I am writing this letter.*

481. Indicative Mood

The indicative mood is generally used in Latin as in English. The following points are to be noted.

    1. *Relative Clauses.* Most relative clauses are in the indicative, as in English. But see **482,** 3, 10, 14.

    2. *Adverbial Clauses.* Clauses introduced by **postquam, posteāquam** (*after*), **ubi, ut** (*when*), **cum prīmum, simul ac** (*as soon as*), **dum** (*while, as long as*), **quamquam, etsī** (*although*) are in the indicative.

      Postquam id cōnspexit, signum dedit, *After he noticed this, he gave the signal.*

    3. *Noun Clauses.* A clause introduced by **quod** (*the fact that, that*) is in the indicative and may be used as subject or object of the main verb or in apposition with a demonstrative.

      Grātum est quod mē requīris, *It is gratifying that you miss me.*

364

482. Subjunctive Mood

1. *Volitive*. The volitive **(volō)** subjunctive represents an act as *willed* and is translated by *let*. The negative is **nē.**

> **Patriam dēfendāmus,** *Let us defend our country.*
> **Nē id videat,** *Let him not see it.*

2. *Purpose Clauses.* The subjunctive is used in a subordinate clause with **ut** or **utī** (negative **nē**) to express the purpose of the act expressed by the principal clause.

> **Venīmus ut videāmus,** *We come that we may see,* or *We come to see.*
> **Fugit nē videātur,** *He flees that he may not be seen.*

3. *Relative Purpose Clauses.* If the principal clause contains (or implies) a definite antecedent, the purpose clause may be introduced by the relative pronoun **quī** (= **ut is** or **ut eī**) instead of **ut.**

> **Mīlitēs mīsit quī hostem impedīrent,** *He sent soldiers to hinder the enemy.*

4. *Quō Purpose Clauses.* If the purpose clause contains an adjective or adverb in the comparative degree, **quō** is generally used instead of **ut.**

> **Accēdit quō facilius audiat,** *He approaches in order that he may hear more easily.*

(For other ways to express purpose see Dative, Future Passive Participle, Gerund.)

5. *Volitive Noun Clauses.* Clauses in the subjunctive with **ut** (negative **nē**) are used as the objects of such verbs as **moneō, rogō, petō, hortor, per-suādeō,** and **imperō.**

> **Mīlitēs hortātus est ut fortēs essent,** *He urged the soldiers to be brave.*
> **Helvētiīs persuāsit ut exīrent,** *He persuaded the Helvetians to leave.*

Note. a. With **iubeō** (*order*), unlike **imperō**, the infinitive is generally used. The subject of the infinitive is in the accusative.

> **Iussit eōs venīre,** *He ordered them to come.*
> **Imperāvit eīs ut venīrent,** *He ordered them to come.*

b. **Vetō** (*forbid*) and **cupiō** (*desire*) are used like **iubeō.**

6. *Clauses with Verbs of Hindering.* With verbs of hindering, preventing, and doubting, as **impediō, dēterreō,** and **dubitō,** the subjunctive introduced by **nē** or **quō minus** is used if the main clause is affirmative, by **quīn** if negative.

> **Tū dēterrēre potes nē maior multitūdō trādūcātur,** *You can prevent a greater number from being brought over.*

365

Note. The infinitive is often used with **prohibeō** (*prevent*) and with **dubitō** when it means *hesitate.*

> **Caesar prohibuit eōs trānsīre,** *Caesar prevented them from crossing.*

7. *Clauses of Fear.* With verbs of fearing, clauses in the subjunctive introduced by **nē** (*that*) and **ut** (*that not*) are used.

> **Verēbātur nē tū aeger essēs,** *He feared that you were sick.*
> **Timuī ut venīrent,** *I was afraid that they would not come.*

8. *Result Clauses.* The result of the action or state of the principal verb is expressed by a subordinate clause with **ut (utī)**, negative **ut nōn (utī nōn)**, and the subjunctive.

> **Tantum est perīculum ut paucī veniant,** *So great is the danger that few are coming.*
> **Ita bene erant castra mūnīta ut nōn capī possent,** *So well had the camp been fortified that it could not be taken.*

Note. Result clauses are usually anticipated by some word in the main clause meaning *so* or *such* (**ita, tantus, tot, tam,** etc.).

9. *Noun Clauses of Result.* Verbs meaning *to happen* (**accidō**) or *to cause* or *effect* (**efficiō**) require clauses of result in the subjunctive with **ut (utī)** or **ut (utī) nōn,** used as subject or object of the main verb:

> **Accidit ut mē nōn vidēret,** *It happened that he did not see me.*
> **Efficiam ut veniat,** *I shall cause him to come.*

10. *Descriptive Relative Clauses.* A relative clause with the subjunctive may be used to describe an indefinite antecedent. Such clauses are called relative clauses of description (characteristic) and are especially common after such expressions as **ūnus** and **sōlus, sunt quī** (*there are those who*), and **nēmō est quī** (*there is no one who*).

Note. Sometimes a descriptive clause expresses cause, concession, or result. After a negative, **quīn** may be used to introduce the clause.

11. *Cum Clauses.* In secondary sequence **cum** (*when*) is used with the imperfect or the past perfect subjunctive to describe the circumstances under which the action of the main verb occurred.

> **Cum mīlitēs redīssent, Caesar ōrātiōnem habuit,** *When the soldiers returned, Caesar made a speech.*

a. In some clauses **cum** with the subjunctive is best translated *since.*

> **Quae cum ita sint, nōn ībō,** *Since this is so, I shall not go* (literally, *When this is so*).

b. In some clauses **cum** with the subjunctive is best translated *although.*

Cum ea ita sint, tamen nōn ībō, *Although this is so, yet I shall not go* (literally, *When,* etc.).

When **ut** means *although, granted that,* its clause is in the subjunctive.

12. *Anticipatory Clauses.* **Dum** (*until*), **antequam,** and **priusquam** (*before*) introduce clauses (*a*) in the indicative to indicate *an actual fact,* (*b*) in the subjunctive to indicate an act as *anticipated.*

> **Silentium fuit dum tū vēnistī,** *There was silence until you came.*
> **Caesar exspectāvit dum nāvēs convenīrent,** *Caesar waited until the ships should assemble.*
> **Priusquam tēlum adigī posset, omnēs fūgērunt,** *Before a weapon could be thrown, all fled.*

13. *Indirect Questions.* In a question indirectly quoted or expressed after some introductory verb such as *ask, doubt, learn, know, tell, hear,* etc., the verb is in the subjunctive.

> **Rogant quis sit,** *They ask who he is.*

Note. The first member of a double indirect question is introduced by **utrum** or **–ne,** the second by **an.**

> **Quaerō utrum vērum an falsum sit,** *I ask whether it is true or false.*

14. *Subordinate Clauses in Indirect Discourse.* An indicative in a subordinate clause becomes subjunctive in indirect discourse. If the clause is not regarded as an essential part of the quotation but is merely explanatory or parenthetical, its verb may be in the indicative.

> **Dīxit sē pecūniam invēnisse quam āmīsisset,** *He said that he found the money which he had lost.*

15. *By Attraction.* A verb in a clause dependent upon a subjunctive or an infinitive, is frequently "attracted" to the subjunctive, especially if its clause is an essential part of the statement.

> **Dat negōtium hīs utī ea quae apud Belgās gerantur cognōscant,** *He directs them to learn what is going on among the Belgians.*

16. *Quod Causal Clauses.* Causal clauses introduced by **quod** (or **proptereā quod**) and **quoniam** (*since, because*) are in the indicative when they give the writer's or speaker's reason, the subjunctive when the reason is presented as that of another person.

> **Amīcō grātiās ēgī quod mihi pecūniam dederat,** *I thanked my friend because he had given me money.*
> **Rōmānīs bellum intulit quod agrōs suōs vāstāvissent,** *He made war against the Romans because (as he alleged) they had laid waste his lands.*

17. *Proviso Clauses.* The subjunctive with **dum, dum modo, modo,** meaning *provided that,* is used to express a proviso (negative **nē**).

modo inter mē atque tē mūrus intersit, *provided that a wall is between you and me.*

18. *Deliberative.* In questions of doubt and perplexity where the speaker asks himself or someone else for advice, or in questions or exclamations expressing surprise or indignation, the subjunctive is used, sometimes with **ut.** The negative is **nōn.** The deliberative subjunctive is commonly used in questions which expect no answer, and is therefore purely rhetorical.

> **Quid fīat?** *What shall be done?*
> **Cūr ego nōn laeter?** *Why should I not rejoice?*
> **Tū ut umquam tē corrigās?** *You ever reform?*

19. *Optative.* The optative (**optō**) subjunctive represents *a wish.* It frequently is preceded by **utinam** (*would that*). The negative is **nē.**

a. The present (rarely the perfect) is used when the wish can come true:

> **Vīvās fēlīciter!** *May you live happily!*

b. The imperfect expresses a wish contrary to fact in present time:

> **Utinam venīret!** *Oh, that he were coming* (but he is not)!

c. The past perfect expresses a wish contrary to fact in past time:

> **Utinam nē vēnisset!** *Would that he had not come* (but he did)!

20. *Potential.* The potential subjunctive expresses the possibility or capability of something being done. The negative is **nōn.** The present and perfect refer to present or future time, the imperfect to past time. It is variously translated by *may, might, can, could.*

> **Aliquis dīcat mihi,** *Someone may say to me.*
> **Aurum fluitāre vidērēs,** *You might have seen the gold flowing.*

21. *Of Obligation.* The negative is **nōn.** It is translated by *should* or *ought.*

> **Quid ego cōnārer?** *Why should I have tried?*

22. *Of Comparison.* With words meaning *as if* (**quasi, velut,** etc.) the subjunctive is used.

> **quasi nātūrā diiūnctī sint,** *as if they were naturally separated.*

23. *Second Singular Indefinite.* When the second person singular is not applied to an individual but generally (where we use *one* in English), the subjunctive may be used.

> **Putēs dīcere,** *One might think you are saying.*

483. Outline of Conditions

a. Subordinate clause ("condition") introduced by **sī, nisi,** or **sī nōn.**
b. Principal clause ("conclusion").

1. *Simple* (nothing implied as to truth). Any possible combination of tenses of the indicative, as in English.

> **Sī mē laudat, laetus sum,** *If he praises me, I am glad.*

2. *Contrary to Fact.*

a. Present: imperfect subjunctive in both clauses.

> **Sī mē laudāret, laetus essem,** *If he were praising me* (but he isn't), *I should be glad* (now).

b. Past: past perfect subjunctive in both clauses.

> **Sī mē laudāvisset, laetus fuissem,** *If he had praised me* (but he didn't), *I should have been glad* (then).

c. Mixed: past condition and present conclusion.

> **Sī mē laudāvisset, laetus essem,** *If he had praised me* (but he didn't) *I should be glad* (now).

Note. Sometimes the indicative is used in the conclusion for greater vividness or to emphasize the certainty of the result if the condition were or had been true.

3. *Future Less Vivid* ("should," "would"). Present subjunctive in both clauses.

> **Sī mē laudet, laetus sim,** *If he should praise me, I should be glad.*

484. Imperative Mood

Affirmative commands are expressed by the imperative; negative commands by the present imperative of **nōlō (nōlī, nōlīte)** and the infinitive. The imperative with **nē** is used in poetry.

> **Amā inimīcōs tuōs,** *Love your enemies.*
> **Nōlīte īre,** *Do not go* (literally, *Be unwilling to go*).

a. The future imperative is rare, being found chiefly in religious and legal language.

b. Exhortations (volitive subjunctive, **482, 1**) and commands, though main clauses, become subjunctive in indirect discourse.

> (Direct) **Īte!** *Go!*
> (Indirect) **Dīxit īrent,** *He said that they should go.*

c. Occasionally the subjunctive is used instead of the imperative.

> **Mihi hās lēgēs,** *Will these to me.*

485. Impersonal Verbs

a. Some verbs are used only impersonally and therefore have no forms in the first and second persons; for a list, see **468.**

b. The various constructions with **licet** are as follows:

Licet $\left\{ \begin{array}{c} \text{tibi} \\ \text{tē} \end{array} \right\}$ **īre,** *You may go.*

Licet (ut) eās, *You may go.*

c. Other verbs may at times be used impersonally, i.e., without a personal subject.

d. Intransitive verbs are used only impersonally in the passive.

Ventum erat, *He* (or *they*) *had come.* See also **475, 6, a.**

486. Reflexive Use of the Passive

Occasionally the passive form of a verb or participle is used in a "middle" or reflexive sense: **armārī,** *to arm themselves.*

487. Participle

1. The tenses of the participle (present, perfect, future) indicate time *present, past,* or *future* from the standpoint of the main verb.

2. *a.* Perfect participles are often used simply as adjectives: **nōtus,** *known.*

b. Participles, like adjectives, may be used as nouns: **factum,** "having been done," *deed.*

3. The Latin participle is often a *one-word substitute* for a subordinate clause in English introduced by *who* or *which, when* or *after, since* or *because, although,* and *if.*

488. Future Passive Participle

The future passive participle (gerundive) is a verbal adjective, having thirty forms. It has two distinct uses:

1. As a predicate adjective with forms of **sum,**[1] when it naturally indicates, as in English, *what must be done.* The person upon whom the obligation rests is in the dative (**599, 9**).

> **Caesarī omnia erant agenda,** *Caesar had to do all things* (literally, *all things were to be done by Caesar*).

---

[1] The so-called passive periphrastic, a term not used in this book. The term should be avoided because it is not only useless but troublesome.

370

2. As modifier of a noun or pronoun in various constructions, with no idea of obligation:

> **dē Rōmā cōnstituendā,** *about founding Rome* (literally, *about Rome to be founded*).

3. With phrases introduced by **ad** and the accusative or by **causā** (or **grātiā**) and the genitive it expresses purpose. **Causā** and **grātiā** are always placed after the participle.

> **Ad eās rēs cōnficiendās Mārcus dēligitur,** *Marcus is chosen to accomplish these things* (literally, *for these things to be accomplished*).
> **Caesaris videndī causā** (or **grātiā**) **vēnit,** *He came for the sake of seeing Caesar* (literally, *for the sake of Caesar to be seen*).

4. It is used in agreement with the object of **cūrō, locō, dō,** *etc.*

> **Pontem faciendum cūrat,** *He attends to having a bridge built.*

489. Gerund

The gerund is a verbal noun of the second declension with only four forms—genitive, dative, accusative, and ablative singular.

The uses of the gerund are similar to some of those of the future passive participle:

> **cupidus bellandī,** *desirous of waging war.*
> **Ad discendum vēnī,** *I came for learning* (i.e., *to learn*).
> **Discendī causā** (or **grātiā**) **vēnī,** *I came for the sake of learning.*

Note. The gerund usually does not have an object. Instead, the future passive participle is used, modifying the noun.

490. Infinitive

1. The infinitive is an indeclinable neuter verbal noun, and as such it may be used as the subject of a verb.

> **Errāre hūmānum est,** *To err is human.*
> **Vidēre est crēdere,** *To see is to believe.*

2. With many verbs the infinitive, like other nouns, may be used as a direct object. (Sometimes called the complementary infinitive.)

> **Cōpiās movēre parat,** *He prepares to move the troops.*

3. The infinitive object of some verbs, such as **iubeō, volō, nōlō,** and **doceō,** often has a noun or pronoun subject in the accusative.

4. Statements that give indirectly the thoughts or words of another, used as the objects of verbs of *saying, thinking, knowing, hearing, perceiving,* etc., have verbs in the infinitive with their subjects in the accusative.

(Direct) **Dīcit, "Puerī veniunt,"** *He says, "The boys are coming."*
(Indirect) **Dīcit puerōs venīre,** *He says that the boys are coming.*

Note. With the passive third singular (impersonal) of these verbs the infinitive is the subject.

> **Caesarī nūntiātur eōs trānsīre,** *It is reported to Caesar that they are crossing.*

5. *a.* The present infinitive represents time or action as *going on,* from the standpoint of the introductory verb:

$$\left. \begin{array}{l} \textbf{Dīcit} \\ \textbf{Dīxit} \end{array} \right\} \textbf{ eōs pugnāre,} \; He \left\{ \begin{array}{l} says \\ said \end{array} \right\} (that)\; they \left\{ \begin{array}{l} are \\ were \end{array} \right. fighting.$$

b. The future infinitive represents time or action as *subsequent to* that of the introductory verb:

$$\left. \begin{array}{l} \textbf{Dīcit} \\ \textbf{Dīxit} \end{array} \right\} \textbf{ eōs pugnātūrōs esse,} \; He \left\{ \begin{array}{l} says \\ said \end{array} \right\} (that)\; they \left\{ \begin{array}{l} will \\ would \end{array} \right\} fight.$$

c. The perfect infinitive represents time or action as *completed before* that of the introductory verb:

$$\left. \begin{array}{l} \textbf{Dīcit} \\ \textbf{Dīxit} \end{array} \right\} \textbf{ eōs pugnāvisse,} \; He \left\{ \begin{array}{l} says \\ said \end{array} \right\} (that)\; they \left\{ \begin{array}{l} have \\ had \end{array} \right\} fought.$$

6. *Historical Infinitive.* The historical infinitive with subject in the nominative has the force of the indicative imperfect or perfect. It is used for vividness, as in English we use the present indicative instead of the past. Usually two or more such infinitives are used together.

> **Omnēs obstrepere, hostem atque parricīdam vocāre,** *All cried out against him, called him an enemy and traitor.*

491. Supine

The supine, like the gerund, is a verbal noun. It has only two cases.

a. The accusative in **–um,** used with verbs of motion to express purpose:

> **Pācem petītum vēnērunt,** *They came to seek peace.*

b. The ablative in **–ū,** used to express respect. It is used only with certain adjectives, e.g., **facilis, difficilis,** and **optimus.**

> **difficile factū,** *hard to do* (literally, *hard in the doing*).

SUMMARY OF PREFIXES AND SUFFIXES

492. Prefixes

A great many Latin words are formed by joining prefixes (**prae,** *in front;* **fīxus,** *attached*) to *root* words. These same prefixes, most of which are prepositions, are those chiefly used in English, and by their use many new words are continually being formed.

Some prefixes change their final consonants to make them like the initial consonants of the words to which they are attached. This change is called assimilation (**ad,** *to;* **similis,** *like*).

Many prefixes in Latin and English may have intensive force, especially **con–, ex–, ob–, per–.** They are then best translated either by an English intensive, as *up* or *out,* or by an adverb, as *completely, thoroughly, deeply.* Thus **commoveō** means *moves greatly,* **permagnus,** *very great,* **obtineō,** *hold on to,* **concitō,** *rouse up,* **excipiō,** *catch, receive.*

1. **ab (abs, ā),** *from:* **abs-tineō;** *ab-undance, abs-tain, a-vocation.*
2. **ad,** *to, toward:* **ad-iciō;** *ac-curate, an-nounce, ap-paratus, ad-vocate.*
3. **ante,** *before:* **ante-cēdō;** *ante-cedent.*
4. **bene,** *well:* **bene-dīcō;** *bene-factor.*
5. **bi–, bis–,** *twice, two:* **bi-ennium;** *bi-ennial.*
6. **circum,** *around:* **circum-eō;** *circum-ference.*
7. **con–,** *with, together:* **con-vocō;** *con-voke, col-lect, com-motion, cor-rect.*
8. **contrā,** *against:* *contra-dict.*
9. **dē,** *from, down from, not:* **dē-ferō;** *de-ter.*
10. **dis–,** *apart, not:* **dis-cēdō;** *dis-locate, dif-fuse, di-vert.*
11. **ex (ē),** *out of, from:* **ex-eō;** *ex-port, e-dit, ef-fect.*
12. **extrā,** *outside:* *extra-legal.*
13. **in,** *in, into, against:* **in-dūcō;** *in-habit, im-migrant, il-lusion, en-chant.*
14. **in–,** *not, un–:* **im-mēnsus;** *il-legal, im-moral, ir-regular.*
15. **inter,** *between, among:* **inter-clūdō;** *inter-class.*
16. **intrā,** *within, inside:* *intra-collegiate.*
17. **intrō–,** *within:* *intro-duce.*
18. **male,** *ill:* *male-factor, mal-formation.*
19. **multi–,** *much, many:* *multi-graph.*
20. **nōn,** *not:* *non-sense.*
21. **ob,** *against, toward:* **ob-tineō;** *oc-cur, of-fer, o-mit, op-pose, ob-tain.*
22. **per,** *through, thoroughly:* **per-moveō;** *per-fect.*
23. **post,** *after:* *post-pone.*
24. **prae,** *before, in front of:* **prae-ficiō;** *pre-cede.*
25. **prō,** *for, forward:* **prō-dūcō;** *pro-mote.*
26. **re– (red–),** *back, again:* **re-dūcō, red-igō;** *re-fer.*
27. **sē–,** *apart from:* **sē-cēdō;** *se-parate.*
28. **sēmi–,** *half, partly:* **sēmi-barbarus;** *semi-annual.*
29. **sub,** *under, up from under:* **suc-cēdō;** *suf-fer, sug-gest, sup-port, sub-let.*
30. **super (sur–),** *over, above:* **super-sum;** *super-fluous, sur-mount.*
31. **trāns (trā–),** *through, across:* **trā-dūcō;** *trans-fer.*
32. **ultrā,** *extremely:* *ultra-fashionable.*
33. **ūn– (ūni–),** *one:* *uni-form.*

493. Suffixes

Particles which are attached to the ends of words are called suffixes (**sub,** *under, after;* **fixus,** *attached*). Like the Latin prefixes, the Latin suffixes play a very important part in the formation of English words.

The meaning of suffixes is often far less definite than that of prefixes. In many cases they merely indicate the part of speech.

Suffixes are often added to words which already have suffixes. So *functionalistically* has six suffixes, all of Latin or Greco-Latin origin except the last. A suffix often combines with a preceding letter or letters to form a new suffix. This is especially true of suffixes added to perfect participles whose base ends in –s– or –t–. In this list no account is taken of such English suffixes as *–ant,* from the ending of the Latin present participle.

1. **–ālis** (*–al*), *pertaining to:* **līber-ālis;** *annu-al.*
2. **–ānus** (*–an, –ane, –ain*), *pertaining to:* **Rōm-ānus;** *capt-ain, hum-ane.*
3. **–āris** (*–ar*), *pertaining to:* **famili-āris;** *singul-ar.*
4. **–ārium** (*–arium, –ary*), *place where:* **aqu-arium,** *gran-ary.*
5. **–ārius** (*–ary*), *pertaining to:* **frūment-ārius;** *ordin-ary.*
6. **–āticum** (*–age*): *bagg-age.*
7. **–āx** (*–ac–ious*), *tending to:* **aud-āx;** *rap-acious.*
8. **–faciō, –ficō** (*–fy*), *make:* **signi-ficō;** *satis-fy.*
9. **–ia** (*–y*), **–cia, –tia** (*–ce*), **–antia** (*–ance, –ancy*), **–entia** (*–ence, –ency*), *condition of:* **memor-ia, grā-tia, cōnst-antia, sent-entia;** *memor-y, provin-ce, gra-ce, const-ancy, sent-ence.*
10. **–icus** (*–ic*), *pertaining to:* **pūbl-icus;** *civ-ic.*
11. **–idus** (*–id*), *having the quality of:* **rap-idus;** *flu-id.*
12. **–ilis** (*–ile, –il*), **–bilis** (*–ble, –able, –ible*), *able to be:* **fac-ilis, laudā-bilis;** *fert-ile, no-ble, compar-able, terr-ible.*
13. **–īlis** (*–ile, –il*), *pertaining to:* **cīv-īlis;** *serv-ile.*
14. **–īnus** (*–ine*), *pertaining to:* **mar-īnus;** *div-ine.*
15. **–iō** (*–ion*), **–siō** (*–sion*), **–tiō** (*–tion*), *act* or *state of:* **reg-iō, mān-siō, ōrā-tiō;** *commun-ion, ten-sion, rela-tion.*
16. **–ium** (*–y*), **–cium, –tium** (*–ce*): **remed-ium, sōlā-cium, pre-tium;** *stud-y, edifi-ce.*
17. **–īvus** (*–ive*), *pertaining to:* **capt-īvus;** *nat-ive.*
18. **–lus, –ellus, –ulus** (*–lus, –le*) *little* (*"diminutive"*): **parvu-lus, castel-lum;** *gladio-lus, parti-cle.*
19. **–men** (*–men, –min, –me*): **lū-men;** *cri-min-al, cri-me.*
20. **–mentum** (*–ment*), *means of:* **im-pedī-mentum;** *comple-ment.*
21. **–or** (*–or*), *state of:* **tim-or;** *terr-or.*
22. **–or, –sor, –tor** (*–sor, –tor*), *one who:* **scrīp-tor;** *inven-tor.*
23. **–ōrium** (*–orium, –ory, –or*), *place where:* **audit-orium,** *fact-ory, mirr-or.*
24. **–ōsus** (*–ous, –ose*), *full of:* **ōti-ōsus;** *copi-ous.*
25. **–tās** (*–ty*), *state of:* **līber-tās;** *integri-ty.*
26. **–tō, –sō, –itō,** *keep on* (*"frequentative"*): **dic-tō, prēn-sō, vent-itō.**
27. **–tūdō** (*–tude*), *state of:* **magni-tūdō;** *multi-tude.*
28. **–tūs** (*–tue*), *state of:* **vir-tūs;** *vir-tue.*
29. **–ūra, –sūra, –tūra** (*–ure, –sure, –ture*): **fig-ūra, mēn-sūra, agricul-tūra;** *proced-ure, pres-sure, na-ture.*

494. GREEK ALPHABET

Capital	Small	Value	Name
A	α	a	alpha
B	β	b	beta
Γ	γ	g	gamma
Δ	δ	d	delta
E	ϵ	ĕ	epsilon
Z	ζ	z	zeta
H	η	ē	eta
Θ	θ	th	theta
I	ι	i	iota
K	κ	k	kappa
Λ	λ	l	lambda
M	μ	m	mu
N	ν	n	nu
Ξ	ξ	x	xi
O	o	ŏ	omicron
Π	π	p	pi
P	ρ	r	rho
Σ	σ, ς	s	sigma
T	τ	t	tau
Υ	υ	y	upsilon
Φ	ϕ	ph	phi
X	χ	ch (as in German)	chi
Ψ	ψ	ps	psi
Ω	ω	ō	omega

Vowel values are those of Latin; upsilon is like French u, German ü; iota subscript (ᾳ, ῃ, ῳ) is not pronounced.

' over initial vowel not pronounced; ' over initial vowel pronounced h. ´ ` ^ are accent marks.

495. FIGURES OF SPEECH [1]

1. *Hendiadys.* In Latin two nouns are sometimes connected by a coordinate conjunction when one of them is in thought subordinate to the other. This is called hendiadys (a Greek word meaning "one thing through two").

vī et armīs, *by force of arms.*

2. *Metonymy.* The use of a noun in place of another noun related in sense (especially the part for the whole) is called metonymy ("change of name").

Bacchus, *wine;* **puppis,** *ship.*

3. *Oxymoron.* The juxtaposition of contradictory expressions is called oxymoron.

Cum tacent, clāmant, *In being silent, they shout* (*their opinions*).

4. *Litotes.* Two negatives are used to express an affirmative. This figure is called litotes (lī'totēs).

nōn multa = pauca.

5. *Zeugma.* The use of a word (usually a verb) to govern two other words when its sense applies strictly only to one of them is called zeugma ("joining").

Locus acervīs corporum et cīvium sanguine redundāvit, *The place was covered* (literally, *overflowed*) *with heaps of bodies and the blood of citizens.*

[1] For other figures (treated in **124–177**) see the Index.

Wall of the famous painted bedroom from Boscoreale near Mt. Vesuvius, on view at the Metropolitan Museum of Art, New York.

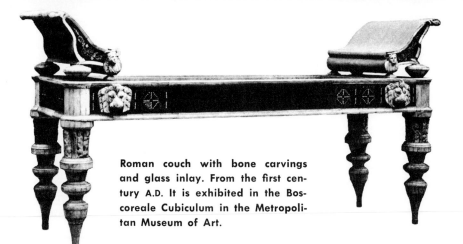

Roman couch with bone carvings and glass inlay. From the first century A.D. It is exhibited in the Boscoreale Cubiculum in the Metropolitan Museum of Art.

496. THE ROMAN CALENDAR

The Roman Calendar was reformed by Julius Caesar in 46 B.C. This calendar, with relatively slight changes, is the one which is in use to-day. Before that time the Roman year had only 355 days, with a leap year consisting of an additional short month every other year. By this old calendar March, May, July, and October had 31 days, February had 28, and the rest had 29.

The political (consular) year began January 1, and this day had long since become the regular New Year's Day instead of March 1, as in the original calendar. The names of some of the months (**Quīnctīlis,** *July;* **Sextīlis,** *August;* **September,** etc.) go back to the time when March was the first month. The new names July and August were given in honor of Julius Caesar and Augustus. The Romans had no weeks and therefore no names for the days of the week. These came in with the spread of Christianity.

Years were sometimes reckoned from the founding of the city (753 B.C.), but ordinarily the names of the annual consuls were used as the year date.

Our simple system of numbering the days of the month was not in use in classical times. Instead the Romans used as a basis three fixed points in the month. These were:

1. **Kalendae,** *Calends,* first of the month.
2. **Nōnae,** *Nones,* fifth of the month (seventh in March, May, July, and October).
3. **Īdūs,** *Ides,* thirteenth of the month (fifteenth in March, May, July, and October).

Thus in a date the Romans would say:

Kalendīs Septembribus [1] (abbreviated **Kal. Sept.,** etc.), *September* 1.
Nōnīs Mārtiīs (Nōn. Mārt.), *March* 7.
Īdibus Novembribus (Īd. Nov.), *November* 13.

[1] The names of the months are adjectives. The ablative is one of time.

377

The days before these fixed points were indicated by **prīdiē,** *day before,* used as a preposition with the accusative:

> **prīdiē (pr.) Kal. Feb.,** *January* 31 (before the reform of the calendar it was *January* 29).

In the case of other days the Romans reckoned *back* from the nearest of the three fixed points, counting both ends, so that 1 must be added to 13 (15 in some months) in counting back from the Ides and to 5 (or 7) in counting back from the Nones, and 2 must be added to the number of days of the month in counting back from the Calends of the next month.[2] Instead of the ablative of time the usual form is the ungrammatical expression **ante diem** (abbreviated **a.d.**[3]), followed by the proper ordinal numeral and the accusative:

> **a.d. IIII Nōn. Apr. (ante diem quārtum Nōnās Aprīlēs),** *April* 2, i.e., $5 + 1 - 4 = 2$.
> **a.d. VIIII Kal. Mai.,** *April* 23, i.e., $30 + 2 - 9 = 23$ (*April* 22 before the reform, i.e., $29 + 2 - 9 = 22$).
> **a.d. XVII Kal. Sept.,** *August* 16, i.e., $31 + 2 - 17 = 16$ (*August* 14 before the reform, i.e., $29 + 2 - 17 = 14$).

---

[2] If you will count the days out on your fingers, you will see the reason for this.
[3] This phrase is sometimes omitted.

Heads of a young man and an elderly woman. From the top of a Roman gravestone of the second century A.D.

497. BIBLIOGRAPHY

Some of the books listed below are out of print; they are included because they are so useful. You may be able to find them in your school or local library or in a nearby college library.

Background Books (Roman life, etc.)

ABBOTT, F. F., *Roman Politics*. New York: Cooper Square Publishers. Reprinted 1963.

ABBOTT, F. F., *Society and Politics in Ancient Rome*. New York: Biblo and Tannen. Reprinted 1963.

AVERY, CATHERINE B., *The New Century Classical Handbook*. New York: Appleton-Century-Crofts, 1962.

BOISSIER, G., *Cicero and His Friends*. New York: Putnam, 1925. Based on Cicero's letters.

BOSSERT, H. T., *Hellas and Rome*. E. Weyhe. No text; 525 pictures of Greek and Roman life. Very useful.

BOWEN, ELIZABETH, *A Time in Rome*. Boston: Houghton Mifflin, 1959. A chatty guidebook.

CARCOPINO, J., *Daily Life in Ancient Rome*. New Haven: Yale University Press, 1946.

CARRINGTON, R. C., *Pompeii*. Oxford University Press, 1936. Good.

Cassell's New Latin Dictionary, revised. New York: Funk and Wagnalls, 1960. Latin-English, English-Latin.

COWELL, F. R., *Cicero and the Roman Republic*. New York: Chanticleer Press, 1948.

DAVIS, W. S., *A Day in Old Rome*. New York: Biblo and Tannen. Reprinted 1959.

DICKINSON, J., *Death of a Republic*. New York: Macmillan, 1963. Cicero and Roman history.

Everyday Life in Ancient Times. The National Geographic Society, Washington, D.C. (reprinted from *National Geographic Magazine*).

FOOTE, MIRIAM S., *On Bulfinch Wing*. New York: Exposition Press, 1964. Charming, simple verse about mythology.

FOSTER, GENEVIEVE S., *Augustus Caesar's World*. New York: Scribner, 1947.

GAYLEY, C. M., *The Classic Myths in English Literature and in Art*. Revised. New York: Ginn, 1939.

GRANT, M., and POTTINGER, D., *Romans*. New York: Nelson, 1960. Simple text and drawings.

GUERBER, H. A., *The Myths of Greece and Rome*. Revised by Dorothy M. Stuart. New York: British Book Centre, 1938.

HADAS, M., *A History of Latin Literature*. New York: Columbia University Press, 1952.

HAMILTON, M. A., *Ancient Rome, the Lives of Great Men*. New York: Oxford University Press.

Harper's Dictionary of Classical Literature and Antiquities. New York: Cooper Square Publishers. Old but still useful.

HASKELL, H. J., *The New Deal in Old Rome,* 2d edition. New York: Knopf, 1947. Roman politics in Cicero's time.

HASKELL, H. J., *This Was Cicero.* New York: Knopf, 1942.

HIGHET, G., *Poets in a Landscape.* New York: Knopf, 1957.

HUELSEN, C., *The Forum and the Palatine,* translated by Helen Tanzer. New York: Stechert-Hafner, 1928.

JOHNSTON, MARY, *Roman Life.* Chicago: Scott, Foresman, 1957.

JONES, H. S., *Companion to Roman History.* New York: Oxford University Press, 1912.

LAMB, H., *Hannibal: One Man against Rome.* New York: Doubleday, 1958.

LEWIS, C. T., *Elementary Latin Dictionary.* New York: American Book Company, 1915.

MACKENDRICK, P., *The Mute Stones Speak.* New York: St. Martin's, 1960. Roman archeology.

MACKENDRICK, P., *The Greek Stones Speak.* New York: St. Martin's, 1962. Greek archeology.

MAIURI, A., *Roman Painting.* New York: Skira, 1953. Color reproductions.

MILLER, W., *Greece and the Greeks.* New York: Macmillan, 1941.

MOORE, F. G., *The Roman's World.* New York: Columbia University Press, 1936. Private and public life. Very good.

Oxford Classical Dictionary. New York: Oxford University Press, 1949.

PALLOTTINO, M., *Etruscan Painting.* New York: Skira, 1952. Color reproductions.

PLATNER, S. B., and ASHBY, T., *A Topographical Dictionary of Ancient Rome.* New York: Oxford University Press. For the specialist.

QUENNELL, MARJORIE, and C. H. B., *Everyday Life in Roman and Anglo-Saxon Times.* New York: Putnam, 1959.

RAND, E. K., *Ovid.* New York: Cooper Square Publishers. Reprinted 1963.

ROBATHAN, DOROTHY M., *The Monuments of Ancient Rome.* Rome: M. Bretschneider, 1950. An excellent popular account. Illustrated.

ROBERTSON, M., *Greek Painting.* New York: Skira, 1959. Color reproductions.

ROLFE, J. C., *Cicero and His Influence.* New York: Cooper Square Publishers. Reprinted 1963.

ROSE, H. J., *A Handbook of Greek Mythology.* New York: Dutton, 1959.

SCHWAB, G. B., *Gods and Heroes.* New York: Pantheon, 1946. Greek mythology.

SHOWERMAN, G., *Horace and His Influence.* New York: Cooper Square Publishers. Reprinted 1963.

SHOWERMAN, G., *Rome and the Romans.* New York: Macmillan, 1931.

STRONG, EUGÉNIE, *Art in Ancient Rome.* New York: Scribner's, 1928. Authoritative, well illustrated.

ULLMAN, B. L., *Ancient Writing and Its Influence*. New York: Cooper Square Publishers. Origin and history of alphabet to the invention of printing; history of the book. Illustrated. Reprinted 1963.

VAN DER HEYDEN, A. A. M., and SCULLARD, H. H., *Atlas of the Classical World*. New York: Nelson, 1959.

Fiction

ANDERSON, PAUL L., *A Slave of Catiline*. New York: Biblo and Tannen, 1957.

BULWER-LYTTON, E., *The Last Days of Pompeii*. New York: Nelson. n.d.

DOLAN, MARY, *Hannibal of Carthage*. New York: Macmillan, 1955.

DONAUER, F., *Swords against Carthage*. New York: Biblo and Tannen. Reprinted 1961.

MERRELL, L., *Prisoners of Hannibal*. New York: Nelson, 1959.

POWERS, A., *Hannibal's Elephants*. New York: Longmans, 1944.

WAGNER, J., and ESTHER, *The Gift of Rome*. Boston: Little, Brown, 1961. Cicero's defense of Cluentius.

Word Study and Derivatives

BODMER, F., *The Loom of Language*. New York: Norton, 1944.

BRADLEY, H., *The Making of English*. New York: St. Martin's, 1904. Brief, interesting, authoritative.

GREENOUGH, J. B., and KITTREDGE, G. L., *Words and Their Ways in English Speech*. New York: Macmillan, 1920. Still useful. Much interesting material.

KENT, R. G., *Language and Philology*. New York: Cooper Square Publishers. Reprinted 1963.

PALMER, L. R., *The Latin Language*. New York: Macmillan, 1954. An excellent advanced book for the teacher.

SMITH, L. P., *The English Language,* 2d edition. New York: Oxford University Press, 1952.

WEEKLEY, E., *A Concise Etymological Dictionary of Modern English*. New York: British Book Centre, 1924.

WEEKLEY, E., *The Romance of Words*. New York: Dover, 1912.

WEEKLEY, E., *Words Ancient and Modern*. Hollywood-by-the-Sea, Fla.: Transatlantic. All of Weekley's books are interesting.

Paperbacks

Penguin Books, Baltimore:

BARROW, R. H., *Romans;* COWELL, F. R., *Cicero and the Roman Republic;* FAIRBANK, A., *A Book of Scripts;* FARRINGTON, B., *Greek Science;* GLOVER, T. R., *The Ancient World;* KITTO, H. D. F., *Greeks;* POTTER, S., *Our Language;* Penguin Classics: Translations of Homer, Tacitus, Virgil, Lucretius, Ovid, Suetonius, etc.

Midland Books, Indiana University Press:

Juvenal, tr. Rolfe Humphries; Martial, tr. Rolfe Humphries; Ovid, *Metamorphoses,* tr. Rolfe Humphries; Vergil, *Aeneid,* tr. L. R. Lind

Mentor Books, New American Library, New York:

BOWRA, C. M., *The Greek Experience;* BULFINCH, *The Age of Fable;* DUDLEY, D. R., *The Civilization of Rome;* GRANT, M., *The World of Rome;* HAMILTON, E., *The Greek Way to Western Civilization;* HAMILTON, E., *The Roman Way to Western Civilization;* HAMILTON, E., *Mythology;* MULLER, H. J., *The Loom of History;* Juvenal, tr. H. Creekmore; Ovid, *Metamorphoses,* tr. H. Gregory; Petronius, tr. W. Arrowsmith

Doubleday, Garden City, N. Y.:

FORSTER, E. M., *Alexandria: A History and a Guide;* FRAZER, J. G., *The New Golden Bough;* HENDRICKS, R. A., *Archaeology Made Simple;* MURRAY, G., *Five Stages of Greek Religion;* Virgil, *Aeneid,* tr. C. D. Lewis; Virgil, *Eclogues* and *Georgics,* text and tr. C. D. Lewis

Standardized Tests

1. Bureau of Educational Research and Service, State University of Iowa, Iowa City, Iowa:
   Ullman-Kirby Latin Comprehension Test (tests ability to get thought of a Latin passage);
   Ullman-Clark Test on Classical References and Allusions.
2. Cooperative Test Division, Educational Testing Service, 20 Nassau St., Princeton, N. J.:
   Cooperative Latin Test, Elementary Level, by George A. Land (reading, vocabulary, grammar).

Audio-Visual Aids

Slides

William H. Seaman, Michigan State University, Department of Foreign Languages, East Lansing, Mich.

Mrs. Laura V. Sumner, Box 1221, College Station, Fredericksburg, Va.

Saul S. Weinberg, 1401 Anthony St., Columbia, Mo.

Keystone View Company, Meadville, Pa.

Society for Visual Education, 1345 Diversey Parkway, Chicago 14, Ill.

American Library Color Slide Co., 222 W. 23d St., New York, N. Y.

R. V. Schoder, S. J., Loyola University, Chicago, Ill.

Life Magazine, Filmstrip Department. Five filmstrips on Rome.

Motion Pictures

International Film Bureau, 332 S. Michigan Ave., Chicago 4, Ill. *Acropolis; Pompeii and Herculaneum; Journey into the Past; the Roman World.*

Film Classic Exchange, 11 E. Main St., Fredonia, N. Y., or 1926 South
Vermont Ave., Los Angeles 7, Calif.
Encyclopaedia Britannica Films, Wilmette, Ill. *Pompeii and Vesuvius.*
McGraw-Hill Book Co., Text-Film Dept., 330 W. 42d St., New York, N. Y.
(Young America Films).
Coronet Films, 65 E. South Water St., Chicago 1, Ill. *Ancient Paestum;
Ancient Greece; Our Inheritance from Ancient Greece; Ancient Rome;
Rise of the Roman Empire; Decline of the Roman Empire; The Roman
Wall.*

Pictures
Perry Pictures Company, Malden, Mass.
The University Prints, Cambridge, Mass.
American Classical League, Oxford, Ohio.
Metropolitan Museum of Art, New York. Postcards on Greek sculpture,
Roman art, mythology.

Maps
Classical Lands of the Mediterranean, National Geographic Magazine,
December, 1949; sold separately. Literary and historical associations of
various localities.
For large wall maps of the Roman Empire, etc.:
Denoyer-Geppert Company, 5235 Ravenswood Ave., Chicago 40, Ill.
A. J. Nystrom and Company, 3333 Elston Ave., Chicago 18, Ill.
Rand McNally and Company, Box 7600, Chicago 80, Ill.

Tapes and Records
Society for Visual Education, 1345 Diversey Parkway, Chicago 14, Ill.
Christmas songs in Latin (records and filmstrips).
A. C. Gillingham, Tilton House, Andover, Mass. Plautus, *Mostellaria.*
EMC Corporation, 180 E. Sixth St., St. Paul 1, Minn. Simple stories,
Caesar, Cicero.

Miscellaneous
American Classical League Service Bureau, Miami University, Oxford,
Ohio. Mimeographs (5 to 25 cents each), on Cicero, Rome and the
Romans, etc. Ask for lists.

A griffin, an imaginary animal, part lion, part eagle, on a fragment of an architectural frieze from Trajan's Forum, Rome.

VOCABULARY

Verbs of the first conjugation whose parts are regular (i.e., like **portō, 459**) are indicated by the figure 1. Proper names are not included unless they are spelled differently in English or are difficult to pronounce in English. Their English pronunciation is indicated by a simple system. The vowels are as follows: ā as in *hate,* ă as in *hat,* ē as in *feed,* ĕ as in *fed,* ī as in *bite,* ĭ as in *bit,* ō as in *hope,* ŏ as in *hop,* ū as in *cute,* ŭ as in *cut.* In the ending *ēs* the *s* is soft as in *rose.* When the accented syllable ends in a consonant, the vowel is short; otherwise it is long.

A

A., *abbreviation for* **Aulus, –ī,** *m.,* Aulus

ā, ab, abs, *prep. w. abl.,* from, away from, by

abdicō, 1, disown; *w.* **sē,** resign

abditus, –a, –um, hidden

abdō, –ere, abdidī, abditus, put away, bury

abdūcō, –ere, abdūxī, abductus, lead *or* take away, withdraw

abeō, –īre, abiī, abitūrus, go away *or* off, depart

abhinc, *adv.,* ago

abhorreō, –ēre, –uī, —, shrink from, be inconsistent with

abiectus, –a, –um, cast down

abnegō, 1, refuse, deny

abrenūntiō, 1, renounce

abripiō, –ere, abripuī, abreptus, snatch away

abscīdō, –ere, –cīdī, –cīsus, cut off, separate, divide

abscondō, –ere, –condī, –conditus, hide, conceal

absēns, *gen.* **–entis,** absent

absolūtiō, –ōnis, *f.,* acquittal

absolvō, –ere, absolvī, absolūtus (loose from), acquit; finish

abstinentia, –ae, *f.,* abstinence

abstineō, –ēre, –uī, –tentus, abstain from

abstrahō, –ere, –trāxī, –trāctus, draw away

absum, abesse, āfuī, āfutūrus, be away, be distant; be absent; *w.* **ab,** fail

absūmō, –ere, absūmpsī, absūmptus, consume, destroy

absurdus, –a, –um, harsh, absurd, stupid

abundē, *adv.,* enough

abūtor, abūtī, abūsus, abuse, take advantage of

abyssus, –ī, *m.,* a bottomless pit, abyss, Hades

ac, *see* **atque**

Acadēmicus, –a, –um, of the Academy (*where Plato taught*); *as noun, m.,* an Academic philosopher.

accēdō, –ere, accessī, accessūrus, come to, approach; be added

accendō, –ere, accendī, accēnsus, inflame, excite

accersō, *see* **arcessō**

accidō, –ere, accidī, —, fall (to), happen

accingō, –ere, accīnxī, accīnctus, gird on, equip, arm

accipiō, –ere, accēpī, acceptus, receive, accept; hear

Accius, –cī, *m.,* Accius

accola, –ae, *m.,* neighbor

accommodō, 1, adapt, adjust, suit

accumbō, –ere, accubuī, accubitūrus, lie down, recline at table

accūrātē, *adv.,* carefully

accursus, –ūs, *m.,* gathering

accūsātor, –ōris, *m.,* accuser

accūsātōriē, *adv.,* as a prosecutor, in an accusing manner

accūsō, 1, blame, censure

ācer, ācris, ācre, sharp, keen, fierce, bitter, severe, active

acerbitās, –tātis, *f.,* severity

acerbus, –a, –um, bitter, harsh

acervus, –ī, *m.,* heap, multitude

Achillēs, –is, *m.,* Achilles

Acidīnus, –ī, *m.,* Acidinus

aciēs, aciēī, *f.,* (keen) edge, battle line

acinus, –ī, *m.,* small berry, grape, wine, vinegar

acquīrō, –ere, acquīsīvī, acquīsītus, add to

ācriter, *adv.,* vigorously

Actium, –tī, *n.,* Actium

āctum, –ī, *n.,* deed, transaction, decree, law

āctus, –ūs, *m.,* driving impulse

acūmen, –inis, *n.,* acuteness, keenness, sharpness

acuō, –ere, acuī, acūtus, sharpen

acūtus, –a, –um, sharp, keen

ad, *prep. w. acc.,* to, toward, near, for, until, according to

adaequō, 1, make equal (to)

adamō, 1, love

addiscō, –ere, addidicī, —, learn in addition, gain knowledge of

addō, –ere, addidī, additus, add

addūcō, –ere, addūxī, adductus, lead to, bring, influence, move

adeō, adīre, adiī, aditūrus, go to, approach

adeō, *adv.,* so, so much, to such a degree; in fact

adeptiō, –ōnis, *f.,* obtaining, attainment

adhaereō, –ēre, adhaesī, adhaesus, stick (to), trail after

adhibeō, –ēre, adhibuī, adhibitus, hold toward, admit, summon; use; furnish

adhūc, *adv.,* up to this time, thus far, still

adiaceō, –ēre, —, —, be adjacent

adiciō, –ere, adiēcī, adiectus, throw (to), add

adigō, –ere, adēgī, adāctus, drive (to), hurl (to)

adimō, –ere, adēmī, adēmptus, take away

adipēs, –ium, *m. and f. pl.,* fat; corpulence

adipīscor, –ī, adeptus, obtain

aditus, –ūs, *m.,* approach

adiungō, –ere, adiūnxī, adiūnctus, join to, add, attach, win over

adiuvō, –āre, adiūvī, adiūtus, help

adluō, –ere, adluī, —, flow near to, wash against

administer, –trī, *m.,* assistant, servant, tool

administrō, 1, conduct, carry on, govern

admīrābilis, –e, admirable

admīrātiō, –ōnis, *f.,* admiration

admīror, 1, wonder (at), admire

admittō, –ere, admīsī, admissus, let to, admit

admodum, *adv.* very (much)

admoneō, –ēre, admonuī, admonitus, remind, warn

admonitus, –ūs, *m.,* suggestion

admoveō, –ēre, admōvī, admōtus, (move to), place near, apply

adnotātiō, –ōnis, *f.,* noting down, remark

adnotō, 1, (add a note), direct

adoleō, –ēre, adoluī, —, destroy by fire

adoperiō, –īre, adoperuī, adopertus, cover, close

adoptō, 1, select, choose, adopt

adrīdeō, –ēre, adrīsī, adrīsus, laugh, smile at

adsum, adesse, adfuī, adfutūrus, be near, be on hand, be present; assist

adulēscēns, –entis, *m. and f.,* young person

adulēscentia, –ae, *f.,* youth

adulēscentulus, –ī, *m.,* mere lad

adulter, –erī, *m.,* adulterer

adulterium, –rī, *n.,* adultery

adultus, –a, –um, full-grown

adūrō, –ere, adussī, adustus, set fire to, scorch

adveniō, –īre, advēnī, adventūrus, arrive

adventus, –ūs, *m.,* approach, arrival

adversārius, –a, –um, opposed; *as noun, m.,* enemy

adversitās, –tātis, *f.,* opposition

adversus, –a, –um, adverse

adversus, *prep.,* toward, against

advertō, –ere, advertī, adversus, turn to, direct

advesperāscit, –āre, — (*impers.*), approaches evening, is twilight

advocātiō, –ōnis, *f.,* legal case

advolō, 1, fly *or* hasten to

aedēs, –is, *f.,* building, temple; *pl.,* house

aedificium, –cī, *n.,* building

aedificō, 1, build

aedīlitās, –tātis, *f.,* aedileship

aeger, aegra, aegrum, sick, suffering

aegrōtō, 1, be ill, be sick

aegrōtus, –a, –um, ill

Aegyptiacus, –a, –um, Egyptian

Aegyptus, –ī, *f.,* Egypt
Aellius, –ī, *m.,* Aellius
Aemilius, –lī, *m.,* Aemilius
aemulor, 1, rival
aemulus, –a, –um, rivalling; comparable, similar (*of things*)
aēneus, –a, –um, of copper, of bronze
aequābilis, –e, equal
aequābiliter, *adv.,* equally
aequālis, –e, equal
aequitās, –tātis, *f.,* equality, justice
aequō, 1, make even *or* level
aequor, –oris, *n.,* surface of the sea, ocean
aequus, –a, –um, even, equal, just, right; aequō animō, calmly, with resignation; ex aequō, equally
āēr, āeris, *m.,* air (*acc.* āera)
aerārium, –rī, *n.,* treasury
aerumnōsus, –a, –um, wretched
aes, aeris, *n.,* bronze, money; aes aliēnum, debt
aesculētum, –ī, *n.,* forest of oaks
aestās, –tātis, *f.,* summer
aestimō, 1, estimate, value
aestīvus, –a, –um, of summer
aestuō, 1, be hot, be excited; burn
aestuōsus, –a, –um, burning, hot
aestus, –ūs, *m.,* heat
aetās, –tātis, *f.,* age, life
aeternus, –a, –um, everlasting, endless
aethēr, –eris, *m.,* upper air, sky
aetherius, –a, –um, of heaven
Aetna, –ae, *f.,* (Mt.) Etna
Aetōlī, –ōrum, *m. pl.,* the Aetolians
aevum, –ī, *n.,* time, age
affectus, –ūs, *m.,* affection
afferō, afferre, attulī, allātus, bring (to), apply, cause, present, produce
afficiō, –ere, affēcī, affectus, afflict with, wound
affīnis, –is, *m.,* relative (*by marriage*)
affīnitās, –tātis, *f.,* relationship by marriage
affirmō, 1, assert
afflīctō, 1, afflict
afflīgō, –ere, afflīxī, afflīctus, discourage
afflō, 1, blow on, breathe on; inspire
affluēns, *gen.* –entis, abounding in
Āfrānius, –ī, *m.,* Afrā'nius
Āfrica, –ae, *f.,* Africa
Āfricānus, –a, –um, African; Africānus, –ī, *m.,* Africanus

Āfricus, –a, –um, African; *i.e., from the southwest; as noun, m.,* the southwest wind
Agamemnon, –onis, *m.,* Agamemnon, *king of Mycenae*
agellus, –ī, *m.,* little field, small estate
ager, agrī, *m.,* field, land, country; agrī cultūra, –ae, *f.,* agriculture
aggredior, aggredī, aggressus, attack
aggregō, 1, gather
agitō, 1, plan, act; stir, excite; express, spend
agmen, agminis, *n.,* line of march, column
agna, –ae, *f.,* ewe lamb
agnōscō, –ere, agnōvī, agnitus, recognize, acknowledge
agō, –ere, ēgī, āctus, drive, act, do; discuss, speak, plead with *or* for; make; live *or* spend (*of time*); *pass.,* be at stake; grātiās agō, thank; *w.* iter, pursue a course
agrestis, –e, rustic, boorish
agricola, –ae, *m.,* farmer, planter
agricultūra, –ae, *f.,* agriculture
Ahāla, –ae, *m.,* Ahala
Ahēnobarbus, –ī, Ahenobarbus
ait, (he) says, asserts
āla, –ae, *f.,* wing
alacritās, –tātis, *f.,* eagerness, delight
albēns, *gen.* –entis, white
āleātor, –ōris, *m.,* gambler
āles, *gen.* –itis, winged; *as noun, m. and f.,* bird
Alexander, –drī, *m.,* Alexander, *king of Macedonia*
Alexandrīnus, –a, –um, Alexandrian
algor, –ōris, *m.,* coldness
aliēnus, –a, –um, of another, another's, foreign; unfavorable; *as noun, m.,* stranger
aliōquī, *adv.,* besides, moreover
aliquamdiū, *adv.,* a while, for some time
aliquandō, *adv.,* some time, at last
aliquantō, *adv.,* a little
aliquantum, –ī, *n.,* for some time
aliquis, aliquid, someone, anyone; some, any; something, anything
aliquot, *indecl. adj.,* some, several, few
aliter, *adv.,* otherwise
alius, alia, aliud, other, another; different; else; alius . . . alius, one . . . another; aliī . . . aliī, some . . . others

Allēlūia, *interj.,* praise ye Jehovah

allevō, 1, raise

allicīō, –ere, allexī, allectus, attract

alligō, 1, tie (to), fasten

Allobrogēs, –um, *m. pl.,* the Allobroges, *a Gallic tribe*

allocūtiō, –ōnis, *f.,* address, comforting

alloquor, alloquī, allocūtus, speak to, address

allūdō, –ere, allūsī, allūsūrus, play, joke, pun

alō, –ere, aluī, altus (alitus), feed, nourish, sustain

Alpēs, –ium, *f.,* the Alps

Alphēnōr, –oris, *m.,* Alphē'nor, *one of Niobe's sons*

altāria, –ium, *n. pl.,* altar

altē, *adv.* high, deeply

alter, altera, alterum, the other (*of two*), another, second; **alter . . . alter,** the one . . . the other

alternus, –a, –um, alternating

alteruter, –utra, –utrum, one or the other, either this or that, one of two

altilis, –is, fattened, fat; *as noun, f.,* a fattened bird

altitūdō, –dinis, *f.,* height, depth

altus, –a, –um, high, deep

amābilis, –e, lovely, attractive

amāns, *gen.* **amantis,** fond, loving; *as noun, m.,* lover

ambiguum, –ī, *n.,* doubt

ambiguus, –a, –um, uncertain, wavering; obscure

ambiō, ambīre, ambiī, ambitūrus, go round, encircle, canvass for votes, solicit

ambitiō, –ōnis, *f.,* courting, flattery; desire for honor

ambitus, –ūs, *m.,* circuit; suing for office

ambō, –ae, –ō, both

Ambrosius, –ī, *m.,* Ambrose

ambulō, 1, walk

āmentia, –ae, *f.,* madness, folly

amīca, –ae, *f.,* friend

amīcitia, –ae, *f.,* friendship

amictus, –a, –um, clothed

amictus, –ūs, *m.,* mantle

amīcus, –a, –um, friendly; **amīcus, –ī,** *m.,* friend

āmittō, –ere, āmīsī, āmissus, let go, lose

Ammōnicus, Ammonicus Serenus

amnis, –is, *m.,* stream, river

amō, 1, love, like

amoenitās, –tātis, *f.,* delightfulness, charm

amoenus, –a, –um, pleasant

amor, –ōris, *m.,* love, affection

Amphīōn, –ōnis, *m.,* Amphī'on, *husband of Niobe*

amplector, –ī, amplexus, embrace

amplificō, 1, enlarge, increase

amplitūdō, –dinis, *f.,* greatness

amplius, *adv.,* more, further

amplus, –a, –um, great, ample, generous, distinguished

an, *conj.,* or, *introducing the second part of a double question;* **utrum . . . an,** (whether) . . . or; *w. indir. question,* whether; *w.* **vērō,** or indeed

anceps, ancipitis, double, two-headed; doubtful; dangerous

angelicus, –a, –um, like an angel, angelic

angelus, –ī, *m.,* angel

Angelus, Angelo (Corbinelli)

Anglī, –ōrum, *m. pl.,* the Angles

angō, –ere, —, —, trouble

angulus, –ī, *m.,* angle, corner

anhēlitus, –ūs, *m.,* panting

anīlis, –e, old woman's, feeble

anima, –ae, *f.,* breath, soul; existence

animadvertō, –ere, –vertī, –versus, (give attention to), notice, punish

animal, –ālis, *n.,* animal

animālis, –e, of life, living

animula, –ae, *f.,* little soul

animus, –ī, *m.,* mind, heart, spirit, feeling, courage, desire

annālis, –e, relating to a year; *as noun, m.,* a record of events, annals

annectō, –ere, annexuī, annexus, tie to, fasten on, annex

annītor, –ī, annīxus, lean upon; strive

anniversārius, –a, –um, annual, yearly

annuō, –ere, annuī, —, nod (to), assent to

annus, –ī, *m.,* year

anquīrō, –ere, –sīvī, –sītus, look about, search after; inquire diligently

ānser, –eris, *m.,* goose

ante, *adv. and prep. w. acc.,* before (*of time and place*), beforehand, ago

anteā, *adv.,* before

antecellō, –ere, —, —, excel

anteeō, –īre, –iī, –itūrus, precede; surpass; anticipate

antelūcānus, –a, –um, before dawn

antepōnō, –ere, –posuī, –positus, place before, prefer

antequam (ante quam), conj., before

Antiochia, –ae, f., Antioch, *chief city of Syria*

Antiochus, –ī, m., Antī'ochus, *king of Syria*

antīquitās, –tātis, f., antiquity

antīquus, –a, –um, old, ancient

antistes, –itis, m. and f., priest

Antōnius, –nī, m., Antonius, Antony

antrum, –ī, n., cave

anus, –ūs, f., old woman

ānxius, –a, –um, troubled, causing anxiety; cautious

aper, aprī, m., wild boar

aperiō, –īre, aperuī, apertus, open, disclose

apertē, adv., openly, frankly

apertus, –a, –um, open, unprotected

Apollineus, –a, –um, of Apollo

Apollō, –inis, m., Apollo, *god of prophecy*

Apollodorus, –ī, m., Apollodo'rus

Aponius, –nī, m., Aponius

apostolicus, –a, –um, apostolic

apostolus, –ī, m., apostle

apparātus, –a, –um, well prepared

apparātus, –ūs, m., preparation, splendor

appāreō, –ēre, –uī, –itūrus, appear

appellō, 1, call, speak to, name, address

Appennīnus, –ī, m., Appennines, *mountain range in Italy*

appetō, –ere, appetīvī, appetītus, seek for

Appius, –pī, m., Appius

applicō, 1, apply, direct (to); drive to

apprehendō, –ere, –dī, –sus, seize

approbō, 1, approve

appropinquō, 1, draw near

Aprīlis, –e, (of) April

aptō, 1, fit, place carefully

aptus, –a, –um, suited

apud, prep. w. acc., at, among, near, with, before, in the presence of, at the house of

aqua, –ae, f., water

aquila, –ae, f., eagle; legionary standard

aquilō, –ōnis, m., north wind, north

āra, –ae, f., altar

arātor, –ōris, m., ploughman

arbiter, –trī, m., witness, judge

arbitrium, –rī, n., judgment, opinion, choice

arbitror, 1, think

arbor, –oris, f., tree

arboreus, –a, –um, of a tree

arbuscula, –ae, f., small tree

arcānus, –a, –um, secret

arceō, –ēre, –uī, —, keep away, ward off, prevent

accessō, –ere, accessīvī, accessītus, summon, invite, accuse

Archiās, –ae, m., Ar'chias, *a Greek poet*

archipīrāta, –ae, m., pirate captain

architectūra, –ae, f., architecture

architectus, –ī, m., architect

Arcitenēns, –entis, m., (bowbearing), Apollo

arcus, –ūs, m., bow, arch

ārdeō, –ēre, ārsī, ārsus, be on fire, burn; be aroused

arduus, –a, –um, steep, lofty; as noun, n. pl., heights

ārea, –ae, f., flat surface; threshing-floor

arēnōsus, –a, –um, full of sand

āreō, –ēre, –uī, —, be parched

argenteus, –a, –um, of silver, silvery

argentum, –ī, n., silver, money

argumentum, –ī, n., proof, argument, subject

arguō, –ere, –uī, –ūtus, make known, accuse

argūtus, –a, –um, bright

āridus, –a, –um, dry, arid

arista, –ae, f., head of grain

arma, –ōrum, n. pl., arms

armārium, –rī, n., closet, chest, safe

armātūra, –ae, f., equipment

armātus, –a, –um, armed

armentum, –ī, n., cattle, herd

arō, 1, plow

Arpīnās, gen. –ātis, of Arpinum

arripiō, –ere, arripuī, arreptus, grasp

arrogantia, –ae, f., arrogance, insolence

arrogō, 1, associate with, claim

ars, artis, f., skill, art, profession, practice

artifex, –ficis, m., artist; w. scaenicus, actor

artificium, −cī, n., profession, trade; theory; art, craft

artus, −a, −um, tight

artus, −ūs, m., joint, limb

ārula, −ae, f., small altar

arundō, −inis, f., reed, fishing-rod, shepherd's pipe, flute

arvum, −ī, n., field

arx, arcis, f., citadel

as, assis, m., whole; penny

ascendō, −ere, ascendī, ascēnsus, climb (up), mount, ascend

ascēnsus, −ūs, m., ascent

ascīscō, −ere, ascīvī, ascītus, admit

Ascōnius, −ī, m., Asconius

ascrībō, −ere, ascrīpsī, ascrīptus, enroll

asellus, −ī, m., donkey

Asia, −ae, f., Asia

asinus, −ī, m., ass, fool

aspectus, −ūs, m., appearance, sight

asper, −era, −erum, rough, harsh, cruel

aspiciō −ere, aspexī, aspectus, look at, behold, see

aspīrō, 1, aspire, reach

asportō, 1, carry off

assēnsus, −ūs, m., agreement, approval

assentiō, −īre, assēnsī, assēnsus, agree with, approve

assequor, assequī, assecūtus, accomplish, obtain

asserō, −ere, asseruī, assertus, claim, appropriate

asservō, 1, watch over, keep

assevērō, 1, assert

assīdō, −ere, assēdī, assessus, sit near, sit at the side of, be seated

assiduus, −a, −um, continual, incessant

assignō, 1, allot, assign; entrust; ascribe

assuēscō, −ere, assuēvī, assuētus, become accustomed

assūmō, −ere, assūmpsī, assūmptus, take

assurgō, −ere, assurrēxī, assurrēctus, rise up, stand up

astrum, −ī, n., star, constellation

at, conj., but, on the other hand

Ateius, −eī, m., Atei'us

āter, ātra, ātrum, black, dark

Athēnae, −ārum, f. pl., Athens

Athēniēnsēs, −ium, m. pl., the Athenians

Atlantiadēs, −ae, m., Mercury

Atlās, −antis, m., Atlas, a giant

atque (ac), conj., and, and especially; than

ātrium, ātrī, n., atrium, hall, house

atrōx, gen. −ōcis, cruel, inhuman

attendō, −ere, attendī, attentus, (stretch toward), direct, give heed (to), listen

attentus, −a, −um, attentive

atterō, −ere, attrīvī, attrītus, rub or wear away

attineō, −ēre, attinuī, —, detain, delay; reach; concern

attingō, −ere, attigī, attāctus, assign

attollō, −ere, —, —, lift

attonitus −a, −um, astounded

attribuō, −ere, attribuī, attribūtus, assign

attrītus, −a, −um, worn

auctor, −ōris, m., author, authority, voucher

auctōritās, −tātis, f., authority, influence, opinion

audācia, −ae, f., boldness

audāx, gen. −ācis, bold, courageous

audeō, −ēre, ausus, semideponent, dare

audiō, −īre, −īvī, (−iī), −ītus, hear, hear of, listen (to)

audītiō, −ōnis, f., lecture

audītor, −ōris, m., hearer, auditor

auferō, auferre, abstulī, ablātus, take away, remove

Aufidius, −dī, m., Aufidius

augeō, −ēre, auxī, auctus, increase

Augustīnus, −ī, m., Augustine

Augustus, −a, −um, of Augustus; as noun, m., Augustus, the emperor

aura, −ae, f., breeze, air

aurātus, −a, −um, covered with gold

Aurēlia, −ae, f., Aurelia

aureus, −a, −um, golden, made of gold; as noun, m., gold piece

auris, −is, f., ear

Aurōra, −ae, f., morning, dawn

aurum, −ī, n., gold

auspicātus, −a, −um, auspicious

auspicia, −ōrum, n. pl., auspices

auspicor, 1, take the auspices

auster, −trī, m., south wind

aut, or; aut . . . aut, either . . . or

autem, conj. (never first word), however, but, moreover

autumnālis, −e, of autumn

autumnus, −ī, m., autumn

auxiliārius, −a, −um, auxiliary

auxilium, −lī, n., help, aid, assistance; pl., reinforcements

avārē, adv., greedily

avāritia, –ae, f., greed, avarice
avēna, –ae, f., reed
aveō, –ēre, —, —, long for, crave
aversor, 1, repulse, avoid
āvertō, –ere, āvertī, āversus, turn away
āvia, –ōrum, n. pl., pathless regions
avidus, –a, –um, eager
avis, –is, f., bird
avītus, –a, –um, of a grandfather
āvocō, 1, call away or aside
avus, –ī, m., grandfather, ancestor
axis, –is, f., axle, chariot; globe

B

Babylōnius, –a, –um, Babylonian
bāca, –ae, f., fruit, berry
bacchor, 1, revel
Bacchus, –ī, m., Bacchus, god of wine
baculum, –ī, n., staff
Bagrada, –ae, m., Bagrada
Balbus, –ī, m., Balbus
balineum (balneum), –ī, n., bath
ballista, –ae, f., ballista
balsamum, –ī, n., fragrant gum, balsam
barba, –ae, f., beard
barbaria, –ae, f., savage people
barbaricus, –a, –um, barbaric
barbarus, –a, –um, foreign; savage, uncivilized
barbātus –a, –um, bearded
Bardulis, –is, m., Bardulis, king of Illyria
basilica, ae, f., basilica
Baucis, –idis (acc. –ida), f., Baucis (Bau'sis), wife of Philemon
beātus, –a, –um, blessed, happy, rich
bellicōsus, –a, –um, warlike
bellō, 1, wage war
bellum, –ī, n., war
bellus, –a, –um, nice
bēlua, –ae, f., (wild) beast
bene, adv., well, successfully; comp., melius, better; superl. optimē, best
beneficium, –cī, n., kindness, favor; honor
benevolentia, –ae, f., good will, kindness
benignitās, –tātis, f., kindness
Berecyntius, –a, –um, Berecyntian
bēstia, –ae, f., beast
bibliothēca, –ae, f., library
bibō, –ere, bibī, —, drink
Bibulus, –ī, m., Bibulus
bicolor, –ōris, two-colored

bicornis, –e, two-pronged
Bilbilis, –is, f., Bil'bilis, a town in Spain
bīnī, –ae, –a, two each, two
bipertītō, adv., in two divisions
bipēs, bipedis, two-footed
bis, adv., twice
Bithynia, –ae, f., Bithynia, a province in Asia Minor
blaesus, –a, –um, lisping
blanditiae, –ārum, f., fond words
blandulus, –a, –um, pleasing, charming
blandus, –a, –um, coaxing, caressing
bonitās, –tātis, f., goodness
bonus, –a, –um, good; comp. melior, melius, better; superl. optimus, –a, –um, best; bona, –ōrum, n., goods, property
Boōtēs, –ae, m., Bo-o'tēs, a constellation
bos, bovis, m. and f., ox, cow; pl. cattle (gen. pl., boum or bovum)
bracchium, –chī, n., arm
brevī, adv., in a short time, soon
brevis, –e, short
brevitās, –tātis, f., brevity
breviter, adv., briefly
Britannia, –ae, f., Britain
brūma, –ae, f., winter
Brūtus, –ī, m., Brutus
bubulcus, –ī, m., ploughman
bustum, –ī, n., pyre; tomb
Byzantius, –a, –um, Byzantine, of Byzantium (Constantinople)

C

C., abbreviation for Gāius
cacūmen, –minis, n., peak; tree top
Cadmus, –ī, m., Cadmus, founder of Thebes
cadō, –ere, cecidī, cāsūrus, fall, die, be slain
cadūcus, –a, –um, falling, frail, perishable
caedēs, –is, f., slaughter, murder, bloodshed
caedō, –ere, cecīdī, caesus, cut, beat
caelestis, –is, m., f., heavenly being
caelicola, –ae, m., god
Caelius, –lī, m., Caelius
caelō, 1, carve, emboss
caelum, –ī, n., sky; weather
caerulus (–eus), –a, –um, blue
Caesar, –aris, m., Caesar; emperor
caespes, –itis, m., sod, earth

calamitās, –tātis, *f.*, loss, misfortune, defeat, ruin
calamitōsus, –a, –um, unfortunate, disastrous
calamus, –ī, *m.*, reed, reed-pipe
calcar, –āris, *n.*, stimulus, goad
Calchas, –antis, *m.*, Calchas, *a mythological seer*
calcō, 1, tread
caleō, –ēre, –uī, –itūrus, be warm *or* hot
calidus, –a, –um, warm
calliditās, –tātis, *f.*, shrewdness, cunning
callidus, –a, –um, cunning
calor, –ōris, *m.*, heat
Calymnē, –ēs, *f.*, Calym'ne, *an island in the Aegean*
Camillus, –ī, *m.*, Camĭl'lus
campus, –ī, *m.*, plain; the Campus Martius, *a park and place of assembly at Rome*
candeō, –ēre, –uī, —, shine, be brilliant, glitter
candidātōrius, –a, –um, of a candidate
candidātus, –ī, *m.*, candidate
candidus, –a, –um, white, clear
Canīnius, –nī, *m.*, Caninius
canis, –is, *m., f.*, dog
canistrum, –ī, *n.*, reed basket
Canius, –ī, *m.*, Canius
canna, –ae, *f.*, reed
Cannēnsis, –e, of Cannae (Can'e)
canō, –ere, cecinī, cantus, sing, predict, play
canōrus, –a, –um, melodious, harmonious
cantō, 1, sing
cantus, –ūs, *m.*, song
cānus, –a, –um, white, hoary
capāx, *gen.* capācis, spacious; capable of
capessō, –ere, –īvī, –ītus, strive to reach, undertake
capillus, –ī, *m.*, hair; *pl.*, locks, hair
capiō, –ere, cēpī, captus, take, seize, hold, capture, captivate
Capitō, –ōnis, *m.*, Capito
Capitōlium, –lī, *n.*, the Capitoline Hill; the Capitol, *temple of Jupiter*
captiō, –ōnis, *f.*, deception; sophism; injury, loss
captīvus, –a, –um, captive; captured; *as noun, m.*, prisoner

captō, 1, capture, grasp, seize
caput, –itis, *n.*, head
Carbō, –ōnis, *m.*, Carbo
carcer, –eris, *m.*, prison
cardō, –dinis, *m.*, hinge
careō, –ēre, caruī, caritūrus, be without, lack, be deprived of
Cāria, –ae, *f.*, Caria, *a province in Asia Minor*
cāritās, –tātis, *f.*, high price; affection
carmen, –minis, *n.*, song, poem
carpō, –ere, carpsī, carptus, pick, seize; *of a road,* pursue, traverse
Carthaginiēnsēs, –ium, *m. pl.*, the Carthaginians (Carthajin'ians)
Carthāgō, –ginis, *f.*, Carthage
cārus, –a, –um, dear
casa, –ae, *f.*, cottage
Cassius, –sī, *m.*, Cassius
castellum, –ī, *n.*, fort
Castor, –oris, *m.*, one of the twins, Castor *and* Pollux
castra, –ōrum, *n. pl.*, camp
castrēnsis, –e, of the camp, open
cāsus, –ūs, *m.*, fall, chance, event, misfortune; case
catapulta, –ae, *f.*, catapult
catēna, –ae, *f.*, chain; constraint
cathedra, –ae, *f.*, chair, litter; professor's chair
Catilīna, –ae, *m.*, Cat'iline, *the conspirator of 63 B.C.*
Catō, –ōnis, *m.*, Cato (Kā'to), *a Roman senator*
Catulus, –ī, *m.*, Căt'ulus
Caucasus, –ī, *m.*, Caucasus, *a chain of mountains in Asia*
causa, –ae, *f.*, cause, reason; case, pretext; position; causā, for the sake of, for the purpose of
cautus, –a, –um, cautious
cavea, –ae, *f.*, cage, den; (*in a theater*) auditorium, spectators' seats
caveō, –ēre, cāvī, cautūrus, beware (of), take care
cavus, –a, –um, hollow
–ce, enclitic, here, this, that
cēdō, –ere, cessī, cessūrus, go away, retreat, retire, yield
celeber, –bris, –bre, populous, crowded
celebritās, –tātis, *f.*, throng; renown
celebrō, 1, throng, celebrate, attend
celer, –eris, –ere, swift
celeritās, –tātis, *f.*, quickness

celeriter, *adv.*, quickly

cella, –ae, *f.*, store-room; closet

cēlō, 1, hide, keep secret

celsus, a, –um, high

cēna, –ae, *f.*, dinner

cēnō, 1, dine

cēnseō, –ēre, cēnsuī, cēnsus, enroll; think; decree

cēnsiō, –ōnis, *f.*, census

cēnsor, –ōris, *m.*, censor

cēnsūra, –ae, *f.*, censorship

cēnsus, –ūs, *m.*, census

centum, hundred

centumvirī, –ōrum, *m. pl.*, the hundred men, *a special jury for important civil suits*

cēnula, –ae, *f.*, little dinner

Cēpārius, –rī, *m.*, Ceparius (Separ'ius)

cēra, –ae, *f.*, wax

cērātus, –a, –um, waxed

Cereālis, –e, of Ceres; Cereālia, –ium, *n. pl.*, the festival of Ceres

Cerēs, Cereris, *f.*, Ceres (Se'res), *goddess of agriculture*

cernō, –ere, crēvī, crētus, see

certāmen, –minis, *n.*, contest

certātim, *adv.* earnestly, eagerly

certātiō, –ōnis, *f.*, strife, dispute

certō, 1, struggle

certus, –a, –um, fixed, certain, sure; certiōrem facere, inform (him); certior fierī, be informed

cerva, –ae, *f.*, deer

cervīx, –īcis, *f.*, neck; *pl.*, shoulders

cessō, 1, delay, stop, be idle

cēterī, –ae, –a, the other(s), the rest; everything else

Cethēgus, –ī, *m.*, Cethegus

chorus, –ī, *m.*, choral dance; choir

Chrīstiānus, –a, –um, *adj. and n.*, Christian

Chrīstus, –ī, *m.*, Christ

cibus, –ī, *m.*, food

cicātrīx, –īcis, *m.*, scar

cicer, –eris, *n.*, chickpea

Cicerō, –ōnis, *m.*, Cicero (Marcus Tullius, *the orator;* Quintus, *his brother;* Marcus, *his son*)

cingō, –ere, cīnxī, cīnctus, surround; crown

cinis, cineris, *m.*, ashes

circā, *adv. and prep. w. acc.*, around, about

circum, *prep. w. acc.*, about

circumagō, –ere, –ēgī, –āctus, drive or turn around

circumcīsus, –a, –um, cut off, steep, inaccessible

circumclūdō, –ere, –clūsī, –clūsus, surround

circumdō, –dare, –dedī, –datus, put around, surround (with)

circumeō, –īre, –iī, –itus, go around

circumferō, –ferre, –tulī, –lātus, bear *or* spread around, cast about

circumscrībō, –ere, –scrīpsī, –scrīptus, bound, circumscribe

circumspiciō, –ere, –spexī, –spectus, look around

circumstō, –āre, –stetī, —, stand around

circumveniō, –īre, –vēnī, –ventus, surround

cithara, –ae, *f.*, cithara, lyre

citus, –a, –um, swift

cīvīlis, –e, civil

cīvis, –is, *m.*, citizen

cīvitās, –tātis, *f.*, citizenship; state; city

clāmitō, 1, keep shouting

clāmō, 1, cry (out), shout

clāmor, –ōris, *m.*, shout, uproar; applause

clandestīnus, –a, –um, secret

clāritās, –tātis, *f.*, fame

Claros, –ī, *f.*, Claros

clārus, –a, –um, clear, brilliant, illustrious, loud, famous

classis, –is, *f.*, class, fleet

Claudius, –ī, *m.*, Claudius, *Roman emperor*

claudō, –ere, clausī, clausus, shut, close, cut off, bar

clāva, –ae, *f.*, rough stick, club

clāvus, –ī, *m.*, nail; rudder, helm

clēmēns, *gen.* –entis, mild, gentle, merciful

clēmenter, *adv.*, gently, with forbearance

clēmentia, –ae, *f.*, mercy

clīvus, –ī, *m.*, slope, hillside

clūnis, –is, *m. and f.*, buttock, haunch

Cn., *abbreviation for* Gnaeus, –ī, *m.*, Gnaeus (Nē'us)

coalēscō, –ere, –aluī, –alitus, grow together

coarguō, –ere, –uī, —, make known, betray

coartō, 1, compress, confine; abridge, shorten

coccum, –ī, *n.,* berry (*yielding a scarlet dye*)

codicillī, –ōrum, *m. pl.,* writing tablet, petition, will

coeō, –īre, –iī, –itūrus, come together, assemble, unite

coepī, coepisse, coeptus (*used only in perfect tenses*), have begun, began

coerceō, –ēre, –uī, –itus, check, repress

coetus, –ūs, *m.,* meeting

cōgitātē, *adv.,* thoughtfully

cōgitātiō, –ōnis, *f.,* thought, meditation

cōgitō, 1, think (of), consider, plan

cognātiō, –ōnis, *f.,* kinship

cognātus, –ī, *m.,* kinsman

cognitiō, –ōnis, *f.,* (learning to know), trial, acquaintance

cognitor, –ōris, *m.,* supporter

cognōmen, –minis, *n.,* cognomen, surname

cognōscō, –ere, cognōvī, cognitus, become acquainted with, learn; recognize, note; *perfect,* have learned, know

cōgō, –ere, coēgī, coāctus, (drive together), assemble; force, compel

cohaereō, –ēre, cohaesī, cohaesus, cling together, be connected with

cohērēs, –ēdis, *m. and f.,* fellow heir

cohors, cohortis, *f.,* cohort

cohortātiō, –ōnis, *f.,* encouragement

cohortor, 1, urge

collābor, –lābī, –lāpsus, fall in ruin, sink down

collēga, –ae, *m.,* colleague

collēgium, –gī, *n.,* company

colligō, –ere, –lēgī, –lēctus, collect, infer

collis, –is, *m.,* hill

collocō, 1, put, establish, set up

colloquor, –loquī, –locūtus, talk (with), hold a conference

collum, –ī, *n.,* neck

colō, –ere, –uī, cultus, cultivate, worship, attend, cherish, honor

colōnia, –ae, *f.,* colony

colōnus, –ī, *m.,* colonist

color, –ōris, *m.,* color

columba, –ae, *f.,* dove, pigeon

columna, –ae, *f.,* pillar, column

coma, –ae, *f.,* hair

comes, –itis, *m.,* companion

cōmitās, –tātis, *f.,* courtesy, kindness, friendliness

comitātus, –ūs, *m.,* escort, company

cōmiter, *adv.,* affably

comitium, –tī, *n.,* comitium (comish'ium), *an assembly place in Rome;* *pl.,* election, assembly

comitō, comitor, 1, accompany

commeminī, –isse, remember

commemorātiō, –ōnis, *f.,* remembrance, mention

commendātiō, –ōnis, *f.,* recommendation

commendō, 1, entrust, commend, approve

commercium, –cī, *n.,* trade, commerce; fellowship

comminuō, –ere, –uī, –ūtus, weaken

committō, –ere, –mīsī, –missus, commit, start, entrust

commodus, –a, –um, fit, suitable, favorable; *as noun, n.,* advantage

commoror, 1, linger, remain

commoveō, –ēre, –mōvī, –mōtus, move, disturb

commūnis, –e, common

commūnitās, –tātis, *f.,* fellowship

commūniter, *adv.,* in general

commūtō, 1, change, alter

cōmō, –ere, compsī, comptus, comb, adorn

comoedus, –ī, *m.,* comedian, comic actor

comparātiō, –ōnis, *f.,* comparison

comparō, 1, get ready, prepare; collect, provide; constitute; compare

comperiō, –īre, –perī, –pertus, find out, discover

compescō, –ere, –pescuī, —, check

competītor, –ōris, *m.,* rival, competitor

complector, –plectī, –plexus, embrace, include

complexus, –ūs, *m.,* embrace

complūrēs, –a (ia), several, many

compōnō, –ere, –posuī, –positus, (put together), compose, settle, arrange; bury

compos, –potis, master of, possessing

compositiō, –ōnis, *f.,* agreement

comprehendō, (comprēndō), –ere, –hendī, –hēnsus, seize, catch, detect; arrest

comprimō, –ere, –pressī, –pressus, press together, restrain, repress comprobō, 1, approve

compugnō, 1, fight together

computō, 1, sum up, compute; count

cōnātus, –ūs, m., attempt

concēdō, –ere, –cessī, –cessūrus, give way, retire, grant

concidō, –ere, –cidī, —, fall (together), collapse

conciliō, 1, win (over)

concilium, –lī, n., meeting, council

concinnō, 1, cause, produce, make fit

concipiō, –ere, –cēpī, –ceptus, take up, receive, utter

concitō, 1, arouse

conclāmō, 1, cry out, exclaim, shout

conclāve, –is, n., room, chamber

concordia, –ae, f., harmony, concord

concordō, 1, agree, be consistent

concors, gen. –cordis, in harmony

concupīscō, –ere, –cupīvī, –ītus, long (for), desire, covet

concurrō, –ere, –currī, –cursūrus, run, gather

concursus, –ūs, m., (running together), gathering, throng

concutiō, –ere, –cussī, –cussus, (strike together), shake (up)

condemnō, 1, condemn

condiciō, –ōnis, f., condition

condītus, –a, –um, seasoned; ornamented

condō, –ere, –didī, –ditus, found, establish; bring to an end; bury

condūcō, –ere, –dūxī, –ductus, hire, rent, be of help

conexus, –a, –um, adjoining

cōnfābulor, 1, talk

cōnferō, cōnferre, contulī, collātus, bring together, join, compare, collect; postpone; mē cōnferō, go, proceed

cōnfertus, –a, –um, crowded, compact, full

cōnfessiō, –ōnis, f., confession

cōnfestim, adv., at once

cōnficiō, –ere, –fēcī, –fectus, destroy, exhaust

cōnfīdō, –ere, cōnfīsus, semideponent, trust, be confident, rely on

cōnfirmō, 1, strengthen, assure, establish, declare

cōnfiteor, –ērī, cōnfessus, confess, admit

cōnflagrō, 1, be consumed (by fire)

cōnflīctiō, –ōnis, f., combat

cōnflīctor, 1, struggle, conflict, contend

cōnflō, 1, (blow up), kindle, excite; compose

cōnfluō, –ere, –flūxī, –flūxus, flock (together)

cōnfodiō, –ere, –fōdī, –fossus, stab

cōnfōrmō, 1, mold, train

cōnfringō, –ere, –frēgī, –frāctus, shatter, destroy

cōnfugiō, –ere, –fūgī, –fugitūrus, flee for refuge

congelō, 1, freeze; stiffen

congerō, –ere, –gessī, –gestus, bring together, collect

congredior, –ī, –gressus, meet

congregābilis, –e, easily brought together, social

congregātiō, –ōnis, f., union, society, association

congregō, 1, collect; pass., assemble

congruō, –ere, –uī, —, coincide, agree, suit, accord

congruus, –a, –um, suitable

coniciō, –ere, –iēcī, –iectus, throw, aim

coniectūra, –ae, f., guess

coniūnctiō, –ōnis, f., association

coniungō, –ere, –iūnxī, –iūnctus, join with, connect

coniūnx, –iugis, m. and f., husband, wife

coniūrātī, –ōrum, m. pl., conspirators

coniūrātiō, –ōnis, f., conspiracy

cōnor, 1, attempt, try, endeavor

conquiēscō, –ere, –quiēvī, –quiētus, find rest

conquīrō, –ere, –quīsīvī, –quīsītus, seek out, hunt up, collect

cōnscelerātus, –a, –um, wicked

cōnscendō, –ere, –scendī, –scēnsus, climb, mount, scale, embark

cōnscientia, –ae, f., consciousness, conscience

cōnscius, –cī, m., witness

cōnscrīptī, patrēs cōnscrīptī, senators

cōnsecrō, 1, dedicate

cōnsenēscō, –ere, –senuī, —, grow old together

cōnsēnsiō, –ōnis, f., agreement

cōnsēnsus, –ūs, m., agreement

cōnsentiō, –īre, –sēnsī, –sēnsus, agree

cōnsequenter, adv., then

cōnsequor –ī, cōnsecūtus, follow (up), pursue; result; obtain, accomplish cōnserō, –ere, –sēvī, –situs, plant

cōnserō, –ere, –seruī, –sertus, bind, join, connect

cōnservō, 1, keep, save, maintain

cōnservus, –ī, m., fellow slave

cōnsīderō, 1, consider

cōnsīdō, –ere, –sēdī, –sessūrus, sit down, encamp, sink

cōnsilium, –lī, n., plan, purpose, prudence, advice, wisdom; council, counsel

cōnsistō, –ere, –stitī, –stitūrus, stop

cōnsociātiō, –ōnis, f., union, association

cōnsōlātiō, –ōnis, f., consolation, comfort

cōnsōlor, 1, comfort

cōnspectus, –ūs, m., sight

cōnspiciō, –ere, –spexī, –spectus, catch sight of, look upon, see

cōnspicor, 1, catch sight of

cōnstāns, gen. –antis, firm

cōnstanter, adv., firmly, consistently

cōnstantia, –ae, f., firmness

Cōnstantia, –ae, f., Constance

cōnstituō, –ere, –stituī, –stitūtus, put, establish, settle; appoint, create; determine, decide, agree upon

cōnstō, –stāre, –stitī, –stātūrus, stand together, agree; cōnstat, it is evident, it is agreed

cōnstringō, –ere, –strīnxī, –strictus, bind, hold in check

cōnstrūctiō, –ōnis, f., construction

cōnstruō, –ere, –strūxī, –strūctus, heap together; pile up; erect

cōnsuēscō, –ere, –suēvī, –suētus, become accustomed; perfect, be accustomed

cōnsuētūdō, –dinis, f., custom, habit, practice; intimacy

cōnsul, –ulis, m., consul

cōnsulāris, –e, consular, of consular rank; as noun, m., ex-consul, man of consular rank

cōnsulātus, –ūs, m., consulship

cōnsulō, –ere, –uī, –sultus, consider, consult, put the question; look out for

cōnsultātiō, –ōnis, f., consultation

cōnsultum, –ī, n., decree

cōnsummō, 1, complete

cōnsūmō, –ere, –sūmpsī, –sūmptus, take (wholly), spend; destroy, consume

cōnsurgō, –ere, –surrēxī, –surrēctūrus, rise together

contāctus, –ūs, m., touch

contāgiō, –ōnis, f., (touch), infection

contāminō, 1, stain, defile

contegō, –ere, –tēxī, –tēctus, cover

contemnō, –ere, –tempsī, –temptus, despise, disregard

contemptus, –ūs, m., contempt, scorn, disgrace

contendō, –ere, –tendī, –tentus, contend, hasten, stretch

contentiō, –ōnis, f., struggle, dispute

contentus, –a, –um, satisfied, content

conterminus, –a, –um, adjoining, neighboring

conterō, –ere, –trīvī, –trītus, waste

conterreō, –ēre, –uī, –itus, terrify

conticēscō, –ere, –uī, —, be silent, be still

contiguus, –a, –um, adjoining

continēns, gen. –entis, temperate, self-restrained; as noun, f., the mainland

continentia, –ae, f., self-control

contineō, –ēre, –tinuī, –tentus, bound; hold fast; restrain; comprise

contingō, –ere, –tigī, –tāctus, touch, reach; happen

continuō 1, prolong

continuō, adv., continuously

continuus, –a, –um, successive

cōntiō, –ōnis, f., assembly, meeting

cōntiōnātor, –ōris, m., demagogue

contrā, adv. and prep. w. acc., against, contrary to; to the other side

contrahō, –ere, –trāxī, –trāctus, draw together; contract

contrārius, –a, –um, opposite, opposed

contrōversia, –ae, f., dispute

contubernālis, –is, m. and f., companion, mate

contubernium –nī, n., dwelling together; household

contumēlia, –ae, f., insult, abuse

contumēliōsus, –a, –um, abusive, insulting

cōnūbium, –bī, n., marriage

convalēscō, –ere, –valuī, —, recover from an illness, regain health

convellō, –ere, –vellī, –vulsus, tear away

conveniō, –īre, –vēnī, –ventūrus, come together, assemble, meet; be suited to; impers., it is fitting or agreed

conventum, –ī, *n.,* agreement
conventus, –ūs, *m.,* assembly
convertō, –ere, –vertī, –versus, turn, change
convīcium, –cī, *n.,* violent reproach, wrangling
convīctus, –ūs, *m.,* (living together), intimacy
convīva, –ae, *m. and f.,* table companion, guest
convīvium, –vī, *n.,* feast, banquet
convocō, 1, call together
cooperiō, –īre, cooperuī, coopertus, overwhelm
cooperor, 1, work with *or* together, unite
cōpia, –ae, *f.,* supply, abundance; fluency; *pl.,* resources, troops, forces
cōpiōsus, –a, –um, well-supplied, plentiful, rich
coquō, –ere, coxī, coctus, cook, burn
cor, cordis, *n.,* heart
Corduba, –ae, *f.,* Cor'dova, *a city in Spain*
Corinthius, –a, –um, Corinthian
Corinthus, –ī, *f.,* Corinth, *a city in Greece*
Cornēlius, –lī, *m.,* Cornelius
cornū, –ūs, *n.,* horn; wing (*of an army*), flank, tip (*of the moon*)
corōna, –ae, *f.,* wreath, crown
corōnō, 1, crown
corporālis, –e, corporeal
corpus, corporis, *n.,* body
corpusculum, –ī, *n.,* a little body, dear person
corrigō, –ere, –rēxī, –rēctus, correct
corrōborō, 1, strengthen
corrumpō, –ere, –rūpī, –ruptus, corrupt, falsify; waste
corruō, –ere, –ruī, —, fall together
corruptēla, –ae, *f.,* corruption
corruptiō, –ōnis, *f.,* bribery, illness
cortex, –ticis, *m. and f.,* bark, shell, hull
Corvīnus, –ī, *m.,* Corvinus
cotīdiānus, –a, –um, daily
cotīdiē, *adv.,* daily
Crassus, –ī, *m.,* Crassus
crātēr, –ēris, *m.,* wine bowl
Cratippus, –ī, *m.,* Crătip'pus
Creātor, –ōris, *m.,* the Creator
creātūra, –ae, *f.,* creation, act of creation

crēber, –bra, –brum, thick, frequent, numerous
crēdibilis, –e, credible
crēditor, –ōris, *m.,* creditor
crēdō, –ere, crēdidī, crēditus, believe, suppose; entrust
crēdulus, –a, –um, credulous, unsuspecting, trustful
creō, 1, make, create
crepitus, –ūs, *m.,* sound
crēscō, –ere, crēvī, crētus, grow, increase
Crēta, –ae, *f.* (*acc.* Crētan), Crete, *an island south of Greece*
crīmen, –minis, *n.,* accusation, charge, crime
crīminor, 1, charge
crīnis, –is, *m.,* hair
Crotōniēnsis, –e, Crotonian, of Croton (*a city in southern Italy*)
cruciātus, –ūs, *m.,* torture
cruciō, 1, torture; afflict
crūdēlis, –e, cruel
crūdēliter, *adv.,* cruelly
crūdēlitās, –tātis, *f.,* cruelty
cruentus, –a, –um, bloody
cruentātus, –a, –um, bloody
cruor, cruōris, *m.,* blood
crūs, crūris, *n.,* leg
crux, crucis, *f.,* cross
cubiculum, –ī, *n.,* bedroom, lounging room
cubō, –āre, –uī, –itūrus, lie down; sleep
culpa, –ae, *f.,* fault, guilt
cultūra, –ae, *f.,* cultivation; agrī cultūra, agriculture
cultus, –ūs, *m.,* culture
cum, *prep. w. abl.,* with
cum, *conj.,* when, while, since, although; cum . . . tum, not only . . . but also
cumulō, 1, (heap up), crown
cumulus, –ī, *m.,* heap, increase
cūnctanter, *adv.,* reluctantly
cūnctātiō, –ōnis, *f.,* hesitancy, uncertainty
cūnctus, –a, –um, all together, all
cupiditās, –tātis, *f.,* desire, greed
cupīdō, –dinis, *f.,* desire, longing; love
cupidus, –a, –um, eager
cupiō, –ere, –īvī, –ītus, desire, be eager
cūr, *adv.,* why
cūra, –ae, *f.,* care, concern, anxiety
cūrātiō, –ōnis, *f.,* care; cure

cūrātor, –ōris, m., manager, commissioner, guardian

cūria, –ae, f., curia, senate house

cūriōsē, adv., carefully

Cūrius, –rī, m., Curius

cūrō, 1, care for, look after; take care, arrange, cause (to be done)

curriculum, –ī, n., course

currō, –ere, cucurrī, cursūrus, run; fly

currus, –ūs, m., chariot

cursim, adv., quickly, speedily

cursitō, –āre, —, —, run constantly

cursō, 1, run around

cursus, –ūs, m., running; race, way, voyage, course, career

curvāmen, –minis, n., curve

curvō, 1, curve

cuspis, –idis, f., point; sting

custōdia, –ae, f., guard, custody, protection, prison

custōdiō, –īre, –īvī, –ītus, guard, watch

custōs, –ōdis, m., guard, custodian, parent

Cynthus, –ī, m., Cynthus, a mountain on Delos

D

Dalmatia, –ae, f., Dalmā'tia, a region on the eastern shore of the Adriatic

Damasichthōn, –onis, m., Dămăsĭch'-thon, one of Niobe's sons

Damasippus, –ī, m., Dămăsĭp'pus

damnātiō, –ōnis, f., conviction

damnō, 1, condemn

damnōsus, –a, –um, harmful

damnum, –ī, n., loss; fine, penalty; curse

Daphnē, –ēs, f., Daphne, daughter of the river-god Peneus

daps, dapis, f., meal, feast; food

Daunius, –a, –um, Daunian, Apulian

dē, prep. w. abl., from, down from, concerning, about, for, during

dea, –ae, f., goddess

deambulō, –āre, —, —, take a walk

dēbeō, –ēre, dēbuī, dēbitus, ought, owe, should, must; pass., be due

dēbilis, –e, weak, helpless

dēbilitō, 1, weaken

dēbitor, –ōris, m., debtor

dēcēdō, –ere, dēcessī, dēcessūrus, depart

decem, ten

decenter, adv., becomingly, properly

dēcernō, –ere, dēcrēvī, dēcrētus, decide, decree, vote (for)

dēcerpō, –ere, dēcerpsī, dēcerptus, pluck

decet, –ēre, decuit, impers., becomes, befits

Deciānus, –ī, m., Decianus

decimus, –a, –um, tenth; Decimus, –ī, m., Decimus (Des'imus)

Decius, –cī, m., Decius

dēclāmātiō, –ōnis, f., oratorical exercise, declamation

dēclāmitō, 1, declaim

dēclārō, 1, show, declare

dēclīnātiō, –ōnis, f., bending aside, avoidance

decor, –ōris, m., charm, beauty

decorō, 1, adorn, honor, embellish

decōrus, –a, –um, handsome, proper

dēcrētum, –ī, n., decree

dēcurrō, –ere, dēcucurrī (dēcurrī), dēcursūrus, run (down), hasten

decus, decoris, n., honor

dēdecus, –coris, n., disgrace, vice

dēdicō, 1, dedicate

dēdō, –ere, dēdidī, dēditus, hand over, surrender, devote

dēdūcō, –ere, dēdūxī, dēductus, lead (away)

dēfatīgō, 1, wear out

dēfendō, –ere, dēfendī, dēfēnsus, defend

dēfēnsiō, –ōnis, f., defense

dēferō, dēferre, dētulī, dēlātus, bring, report

dēfessus, –a, –um, wearied

dēficiō, –ere, dēfēcī, dēfectus, fail, revolt

dēfīgō, –ere, dēfīxī, dēfīxus, fix, plunge

dēfīniō, –īre, dēfīnīvī, dēfīnītus, limit, fix, appoint, define

dēfīnītiō, –ōnis, f., definition

dēflagrō, 1, burn down

dēfleō, –ēre, dēflēvī, dēflētus, weep over

dēfluō, –ere, dēflūxī, dēflūxus, flow or sink down

dēfraudō, 1, cheat out of

dēgerō, –ere, —, —, carry off

dēgō, –ere, dēgī, —, spend, pass

dēgustō, 1, taste

dēiciō, –ere, dēiēcī, dēiectus, throw or cast down, push aside

dēierō, dēiūrō, 1, swear

dein, deinde, adv., then, next

deinceps, *adv.,* next

Deirī, −ōrum, *a tribe of the Angles*

dēlābor, −ī, dēlāpsus, fall, sink

dēlectātiō, −ōnis, *f.,* delight

dēlectō, 1, please, charm, delight in

dēlēniō, −īre, dēlēnīvī, dēlēnītus, allay, charm

dēleō, −ēre, dēlēvī, dēlētus, blot out, destroy

dēlīberātiō, −ōnis, *f.,* deliberation, question

dēlīberō, 1, think about, consider

dēlicātus, −a, −um, effeminate

dēliciae, −ārum, *f. pl.,* delight, pleasure

dēligō, 1, tie up

dēligō, −ere, dēlēgī, dēlēctus, choose

dēlinquō, −ere, dēlīquī, dēlīctus, fail, do wrong

dēlīrō, 1, be crazy, rave

Dēlius, −a, −um, Delian, of Delos

Dēlos, −ī, *f.,* Dēlos, *an island in the Aegean*

Delphicus, −a, −um, Delphic, of Delphi, *a famous Greek oracle*

dēlūbrum, −ī, *n.,* shrine

dēmēns, *gen.* −entis, mad

dēmenter, *adv.,* foolishly

dēmigrō, 1, go off, depart

dēminūtiō, −ōnis, *f.,* sacrifice, loss

dēmissus, −a, −um, downcast; *w.* crīne, disheveled

dēmittō, −ere, dēmīsī, dēmissus, let down

dēmō, −ere, dēmpsī, dēmptus, take away

dēmōnstrō, 1, point out

dēmum, *adv.,* at length, at last

dēnegō, 1, deny

dēnique, *adv.,* finally, after all, in short

dēns, dentis, *m.,* tooth

dēnūntiō, 1, threaten

dēnuō, *adv.,* once more, again

dēpellō, −ere, dēpulī, dēpulsus, drive from, avert, remove, overthrow

dēplōrō, 1, lament, deplore

dēpōnō, −ere, dēposuī, dēpositus, put aside; quench

dēpositum, −ī, *n.,* deposit, loan

dēprāvō, 1, corrupt, tamper with

dēprecor, 1, avert by prayer

dēprēndō, −ere, dēprēndī, dēprēnsus, seize, catch; perceive

dēprimō, −ere, dēpressī, dēpressus, (press down), sink

dērādō, −ere, dērāsī, dērāsus, scrape off

dērelinquō, −ere, dērelīquī, dērelīctus, abandon, forsake

dērīdeō, −ēre, dērīsī, dērīsus, laugh at, mock

dērigēscō, −ere, dēriguī, —, become rigid

dēscendō, −ere, dēscendī, dēscēnsus, descend, resort

dēserō, −ere, dēseruī, dēsertus, desert; dēsertus, −a, −um, lonely

dēsideō, −ēre, dēsēdī, dēsessūrus, be idle

dēsīderium, −rī, *n.,* longing, desire

dēsīderō, 1, desire, miss

dēsidia, −ae, *f.,* idleness

dēsignō, 1, mark out, elect, choose

dēsinō, −ere, dēsiī, dēsitus, cease

dēsipiō, −ere, dēsipuī, —, be silly *or* foolish

dēsistō, −ere, dēstitī, dēstitus, (stand away), cease

dēsōlō, 1, leave alone, desert

dēspērātiō, −ōnis, *f.,* hopelessness, despair

dēspērō, 1, despair (of)

dēspiciō, −ere, dēspexī, dēspectus, despise

dēspondeō, −ēre, dēspondī, dēspōnsus, promise, betroth

dēstinō, 1, bind; intend, determine

dēstringō, −ere, dēstrīnxī, dēstrictus, unsheath

dēstruō, −ere, dēstrūxī, dēstrūctus, tear down, destroy

dēsum, deesse, dēfuī, dēfutūrus, fail, be lacking

dētegō, −ere, dētēxī, dētēctus, uncover

dēterō, −ere, dētrīvī, dētrītus, wear away, weaken

dēterreō, −ēre, dēterruī, dēterritus, deter

dētestor, 1, curse, denounce, deprecate

dētineō, −ēre, dētinuī, dētentus, hold

dētrahō, −ere, dētrāxī, dētrāctus, draw *or* take from, pull off, remove, withdraw

dētrīmentum, −ī, *n.,* loss, defeat

dēūrō, −ere, deussī, deustus, burn up

deus, −ī, *m.,* god; *nom. pl.* diī *or* dī

dēvinciō, −īre, dēvīnxī, dēvīnctus, bind, unite

dēvorō, 1, devour

dēvoveō, –ēre, dēvōvī, dēvōtus, vow, dedicate; curse

dexter, –tra (–tera), –trum (–terum), right; *comp.* **dexterior, –ius,** right; *as noun, f.,* right hand

diabolus, –ī, m., devil

dialecticus, –a, –um, dialectic; *as noun, m.,* logician

Diāna, –ae, f., Diana, *goddess of hunting*

Diaulus, –ī, Diaulus

diciō, –ōnis, f., power

dīcō, –ere, dīxī, dictus, say, speak, tell, call

dictātor, –ōris, m. dictator

dictātūra, –ae, f., dictatorship

dictō, 1, dictate

diēs, diēī, m. and f., day

differō, differre, distulī, dīlātus, postpone; differ

difficilis, –e, difficult

difficultās, –tātis, f., difficulty, trouble

diffīdō, –ere, –fīsus, *semi-deponent,* mistrust

diffundō, –ere, –fūdī, –fūsus, spread out

dīgerō, –ere, dīgessī, dīgestus, force apart, separate

digitus, –ī, m., finger

dignitās, –tātis, f., dignity

dignus, –a, –um, worthy

diiūdicō, 1, decide, settle

diiungō, –ere, diiūnxī, diiūnctus, separate

dīlēctus, –ūs, m., choice

dīligēns, gen. –entis, careful, scrupulous

dīligenter, adv., carefully

dīligentia, –ae, f., care, diligence

dīligō, –ere, dīlēxī, dīlēctus, single out, esteem, love

dīlūcēscō, –ere, dīlūxī, —, grow light

dīmētior, –īrī, dīmēnsus, measure *or* lay out

dīmicātiō, –ōnis, f., struggle

dīmicō, 1, fight, contend, struggle

dīmidius, –a, –um, half

dīminūtiō, –ōnis, f., decrease

dīmittō, –ere, dīmīsī, dīmissus, let go, lose, abandon, send away, dismiss

dīmoveō, –ēre, dīmōvī, dīmōtus, move apart, stir

diocēsis, –is, f., diocese (*district ruled by a bishop*)

dīrēctus, –a, –um, straight

dīreptiō, –ōnis, f., plundering, loot

dīreptor, –ōris, m., plunderer

dirimō, –ere, dirēmī, dirēmptus, break off

dīripiō, –ere, dīripuī, dīreptus, plunder

dīruō, –ere, dīruī, dīrutus, tear down

dīrus, –a, –um, awful

discēdō, –ere, –cessī, –cessūrus, go away, depart

discernō, –ere, –crēvī, –crētus, set apart, distinguish, discern

discerpō, –ere, –cerpsī, –cerptus, tear in pieces

discessus, –ūs, m., departure

disciplīna, –ae, f., training, instruction

discipulus, –ī, m., pupil, disciple, follower

discō, –ere, didicī, —, learn

discordia, –ae, f., discord

discrībō, –ere, discrīpsī, discrīptus, assign

discrīmen, –minis, n., difference, decision, danger, crisis

discrīminō, 1, divide, separate

dispār, gen. –paris, unequal

dispēnsō, 1, distribute

dispertiō, –īre, –īvī, –ītus, distribute

dispiciō, –ere, dispexī, dispectus, consider

dispōnō, –ere, –posuī, –positus, (place here and there), arrange, dispose

disputō, 1, discuss, argue

dissēminō, 1, spread abroad

dissēnsiō, –ōnis, f., quarrel

dissentiō, –īre, –sēnsī, –sēnsus, disagree, differ

disserō, –ere, disseruī, disertus, examine, discuss, discourse

dissideō, –ēre, –sēdī, –sessus, disagree

dissimilis, –e, unlike

dissimulanter, adv., secretly

dissimulātor, –ōris, m., dissembler

dissimulō, 1, conceal (the truth), deny

dissolūtus, –a, –um, lax, remiss

dissolvō, –ere, –solvī, –solūtus, solve

distinguō, –ere, –tīnxī, –tīnctus, distinguish

distō, –āre, —, —, (stand apart), be distant, be different

distrahō, –ere, –trāxī, –trāctus, draw away

distribuō, –ere, –tribuī, –tribūtus, distribute, assign

distringō, –ere, distrinxī, districtus, distract the attention

diū, *adv.,* for a long time, long; *comp.* **diūtius;** *superl.* **diūtissimē**

diūtinus, –a, –um, long, of long duration

diūturnus, –a, –um, long-lasting

dīvellō, –ere, dīvellī, dīvulsus, tear away, rend, separate

dīversus, –a, –um, opposite, different, widely separated

dīves, *gen.* **dīvitis,** rich

dīvidō, –ere, dīvīsī, dīvīsus, divide, extend

dīvīnitus, *adv.,* providentially

dīvīnus, –a, –um, divine, godlike

dīvitiae, –ārum, *f. pl.,* riches

dīvus, –a, –um, divine; *as noun, m.,* god, deity

dō, dare, dedī, datus, give

doceō, –ēre, docuī, doctus, teach, show

doctor, –ōris, *m.,* teacher

doctrīna, –ae, *f.,* teaching, learning

doctus, –a, –um, learned, skilled

Dolābella, –ae, *m.,* Dolabella

doleō, –ēre, doluī, dolitūrus, suffer, grieve, deplore

dolor, –ōris, *m.,* pain, grief, grievance

dolus, –ī, *m.,* trick, snare

domesticus, –a, –um, private, domestic

domicilium, –lī, *n.,* home, residence

domina, –ae, *f.,* mistress

dominātiō, –ōnis, *f.,* mastery, rule

dominātus, –ūs, *m.,* mastery

dominicus, –a, –um, of a lord *or* master; the Lord's

dominor, 1, rule, be master

dominus, –ī, *m.,* master, owner; *voc.,* Sir; **Dominus,** the Lord

Domitiānus, –ī, *m.,* Domitian, *a Roman emperor*

Domitius, –tī, *m.,* Domitius

domō, –āre, –uī, –itus, tame

domus, –ūs, *f.,* house, home, household; *loc.* **domī,** at home

dōnec, *conj.,* until, as long as

dōnō, 1, give, present

dōnum, –ī, *n.,* gift

dormiō, –īre, –īvī, –ītus, sleep

dormītōrius, –a, –um, for sleeping

dōs, dōtis, *f.,* dowry, endowment, talent

Drūsus, –ī, *m.,* Drusus

dubitātiō, –ōnis, *f.,* doubt

dubitō, 1, hesitate, doubt, be in doubt

dubius, –a, –um, doubtful, uncertain

ducātus, –ūs, *m.,* military leadership, command

dūcō, –ere, dūxī, ductus, lead, draw, attract, construct, draw out, consider

ductus, –ūs, *m,* command, motion

dūdum, *adv.,* for a long time

dulcēdō, –dinis, *f.,* sweetness, charm

dulcis, –e, sweet

dum, *conj.,* while, as long as; provided that (*often w.* **modo**)

dūmus, –ī, *m.,* thorns

duo, –ae, –o, two

dupliciter, *adv.,* doubly

duplicō, 1, double

dūrō, 1, last, remain

dūrus, –a, –um, hard, cruel, insensible

dux, ducis, *m.,* leader, general

E

ē, ex, *prep. w. abl.,* from, out of, of, after, in accordance with

ebrius, –a, –um, full, drunk

ebur, –oris, *n.,* ivory

eburneus, –a, –um; eburnus, –a, –um, of ivory

ecastor! *interj.,* by Castor!

ecce! *interj.,* look!

ecclesia, –ae, *f.,* church

edepol! *interj.,* by Pollux!

ēdīcō, –ere, ēdīxī, ēdictus, declare

ēdictum, –ī, *n.,* edict

ēdiscō, –ere, ēdidicī, —, learn (thoroughly)

ēditus, –a, –um, lofty

ēdō, –ere, ēdidī, ēditus, publish, utter

ēducō, 1, bring up

ēdūcō, –ere, ēdūxī, ēductus, lead out *or* forth, draw out

efferō, efferre, extulī, ēlātus, carry out; bring; exalt, extol

efficiō, –ere, effēcī, effectus, make (out), cause, accomplish, produce

effigiēs, –ēī, *f.,* copy

effluō, –ere, efflūxī, —, flow out; escape

effodiō, –ere, effōdī, effossus, dig up

effrēnātus, –a, –um, unbridled, unrestrained

effugiō, –ere, effūgī, effugitūrus, escape

effugium, –gī, *n.,* escape

effundō, –ere, effūdī, effūsus, pour out

egeō, egēre, eguī, —, need, be in need of, lack

egestās, –tātis, f., poverty

ego, meī, I; egomet, I myself

ēgredior, ēgredī, ēgressus, go or march out, go, leave

ēgregius, –a, –um, distinguished, excellent

ei! interj., Oh!

ēiaculor, 1, shoot or spurt out

ēiciō, –ere, ēiēcī, ēiectus, throw out

ēlābor, ēlābī, ēlāpsus, slip away, escape

ēlabōrō, 1, work hard

ēlegāns, gen. –antis, choice

ēleganter, adv., tastefully, finely, elegantly

ēlīdō, –ere, ēlīsī, ēlīsus, tear out; shatter, destroy

ēligō, –ere, ēlēgī, ēlēctus, pick out, select

ēloquentia, –ae, f., eloquence

ēloquium, –ī, n., speech, utterance, eloquence

ēlūdō, –ere, ēlūsī, ēlūsus, escape; mock, make sport of

ēluō, –ere, ēluī, ēlūtus, wash (off); remove

ēmendō, 1, correct, improve

ēmentior, –īrī, ēmentītus, feign, fabricate

ēmergō, –ere, ēmersī, ēmersus, rise, emerge

ēmicō, –āre, –uī, –ātus, dart forth, spurt

ēmineō, –ēre, –uī, —, stand out, be prominent

ēmittō, –ere, ēmīsī, ēmissus, let go

emō, –ere, ēmī, ēmptus, buy

ēmorior, ēmorī, ēmortuus, die

ēmptiō, –ōnis, f., purchase

ēmptor, –ōris, m., buyer

ēn, interj., behold! see! there!

enim, conj. (never first word), for; w. at, but you say

enimvērō, adv., yes, indeed; assuredly

ēnitēscō, –ere, ēnituī, —, shine forth

ēnītor, –ī, ēnīxus (ēnīsus), make one's way

Ennius, –nī, m., Ennius, a Roman poet

ēnotō, 1, mark out, note down

ēnsis, –is, m., sword

ēnumerō, 1, count out; recount, describe

ēnūntiō, 1, report

eō, īre, iī, itūrus, go

Ephesus, –ī, m., Ephesus, a famous city of Asia

Epicūrus, –ī, m., Epicurus, a Greek philosopher

epistula, –ae, f., letter

epulae, –ārum, f., food, banquet

epulor, 1, hold a banquet

epulum, –ī, n., feast

eques, equitis, m., horseman, knight; pl., cavalry

equidem, adv., (w. 1st person), for my part, at any rate

equitātus, –ūs, m., cavalry

equus, –ī, m., horse

Erebus, –ī, m., Erebus, the lower world

ergā, prep. w. acc., toward

ergastulum, –ī, n., prison

ergō, adv., accordingly, therefore, then

ērigō, –ere, ērēxī, ērēctus, raise, set up, erect, encourage

ēripiō, –ere, ēripuī, ēreptus, snatch or take away, rescue from, remove

ērogō, 1, appropriate, pay

errātum, –ī, n., error

errō, 1, wander, be mistaken

error, –ōris, m., error

ērudiō, –īre, –īvī, –ītus, teach

ērudītiō, –ōnis, f., instruction

ērudītus, –a, –um, educated, learned

ērumpō, –ere, ērūpī, ēruptus, break out, burst forth

ēruō, ēruere, ēruī, ērutus, tear out

ervum, –ī, n., bitter vetch (a plant)

et, conj., and, even, also, too; et . . . et, both . . . and

etenim, conj., for truly, and indeed

etiam, adv., also, even, still; nōn sōlum . . . sed etiam, not only . . . but also; etiam atque etiam, again and again

Etrūria, –ae, f., Etru'ria, a district of Italy

ēvādō, –ere, ēvāsī, ēvāsūrus, go out, escape

ēveniō, –īre, ēvēnī, ēventūrus, (come out), turn out, happen

ēventus, –ūs, m., occurrence; fate

ēvertō, –ere, ēvertī, ēversus, overthrow, destroy, ruin

ēvigilō, 1, awake

ēvītābilis, –e, avoidable

ēvocātor, –ōris, *m.,* a caller to arms
ēvolō, 1, fly *or* rush forth
ēvolvō, –ere, ēvolvī, evolūtus, unroll (and read)
ex, *see* **ē**
exaedificō, 1, finish building, erect
exaggerō, 1, increase
exanimis, –e, lifeless, dead
exaudiō, –īre, –īvī, –ītus, hear (plainly)
excēdō, –ere, excessī, excessūrus, go forth, withdraw, depart
excellēns, *gen.* **–entis,** superior, remarkable
excellentia, –ae, *f.,* superiority, excellence
excelsus, –a, –um, elevated, high
excerpō, –ere, excerpsī, excerptus, choose, select
excidō, –ere, excidī, —, fall (out), disappear
excīdō, –ere, excīdī, excīsus, destroy
excipiō, –ere, excēpī, exceptus, take out *or* up, receive, catch, intercept; follow; except
excitō, 1, arouse; raise
exclūdō, –ere, exclūsī, exclūsus, shut out
excolō, –ere, –uī, excultus, cultivate
excruciō, 1, torment, torture, harass
excurrō, –ere, excucurrī, excursus, run out *or* up
excūsātiō, –ōnis, *f.,* excuse
excutiō, –ere, excussī, excussus, shake off, force away; search, examine
exemplum, –ī, *n.,* example, copy, precedent
exeō, –īre, –iī, –itūrus, go *or* come forth, depart
exerceō, –ēre, exercuī, exercitus, train, exercise; conduct
exercitātiō, –ōnis, *f.,* training, exercise
exercitus, –ūs, *m.,* army
exhauriō, –īre, exhausī, exhaustus, drain
exhibeō, –ēre, –uī, –itus, show
exhorreō, –ēre, –uī, —, shudder at, dread
exigō, –ere, exēgī, exāctus, drive out, demand; *of time,* spend, pass
exiguus, –a, –um, small, slight, narrow
exilis, –e, thin, meager, poor; worthless
eximiē, *adv.,* exceedingly
eximius, –a, –um, extraordinary

eximō, –ere, exēmī, exēmptus, take away, consume
exīstimātiō, –ōnis, *f.,* reputation
exīstimō, 1, think, suppose, consider
exitiābilis, –e, fatal
exitiōsus, –a, –um, deadly
exitium, –tī, *n.,* ruin, destruction, death
exitus, –ūs, *m.,* end
exoptātus, –a, –um, earnestly desired, longed for
exoptō, 1, desire
exōrnō, 1, adorn
exōrō, 1, beg
exōsus, –a, –um, hating, detesting
expallēscō, –ere, expalluī, —, turn pale
expavēscō, –ere, expāvī, —, be terrified, dread
expectātiō, –ōnis, *f.,* awaiting, expectation, longing
expediō, –īre, –iī, –ītus, set free, procure
expellō, –ere, expulī, expulsus, drive out, expel; deprive of
experior, –īrī, expertus, try, test; find
expers, expertis, having no share in
expertus, –a, –um, tried, proved; experienced in
expetō, –ere, –īvī, –ītus, seek
explānō, l, explain
expleō, –ēre, explēvī, explētus, fill, satisfy
explōrātor, –ōris, *m.,* spy, scout
explōrō, 1, investigate, explore
expoliō, –īre, –īvī, –ītus, smooth, polish, adorn, refine
expōnō, –ere, exposuī, expositus, put out, expose, explain
exprimō, –ere, expressī, expressus, press out, portray, describe
exprobrō, 1, accuse of, charge
exprōmō, –ere, exprōmpsī, exprōmptus, display; disclose
expugnō, 1, take by storm, capture
expūrgō, 1, clear
exquīsītus, –a, –um, exquisite, excessive
exscrībō, –ere, exscrīpsī, exscrīptus, copy
exsiliō, –īre, exsiluī, —, leap up
exsilium, –lī, *n.,* exile, banishment
exsistō, –ere, exstitī, —, stand forth, appear
exspectātiō, –ōnis, *f.,* waiting, anticipation

exspectō, 1, look out for, expect, wait (for)

exstinguō, –ere, exstīnxī, exstīnctus, extinguish, destroy

exstō, –āre, —, —, stand out, protrude; exist

exstruō, –ere, exstrūxī, exstrūctus, heap up, build

exsul, –ulis, *m. and f.,* exile

exsultō, 1, (leap up), exult

exsuperantia, –ae, *f.,* superiority

extemplō, *adv.,* immediately

extendō, –ere, extendī, extentus (extēnsus), stretch out, prolong

externus, –a, –um, foreign

exterus, –a, –um, outside, foreign

extollō, –ere, —, —, raise up

extorqueō, –ēre, extorsī, extortus, wrest

extrā, *prep.,* outside of

exūrō, –ere, exussī, exustus, burn (up)

exuviae –ārum, *f.,* spoils

F

faber, –brī, *m.,* mechanic, fireman

fabricō, 1, build, construct

fābula, –ae, *f.,* story, play

Fabulla, –ae, *f.,* Fabulla

Fabullus, –ī, *m.,* Fabullus

fābulor, 1, speak, say, utter

fābulōsus, –a, –um, storied, fabulous

facētē, *adv.,* wittily

facētiae, –ārum, *f. pl.,* jest, wit

faciēs, –ēī, *f.,* appearance, face

facile, *adv.,* easily, readily

facilis, –e, easy

facilitās, –tātis, *f.,* friendliness

facinorōsus, –ī, *m.,* criminal

facinus, –noris, *n.,* deed, crime

faciō, –ere, fēcī, factus, do, make, form, cause; **proelium faciō,** fight a battle

factiō, –ōnis, *f.,* faction

factiōsus, –a, –um, seditious

factitō, 1, make *or* do frequently

factum, –ī, *n.,* deed

facultās, –tātis, *f.,* ability, means, opportunity

fācundus, –a, –um, eloquent

faenerātor, –ōris, *m.,* moneylender

faenus, faenoris, *n.,* interest

Faesulae, –ārum, *f.,* Faesulae, Fiesole, *a town in Etruria*

fāgus, –ī, *f.,* beech tree, beechwood

Falernum, –ī, *n.,* Falernian wine

fallō, –ere, fefellī, falsus, deceive, elude, escape the notice of; *w.* **fidem,** break word

falsus, –a, –um, false

fāma, –ae, *f.,* report, story; fame, reputation; *w.* **est,** it is said

famēs, –is, *f.,* hunger

familia, –ae, *f.,* household, family; slaves

familiāris, –e, (belonging to the family), friendly, private, intimate; *as noun, m.,* intimate friend

familiāritās, –tātis, *f.,* friendship

familiāriter, *adv.,* intimately

famulus, –ī, *m.,* servant

Fannius, –nī, *m.,* Fannius

fānum, –ī, *n.,* shrine

fās, *indeclinable, n.,* right

fascis, –is, *m.,* bundle; *pl.,* fasces

fastīdiō, –īre, fastīdīvī, fastīdītus, feel disgust, disdain

fastīdium, –dī, *n.,* loathing, aversion

fatālis, –e, fated, deadly

fateor, –ērī, fassus, confess, admit

fātifer, –era, –erum, deathbringing, fatal

fatīgō, 1, weary

fātum, –ī, *n.,* fate

faucēs, –ium, *f. pl.,* throat, jaws; pass

fautor, –ōris, *m.,* promoter

faveō, –ēre, fāvī, fautus, be favorable to, favor

favilla, –ae, *f.,* embers

favor, –ōris, *m.,* favor; cheering

favus, –ī, *m.,* honeycomb

fax, facis, *f.,* torch

febricula, –ae, *f.,* fever, slight fever

fēcundus, –a, –um, fruitful, rich

fēlīx, *gen.* **fēlīcis,** happy, fortunate, productive

fēmina, –ae, *f.,* woman

fenestra, –ae, *f.,* window

fera, –ae, *f.,* wild beast

ferē, fermē, *adv.,* almost, about; *w. neg.,* hardly

fēriae, –ārum, *f. pl.,* holidays

feriō, –īre, —, —, strike, knock

feritās, –tātis, *f.,* wildness

fermē, *see* **ferē**

ferō, ferre, tulī, lātus, bear, carry, bring, direct, produce, obtain; say; *w.* **lēgem,** propose, pass; *w.* **pedem retrō,** start back

ferōcitās, –tātis, *f.,* fierceness

feröciter, *adv.*, fiercely
feröx, **–öcis**, fierce
ferrämentum, **–ī**, *n.*, sword, dagger
ferreus, **–a, –um**, of iron, hard
ferrum, **–ī**, *n.*, iron; sword, point
ferus, **–a, –um**, savage, cruel
fervēns, *gen.* **–entis**, hot, burning
fessus, **–a, –um**, wearied, worn out
fēstīnātiō, **–ōnis**, *f.*, haste, despatch, speed
fēstīnō, 1, hasten
fēstīvus, **–a, –um**, gay, pleasant, kind
fēstum, **–ī**, *n.*, holiday
fēstus, **–a, –um**, festive
fētus, **–ūs**, *m.*, offspring, fruit
fidēlis, **–e**, faithful
fidēliter, *adv.*, faithfully, loyally
fidēs, **–eī**, *f.*, trust, belief; credit, honor, loyalty, pledge
fīdūcia, **–ae**, *f.*, trust, confidence
fīdus, **–a, –um**, trusty, faithful
fīgō, **–ere, fīxī, fīxus**, fix, set
Figulus, **–ī**, *m.*, Figulus
figūra, **–ae**, *f.*, shape, figure
fīlia, **–ae**, *f.*, daughter
fīliolus, **–ī**, *m.*, little son
fīlius, **–ī**, *m.*, son
fingō, **–ere, fīnxī, fictus**, form, imagine, suppose
fīniō, **–īre, –īvī, –ītus**, end, finish, bound
fīnis, **–is**, *m.*, end, limit; *pl.*, borders
fīō, **fierī, factus**, become, be made, be done, happen
firmāmentum, **–ī**, *n.*, foundation, firmament
firmiter, *adv.*, firmly
firmō, 1, strengthen
firmus, **–a, –um**, strong
fissus, **–a, –um**, split
fistula, **–ae**, *f.*, (shepherd's) pipe
fīxus, *see* **fīgō**
Flaccus, **–ī**, *m.*, Flaccus
Flacilla, **–ae**, *f.*, Flacilla
flāgitium, **–tī**, *n.*, disgraceful act, crime
flāgitō, 1, demand, insist upon
flāmen, **–inis**, *n.*, breeze
Flāminius, **–nī**, Flaminius; **Flāminius, –a, –um**, Flaminian
flamma, **–ae**, *f.*, flame, fire
flāvēscō, **–ere, —, —**, become golden
flāvus, **–a, –um**, yellow, golden
flectō, **–ere, flexī, flexus**, turn, bend, influence

fleō, **flēre, flēvī, flētus**, weep
flētus, **–ūs**, *m.*, weeping
Flōrentia, **–ae**, *f.*, Florence, *a city in Italy*
flōreō, **–ēre, –uī, —**, bloom, flourish
flōs, **flōris**, *m.*, flower
flūctus, **–ūs**, *m.*, wave
flūmen, **flūminis**, *n.*, river
fluō, **–ere, flūxī, flūxus**, flow
flūxus, **–a, –um**, fleeting
focus, **–ī**, *m.*, hearth
foederātus, **–a, –um**, allied
foedō, 1, stain
foedus, **–a, –um**, vile, shameful
foedus, **–deris**, *n.*, league, alliance, compact
folium, **–lī**, *n.*, leaf
fōns, **fontis**, *m.*, spring, fountain, source
forēnsis, **–e**, of the Forum, public
foris, **–is**, *f.*, door; **forīs**, *adv.*, out of doors, abroad
fōrma, **–ae**, *f.*, shape, beauty, plan
formīdō, **–dinis**, *f.*, fear, dread
formīdolōsus, **–a, –um**, alarming, formidable
fōrmō, 1, form, compose
fōrmōsus, **–a, –um**, handsome, beautiful
fors, **fortis**, *f.*, chance
forsitan, *adv.*, perhaps
fortasse, *adv.*, perhaps
forte, *adv.*, by chance
fortis, **–e**, strong, brave
fortiter, *adv.*, bravely
fortitūdō, **–dinis**, *f.*, strength
fortuitus, **–a, –um**, accidental
fortūna, **–ae**, *f.*, fortune
fortūnātus, **–a, –um**, happy, fortunate
forum, **–ī**, *n.*, forum, market place; **Forum Aurēlium**, *n.*, *a town in Etruria*
forus, **–ī**, *m.*, gangway
foveō, **–ēre, fōvī, fōtus**, warm, cherish, support
fragilis, **–e**, fragile, weak
frangō, **–ere, frēgī, frāctus**, break, crush, overcome
frāter, **frātris**, *m.*, brother
frāternus, **–a, –um**, of one's brother
fraudulentus, **–a, –um**, deceitful
fraus, **fraudis** *f.*, fraud, deceit
frēna (**–ī**), **–ōrum**, *n. or m. pl.*, bridle, rein

frēnō, 1, bridle, curb
frequēns, *gen.* **–entis,** in crowds
frequenter, *adv.,* often, in great numbers
frequentia, –ae, *f.,* throng, large number
fretum, –ī, *n.,* strait, sea, water
frētus, –a, –um, relying on
frīgeō, –ēre, —, —, be cold, freeze
frīgidārius, –a, –um, cooling
frīgus, –goris, *n.,* cold, coolness
frondeō, –ēre, —, —, put forth leaves
frōns, frondis, *f.,* leaf
frōns, frontis, *f.,* forehead, front
Frontō, –ōnis, *m.,* Fronto, *a Roman writer*
frūctus, –ūs, *m.,* enjoyment, fruit, income, benefit, products
frūgālitās, –tātis, *f.,* thrift
frūmentārius, –a, –um, of grain; *w.* **auxilium,** granary; *w.* **rēs,** grain supply
frūmentum, –ī, *n.,* grain
fruor, fruī, frūctus, enjoy
frūstrā, *adv.,* in vain
frūstum, –ī, *n.,* bit
fūcus, –ī, *m.,* red dye; pretense
fuga, –ae, *f.,* flight
fugāx, *gen.* **–ācis,** fleeing
fugiō, –ere, fūgī, fugitūrus, flee, avoid, escape
fugitīvus, –ī, *m.,* runaway slave
fugō, 1, put to flight, repel
fulgeō, –ēre, fulsī, —, gleam
fulmen, –minis, *n.,* lightning, thunderbolt
Fulvia, –ae, *f.,* Fulvia
Fulvius, –vī, *m.,* Fulvius
fulvus, –a, –um, yellow
fundāmentum, –ī, *n.,* foundation, basis, beginning
fundō, 1, found
fundō, –ere, fūdī, fūsus, pour; rout
fundus, –ī, *m.,* estate, bottom
funestus, –a, –um, fatal
fungor, –ī, fūnctus, perform
fūnus, fūneris, *n.,* funeral, death; ruin
fūr, fūris, *m. and f.,* thief, robber
furca, –ae, *f.,* forked pole
furibundus, –a, –um, full of rage
furiōsus, –a, –um, insane, furious
Fūrius, –rī, *m.,* Furius
Furnius, –nī, *m.,* Furnius
furō, –ere, –uī, —, rage, be mad

furor, –ōris, *m.,* madness, fury
fūrtim, *adv.,* secretly
fūrtum, –ī, *n.,* theft
Fuscus, –ī, *m.,* Fuscus
fūstis, –is, *m.,* staff, club

G

Gadēs, –ium, *f. pl.,* Cadiz, *a city in Spain*
Galba, –ae, *m.,* Galba, *a Roman emperor*
galea, –ae, *f.,* helmet
Gallia, –ae, *f.,* Gaul
Gallicus, –a, –um, Gallic, of Gaul
Gallus, –ī, *m.,* a Gaul
Gangēs, –is, *m.,* Ganges, *a river in India*
garriō, –īre, –īvī, –ītūrus, chatter
gaudeō, –ēre, gāvīsus, *semideponent,* rejoice
gaudium, –dī, *n.,* joy, delight
gelidus, –a, –um, cold
Gemellus, –ī, *m.,* Gemellus
geminus, –a, –um, twin, two, both
gemitus, –ūs, *m.,* groan, lamentation
gemma, –ae, *f.,* precious stone
gena, ae, *f.,* cheek
gener, –erī, *m.,* son-in-law
genetrīx, –īcis, *f.,* mother
geniāliter, *adv.,* merrily
genitor, –ōris, *m.,* father
gēns, gentis, *f.,* tribe, family, people, nation
gentīlis, –e, belonging to the same clan *or* race; pagan
genus, generis, *n.,* birth, race; kind, class, family
Germānia, –ae, *f.,* Germany
germinō, 1, bud, germinate, sprout
gerō, –ere, gessī, gestus, bear, carry on, manage, do, accomplish; hold; **mē gerō,** act
gestāmen, –inis, *n.,* load; *pl.* arms
gestō, 1, carry, bear; *pass.,* ride
gestus, –ūs, *m.,* gesture
gignō, –ere, genuī, genitus, bring forth, produce; *pass.,* be born
gladiātor, –ōris, *m.,* gladiator
gladius, –dī, *m.,* sword
glaeba, –ae, *f.,* clod
glāns, glandis, *f.,* acorn
glōria, –ae, *f.,* glory, fame
glorior, 1, boast
glōriōsus, –a, –um, glorious

Gnaeus, –ī, *m.*, Gnaeus (Nē'us)
Gordiānus, –ī, *m.*, Gordianus
Gorgiās, –ae, *m.*, Gorgias
Gracchus, –ī, *m.*, Gracchus
gracilis, –e, thin, slender
gradior, –ī, gressus, step, walk
gradus, –ūs, *m.*, step, grade
Graecus, –a, –um, Greek; *as noun, m. pl.*, the Greeks
Grāiī, –ōrum, *m.*, the Greeks
grammaticus, –ī, *m.*, grammarian
grandis, –e, large; grandis nātū, old man
grātia, –ae, *f.*, gratitude, favor, influence; grātiās agō, thank; grātiam referō, show one's gratitude; grātiam habeō, feel grateful; grātiā, for the sake of; Grātiae, –ārum, *f. pl.*, the Graces
grātiōsus, –a, –um, popular, acceptable, agreeable
Grattius, –tī, *m.*, Grattius
grātuītō, *adv.*, without pay, freely
grātulātiō, –ōnis, *f.*, congratulation
grātulor, 1, congratulate
grātus, –a, –um, pleasing; grātum faciō, do a favor
gravidus, –a, –um, heavy
gravis, –e, heavy, difficult, important
gravitās, –tātis, *f.*, weight, dignity, seriousness
graviter, *adv.*, seriously, strongly
gravō, 1, make heavy, weigh down; *pass.*, be reluctant
Gregorius, –ī, *m.*, Gregory
gremium, –mī, *n.*, bosom
grex, gregis, *m.*, herd
gubernāculum, –ī, *n.*, rudder; guidance, government
gubernātiō, –ōnis, *f.*, control
gubernātor, –ōris, *m.*, pilot
gubernō, 1, steer, navigate
gustō, 1, taste, enjoy
guttur, –uris, *n.*, throat
gymnasium, –sī, *n.*, gymnasium; lecture room

H

habēna, –ae, *f.*, rein
habeō, –ēre, habuī, habitus, have, hold, regard
habitō, 1, live
habitus, –ūs, *m.*, nature
hāctenus, *adv.*, so far

haereō, –ēre, haesī, haesus, stick, cling; be in doubt
haesitō, 1, (stick fast), be undecided, be at a loss
Hamilcar, –aris, *m.*, Hamilcar, *the father of Hannibal*
Hannibal, –alis, *m.*, Hannibal, *a Carthaginian general*
haruspex, –picis, *m.*, soothsayer, fortune-teller
Hasdrubal, –alis, *m.*, Hasdrubal, *a brother and an uncle of Hannibal*
haud, *adv.*, not, by no means
hauriō, –īre, hausī, haustus, draw; empty
haustus, –ūs, *m.*, drawing, shedding
hebēscō, –ere, —, —, grow dull
hebētūdō, –inis, *f.*, bluntness, dullness
Hecuba, –ae, *f.*, Hecuba, *wife of Priam, king of Troy*
Heius, –ī, *m.*, Heius
Helicē, –ēs, *f.*, Helice (Hel'isē), *a constellation*
Hēraclēa, –ae, *f.*, Heraclē'a, *a Greek city in southern Italy*
Hēracliēnsis, –e, of Heraclea; *as noun, m.*, a Heraclē'an
herba, –ae, *f.*, plant; *pl.*, grass
hercle! by Hercules!
Herculāneum, –eī, *n.*, Herculaneum, *a town of Campania*
Herculēs, –is, *m.*, Hercules, *a Greek hero*
hērēditās, –tātis, *f.*, inheritance
hērēs, –ēdis, *m. and f.*, heir, heiress
herī, *adv.*, yesterday
hērōs, –ōis, *m.*, hero
Hesperidēs, –um, *f. pl.*, Hesper'idēs, *daughters of Atlas*
hesternus, –a, –um, of yesterday; *w.* diēs, yesterday
heu! *interj.*, alas!
hīberna, –ōrum, *n.*, winter quarters
Hibērus, –ī, *m.*, the Ēbro, *a river in Spain*
hic, haec, hoc, *dem. pron.*, this, the latter; he, she, it (*enclitic* –ce *added for emphasis*)
hīc, *adv.*, here, hereupon, in view of this
hiems, hiemis, *f.*, winter
Hieronymus, –ī, *m.*, Jerome, *a Father of the Church*

hilaris, –e, cheerful, glad
hilaritās, –tātis, *f.,* gaiety
hilum, –ī, *n.,* shred, trifle
hinc, *adv.,* from this place; **hinc . . . illinc,** on this side . . . on that
hiō, 1, gape; be amazed; long for
Hispānia, –ae, *f.,* Spain
Hispānus, –ī, *m.,* Spaniard
Hister, –trī, *m.,* the Danube River
historia, –ae, *f.,* history, account
hodiernus diēs, this day, today
holus, –leris, *n.,* vegetables
Homērus, –ī, *m.,* Homer
hominium, –nī, *m.,* homage
homō, hominis, *m.,* man, person; *pl.,* people
honestās, –tātis, *f.,* honor
honestō, 1, honor, distinguish
honestus, –a, –um, honorable
honor, –ōris, *m.,* honor, office
honōrābilis, –e, honorable
honōrātus, –a, –um, honored
hōra, –ae, *f.,* hour
hordeum, –ī, *n.,* barley
hornus, –a, –um, of this year
horrēscō, –ere, horruī, —, grow rough; tremble
horribilis, –e, dreadful
horridus, –a, –um, rough, crude, wild
hortātus, –ūs, *m.,* urging
Hortēnsius, –sī, *m.,* Hortensius
hortor, 1, urge, encourage
hortus, –ī, *m.,* garden
hospes, –pitis, *m. and f.,* stranger, guest; host
hospita, –ae, *f.,* stranger
hospitālis, –e, of a guest, of a host, hospitable
hospitium, –tī, *n.,* (tie of) hospitality
hostis, –is, *m.,* enemy (*usually pl.*)
hūc, *adv.,* to this place, here
hūmānitās, –tātis, *f.,* kindness, sympathy, culture
hūmānus, –a, –um, human, cult·ired, refining
humilis, –e, (on the ground), low, humble
humus, –ī, *f.,* ground, earth
Hydaspēs, –is, *m.,* a river in India
Hymēn, –enis, *m.,* Hymen, *the god of marriage*
Hypaepa, –ōrum, *n. pl.,* Hypaepa (Hypē′pa), *a town at the base of Mt. Tmolus*

I

iaceō, –ēre, iacuī, —, lie, be prostrate
iaciō, –ere, iēcī, iactus, throw
iactō, 1, throw, toss; boast of; *w.* **mē,** display myself
iactus, –ūs, *m.,* throwing; stroke
iaculum, –ī, *n.,* dart, javelin
iam, *adv.,* already, now; *w. neg.,* no longer; *of future time,* soon, presently; *w.* **diū, dūdum,** *or* **prīdem,** long ago; *w.* **vērō,** furthermore
iānua, –ae, *f.,* door
Iānuārius, –a, –um, January
ibi, *adv.,* there, then
ibīdem, *adv.,* in the same place
Īcarus, –ī, *m.,* Icarus, *son of Daedalus*
(īcō, –ere), īcī, ictus, strike
idcircō, *adv.* for this (that) reason, therefore
īdem, eadem, idem, *dem. pron.,* same; also, likewise
identidem, *adv.,* again and again
ideō, *adv.,* for this reason, therefore
idōneus, –a, –um, suitable
Īdus, –uum, *f. pl.,* the Ides (*15th of March, May, July, and October; 13th of the other months*)
iēiūnus, –a, –um, poor
igitur, *adv.,* therefore
ignārus, –a, –um, not knowing, ignorant
ignāvus, –a, –um, lazy; cowardly
ignis, –is, *m.,* fire
ignōbilis, –e, not noble
ignōminia, –ae, *f.,* disgrace
ignōrantia, –ae, *f.,* want of knowledge, ignorance
ignōrō, 1, be ignorant of, not know
ignōscō, –ere, ignōvī, ignōtus, overlook; forgive
ignōtus, –a, –um, unknown
īlex, īlicis, *f.,* oak
īlia, –ōrum, *n. pl.,* abdomen, groin
Ilias, Iliadis, *f.,* the Iliad
Ilioneus, –ī, *m.,* Ili′oneus, *one of Niobe's sons*
Ilium, –ī, *n.,* Troy, *a city in Asia Minor*
illāc, *adv.,* that way
illaesus, –a, –um, unharmed, unhurt
ille, illa, illud, *dem. pron.,* that, the former; he, she, it
illecebra, –ae, *f.,* enticement
illīberālis, –e, ignoble, sordid, mean
illīc, *adv.,* in that place, there

illinc, *adv.,* from that side
illinō, –ere, illēvī, illitus, smear, cover
illitterātus, –a, –um, unlettered, illiterate
illūc, *adv.,* there
illūminō, 1, illuminate, make conspicuous
illūstris, –e, brilliant, noble, glorious
illūstrō, 1, bring to light, reveal, glorify
Īllyricus, –a, –um; Illyrius, –a, –um, Illyr'ian, *of Illyria, a country on the Adriatic Sea*
imāgō, –ginis, *f.,* likeness, image, statue; appearance
imbecillitās, –tātis, *f.,* weakness
imbecillus, –a, –um, weak
imber, imbris, *m.,* rain, storm
imberbis, –e, beardless
imbrifer, –era, –erum, rain-bringing
imbuō, –ere, –uī, –ūtus, wet, soak
imitābilis, –e, imitable
imitātiō, –ōnis, *f.,* imitation
imitor, 1, imitate
immānis, –e, vast; savage
immānitās, –tātis, *f.,* enormity; fierceness, barbarism
immātūrus, –a, –um, untimely
immēnsus, –a, –um, immeasurable, boundless
immineō, –ēre, —, —, threaten
immittō, –ere, immīsī, immissus, let loose, send in *or* against
immō, *adv.,* on the contrary; *w.* **vērō,** rather
immōbilis, –e, immovable
immoderātus, –a, –um, immoderate
immodicus, –a, –um, beyond measure, excessive
immorior, –morī, –mortuus, die upon
immoror, 1, remain in, linger near
immortālis, –e, immortal
immōtus, –a, –um, unmoved; fixed
immurmurō, 1, murmur into
immūtātus, –a, –um, changed
impār, *gen.* **imparis,** unequal; short
imparātus, –a, –um, unprepared
impatiēns, *gen.* **–entis,** not bearing, impatient
impedīmentum, –ī, *n.,* hindrance, impediment
impediō, –īre, –īvī, –ītus, hinder, prevent
impellō, –ere, impulī, impulsus, urge on, prevail upon, induce

impendeō, –ēre, —, —, overhang, threaten
impendium, –dī, *n.,* outlay, expense
impēnsa, –ae, *f.,* expense
imperātor, –ōris, *m.,* commander-in-chief, general; emperor
imperfectus, –a, –um, unfinished
imperītus, –a, –um, inexperienced, ignorant
imperium, –rī, *n.,* command, control, military power, government, empire
imperō, 1, command, govern
impertiō, –īre, –īvī, –ītus, share with, bestow
impetrō, 1, gain (a request), obtain
impetus, –ūs, *m.,* attack, fury, force
impiger, –gra, –grum, diligent, quick
impius, –a, –um, undutiful, wicked
impleō, –ēre, implēvī, implētus, fill, fulfill
implicō, –āre, implicuī, implicitus, enfold, involve, unite
implōrātiō, –ōnis, *f.,* entreaty
implōrō, 1, implore
impōnō, –ere, imposuī, impositus, place upon, put
importō, 1, bring
importūnus, –a, –um, cruel
improbitās, –tātis, *f.,* wickedness, dishonesty
improbō, 1, disapprove
improbus, –a, –um, wicked
imprōvīsus, –a, –um, unexpected
impudēns, *gen.* **–entis,** shameless, presumptuous
impudenter, *adv.,* impudently
impudentia, –ae, *f.,* shamelessness, effrontery
impudīcus, –a, –um, shameless
impūnē, *adv.,* without punishment
impūnītus, –a, –um, unpunished
impūrus, –a, –um, vile, impure
īmus, –a, –um, *see* **īnferus**
in, *prep. w. acc.,* into, to, toward, against, for; *w. abl.,* in, on, upon
inānis, –e, empty
inaurō, 1, overlay with gold
incēdō, –ere, incessī, incessūrus, advance, proceed
incēnātus, –a, –um, without dinner
incendium, –dī, *n.,* fire, burning, conflagration
incendō, –ere, incendī, incēnsus, set on fire, burn

incēnsiō, –ōnis, f., burning
inceptum, –ī, n., beginning, undertaking
incertus, –a, –um, uncertain
inchoō, 1, begin
incidō, –ere, incidī, —, fall, happen
incīdō, –ere, incīdī, incīsus, cut into
incipiō, –ere, incēpī, inceptus, begin
incitāmentum, –ī, n., incentive, stimulus
incitō, 1, arouse
inclinō, 1, lean, sink
inclūdō, –ere, inclūsī, inclūsus, shut up, confine
inclutus, –a, –um, famous
incognitus, –a, –um, unknown
incola, –ae, m. and f., inhabitant
incolō, –ere, –uī, —, inhabit
incolumis, –e, unharmed, safe; undefeated
incommodum, –ī, n., inconvenience; loss, defeat
inconditē, adv., without order
inconsultē, adv., thoughtlessly
incorporeus, –a, –um, incorporeal, without body
incorruptus, –a, –um, unspoiled, uninjured
incrēdibilis, –e, extraordinary, incredible
incrēdibiliter, adv., incredibly
incultus, –a, –um, untilled; rude
incumbō, –ere, incubuī, incubitūrus, bend to, devote oneself, press on
incūnābula, –ōrum, n. pl., cradle, birthplace; beginnings
incurrō, –ere, incurrī, incursūrus, run into or up against
inde, adv., then, from there
index, –dicis, m., informer, witness
indicium, –cī, n., testimony, proof
indicō, 1, point out, prove
indictus, –a, –um, declared
indigēns, gen. –entis, in need of, wanting
indignātiō, –ōnis, f., indignation
indignē, adv., unworthily
indignor, 1, regard as unworthy; be angry
indignus, –a, –um, unworthy
indocilis, –e, unteachable, ignorant
indoctus, –a, –um, ignorant; unskillful
indolēs, –is, f., native quality, nature
indolēscō, –ere, indoluī, —, be grieved

indūcō, –ere, indūxī, inductus, bring in, influence
indulgentia, –ae, f., kindness
indulgeō, –ēre, indulsī, indultus, yield to, favor
induō, –ere, induī, indūtus, put on, assume
Indus, –a, –um, Indian
industria, –ae, f., diligence, care
industrius, –a, –um, enterprising
inedia, –ae, f., fasting
ineō, inīre, iniī, initus, enter upon
inermis, –e, unarmed
inerrō, 1, wander, roam upon
iners, gen. inertis, unskilled; sluggish
inertia, –ae, f., (lack of skill), inactivity, laziness
inexpiābilis, –e, irreconcilable, implacable
inexplēbilis, –e, insatiable
īnfāmia, –ae, f., disgrace
īnfēlīx, gen. īnfēlīcis, unhappy, unfortunate
īnferō, īnferre, intulī, illātus, apply, bring
īnferus, –a, –um, below; as noun, m. pl., the dead; comp. īnferior, –ius, lower; superl. īnfimus, īmus, lowest
īnfēstus, –a, –um, hostile, dangerous
īnfimus, see īnferus
īnfīnītus, –a, –um, endless
īnfirmitās, –tātis, f., sickness, weakness
īnfirmō, 1, weaken, refute
īnfirmus, –a, –um, weak, sick
īnfitior, 1, deny
īnflammō, 1, set on fire, burn; inflame
īnflexibilis, –e, unbending, inflexible
īnflō, 1, blow into; inspire
īnfōrmō, 1, mold, train
īnfrā, adv., below
ingemēscō, –ere, –uī, —, groan, sigh (over)
ingeniōsus, –a, –um, clever
ingenium, –nī, n., ability, nature, spirit, genius
ingēns, gen. ingentis, huge
ingenuē, adv., nobly
ingenuus, –a, –um, noble
ingerō, –ere, ingessī, ingestus, press upon
ingrātus, –a, –um, ungrateful
ingravēscō, –ere, —, —, become heavier, grow worse
ingredior, ingredī, ingressus, step into, enter (upon)

ingressus, –ūs, m., entrance
inhabitō, 1, dwell in
inhaereō, –ēre, inhaesī, inhaesus, cling, stick to
inhibeō, –ēre, –uī, –itus, restrain
inhiō, 1, gape
inhonestus, –a, –um, dishonorable
inhospitālis, –e, inhospitable
inhūmānus, –a, –um, inhuman; rude
iniciō, –ere, iniēcī, iniectus, throw into, cause, inspire
inimīcitia, –ae, f., enmity
inimīcus, –a, –um, unfriendly, hostile; as noun, m., enemy
inīquitās, –tātis, f., unfairness, injustice
inīquus, –a, –um, unequal, sloping; unfavorable, discontented
initiō, 1, initiate, consecrate
initium, –tī, n., beginning
iniūrātus, –a, –um, not having sworn
iniūria, –ae, f., wrong, injury
iniūrus, –a, –um, unjust
iniūstus, –a, –um, unjust
innītor, innītī, innīxus, lean upon
innocēns, gen. –entis, harmless
innocentia, –ae, f., innocence
innumerābilis, –e, countless
innumerus, –a, –um, countless
innuptus, –a, –um, unmarried; as noun, f., virgin
innūtriō, –īre, –īvī, –ītus, nourish
inopia, –ae, f., lack (of funds), poverty, need
inops, gen. inopis, poor
inōrnātus, –a, –um, unadorned
inprīmīs, adv., especially
inquam, inquis, inquit, defective, say
inquinō, 1, stain, defile
inquīrō, –ere, inquīsīvī, inquīsītus, inquire (into)
īnsānia, –ae, f., madness
īnsciēns, gen. –entis, not knowing
īnscitia, –ae, f., ignorance
īnscius, –a, –um, not knowing; ignorant
īnscrībō, –ere, īnscrīpsī, īnscrīptus, inscribe, entitle
īnscrīptiō, –ōnis, f., inscription
īnsecō, –āre, īnsecuī, īnsectus, cut into
īnsector, 1, attack
īnsepultus, –a, –um, unburied
īnsequor, īnsequī, īnsecūtus, follow up, pursue
īnserō, –ere, īnseruī, īnsertus, thrust into

īnsideō, –ēre, īnsēdī, īnsessūrus, (sit upon), take possession of; dwell, be fixed
īnsidiae, –ārum, f. pl., plot, danger
īnsidior, 1, plot against
īnsigne, –is, n., mark
īnsignis, –e, remarkable, notable
īnsiliō, –īre, –uī, —, leap upon
īnsinuō, 1, ingratiate oneself
īnsistō, –ere, īnstitī, —, pursue
īnsolēns, gen. –entis, unaccustomed; haughty
īnsolentia, –ae, f., insolence
īnsolitus, –a, –um, unusual
īnsonō, –āre, –uī, —, play on
īnspērātus, –a, –um, unexpected
īnspiciō, –ere, īnspexī, īnspectus, look at, inspect, examine
īnstabilis, –e, unstable
īnstanter, adv., earnestly
īnstituō, –ere, īnstituī, īnstitūtus, establish, decide (upon), begin; train
īnstō, –āre, īnstitī, —, press on, pursue
īnstringō, –ere, īnstrīnxī, īnstrictus, fasten; set
īnstruō, –ere, īnstrūxī, īnstrūctus, instruct
īnsulānus, –ī, m., islander
īnsum, inesse, īnfuī, —, be in
intendō, –ere, intendī, intentus, stretch, intend
intereā, adv., meanwhile
interiaceō, –ēre, –uī, —, lie between
interim, adv., meanwhile
interimō, –ere, –ēmī, –ēmptus, kill
interitus, –ūs, m., destruction, death
interius, adv., within
intermittō, –ere, –mīsī, –missus, interrupt, neglect
interneciō, –ōnis, f., massacre
internōdium, –dī, n., space between two joints
internus, –a, –um, inward, internal
interpellātiō, –ōnis, f., interruption
interpres, –pretis, m., interpreter
interrogātiō, –ōnis, f., inquiry, examination
interrogō, 1, ask
intersum, –esse, –fuī, –futūrus, be between, be present, be different
intervāllum, –ī, n., interval, distance
interveniō, –īre, –vēnī, –ventūrus, come in (between), interrupt
interventus, –ūs, m., intervention
intestīnus, –a, –um, internal, civil

intexō, −ere, intexuī, intextus, interweave, envelop
intimō, 1, intimate
intimus, −a, −um, inmost
intōnsus, −a, −um, unshorn, longhaired
intrā, prep. w. acc., within
intrepidus, −a, −um, unshaken, undaunted
intrō, 1, enter
intrōdūcō, −ere, −dūxī, −ductus, bring in, introduce
introeō, −īre, −iī, −itūrus, enter
intueor, −ērī, −itus, look at or upon
inūrō, −ere, inussī, inustus, burn in, brand
inūsitātus, −a, −um, unusual
inūtilis, −e, useless
invādō, −ere, invāsī, invāsus, rush upon, seize
veniō, −īre, invēnī, inventus, come upon, find, invent
inventiō, −ōnis, f., invention
invēstīgō, 1, track, discover
inveterāscō, −ere, −āvī, —, become established
invicem, adv., in turn, alternately
invictus, −a, −um, unconquered, invincible
invideō, −ēre, invīdī, invīsus, envy
invidia, −ae, f., envy, unpopularity
invidiōsus, −a, −um, hateful
invidus, −a, −um, envious
inviolātē, adv., inviolably
invīsitātus, −a, −um, uncommon
invīsus, −a, −um, hated, displeasing
invītō, 1, invite
invītus, −a, −um, unwilling
involvō, −ere, involvī, involūtus, wrap up in, bury
iocor, 1, joke
iocōsus, −a, −um, humorous
iocus, −ī, m. (pl. ioca, n.), joke
Iovis, Iovī, see Iuppiter
ipse, −a, −um, -self, very
īra, −ae, f., anger
īrāscor, −ī, īrātus, be angry at
irreparābiliter, adv., irreparably
irrēpō, −ere, irrēpsī, —, creep in
irrētiō, −īre, −īvī, −ītus, ensnare
irrigō, 1, water, irrigate
irritō, 1, excite, stir up
is, ea, id, dem. pron., this, that; he, she, it

Ismēnus, −ī, m., Ismeʹnus, one of Niobe's sons
iste, ista, istud, dem. pron., that (of yours), such, this; that fellow
istīc, adv., there
istōc, adv., that way
ita, adv., so, in this way, thus; as follows; w. ut, just as
Italia, −ae, f., Italy
Italicus, −a, −um, Italian
itaque, adv., and so, therefore, accordingly
item, adv., also
iter, itineris, n., journey, march, route
iterum, adv., again, a second time
itō, itāre, —, —, go
iubeō, −ēre, iussī, iussus, order, command
iūcunditās, −tātis, f., pleasantness, delight
iūcundus, −a, −um, pleasant, agreeable
iūdex, iūdicis, m., judge, juror
iūdiciālis, −e, judicial
iūdicium, −cī, n., judgment, opinion, trial; court
iūdicō, 1, judge
iugālis, −e, yoked together
iūgerum, −ī, n., acre
iugulum, −ī, n., throat
iugum, −ī, n., yoke; ridge
Iūlius, −lī, m., Julius
iūnctim, adv., jointly, together
iungō, −ere, iūnxī, iūnctus, join, harness
iūnior, −ius, younger, junior
Iūnius, −a, −um, of June
Iūnō, −ōnis, f., Juno, sister and wife of Jupiter
Iūnōnius, −a, −um, sacred to Juno
Iuppiter, Iovis, m., Jupiter, king of the gods
iūrgium, −gī, n., quarrel
iūrō, 1, take an oath, swear
iūs, iūris, n., right, justice, law, authority; iūs iūrandum, iūris −ī, n., oath
iussū, abl., by order
iussum, −ī, n., order
iūstē, adv., justly
iūstitia, −ae, f., justice
iūstus, −a, −um, just, proper
iuvenālis, −e, youthful
iuvenis, −is, m. and f., youth
iuventa, −ae, f., iuventūs, −tūtis, f., youth

iuvō, –āre, iūvī, iūtus, help, aid; please
iūxtā, *adv. and prep. w. acc.*, near,
  close to

L

L., *abbreviation for* **Lūcius**
labefactō, 1, cause to fall, weaken,
  destroy
labellum, –ī, *n.*, little lip
labor, –ōris, *m.*, work, trouble, effort,
  hardship
lābor, –ī, lāpsus, slip, glide; err
labōrō, 1, work
labrum, –ī, *n.*, lip; edge, tub
lac, lactis, *n.*, milk
Lacedaemonius, –a, –um, Spartan
lacer, –era, –erum, shattered
lacertus, –ī, *m.*, arm
lacessō, –ere, lacessīvī, lacessītus, pro-
  voke, attack
lacrima, –ae, *f.*, tear
lactō, 1, suck milk
lacus, –ūs, *m.*, lake
Laeca, –ae, *m.*, Laeca (Lēka)
laedō, –ere, laesī, laesus, hurt
Laelius, –lī, *m.*, Laelius
laetitia, –ae, *f.*, joy
laetor, 1, be glad, rejoice
laetus, –a, –um, joyous, glad
laevus, –a, –um, left
Lalagē, –ēs, *f.*, Lalage (Lal'ajē), *a
  girl's name*
lambō, –ere, lambī, lambitus, lick
lāmentātiō, –ōnis, *f.*, lamentation
lancea, –ae, *f.*, lance
languidus, –a, –um, weak
laniō, 1, tear (in pieces)
lapidātiō, –ōnis, *f.*, stoning
lapis, lapidis, *m.*, stone
lāpsus, –ūs, *m.*, gliding, flight
Lār, Laris, *m.*, Lar, hearth; *w.* familiāris, home
lardum, –ī, *n.*, lard
largior, –īrī, –ītus, be lavish, bestow
largītiō, –ōnis, *f.*, gift
largus, –a, –um, plentiful, large
lascīvē, *adv.*, wantonly, licentiously
lascīvus, –a, –um, wanton, playful
lassus, –a, –um, tired
lātē, *adv.*, widely, far and wide
latebra, –ae, *f.*, secret code; *pl.*, hiding
  place
lateō, –ēre, latuī, —, lie hidden, hide,
  escape notice

Latīnē, *adv.*, in Latin
Latīnus, –a, –um, Latin
Latium, –tī, *n.*, Latium (Lā'shium), *a
  district of central Italy;* Latius, –a,
  –um, of Latium
Lātōna, –ae, *f.*, Lato'na, *mother of
  Apollo and Diana*
Lātōus, –a, –um, of Latona
latrō, –ōnis, *m.*, robber, bandit
latrōcinium, –nī, *n.*, robbery, brigand-
  age
latrōcinor, 1, plunder
latus, lateris, *n.*, side, flank
lātus, –a, –um, wide, broad
laudātor, –ōris, *m.*, praiser
laudō, 1, praise
Laurentīnus, –a, –um, to Laurentum
laurus, –ī, *f.*, laurel
laus, laudis, *f.*, praise
lavō, –āre, lāvī, lautus, wash, bathe
laxō, 1, relax
laxus, –a, –um, open, relaxed
lea, –ae; leaena, –ae, *f.*, lioness
Lebinthus, –ī, *f.*, Lebin'thus, *an island
  in the Aegean*
lēctiō, –ōnis, *f.*, reading
lēctitō, 1, read eagerly
lēctor, –ōris, *m.*, reader
lēctus, –a, –um, choice, excellent
lectus, –ī, *m.*, couch, bed
lēgātus, –ī, *m.*, envoy; legate, lieutenant
  general
legiō, –ōnis, *f.*, legion
lēgitimē, *adv.*, lawfully
lēgitimus, –a, –um, lawful
lēgō, 1, appoint, bequeath
legō, –ere, lēgī, lēctus, gather, choose;
  read
lēniō, –īre, –īvī, –ītus, soften, conciliate
lēnis, –e, gentle, mild
lēnitās, –tātis, *f.*, leniency
lentē, *adv.*, slowly
Lentulus, –ī, *m.*, Len'tulus
lentus, –a, –um, flexible; slow, lazy
leō, –ōnis, *m.*, lion
lepidus, –a, –um, charming; Lepidus,
  –ī, *m.*, Lepidus
lepōs, –ōris, *m.*, charm
lētum, –ī, *n.*, death
levāmen, –minis, *n.*, relief
levis, –e, light; trivial
levitās, –tātis, *f.*, lack of principle
leviter, *adv.*, lightly, gently
levō, 1, lift, lighten, relieve

lēx, lēgis, *f.*, law, condition, bill
libellus, –ī, *m.*, (little) book, manuscript; indictment
libenter, *adv.*, gladly, with pleasure
līber, –era, –erum, free, unrestricted
Līber, –erī, *m.*, Bacchus
liber, librī, *m.*, book
Lībera, –ae, *f.*, Proserpina
līberālis, –e, liberal
līberē, *adv.*, freely; boldly
līberī, –ōrum, *m. pl.*, children
līberō, 1, free, set free
lībertās, –tātis, *f.*, liberty
lībertīnus, –ī, *m.*, freedman
lībertus, –ī, *m.*, freedman
libet, –ēre, libuit *or* libitum, it pleases
libīdō, –dinis, *f.*, longing, pleasure, lust
lībō, 1, sip, offer; skim
librārius, –rī, *m.*, secretary
librō, 1, balance
licentia, –ae, *f.*, liberty, freedom
licet, –ēre, licuit *or* licitum, it is permitted, one may
Liciniānus, –ī, *m.*, Licinianus
Licinius, –nī, *m.*, Licinius (Lisin'ius)
ligneus, –a, –um, wooden
lignum, –ī, *n.*, piece of wood; *n. pl.*, firewood
līmen, līminis, *n.*, threshold, door
līmes, līmitis, *m.*, path
līneāmentum, –ī, *n.*, (line), feature
lingua, –ae, *f.*, tongue, language
līnum, –ī, *n.*, string, thread
liquefaciō, –ere, –fēcī, –factus, melt
liquidus, –a, –um, flowing, clear
līquor, –ī, —, —, flow, melt
līs, lītis, *f.*, lawsuit
littera, –ae, *f.*, letter (*of the alphabet*); *pl.* letter (*epistle*); literature; learning
litterātus, –a, –um, lettered, well-educated
litūra, –ae, *f.*, erasure
lītus, –oris, *n.*, shore
līvēns, *gen.* –entis, black and blue, bruised
Līvius, –ī, *m.*, Livy, *a Roman historian*
locō, 1, place
locuplēs, *gen.* –ētis, rich
locuplētō, 1, enrich
locus, –ī, *m.* (*pl.* loca, –ōrum, *n.*), place, room, rank, occasion
longē, *adv.*, far, far away, by far; long
longus, –a, –um, long; distant

loquāx, *gen.* –ācis, talkative, chattering
loquor, loquī, locūtus, speak, talk
Lūcānus, –ī, *m.*, Lucan, *a Roman poet*
lūceō, –ēre, lūxī, —, be light, shine
lūcidus, –a, –um, bright, shining
Lūcilius, –lī, *m.*, Lucilius
Lūcius, –ī, *m.*, Lucius
lucrum, –ī, *n.*, gain, profit
luctāns, *gen.* –antis, struggling, reluctant
lūctus, –ūs, *m.*, sorrow, affliction
lūculentus, –a, –um, brilliant
Lūcullus, –ī, *m.*, Lucullus
lūcus, –ī, *m.*, grove
lūdō, –ere, lūsī, lūsus, play
lūdus, –ī, *m.*, game, sport; school; *pl.*, public games
lūgeō, –ēre, lūxī, lūctus, mourn
lūmen, lūminis, *n.*, light; eye
lūmināre, –āris, *n.*, lamp
lūna, –ae, *f.*, moon
luō, –ere, luī, —, loose; suffer
lupus, –ī, *m.*, wolf
Lūsitānus, –a, –um, Lusitanian, Portuguese
lūstrō, 1, (light up), survey
lūsus, –ūs, *m.*, playing
lūx, lūcis, *f.*, light, daylight; life
lūxuria, –ae, *f.*, extravagance
Lȳdus, –a, –um, Lydian

M

M., *abbreviation for* Mārcus, –ī, *m.*, Marcus; M' *for* Mānius, –nī, *m.*, Manius
māchinātor, –ōris, *m.*, plotter
māchinor, 1, devise, plot
maciēs, –ēī, *f.*, thinness
mactō, 1, sacrifice, put to death, afflict
madefaciō, –ere, –fēcī, –factus, soak
madēscō, –ere, maduī, —, become moist
madidus, –a, –um, drenched, dripping
maestus, –a, –um, sad
magis, *adv.*, more, rather; *superl.* maximē, most, especially
magister, –trī, *m.*, teacher
magistrātus, –ūs, *m.*, (public) office; magistrate
magnificēns, *gen.* –entis, magnifying, glorifying
magnificus, –a, –um, splendid
magnitūdō, –dinis, *f.*, greatness, size, importance

magnus, −a, −um, large, great; *comp.*
maior, maius, greater; maiōrēs
(nātū), older men, ancestors, fore-
fathers; *superl.* maximus, −a, −um,
greatest, very great; magnō opere,
greatly
maiestās, −tātis, *f.*, majesty
maior, *see* magnus
Maius, −a, −um, of May
male, *adv.*, badly, unsuccessfully;
comp. peius, worse; *superl.* pessimē,
worst
maledīcō, −ere, −dīxī, −dictus, curse
maledictum, −ī, *n.*, insult
maleficium, −cī, *n.*, evil deed, wrong
malivolentia, −ae, *f.*, hatred, envy
malleolus, −ī, *m.*, firebrand
mālō, mālle, māluī, —, prefer
malum, −ī, *n.*, evil
mālum, −ī, *n.*, apple
malus, −a, −um, bad; *comp.* peior,
peius, worse; *superl.* pessimus, −a,
−um, very bad, worst
Mamertīnus, −a, −um, of Messina
mandātum, −ī, *n.*, order, instruction,
command
mandātū, by order
mandō, 1, commit, instruct, entrust
māne, *adv.*, early in the morning
maneō, −ēre, mānsī, mānsūrus, remain,
last
manicae, −ārum, *f. pl.*, handcuffs
manifēstus, −a, −um, clear, plain
Mānius, −nī, *m.*, Manius
Mānliānus, −a, −um, of Manlius
Mānlius, −lī, *m.*, Manlius
mānō, 1, flow, drip
mānsuētūdō, −dinis, *f.*, gentleness
Mantua, −ae, *f.*, Mantua, *a town of
northern Italy*
manus, −ūs, *f.*, hand, handwriting;
force, band
Mārcius, −cī, *m.*, Marcius
Mārcus, −ī, *m.*, Marcus
mare, maris, *n.*, sea
marītus, −ī, *m.*, husband
Marius, −rī, *m.*, Mar'ius, *a Roman
general*
marmor, −oris, *n.*, marble
marmoreus, −a, −um, made of marble,
marble
Marō, −ōnis, *m.*, Maro (Virgil)
Maronilla, −ae, *f.*, Maronilla
Martiālis, −is, *m.*, Martial

Martīnus, −ī, *m.*, Martin
massa, −ae, *f.*, mass; mound, lump (of
gold)
māter, mātris, *f.*, mother
mātūrēscō, −ere, mātūruī, —, come to
maturity
mātūritās, −tātis, *f.*, ripeness, maturity
mātūrus, −a, −um, ripe, mature; early
Maurī, −ōrum, *m. pl.*, the Moors,
Mauritanians
maximē, *see* magis
Maximīna, −ae, *f.*, Maximina
maximus, *see* magnus
Maximus, −ī, *m.*, Maximus
mēcastor! *interj.*, by Castor!
medicāmentum, −ī, *n.*, medicine
medicīna, −ae, *f.*, medicine
medicus, −ī, *m.*, physician
mediocris, −cre, moderate, ordinary
mediocritās, −tātis, *f.*, mean, moderation; mediocrity
mediocriter, *adv.*, slightly, moderately
meditor, 1, plan, compose
medius, −a, −um, middle, midst (of),
intervening; *as noun, n.*, middle
medulla, −ae, *f.*, marrow
mehercule, meherculēs! *interj.*, by Hercules!
mel, mellis, *n.*, honey
melior, *see* bonus
membrum, −ī, *n.*, limb, member
meminī, meminisse, (*perf. translated
as pres.*), remember
memor, −oris, mindful of
memorābilis, −e, memorable
memoria, −ae, *f.*, memory
memorō, 1, call to mind, relate
mendācium, −cī, *n.*, lie
mendāx, *gen.* −ācis, lying
mēns, mentis, *f.*, mind, intention, feeling, heart
mēnsa, −ae, *f.*, table, banquet
mēnsis, −is, *m.*, month
mēnsūra, −ae, *f.*, measurement, extent
mentiō, −ōnis, *f.*, mention
mentior, −īrī, −ītus, lie, deceive; invent
mentum, −ī, *n.*, chin
mercātor, −ōris, *m.*, merchant
mercātūra, −ae, *f.*, trade
mercennārius, −rī, *m.*, hired man
mercēs, −ēdis, *f.*, pay, reward
mercor, 1, trade
mereō, −ēre, meruī, meritus, deserve,
earn

mergō, –ere, mersī, mersus, sink
merīdiēs, –ēī, *m.*, noon
Messāla, –ae, *m.*, Messala
–met, *enclitic*, -self
metuō, –ere, –uī, —, fear
metus, –ūs, *m.*, fear
micō, 1, flash
mīles, mīlitis, *m.*, soldier
mīlitia, –ae, *f.*, warfare
mīlle, thousand
Minerva, –ae, *f.*, Minerva
minister, –trī, *m.*, ministra, –ae, *f.*,
   servant
Mīnōs, –ōis, *m.*, Minos
mīrābilis, –e, remarkable
mīrāculum, –ī, *n.*, miracle
mīrē, *adv.*, wonderfully, strangely
mīrificus, –a, –um, singular, extraordinary
mīror, 1, wonder, admire
mīrus, –a, –um, strange, wonderful
misceō, –ēre, –uī, mixtus, mix, mingle
miser, –era, –erum, wretched, poor
miserābilis, –e, pitiable, wretched
miserātiō, –ōnis, *f.*, pity
miserē, *adv.*, wretchedly, miserably
misereor, –ērī, misertus, pity
miseria, –ae, *f.*, wretchedness, trouble
misericordia, –ae, *f.*, pity
misericors, –cordis, compassionate
miseror, 1, pity
Mithridātēs, –is, *m.*, Mithridā'tes, *king
   of Pontus*
Mithridāticus, –a, –um, Mithridatic
mītis, –e, mild, kind
mittō, –ere, mīsī, missus, send
mōbilitās, –tātis, *f.*, fickleness
moderātus, –a, –um, self-controlled,
   restrained
moderor, 1, guide
modestia, –ae, *f.*, restraint
modestus, –a, –um, moderate, scrupulous
modicus, –a, –um, moderate, small
modius, –dī, *m.*, bushel
modo, *adv.*, only, merely; just now;
   nōn modo . . . sed (*or* **vērum**)
   etiam, not only . . . but also;
   modo . . . modo, now . . . now;
   conj., provided (that)
modus, –ī, *m.*, measure; moderation;
   manner, method, way; **quem ad
   modum**, how, as; **eius** (*or* **huius**)
   modī, of this kind, such
moenia, –ium, *n. pl.*, (city) walls

mōlēs, –is, *f.*, mass, burden
molestia, –ae, *f.*, annoyance
molestus, –a, –um, troublesome, an-
   noying, disagreeable
mōlior, –īrī, –ītus, strive, plan, undertake; plot
molliō, –īre, –īvī, –ītus, soften
mollis, –e, soft; easy, mild
molliter, *adv.*, softly, gently
molō, –ere, –uī, –itus, grind
Molossī, –ōrum, *m. pl.*, the Molos-
   sians, *people of Epirus*
monastērium, –rī, *n.*, monastery
moneō, –ēre, monuī, monitus, remind,
   advise, warn; suggest
monitus, –ūs, *m.*, warning
mōns, montis, *m.*, mountain, hill
mōnstrō, 1, show, indicate
montānus, –a, –um, of the mountains
monumentum, –ī, *n.*, memorial, monument, remembrance
mora, –ae, *f.*, delay
morbus, –ī, *m.*, disease
mordeō, –ēre, momordī, morsus,
   bite
moribundus, –a, –um, dying
morior, morī, mortuus, die
moror, 1, delay, linger
mors, mortis, *f.*, death
morsus, –ūs, *m.*, (biting), teeth
mortālis, –e, mortal, human; *as noun,
   m.*, a mortal
mortuus, –a, –um, dead
mōs, mōris, *m.*, custom, manner; *pl.*,
   customs, character
mōtus, –ūs, *m.*, movement, activity
moveō, –ēre, mōvī, mōtus, move; influence, disturb
mox, *adv.*, soon
mūcrō, –ōnis, *m.*, point, edge
mulcō, 1, beat, injure
muliebris, –e, womanly, feminine
mulier, –eris, *f.*, woman
mūliō, –ōnis, *m.*, mule driver
multiplex, –icis, manifold, many
multitūdō, –dinis, *f.*, multitude, great
   number
multō, 1, punish
multō, *adv.*, much; by far
multum, *adv.*, much; *comp.*, **plūs**,
   more; *superl.*, **plūrimum**, most
multus, –a, –um, much; *pl.*, many;
   comp. **plūrēs, plūra**, more, several;
   superl. **plūrimus, –a, –um**, most,
   very many

mūlus, –ī, m., mule
Mulvius, –a, –um, Mulvian
munditia, –ae, f., neatness
mundus, –ī, m., world
mūniceps, –cipis, m., fellow citizen
mūnicipālis, –e, of the towns
mūnicipium, –pī, n., town
mūnificentia, –ae, f., generosity
mūniō, –īre, –īvī, –ītus, fortify, defend
mūnus, mūneris, n., duty, office, service; gift
mūrex, –ricis, m., (shellfish), purple
murmur, –uris, n., whisper
mūrus, –ī, m., wall
mūs, mūris, m., mouse
Mūsa, –ae, f., Muse, one of the nine goddesses of the fine arts
mūsica, –ae, f., music
mūtātiō, –ōnis, f., change
mūtō, 1, change
muttiō, –īre, –īvī, —, mutter
mūtus, –a, –um, mute
mūtuus, –a, –um, mutual

N

Naevius, –vī, m., Naevius
nam, namque, conj., for
nancīscor, nancīscī, nactus (nānctus), get, obtain, find
Nannēs, –is, m., Nannes, brother of Pope Pius II
nārrō, 1, tell, relate
nāscor, nāscī, nātus, be born
Nāsō, –ōnis, m., P. Ovidius Naso, the poet
nāsus, –ī, m., nose
nātālis, –e, of one's birth; as noun, m., birthday
nātiō, –ōnis, f., nation, tribe
natō, 1, swim, float
nātūra, –ae, f., nature, character
nātūrālis, –e, natural
nātus, –a, –um, born; as noun, m. and f., son, daughter; pl., children
nausiābundus, –a, –um, sea-sick
nāvālis, –e, naval
nāvicula, –ae, f., small vessel, boat
nāvigātiō, –ōnis, f., sailing
nāvigō, 1, sail
nē, adv., no, not; nē . . . quidem (emphatic word between), not even; conj., that . . . not, not to, lest, for fear that
–ne (enclitic), introduces questions; whether

nebula, –ae, f., mist, cloud
nec, see neque
necdum, adv., not yet
necessārius, –a, –um, necessary; as noun, m., relative, friend
necesse, indecl. adj., necessary
necessitās, –tātis, f., necessity
necessitūdō, –dinis, f., necessity; relationship
necō, 1, kill, put to death, murder
necopīnātus, –a, –um, unexpected
nectar, –aris, n., nectar, the drink of the gods
nefārius, –a, –um, impious, base
nefās, n., sin
neglegēns, gen. –entis, careless
neglegenter, adv., carelessly
neglegentia, –ae, f., carelessness
neglegō, –ere, –lēxī, –lēctus, disregard, neglect
negō, 1, say no, deny, say . . . not
negōtior, 1, carry on business, be a trader
negōtium, –tī, n., business, affair, trouble; undertaking
nēmō, dat. nēminī, acc. nēminem (no other forms), no one
nemus, –oris, n., grove, forest
nepōs, –ōtis, m., grandson
nēquam, indecl. adj., worthless, wretched; compar. nēquior
neque (nec), and not, nor; neque . . . neque, neither . . . nor
nequeō, –īre, –īvī, —, be unable
nēquīquam, adv., in vain
nēquitia, –ae, f., worthlessness, neglect
nervōsus, –a, –um, sinewy
nervus, –ī, m., sinew, nerve; string
nesciō, –īre, –īvī, —, not know, be ignorant; w. an, I know not whether, very likely
neuter, –tra, –trum, neither
nēve (neu), conj., and not, nor, and that . . . not
nex, necis, f., murder, (violent) death
nexus, –ūs, m., (binding together), embrace
nī, see nisi
Nicaeēnsis, –e, Nicene
Nīcānor, –oris, m., Nicanor
Nīcomēdēnsis, –e, of the Nicomedians; as noun, m. pl., Nicomedians
Nīcomēdia, –ae, f., Nicomedia, capital of Bithynia
Nīcopolis, –is, f., Nicopolis

nīdus, –ī, *m.,* nest
niger, nigra, nigrum, black
nihil, *adv.,* nothing; not at all; **nihil-dum,** nothing as yet
nihilō minus, *adv.,* none the less, nevertheless
Nīlus, –ī, *m.,* the Nile, *a river in Egypt*
nimbus, –ī, *m.,* cloud; rain cloud
nīmīrum, *adv.,* of course
nimis, *adv.,* too much, too
nimium, *adv.,* too, too much
Ninus, –ī, *m.,* Ninus, *an Assyrian king*
nisi, nī, *conj.,* unless, except, if not
niteō, –ēre, —, —, shine, be well fed
nitēscō, –ere, nituī, —, grow sleek (*of animals*)
nītor, nītī, nīxus (nīsus), strive, struggle
niveus, –a, –um, snow-white
nix, nivis, *f.,* snow
nōbilis, –e, noble
nōbilitās, –tātis, *f.,* fame; nobility
nocēns, *gen.* **–entis,** harmful; guilty
noceō, –ēre, nocuī, nocitūrus, do harm to, injure
noctū, at night
nocturnus, –a, –um, of *or* by night
nōlō, nōlle, nōluī, —, be unwilling, not wish
nōmen, nōminis, *n.,* name
nōminātim, *adv.,* by name, expressly
nōminō, 1, name, call
nōn, *adv.,* not
Nōnae, –ārum, *f. pl.,* Nones
nōndum, *adv.,* not yet
Nōniānus, –ī, *m.,* Nonianus
nōnne, *interrog. adv.* (*in a direct question*), not; (*in an indirect question*), if not, whether not
nōnnullus, –a, –um, some, several
nōscitō, –āre, —, —, know, recognize
nōscō, –ere, nōvī, nōtus, learn; *in perf. tenses,* have learned, know
noster, –tra, –trum, our
nota, –ae, *f.,* mark
notābilis, –e, noteworthy, remarkable
notārius, –rī, *m.,* secretary
nōtitia, –ae, *f.,* knowledge, acquaintance
notō, 1, note, mark, observe
nōtus, –a, –um, known, familiar
novem, nine
novitās, –tātis, *f.,* newness, strangeness
novus, –a, –um, new, strange; last
nox, noctis, *f.,* night

nūbēs, –is, *f.,* cloud
nūbō, –ere, nūpsī, nūptus, veil oneself, wed
nūdō, 1, strip, expose
nūdulus, –a, –um, bare, exposed
nūdus, –a, –um, bare, naked, vacant
nūllus, –a, –um, no, none
num, *interrog. adv. expecting a negative answer; w. indir. questions,* whether
nūmen, –minis, *n.,* nod; divine will *or* power; divinity
numerōsus, –a, –um, numerous; manifold; full of rhythm
numerus, –ī, *m.,* number
Numidicus, –ī, *m.,* Numid'icus
nummus, –ī, *m.,* coin, money
numquam, *adv.,* never
nunc, *adv.,* now
nuncupō, 1, call by name, name
nūntiō, 1, announce, report
nūntius, –tī, *m.,* report
nūper, *adv.,* recently
nūptiae, –ārum, *f.,* wedding
nūptiālis, –e, nuptial
nūrus, –ī, *f.,* daughter-in-law
nusquam, *adv.,* nowhere
nūtriō, –īre, –īvī, –ītus, nourish, keep alive
nūtrīx, –īcis, *f.,* nurse
nūtus, –ūs, *m.,* nod, will
nux, nucis, *f.,* nut
nympha, –ae, *f.,* nymph

O

ō! *interj.,* O! oh!
ob, *prep. w. acc.,* on account of, for
obeō, –īre, obīvī, obitūrus, (go to meet), attend to, engage in; reach
obequitō, 1, ride toward
obiurgātiō, –ōnis, *f.,* rebuke
oblectātiō, –ōnis, *f.,* delight
oblectō, 1, delight
obligō, 1, bind
oblinō, –ere, oblēvī, oblitus, stain
oblitterō, 1, erase
oblīviō, –ōnis, *f.,* forgetting, forgetfulness
oblīvīscor, –ī, oblītus, forget
obnoxius, –a, –um, obliged, servile, weak
oboediō, –īre, oboedīvī, oboedītus, give heed to
obrēpō, –ere, obrepsī, obreptus, steal in

obruō, –ere, obruī, obrutus, overwhelm, bury

obscūrō, 1, darken, hide

obscūrus, –a, –um, dark, secret, obscure

obsecrō, 1, implore

obsequor, –ī, obsecūtus, yield, comply

observō, 1, heed, observe

obsideō, –ēre, obsēdī, obsessus, beset, besiege, hem in

obsistō, –ere, obstitī, obstitūrus, resist

obstinātiō, –ōnis, f., stubbornness

obstinātus, –a, –um, stubborn

obstō, –āre, obstitī, —, withstand, stand in the way of

obstrepō, –ere, obstrepuī, —, drown out (with noise)

obstringō, –ere, obstrīnxī, obstrictus, bind

obstruō, –ere, obstrūxī, obstrūctus, block

obstupēscō, –ere, obstupuī, —, be astounded

obsum, obesse, obfuī, —, injure

obtemperō, 1, obey, consult

obtestor, 1, entreat

obtineō, –ēre, obtinuī, obtentus, hold, obtain

obtingō, –ere, obtigī, —, happen

obturbō, 1, confuse, disturb

obtūsus, –a, –um, blunt, dull; weak

obviam, adv., in the way; w. **veniō,** come to meet

obvius, –a, –um, meeting, encountering

occāsiō, –ōnis, f., opportunity

occāsus, –ūs, m., going down, downfall; **occāsus sōlis,** sunset, west

occidō, –ere, occidī, occāsūrus, fall down; die

occīdō, –ere, occīdī, occīsus, kill

occultē, adv., secretly

occultō, 1, hide

occultus, –a, –um, hidden, secret

occupātiō, –ōnis, f., occupation, business

occupō, 1, seize, occupy

occurrō, –ere, occurrī, occursūrus, run against, meet

ōceanus, –ī, m., ocean

ōcior, ōcius, comp. adj., swifter

Octāvius, –vī, m., Octavius

octō, eight

oculus, –ī, m., eye

ōdī, ōdisse, ōsūrus, defective, hate

odiōsus, –a, –um, hateful, offensive

odium, odī, n., hatred

odōrātus, –a, –um, fragrant

offendō, –ere, offendī, offēnsus, (strike against); come upon, find

offerō, offerre, obtulī, oblātus, (bear to), offer, present, expose

officīna, –ae, f., factory

officiōsus, –a, –um, obliging, dutiful

officium, –cī, n., duty, service, allegiance, function

olfaciō, –ere, olfēcī, olfactus, smell

ōlim, adv., formerly, once; hereafter

ōmen, ōminis, n., omen

ōminor, 1, augur, prophesy

omittō, –ere, omīsī, omissus, let go, pass over

omnīnō, adv., altogether, entirely, at all, to be sure

omnis, omne, all, every

onus, oneris, n., load, burden, cargo

onustus, –a, –um, loaded

opera, –ae, f., work, service, assistance, aid; w. **dare,** see to it

operiō, –īre, operuī, opertus, cover

operōsus, –a, –um, painstaking, industrious; troublesome

opifer, –era, –erum, helping

opifex, –ficis, m., workman

opīniō, –ōnis, f., belief, opinion, expectation

opīnor, 1, imagine, judge, think

opitulor 1, bring aid, help

oportet, –ēre, oportuit, it is fitting or necessary, ought

oppetō, –ere, –īvī, –ītus, seek

oppidum, –ī, n., town

opportūnitās, –tātis, f., suitableness

opportūnus, –a, –um, fit, timely

opprimō, –ere, oppressī, oppressus, overcome, crush

ops, opis, f., aid, might; pl., wealth, resources, influence

optimus, see bonus

optō, 1, wish, desire

opus, operis, n., work, labor, task, exercise; **magnō opere,** greatly; **tantō opere,** so greatly

opus, indeclinable, n., need, necessity; **opus est,** it is necessary, there is need

ōrāculum, –ī, n., oracle, prophecy

ōrārius, –a, –um, of the coast, coastal

ōrātiō, –ōnis, f., speech, words, eloquence; argument

ōrātor, –ōris, m., speaker, orator

ōrātōria, –ae, f., oratory

orbis, –is, m., circle; w. or without terrae or terrārum, the world (the circle of lands around the Mediterranean)

orbō, 1, deprive, rob; bereave

orbus, –a, –um, childless

Orcus, –ī, m., the Lower World; Pluto

ōrdior, –īrī, ōrsus, begin

ōrdō, ōrdinis, m., row, order, turn, rank, company, body; class

oriēns, –entis, m., rising sun, east

Ōrīōn, –ōnis, m., Orī'on, a constellation

orior, –īrī, ortus, arise, descend

ōrnāmentum, –ī, n., (mark of) distinction, decoration, ornament

ōrnātus, –ūs, m., adornment, decoration

ōrnō, 1, adorn, furnish, equip; honor

ōrō, 1, pray, implore, beg

ortus, –ūs, m., rising; east

ōs, ōris, m., mouth, face, expression; lips

os, ossis (gen. pl., ossium) n., bone

Oscē, adv., in Oscan

ōsculor, 1, kiss, embrace

ōsculum, –ī, n., kiss

ostendō, –ere, ostendī, ostentus, (stretch out), point out, show, declare

ostentō, 1, hold up, display

Ōstiēnsis, –e, to Ostia

ōtiōsus, –a, –um, idle, unemployed; peaceful

ōtium, ōtī, n., leisure, quiet, peace

ovis, –is, f., sheep

ōvum, –ī, n., egg

P

P., abbreviation for Pūblius

pacīscor, –ī, pactus, agree, appoint

pācō, 1, pacify

pactum, –ī, n., agreement; manner

Paelignus, –a, –um, Pelignian, of a people of central Italy

paene, adv., almost

paenitentia, –ae, f., repentance

paenitet, –ēre, –uit, impers., it makes regret, it grieves

pāgānus, –a, –um, rustic, pagan

palam, adv., openly, publicly

Palātium, –tī, n., the Palatine, one of the seven hills of Rome

palātum, –ī, n., palate

palea, –ae, f., chaff, straw

Palicānus, –ī, m., Palicanus

palla, –ae, f., robe

pallēscō, –ere, palluī, —, become pale, turn yellow

pallidus, –a, –um, pale

palma, –ae, f., palm; date

palūs, –ūdis, f., swamp

Pān, Pānis, m., Pan, god of shepherds

pānis, –is, m., bread

Pāniscus, –ī, m., Paniscus, a rural deity

Pannonia, –ae, f., Hungary

panthēra, –ae, f., panther

Papa, –ae, m., the pope

papae! interj., indeed!

pār, paris, equal, like

parātus, –a, –um, ready, prepared

parcō, –ere, pepercī, parsūrus, spare

parcus, –a, –um, frugal, saving

parēns, parentis, m. and f., parent

pāreō, –ēre, pāruī, pāritūrus, obey

pariēs, –ētis, m., wall

parilis, –e, equal

pariō, –ere, peperī, partus, give birth, produce; gain

pariter, adv., equally, in like manner, likewise

Parnāsis, –idis, of Parnassus

Parnassus, –ī, m., Parnassus, a mountain range in central Greece

parō, 1, get, prepare

Paros, –ī, f., Paros, an island in the Aegean

parricīda, –ae, m., murderer

parricīdium, –dī, n., parricide, murder

pars, partis, f., part, role; direction; duty

particeps, participis, m., participant, sharer

particula, –ae, f., small part, particle

partim, adv., partly

partiō, –īre, –īvī, –ītus, divide

partītiō, –ōnis, f., division

partus, –ūs, m., birth

parum, adv., little, too little

parvulus, –a, –um, very small, petty

parvus, –a, –um, small, little, slight

pāscō, –ere, pāvī, pāstus, feed, feast

passim, adv., everywhere

passus, –ūs, m., step, pace; mīlle passūs, mile

pāstor, –ōris, m., shepherd

Patareus, –a, –um, of Patara, a seaport of Lycia

patefaciō, –ere, patefēcī, patefactus, lay open, open (up), expose

pateō, –ēre, patuī, —, stand or be open, be exposed; patēns, gen. –entis, extending

pater, patris, m., father; pl., senators, patricians

paternus, –a, –um, of a father

patientia, –ae, f., patience

patior, patī, passus, suffer, endure, allow

patria, –ae, f., fatherland, native land, country

patricius, –a, –um, patrician

patrīmōnium, –nī, n., paternal estate; inheritance

patrius, –a, –um, father's, ancestral

patrōcinium, –nī, n., patronage

patrōnus, –ī, m., patron

patulus, –a, –um, spreading, wide

paucitās, –tātis, f., scarcity

pauculus, –a, –um, very few, very little

paucus, –a, –um, little; pl., few, only a few

paulātim, adv., gradually, little by little

paulisper, adv., for a short time

paulum, –ī, n., a little

pauper, gen. –eris, poor

paupertās, –tātis, f., poverty

paveō, –ēre, pāvī, —, be afraid, tremble with fear

pavidus, –a, –um, scared

pāx, pācis, f., peace, truce

peccātum, –ī, n., mistake

peccō, 1, sin

pectus, –toris, n., breast; heart

pecūnia, –ae, f., money; pl., riches

pecūniārius, –a, –um, pecuniary

pecus, –coris, n., cattle, flock

pecus, –udis, f., beast; pl., herds

pedes, peditis, m., foot-soldier

pedester, –tris, –tre, on foot, infantry

peditātus, –ūs, m., infantry

peierō, 1, commit perjury

pelagus, –ī, n., sea

pellō, –ere, pepulī, pulsus, beat, drive, put to flight; banish

pendeō, –ēre, pependī, —, hang, hover

pendō, –ere, pependī, pēnsus, weigh; pay

Pēnēius, –a, –um, Penē'an (of a river in Thessaly)

penetrō, 1, penetrate, enter

penitus, –a, –um, remote; penitus, adv., deeply, within

penna, –ae, f., feather, wing

per, prep. w. acc., through, by, over, among, along, by means of, during; in the name of

peragō, –ere, perēgī, perāctus, complete; obey

peragrō, 1, traverse

peramanter, adv., very lovingly

perantīquus, –a, –um, very ancient

percipiō, –ere, percēpī, perceptus, seize; hear, learn, appreciate, obtain

percontor, 1, inquire

percrebrēscō, –ere, –crēbruī, —, grow prevalent, be spread abroad

percurrō, –ere, –cucurrī, –cursūrus, hasten through, run over

percutiō, –ere, percussī, percussus, strike, pierce, beat

perditus, –a, –um, lost; desperate, corrupt

perdō, –ere, perdidī, perditus, lose, waste, destroy

perdūcō, –ere, –dūxī, –ductus, lead or bring (through)

perdūrō, 1, harden, endure

peregrīnātiō, –ōnis, f., foreign travel

peregrīnor, 1, go abroad

peregrīnus, –a, –um, strange, foreign; as noun, m., foreigner

perennis, –e, (through the year), unceasing, perpetual

pereō, –īre, periī, peritūrus, perish, disappear

perexcelsus, –a, –um, exalted

perferō, perferre, pertulī, perlātus, carry (through), report, bring; endure

perficiō, –ere, perfēcī, perfectus, (do thoroughly), finish, carry out, accomplish; cause, bring about

perfidēlis, –e, very trusty

perfidia, –ae, f., treachery

perfidus, –a, –um, dishonest, faithless

perfringō, –ere, perfrēgī, perfrāctus, break through or down, violate

perfruor, perfruī, perfrūctus, enjoy fully

perfugium, –gī, n., refuge

perfungor, –ī, –fūnctus, perform

Pergamum, –ī, n., Troy

pergō, –ere, perrēxī, perrēctus, proceed, continue, hasten

perhorrēscō, –ere, –horruī, shudder at

perīclitor, 1, try, risk, endanger

perīculōsus, –a, –um, dangerous

perīculum, –ī, n., trial, danger

perimō, –ere, –ēmī, –ēmptus, destroy

perītus, –a, –um, skilled, acquainted with

periūrus, –a, –um, oath-breaking, perjured

perlegō, –ere, perlēgī, perlēctus, read through, examine thoroughly

permaneō, –ēre, permānsī, permānsūrus, remain

permātūrēscō, –ere, –mātūruī, —, ripen fully

permittō, –ere, permīsī, permissus, (let go through), allow, entrust

permoveō, –ēre, –mōvī, –mōtus, move deeply

permultus, –a, –um, very much; very many

permūtātiō, –ōnis, f., exchange

permūtō, 1, exchange

perniciēs, –ēī, f., destruction, ruin

perniciōsus, –a, –um, destructive, dangerous

pernoctō, 1, spend the night

perofficiōsē, adv., very attentively

peropportūnus, –a, –um, very seasonable or opportune

perōsus, –a, –um, loathing

perparvulus, –a, –um, very little, very small

perpetior, –ī, perpessus, bear steadfastly, suffer firmly, endure

perpetuō, adv., permanently

perpetuus, –a, –um, lasting; in perpetuum, forever

perquīrō, –ere, perquīsīvī, perquīsītus, make a diligent search for

perrārus, –a, –um, very rare

Persae, –ārum, m. pl., Persians

persaepe, adv., very often

perscrībō, –ere, perscrīpsī, perscrīptus, write out

persequor, persequī, persecūtus, follow up, pursue, avenge

persevērō, 1, persist, continue

persōna, –ae, f., part, character, personage

personō, –āre, personuī, personitus, resound

perspiciō, –ere, perspexī, perspectus, see (through), perceive, examine

perspicuus, –a, –um, clear, manifest

perstō, –stāre, perstitī, perstātūrus, continue standing

persuādeō, –ēre, persuāsī, persuāsūrus, persuade

perterreō, –ēre, perterruī, perterritus, frighten thoroughly, alarm

pertimēscō, –ere, pertimuī, —, become thoroughly alarmed; fear, dread

pertinācia, –ae, f., obstinacy

pertineō, –ēre, pertinuī, pertentūrus, pertain to, belong to, concern

pertrāctō, 1, touch, investigate

perturbō, 1, disturb, alarm, throw into confusion

pervagor, 1, wander through, spread through, pervade

perveniō, –īre, pervēnī, perventūrus, come (through), arrive, reach, attain

pervetus, –eris, very old, most ancient

pēs, pedis, m., foot

pestifer, –era, –erum, destructive

pestis, –is, f., plague, destruction, curse, ruin

petītiō, –ōnis, f., candidacy

petītor, –ōris, m., candidate

petō, –ere, petīvī, petītus, seek, ask; attack

petulantia, –ae, f., wantonness

pexus, –a, –um, combed

Phaedimus, –ī, m., Phaedimus (Fē′dimus), one of Niobe's sons

pharetra, –ae, f., quiver

Philēmōn, –onis, m., Philē′mon, husband of Baucis

Philistiōn, –ōnis, m., Philistion

philosophia, –ae, f., philosophy

philosophus, –ī, m., philosopher

Phoebus, –ī, m., Phoebus, Apollo

Phrygius, –a, –um, Phrygian

pictūra, –ae, f., painting, picture

pictus, –a, –um, painted

pietās, –tātis, f., dutiful conduct, devotion, piety

piger, –gra, –grum, reluctant, slow, lazy, dull

piget, –ēre, piguit, it grieves

pigrē, adv., slowly, reluctantly

pila, –ae, f., ball, ballplaying

piscis, –is, m., fish

Pīsistratus, –ī, m., Pīsis′tratus, a tyrant of Athens

Pīsō, –ōnis, m., Piso

pius, –a, –um, devoted, loyal, loving

Pius, –ī, m., Pius

placeō, –ēre, placuī, placitūrus, be pleasing to, please; *impers.*, it seems best, (he) decides, it is decided by
placidus, –a, –um, calm
plācō, 1, appease
plāga, –ae, *f.*, blow; disaster
plānē, *adv.*, plainly
plangor, –ōris, *m.*, beating (*of the breast*); shrieking
plānitiēs, –iēī, *f.*, level ground, plain
planta, –ae, *f.*, sprout, twig
plānus, –a, –um, level, plane
plaudō, –ere, plausī, plausus, applaud
plausus, –ūs, *m.*, clapping of hands, applause
plēbs, plēbis, *f.*, people, common people
plēctrum, –ī, *n.*, pick (*for striking the lyre*)
Plēïades, –um, *f.*, Ple'iadēs, *the seven daughters of Atlas*
plēnus, –a, –um, full, abounding in
plērīque, –aeque, –aque, most, the majority
plērumque, *adv.*, usually
plexus, –a, –um, woven
plōrō, 1, cry out, wail, lament
Plōtius, –tī, *m.*, Plotius
plūma, –ae, *f.*, feather
plumbum, –ī, *n.*, lead
plūrimum, *adv.*, very much, most, especially
plūrimus, *see* multus
plūs, *see* multus
pōcillātor, –ōris, *m.*, cupbearer
pōculum, –ī, *n.*, cup
poena, –ae, *f.*, penalty, punishment
Poenicus, *see* Pūnicus
Poenus, –a, –um, Punic; *as noun, m. pl.*, the Carthaginians
poēta, –ae, *m.*, poet
poēticus, –a, –um, poetic
Poggius, –ī, *m.*, Poggio
pol! *interj.*, by Pollux!
poliō, –īre, polīvī, polītus, polish
pollex, –icis, *m.*, thumb
polliceor, –ērī, pollicitus, promise
Pollux, –cis, *m.*, Pollux
pōmifer, –era, –erum, fruit-bearing
pompa, –ae, *f.*, procession, parade
Pompeius, –peī, *m.*, Pompey
Pompōnius, –nī, *m.*, Pomponius
Pomptīnus, –a, –um, Pontine
pōmum, –ī, *n.*, fruit, apple, berry
pondus, –deris, *n.*, weight

pōnō, –ere, posuī, positus, put, place, set, pitch, lay aside
pōns, pontis, *m.*, bridge
pontifex, –ficis, *m.*, priest
pontificātus, –ūs, *m.*, pontificate
pontus, –ī, *m.*, sea
Pontus, –ī, *m.*, Pontus, *the region south of the Black Sea*
poples, –litis, *m.*, knee
populāris, –e, popular
populor, 1, destroy
populus, –ī, *m.*, people
Porcius, –a, –um, Porcian
porrigō, –ere, porrēxī, porrēctus, stretch out, extend
porrō, *adv.*, then
porta, –ae, *f.*, gate
portentum, –ī, *n.*, portent
Porthaōn, –ōnis, *m.*, a mythological character
porticus, –ūs, *f.*, colonnade, gallery, porch
portus, –ūs, *m.*, harbor, port
poscō, –ere, poposcī, ——, demand, call for, ask
possessiō, –ōnis, *f.*, possession
possideō, –ēre, possēdī, possessus, own, possess
possum, posse, potuī, ——, can, be able
post, *adv. and prep. w acc.*, behind; after, later, since
posteā, *adv.*, afterwards
posteritās, –tātis, *f.*, the future, posterity
posterus, –a, –um, following, next; in posterum, for the future; *as noun, m. pl.*, descendants
posthāc, *adv.*, hereafter
postis, –is, *m.*, doorpost; *pl.*, door
postpōnō, –ere, –posuī, –positus, put after, esteem less
postquam, *conj.*, after
postrēmō, *adv.*, at last, finally; in short
postrēmus, –a, –um, last
postrīdiē, *adv.*, the next day
postulō, 1, demand
potēns, *gen.* –entis, strong, powerful
potentia, –ae, *f.*, power
potestās, –tātis, *f.*, power, opportunity
pōtiō, –ōnis, *f.*, drink
potior, –īrī, potītus, get possession of
potissimum, *adv.*, especially, above all, in preference to all others

potius, *adv.,* rather
prae, *prep.,* before
praebeō, –ēre, –uī, –itus, offer
praecēdō, –ere, –cessī, –cessūrus, precede
praeceps, –cipitis, headlong, rash; rushing, steep; **in praeceps,** headfirst
praeceptum, –ī, *n.,* precept, rule; instructions
praecipiō, –ere, praecēpī, praeceptus, direct, lay down a rule
praecipitō, 1, rush headlong, sink
praecipuē, *adv.,* especially
praeclārus, –a, –um, brilliant, remarkable
praeclūdō, –ere, praeclūsī, praeclūsus, shut, close, hinder, impede
praecō, –ōnis, *m.,* crier, herald
praecōnium, –nī, *n.,* public praise
praecordia, –ōrum, *n.,* breast, heart
praecurrō, –ere, praecucurrī (praecurrī), praecursūrus, run before, precede, excel
praeda, –ae, *f.,* loot, prey
praedātor, –ōris, *m.,* robber
praedicātiō, –ōnis, *f.,* proclamation
praedicō, 1, announce, declare, say, proclaim
praedīcō, –ere, praedīxī, praedictus, foretell, predict
praediolum, –ī, *n.,* small estate
praeditus, –a, –um, endowed, possessing
praedium, –dī, *n.,* farm, estate
praedō, –ōnis, *m.,* pirate
praefātiō, –ōnis, *f.,* preface, prologue
praefectūra, –ae, *f.,* prefecture
praeferō, praeferre, praetulī, praelātus, carry before, prefer
praeficiō, –ere, praefēcī, praefectus, set over, put in command of
praefor, 1, say beforehand, preface
praefulgeō, –ēre, —, —, beam forth, shine greatly
praelambō, –ere, —, —, wash lightly
praemittō, –ere, –mīsī, –missus, send ahead
praemium, –mī, *n.,* reward, prize
praepōnō, –ere, –posuī, –positus, prefer
praeproperus, –a, –um, too hasty, sudden
praescius, –a, –um, foreknowing, foreseeing

praescrībō, –ere, praescrīpsī, praescrīptus, direct, require of
praesēns, *gen.* **–entis,** present, in person, evident; providential
praesentia, –ae, *f.,* presence; **in praesentiā,** for the present
praesentiō, –īre, praesēnsī, praesēnsus, look forward to
praesertim, *adv.,* especially
praesidium, –dī, *n.,* guard, garrison, fortification; protection, help
praestāns, *gen.* **–antis,** outstanding, preëminent
praestō, –āre, praestitī, praestitūrus, stand before, excel; guarantee; perform, show; **praestat,** *impers.,* it is better
praestō, *adv.,* at hand, ready
praestōlor, 1, wait for
praesūmō, –ere, –sūmpsī, –sūmptus, undertake
praeter, *prep. w. acc.,* beyond, contrary to; except
praetereā, *adv.,* furthermore, besides, moreover
praetereō, –īre, praeteriī, praeteritus, go *or* pass by, omit; outstrip
praeterhāc, *adv.,* besides, moreover
praeteritus, –a, –um, past; *as noun, n. pl.,* the past
praetermittō, –ere, –mīsī, –missus, let go, omit, pass over
praeterquam, *conj.,* except
praetor, –ōris, *m.,* praetor, *a Roman judicial magistrate*
praetōrium, –rī, *n.,* headquarters
praetōrius, –a, –um, praetorian; *as noun, m.,* ex-praetor
praetūra, –ae, *f.,* the praetorship
prātum, –ī, *n.,* meadow
prāvus, –a, –um, crooked, vicious, depraved
precor, 1, entreat, pray
premō, –ere, pressī, pressus, press, oppress; cover
prēndō, –ere, prēndī, prēnsus, seize
prēnsātiō, –ōnis, *f.,* soliciting, canvassing
pretiōsus, –a, –um, costly
pretium, –tī, *n.,* price, reward
prex, precis, *f.,* prayer, entreaty
prīdem, *adv.,* long ago; *w.* **iam,** now for a long time
prīdiē, *adv.,* on the day before

prīmō, *adv.,* at first

prīmum, *adv.,* first, in the first place, at first; *w.* **quam,** as soon as possible; *w.* **ut** *or* **cum,** as soon as

prīmus, –a, –um, first, foremost

prīnceps, –cipis, *adj. and noun, m.,* first, chief, leader, emperor

prīncipātus, –ūs, *m.,* first place, leadership

prīncipiō, *adv.,* in the first place

prīncipium, –pī, *n.,* beginning

prior, prius, former, first; last; **prior, –ōris,** *m.,* prior

prīscus, –a, –um, ancient, primitive

Prīscus, –ī, *m.,* Priscus

prius, *compar. adv.,* before, first

priusquam *or* **prius quam** (*often* **prius . . . quam**), *conj.,* before

prīvātim, *adv.,* privately

prīvātus, –a, –um, private; *as noun, m.,* private citizen

prīvō, 1, deprive

prō, *prep. w. abl.,* for, in behalf of, in return for, on account of, instead of, according to

proavus, –ī, *m.,* great-grandfather

probō, 1, approve; prove

probrum, –ī, *n.,* disgraceful conduct

probus, –a, –um, upright

procācitās, –tātis, *f.,* boldness, impudence

prōcēdō, –ere, –cessī, –cessūrus, advance

prōcēritās, –tātis, *f.,* height, tallness

procul, *adv.,* far off

prōdeō, –īre, prōdiī, prōditus, go *or* come forth

prōdigiōsus, –a, –um, unnatural, strange

prōdō, –ere, prōdidī, prōditus, give forth, betray, transmit

prōdūcō, –ere, prōdūxī, prōductus, lead forth *or* out, induce, coax (*of a fire*)

proelior, 1, battle

proelium, –lī, *n.,* battle

profānus, –a, –um, unholy, profane

profectiō, –ōnis, *f.,* departure

profectō, *adv.,* for a fact, certainly, doubtless

prōferō, –ferre, prōtulī, prōlātus, bring forth, produce

prōficiō, –ere, prōfēcī, prōfectus, accomplish

proficīscor, –ī, profectus, set out, march, depart

profiteor, –ērī, professus, confess; offer, promise; register

prōflīgātus, –a, –um, corrupt, unprincipled

profugiō, –ere, –fūgī, –fugitūrus, escape

profugus, –ī, *m.,* fugitive

profundō, –ere, –fūdī, –fūsus, waste

prōgredior, –gredī, –gressus, proceed

prohibeō, –ēre, prohibuī, prohibitus, prevent, keep from, protect

proinde, *adv.,* therefore

prōlēs, –is, *f.,* offspring, young son

prōloquor, –loquī, –locūtus, say

prōmiscuus, –a, –um, mixed

prōmittō, –ere, –mīsī, –missus, promise

prōmō, –ere, prōmpsī, prōmptus, give out, bring forth

prōnūntiō, 1, pronounce

prōnus, –a, –um, headlong, steep

prōpāgō, 1, extend

prope, *adv. and prep. w. acc.,* almost, near

propemodum, *adv.,* nearly, almost

prōpēnsus, –a, –um, coming near; inclined, ready

properē, *adv.,* quickly

properō, 1, hasten

propinquus, –a, –um, near; *as noun, m.,* relative

propitius, –a, –um, favorable, kind

prōpōnō, –ere, prōposuī, prōpositus, place *or* set before, publish, propose

prōpositum, –ī, *n.,* subject

proprius, –a, –um, one's own, belonging to, proper, characteristic of

propter, *prep. w. acc.,* on account of, for the sake of; *adv.,* near

proptereā, *adv.,* on this account; *w.* **quod,** because

prōpugnātiō, –ōnis, *f.,* defense, vindication

prōpugnō, 1, fight for, defend

prōrogō, 1, prolong, continue

prōrsum, prōrsus, *adv.,* forward; certainly

prōscrīptiō, –ōnis, *f.,* proscription

prōsequor, –sequī, –secūtus, follow (after), accompany, pursue

Prōserpina, –ae, *f.,* Proser'pina, *wife of Pluto*

prōsiliō, –īre, prōsiluī, —, leap forth

prōspectō, 1, look at, look for
prōspectus, –ūs, m., view
prosperus, –a, –um, favorable
prōspiciō, –ere, prōspexī, prōspectus, foresee, look forward to, look out for or over
prōsum, prōdesse, prōfuī, —, benefit, profit, help
prōtinus, adv., at once
prōverbium, –bī, n., saying, proverb
prōvidentia, –ae, f., foresight
prōvideō, –ēre, prōvīdī, prōvīsus, foresee, provide, look out for
prōvincia, –ae, f., province
prōvinciālis, –e, provincial
proximus, –a, –um, nearest, next, last; as noun, n., neighborhood
prūdēns, gen. prūdentis, wise
prūdentia, –ae, f., foresight, discretion
pruīna, –ae, f., frost
pruīnōsus, –a, –um, frosty
prūnum, –ī, n., plum
Prūsēnsis, –e, of Prusa, a Bithynian town
Psȳchē, –ēs, f., Psyche
Ptolemaeus, –a, –um, Ptolemaic, Egyptian; as noun, m., Ptolemy, general name for the Egyptian kings
pūblicō, 1, confiscate
pūblicus, –a, –um, public; pūblicē, adv., publicly
Pūblilia, –ae, f., Publilia
Pūblius, –lī, m., Publius
pudet, –ēre, puduit, impers., it makes ashamed
pudicitia, –ae, f., virtue
pudicus, –a, –um, modest, chaste
pudor, –ōris, m., (sense of) shame, modesty, sense of honor
puella, –ae, f., girl
puer, puerī, m., boy, child
puerīlis, –e, boyish, childish, youthful
puerīliter, adv., childishly, foolishly
pueritia, –ae, f., boyhood, childhood
pugillārēs, –ium, m. pl., writing tablets
pugna, –ae, f., battle
pugnō, 1, fight
pulcher, –chra, –chrum, beautiful; honorable, fine
pulchritūdō, –dinis, f., beauty
pullus, –a, –um, dark-colored
pulsō, 1, beat
pulvīnārius, –a, –um, of or belonging to the couches of the gods

pulvis, –eris, m., dust
Pūnicus, –a, –um, Punic
pūniō, –īre, pūnīvī, pūnītus, punish
puppis, –is, f., acc. –im, abl. –ī, stern; ship
pūritās, –tātis, f., cleanness, purity
purpureus, –a, –um, purple
purpurō, 1, beautify, adorn
pūrus, –a, –um, clean, pure
pusillus –a, –um, very little, petty
putō, 1, think
Pyramus, –ī, m., Pyramus
Pȳthōn, –ōnis, Python, a mythological serpent

Q

Q., abbreviation for Quīntus
quā, adv., where; w. nē, in any way
quadrāgēsimus, –a, –um, the fortieth; as noun, f., a tax of one fortieth
quadrāgintā, indecl. adj., forty
quadringentī, –ae, –a, four hundred
quadrupēs, –pedis, m., horse, steed
quaerō, –ere, quaesīvī, quaesītus, seek, inquire, ask, examine
quaesō, –ere, —, — beg
quaestiō, –ōnis, f., question; trial
quaestiuncula, –ae, f., a little question
quaestus, –ūs, m., gain, profit; business
quālis, –e, of what sort, what, of such a kind as, such as; w. tālis, as
quāliscumque, quālecumque, of whatever sort
quam, adv. and conj., how, as; w. superl., as . . . possible; w. comp., than; quam prīmum, as soon as possible; quam diū, as long as, how long
quamlibet, adv., according to inclination; however much, to any extent
quamobrem (quam ob rem), interrog. adv., for what reason, why
quamquam, conj., although; however; and yet
quamvīs, adv., however
quandō, adv. and conj., when; at any time, ever
quandōquidem, adv., since
quantuluscumque, quantulacumque, quantulumcumque, however small
quantum, adv., how much
quantus, –a, –um, how great, how much, as great or much as; quantō . . . tantō, the . . . the

426

quantuscumque, –tacumque, –tum- cumque, however great, however small

quāpropter, adv., why, for what reason

quārē, adv., why, wherefore; therefore

quārtus, –a, –um, fourth

quasi, adv. and conj., as if, as it were

quatiō, –ere, —, quassus, shake, flutter

quattuor, indecl. adj., four

–que (enclitic), and

quemadmodum, adv., in what manner

queō, quīre, quīvī, —, be able, can

quercus, –ūs, f., oak; garland

querēla, –ae, f., complaint

querimōnia, –ae, f., complaint

queror, querī, questus, complain

quī, quae, quod, rel. pron., who, which, what, that; interrog. adj., what

quia, conj., because

quīcumque, quaecumque, quodcum- que, rel. pron., whoever, whatever

quid, adv., why

quīdam, quaedam, quiddam (adj. quoddam), indef. pron., a certain one or thing; adj., certain, some

quidem (follows emphatic word), adv., to be sure; nē ... quidem, not even

quiēs, –ētis, f., rest, repose

quiēscō, –ere, quiēvī, quiētūrus, be quiet, rest

quiētus, –a, –um, undisturbed

quīn, conj., (but) that; adv., why not; w. etiam, in fact

Quīnctīlis, –e, of July

quīnque, indecl. adj., five

quīnquennium, –nī, n., five-year period

Quīntiliānus, –ī, Quintilian

quīntus, –a, –um, fifth; Quīntus, –ī, m., Quintus

quippe, adv. and conj., surely, indeed

Quirītēs, –ium, m. pl., fellow citizens

quis, quid, interrog. pron., who, what; quid, again; quid quod, what of the fact that

quis, quid, indef. pron., quī, qua, quod, indef. adj., any, anyone, anything (usually after sī, nisi, nē, or num)

quisnam, quaenam, quidnam, interrog. pron., who or what in the world

quispiam, quaepiam, quidpiam (quod- piam), indef. pron., anyone, any; someone, something

quisquam, quicquam, indef. pron., anyone, anything, any

quisque, quidque, indef. pron., each one, each thing, every

quisquis, quicquid, rel. pron., whoever, whatever

quīvīs, quaevīs, quidvīs, indef. pron., any

quō, adv., where, wherefore; quō usque, how long; conj. (w. comp.), in order that, that

quoad, conj., as long as

quōcumque, adv., wherever

quod, conj., because, that; quod sī, but if

quōmodō, adv., how

quōmodōnam, adv., how then

quondam, once (upon a time)

quoniam, conj., since, because

quoque, adv., also, even

quot, indecl. adj., how many; as many as, as

quotiēns, adv., as often as; how often

quotiēnscumque, adv., as often as

R

radiō, 1, gleam

radius, –dī, m., rod; ray, beam; spoke

rādīx, –īcis, f., root, radish

rāmus, –ī, m., branch

rapidus, –a, –um, fierce, swift

rapīna, –ae, f., plunder, robbery

rapiō, –ere, rapuī, raptus, seize, carry off, hurry along

raptor, –ōris, m., thief

rārō, adv., rarely

rārus, –a, –um, rare

ratiō, –ōnis, f., reckoning, account; plan, nature, method, policy; man- ner, means, reason

Rebilus, –ī, m., Rebilus

recēdō, –ere, recessī, recessūrus, go back, withdraw

recēns, gen. –entis, fresh, recent

recēnseō, –ēre, recēnsuī, recēnsus, re- view

receptāculum, –ī, n., receptacle, shelter

receptus, –ūs, m., retreat, place of refuge

recidō, –ere, recidī, recāsūrus, fall

recipiō, –ere, recēpī, receptus, take back, recover, receive; mē recipiō, retreat

recitātiō, –ōnis, f., reading, recitation

recitātor, –ōris, m., reader, reciter

recitō, 1, recite, read (aloud)

reclūdō, –ere, reclūsī, reclūsus, disclose, reveal; shut off or up

recognōscō, –ere, recognōvī, recognitus, recognize; review

recolō, –ere, recoluī, recultus, renew

reconciliātiō, –ōnis, f., reconciliation

reconciliō, 1, reconcile

recondō, –ere, recondidī, reconditus, hide; close

recordātiō, –ōnis, f., recollection

recordor, 1, call to mind

recreō, 1, recreate, restore; w. mē, recover

rēctē, adv., rightly, correctly

rēctus, –a, –um, right; rēctā, adv., straight

recumbō, –ere, recubuī, —, lie down; fall

recuperō, 1, get back, recover

recūsātiō, –ōnis, f., declining

recūsō, 1, be reluctant to do

reddō, –ere, reddidī, redditus, return, render, make, restore, deliver; vomit

redeō, –īre, rediī, reditūrus, go back, return

redigō, –ere, redēgī, redāctus, bring (back), reduce

reditus, –ūs, m., revenue

redolēns, gen. –entis, fragrant

redormiō, –īre, redormīvī, redormītus, sleep again

redūcō, –ere, redūxī, reductus, bring back, restore

redundō, 1, overflow, redound

referō, referre, rettulī, relātus, bring or carry back, lay or bring before, report; reply; grātiam referō, show gratitude

reficiō, –ere, refēcī, refectus, repair, renew, recruit, reinforce

refugiō, –ere, refūgī, refugitūrus, flee back, flee for safety, escape

regerō, –ere, regessī, regestus, throw back

regiō, –ōnis, f., region

rēgius, –a, –um, royal

rēgnō, 1, reign

rēgnum, –ī, n., royal power, kingdom

regō, –ere, rēxī, rēctus, guide, rule, control

regredior, –ī, regressus, return

Rēgulus, –ī, m., Regulus

reiciō, –ere, reiēcī, reiectus, throw, drive back, reject; vomit

relanguēscō, –ere, relanguī, —, sink down

relaxō, 1, relax

relevō, 1, lighten, relieve, rest

religiō, –ōnis, f., scrupulousness, sacredness

religiōsē, adv., religiously

religiōsus, –a, –um, sacred

relinquō, –ere, relīquī, relīctus, leave (behind), abandon; leave unmentioned

reliquiae, –ārum, f. pl., remains, relics

reliquus, –a, –um, remaining, rest (of); future; reliquum est, it remains

remaneō, –ēre, remānsī, remānsūrus, remain (behind)

remedium, –dī, n., remedy

remissiō, –ōnis, f., relaxation, recreation

remissus, –a, –um, gentle

remittō, –ere, remīsī, remissus, send (back), remit; drop

remoror, 1, hold back, delay

removeō, –ēre, remōvī, remōtus, remove

renīdeō, –ēre, —, —, shine; smile

renovō 1, renew

renūntiō, 1, report, declare elected

repellō, –ere, reppulī, repulsus, drive back

repente, adv., suddenly

repentīnus, –a, –um, sudden

reperiō, –īre, repperī, repertus, find, discover

repetō, –ere, repetīvī, repetītus, seek again, demand; repeat

repleō, –ēre, replēvī, replētus, fill again

repōnō, –ere, reposuī, repositus, place

reportō, 1, bring back

reposcō, –ere, repoposcī, —, demand in return

repraesentō, 1, show, represent

reprehendō, –ere, reprehendī, reprehēnsus, (hold back), censure, criticize

reprimō, –ere, repressī, repressus, press back, check, thwart

rēptō, –āre, —, —, creep, crawl

repudiō, 1, reject, scorn

repugnō, 1, fight against, resist

reputō, 1, compute, ponder

requiēs, –ētis, f., rest

requiēscō, –ere, requiēvī, requiētus, rest, repose

requīrō, –ere, requīsīvī, requīsītus, hunt up, search for, inquire; demand; miss

rēs, reī, f., thing, fact, affair, matter, object; rēs pūblica, republic, state, public interest; rēs frūmentāria, supply of grain, supplies; rēs gestae, deeds; rēs mīlitāris, art of war, warfare; rēs novae, revolution; rēs familiāris, means

rescrībō, –ere, rescrīpsī, rescrīptus, write back

resecō, –āre, resecuī, resectus, cut off

reservō, 1, reserve

resideō, –ēre, resēdī, —, be left, sit down

resistō, –ere, restitī, —, resist, stop

resolūtiō, –ōnis, f., relaxing, looseness; solution

resolvō, –ere, resolvī, resolūtus, loosen, solve

respiciō, –ere, respexī, respectus, look back (at), look at, consider

resplendeō, –ēre, —, —, shine brightly, gleam

respondeō, –ēre, respondī, respōnsus, answer, reply

respōnsum, –ī, n., answer, reply

restinguō, –ere, restīnxī, restīnctus, extinguish

restituō, –ere, restituī, restitūtus, restore

restō, –āre, restitī, —, withstand, be left, remain

restringō, –ere, restrīnxī, restrictus (bind back), restrict

resupīnus, –a, –um, on one's back

retardō, 1, check, hinder

reticeō, –ēre, reticuī, —, be or keep silent

retineō, –ēre, retinuī, retentus, hold to

retorqueō, –ēre, retorsī, retortus, turn back

retrō, adv., back, backward

retrūdō, –ere, —, retrūsus, thrust back

retundō, –ere, rettudī, retūsus, beat back

reus, –ī, m., defendant

revellō, –ere, revellī, revulsus, tear away

revertō, –ere, revertī, reversus, return (sometimes deponent)

revocābilis, –e, revocable

revocō, 1, recall, call back

revolō, 1, fly back

rēx, rēgis, m., king; Rēx, Rex

rhētor, –oris, m., orator, rhetorician

rhētorica, –ae, f., rhetoric

rhētoricus, –a, –um, rhetorical

rictus, –ūs, m., jaws

rīdeō, –ēre, rīsī, rīsus, laugh

rīdiculus, –a, –um, absurd

rigeō, –ēre, —, —, be stiff

rigidus, –a, –um, stiff (with cold)

riguus, –a, –um, well-watered

rīma, –ae, f., crack

rīmor, 1, tear up; examine

rīte, adv., duly, rightly

rōbur, rōboris, n., oak; strength

rōbustus, –a, –um, (of oak), hardy, robust

rogātus, –ūs, m., request

rogō, 1, ask, beg; propose, pass

rogus, –ī, m., funeral pile, grave

Rōma, –ae, f., Rome

Rōmānus, –a, –um, Roman; as noun, m. pl., the Romans

rosa, –ae, f., rose

rōstrum, –ī, n., beak, mouth, bill

rota, –ae, f., wheel; pl., chariot

rubēns, gen. –entis, red

ruber, rubra, rubrum, red

rubor, –ōris, m., redness, blush; modesty

rudis, –e, rough

Rūfus, –ī, m., Rufus

rūgōsus, –a, –um, wrinkled

ruīna, –ae, f., ruin

rumpō, –ere, rūpī, ruptus, break, pierce

rūpēs, –is, f., rock, cliff

rūrsus, adv., again

rūs, rūris, n., country; farm; pl., fields

rūsticānus, –a, –um, rural

rūsticātiō, –ōnis, f., living in the country

rūsticor, 1, go into the country

rūsticus, –a, –um, rustic, of the country; as noun, m., rustic

S

Sabella, –ae, f., Sabella

Sabellus, –a, –um, Sabellian, Sabine

Sabidus, –ī, m., Sabidus

Sabīna, –ae, f., Sabine woman

Sabīnus, –a, –um, Sabine

sacculus, –ī, m., little sack

saccus, –ī, *m.*, sack, bag
sacer, –cra, –crum, sacred; *n. pl.*, sacred rites, ceremonies
sacerdōs, –ōtis, *m. and f.*, priest, priestess
sacerdōtium, –tī, *n.*, priesthood
sacrāmentum, –ī, *n.*, oath
sacrārium, –rī, *n.*, shrine
sacrificium, –cī, *n.*, sacrifice
sacrificō, 1, sacrifice
sacrōsānctus, –a, –um, sacred, inviolable
saeculāris, –e, secular
saeculum, –ī, *n.*, generation, age
saepe, *adv.*, often
saepēs, –is, *f.*, hedge, fence; enclosure
saeviō, –īre, saevīvī, saevītus, rage, rant
saevus, –a, –um, fierce, cruel
sagāx, *gen.* –ācis, keen
sagitta, –ae, *f.*, arrow
sagittifer, –fera, –ferum, arrow-bearing
sagulum, –ī, *n.*, small military cloak
sāl, salis, *m.*, salt
salārium, –rī, *n.*, pension, stipend
salignus, –a, –um, of willow
saltātor, –ōris, *m.*, dancer
saltō, 1, dance
salūbris, –e, healthful, wholesome
salūbritās, –tātis, *f.*, health
salūs, –ūtis, *f.*, safety
salūtō, 1, greet, pay one's respects
salvus, –a, –um, safe, well, solvent
Samos, –ī, *f.*, Samos, *an island in the Aegean Sea*
sānābilis, –e, curable
sānciō, –īre, sānxī, sānctus, decree
sānctē, *adv.*, religiously, scrupulously
sānctus, –a, –um, sacred, holy, venerable, upright
sānē, *adv.*, indeed, truly, of course
Sanga, –ae, *m.*, Sanga
sanguis, sanguinis, *m.*, blood
sānitās, –tātis, *f.*, soundness of mind, sanity
sānō, 1, make sound, cure
sānus, –a, –um, in one's right mind, sane
sapiēns, *gen.* –entis, wise; *as noun, m.*, philosopher
sapientia, –ae, *f.*, wisdom
sapienter, *adv.*, wisely
sapiō, –ere, sapīvī, —, taste, savor

sarcina, –ae, *f.*, burden, load
Sardēs, –ium, *f. pl.*, Sardis, *capital of Lydia, in Asia Minor*
Sardinia, –ae, *f.*, Sardinia
satelles, –litis, *m. and f.*, attendant; accomplice
satietās, –tātis, *f.*, abundance, satiety
satiō, 1, satisfy, sate
satira, –ae, *f.*, miscellany, satire
satis, *adv. and indecl. adj.*, enough; quite, sufficiently; *comp.*, satius, better
satisfaciō, –ere, –fēcī, –factus, satisfy
Sāturnālia, –ium, *n. pl.*, the Saturnalia, *a festival in honor of Saturn*
Sāturnius, –a, –um, of Saturn, Saturnian
Sāturnus, –ī, *m.*, Saturn
saturō, 1, fill, saturate
Satyrus, –ī, *m.*, Satyr, wood-deity
sauciō, 1, wound
saxum, –ī, *n.*, rock, stone
scaena, –ae, *f.*, theater, stage
scaenicus, –a, –um, of the stage
scandō, –ere, —, —, rise, climb
scelerātē, *adv.*, wickedly, impiously
scelerātus, –a, –um, wicked, accursed, criminal
scelus, sceleris, *n.*, crime, wickedness
scholāris, –e, of *or* belonging to a school
scholasticus, –a, –um, scholastic
scientia, –ae, *f.*, knowledge
scīlicet, *adv.*, (one may know), of course, doubtless
scindō, –ere, scidī, scissus, cut, split
sciō, scīre, scīvī, scītus, know (how)
Scīpiō, –ōnis, *m.*, Scipio
scītē, *adv.*, skilfully, well
scītor, 1, inquire
scrībō, –ere, scrīpsī, scrīptus, write
scrīptor, –ōris, *m.*, writer
scrīptum, –ī, *n.*, writing
scrīptūra, –ae, *f.*, writing, Scripture
scrūtor, 1, examine thoroughly
sēcēdō, –ere, sēcessī, sēcessūrus, go away, retire, withdraw
sēcernō, –ere, sēcrēvī, sēcrētus, separate
sēcessus, –ūs, *m.*, departure, retirement
secō, secāre, secuī, sectus, cut
sectus, –a, –um, cut off
secundum, *prep. w. acc.*, following, according to, behind, next to

secundus, -a, -um, second; successful; *w*. rēs, prosperity
Secundus, -ī, *m*., Secundus
secūris, -is, *f*., ax
sed, *conj*., but
sedeō, -ēre, sēdī, sessūrus, sit, sit down, lie idle
sēdēs, -is, *f*., seat; abode, place
sedīle, -is, *n*., seat
sēditiō, -ōnis, *f*., rebellion, sedition
sēdō, 1, bring to an end, stop
sēdūcō, -ere, sēdūxī, sēductus, set aside
sēductor, -ōris, *m*., misleader, seducer
sēdulitās, -tātis, *f*., diligence
sēdulō, *adv*., busily, carefully, eagerly
sēdulus, -a, -um, diligent
segnitiēs, -ēī, *f*., slowness, inactivity
sēgregō, 1, exclude
sēiungō, -ere, sēiūnxī, sēiūnctus, disjoint, separate, sever
Seleucus, -ī, *m*., Seleucus, *king of Syria*
Sella, -ae, *f*., Sella (*i.e.*, seat)
semel, *adv*., once
sēmen, -minis, *n*., seed
sēmēsus, -a, -um, half-eaten
sēminārium, -rī, *n*., nursery
sēmita, -ae, *f*., footpath
semper, *adv*., always
sempiternus, -a, -um, everlasting, perpetual
Semprōnius, -a, -um, Sempronian
senātor, -ōris, *m*., senator
senātōrius, -a, -um, senatorial
senātus, -ūs, *m*., senate
Seneca, -ae, *m*., Seneca
senecta, -ae, *f*., old age
senectūs, -tūtis, *f*., old age
senēscō, -ere, senuī, ——, grow old
senex, senis, *m*., old man
senīlis, -e, of an old man
senior, -ius, older; aged
sēnsus, -ūs, *m*., feeling; consciousness
sententia, -ae, *f*., feeling; opinion; proposal; meaning, sentiment
sentīna, -ae, *f*., sewage, sewer
sentiō, -īre, sēnsī, sēnsus, feel, realize, perceive, think, know
sentis, -is, *m*., thorn, briar
sepeliō, -īre, sepelīvī, sepultus, bury
sēpōnō, -ere, sēposuī, sēpositus, separate, assign
septem, seven

September, -bris, -bre, (of) September
septimus, -a, -um, seventh
septingentī, -ae, -a, seven hundred
sepulcrum, -ī, *n*., tomb
sequor, sequī, secūtus, follow
serēnus, -a, -um, clear, serene
Serēnus, -ī, *m*., Serenus
Sergius, -ī, *m*., Sergius
sērius, -a, -um, grave, serious
sermō, -ōnis, *m*., speech, conversation, talk, report
serō, -ere, sēvī, satus, sow, produce; satus, -a, -um, sprung from
sērō, *adv*., late
serpēns, *gen*. -entis, *m. and f.*, serpent
serpō, -ere, serpsī, serptus, crawl
sertum, -ī, *n*., wreath of flowers, garland
sērus, -a, -um, late
serviō, -īre, servīvī, servītus, be a slave (to), serve, have regard for, court
servitium, -tī, *n*., slavery
servitūs, -tūtis, *f*., slavery
Servius Tuiiius, *m*., Servius Tullius, *a Roman king*
servō, 1, save, keep, preserve
servus, -ī, *m*., slave
sescentī, -ae, -a, six hundred
seu, *see* sīve
sevēritās, -tātis, *f*., severity
sevērus, -a, -um, severe, stern
sex, six
sexāgintā, sixty
sextus, -a, -um, sixth
sexus, -ūs, *m*., sex
sī, *conj*., if
Sibyllīnus, -a, -um, Sĭb'ylline
sīc, *adv*., so, in this way, thus
sīca, -ae, *f*., dagger
sīcārius, -rī, *m*., assassin
siccō, 1, dry
siccus, -a, -um, dry
Sicilia, -ae, *f*., Sicily
Siculī, -ōrum, *m*., Sicilians
sīcut, sīcutī, *adv*., just as
sīdus, -deris, *n*., constellation, star
sigilla, -ōrum, *n. pl.*, small statues, little images
significātiō, -ōnis, *f*., meaning
significō, 1, show, indicate
signō, 1, seal, mark
signum, -ī, *n*., sign, token, standard; signal; seal, statue

Silānus, –ī, m., Silanus
silentium, –tī, n., silence
Sīlēnus, –ī, m., Silenus
sileō, –ēre, siluī, —, be silent, leave
   unmentioned
silva, –ae, f., forest, woods
Silvānus, –ī, m., Silvanus
silvestris, –e, wild
Simeōn, –ōnis, m., Simeon
similis, –e, like, similar
similitūdō, –dinis, f., likeness, resem-
   blance
simplex, –plicis, simple, single
simplicitās, –tātis, f., simplicity, frank-
   ness, naturalness
simpliciter, adv., plainly, openly
simul, adv., at the same time, at once,
   together; w. atque, or ac, as soon as
simulācrum, –ī, n., likeness, image
simulātor, –ōris, m., pretender
simulō, 1, pretend
simultās, –tātis, f., rivalry, enmity
sīn, conj., but if
sincērus, –a, –um, pure, chaste
sine, prep. w. abl., without
singillātim, adv., singly
singulāris, –e, unique, remarkable,
   separate
singulārius, –a, –um, single, separate;
   singular
singulī, –ae, –a, pl. only, separate,
   single, each, one after another
sinister, –tra, –trum, left; comp. sinis-
   terior, the left
sinō, –ere, sīvī, situs, allow
Sinōpēnsis, –e, of Sinope, a Greek
   colony; as noun, m. pl., the people
   of Sinope
sinus, –ūs, m., fold; bosom; bay
Sipylus, –ī, m., Sĭp'ylus, son of Niobe
sistō, –ere, stitī, status, place; stop,
   check
sitiō, –īre, sitīvī, —, be thirsty
sitis, –is, f., thirst
situs, –a, –um, placed; situm est, it lies
situs, –ūs, m., position
sīve, seu, conj., or if, or; sīve (seu)
   . . . sīve (seu), whether . . . or,
   either . . . or
sōbrius, –a, –um, sober
socer, –erī, m., father-in-law
societās, –tātis, f., fellowship, alliance
socius, –cī, m., comrade, companion,
   associate; pl., allies, provincials

Sōcratēs, –is, m., Socrates
sodālis, –is, m., companion
sōl, sōlis, m., sun
sōlācium, –cī, n., comfort
soleō, –ēre, solitus, semideponent, be
   accustomed
sōlitūdō, –dinis, f., solitude
solitus, –a, –um, customary
sollemnis, –e, (annual), customary,
   appointed, solemn
sollertia, –ae, f., skill, ingenuity, adroit-
   ness
sollicitātiō, –ōnis, f., inciting
sollicitō, 1, disturb, stir, incite to revolt, tamper with
sollicitūdō, –dinis, f., uneasiness, anxiety
sollicitus, –a, –um, anxious, worried
Solōn, –ōnis, m., Solon
sōlor, 1, comfort
solum, –ī, n., soil
sōlum, adv., only, alone; nōn sōlum
   . . . sed (vērum) etiam, not only . . .
   but also
sōlus, –a, –um, alone, only
solūtiō, –ōnis, f., payment
solvō, –ere, solvī, solūtus, loose, re-
   lease, solve
somnium, –nī, n., dream
somnus, –ī, m., sleep
sonitus, –ūs, m., sound
sonō, –āre, sonuī, sonitus, resound;
   sonāns, gen. –antis, clanking
sonōrus, –a, –um, sonorous
sonus, –ī, m., noise
Sophia, –ae, f., Wisdom
sophisma, –atis, n., false conclusion,
   sophism
sōpiō, –īre, sōpīvī, sōpītus, lull to sleep,
   stun
sopor, –ōris, m., deep sleep, stupor;
   laziness
sordidus, –a, –um, stained
soror, –ōris, f., sister
sors, sortis, f., lot
sortior, –īrī, sortītus, cast lots, ballot
sortītō, adv., by lot
Spanius, –ī, m., Spanius
spargō, –ere, sparsī, sparsus, scatter,
   spread
spatior, 1, take a walk, walk
spatiōsus, –a, –um, roomy, large
spatium, –tī, n., space, time, distance
speciēs, –ēī, f., sight, appearance

speciōsus, –a, –um, showy, glittering
spectābilis, –e, conspicuous, beautiful
spectātiō, –ōnis, *f.,* viewing
spectātor, –ōris, *m.,* spectator
spectō, 1, look at *or* on, see, face
speculāria, –ōrum, *n. pl.,* windows
speculor, 1, watch
speculum, –ī, *n.,* mirror; copy
spēlunca, –ae, *f.,* cave, cavern, den
spērō, 1, hope (for)
spēs, speī, *f.,* hope
spīritus, –ūs, *m.,* breath, spirit, air; pride
spīrō, 1, breathe
splendidus, –a, –um, shining, brilliant, distinguished
spolia, –ōrum, *n. pl.,* spoils, booty
spoliō, 1, deprive
sponte, of his (their) own accord, voluntarily
spūmāns, *gen.* **–antis,** foaming
spūmiger, –era, –erum, foaming
squāleō, –ēre, squāluī, —, be stiff, be filthy
stabilitās, –tātis, *f.,* steadfastness, firmness
Statilius, –lī, *m.,* Statilius
statim, *adv.,* at once, immediately
statiō, –ōnis, *f.,* station
statua, –ae, *f.,* statue
statunculum, –ī, *n.,* a little statue
statuō, –ere, statuī, statūtus, set up, place
statūra, –ae, *f.,* stature
status, –a, –um, fixed, appointed
status, –ūs, *m.,* state, position, condition, status
stēlla, –ae, *f.,* star
sterilis, –e, barren, unproductive, unfruitful
sternō, –ere, strāvī, strātus, strew, scatter; level, cover; overthrow, raze
stilus, –ī, *m.,* stylus (*instrument used in writing on wax tablets*)
stimulō, 1, urge on; disturb
stimulus, –ī, *m.,* incentive
stīpendium, –dī, *n.,* tribute, pay; campaign
stīpes, –itis, *m.,* log, post, trunk, stake
stipula, –ae, *f.,* stem, straw
stō, stāre, stetī, statūrus, stand
stolidus, –a, –um, dull, stupid
stomachus, –ī, *m.,* stomach
Strabō, –ōnis, *m.,* Strabo

strāgēs, –is, *f.,* overthrowing, confusion; destruction
strāmen, –minis, *n.,* straw; *pl.,* thatch
strātum, –ī, *n.,* cover, horse blanket
strēnuē, *adv.,* briskly, actively
strēnuus, –a, –um, energetic
strepitus, –ūs, *m.,* noise
stringō, –ere, strīnxī, strictus, draw (tight); ruffle
studeō, –ēre, studuī, —, be eager for, desire; study
studiōsē, *adv.,* eagerly
studiōsus, –a, –um, fond of
studium, –dī, *n.,* eagerness, desire, interest, zeal; study, pursuit
stultitia, –ae, f., foolishness, silliness
stultus, –a, –um, foolish, stupid
stupendus, –a, –um, stupendous
stupeō, –ēre, stupuī, —, stand aghast
suādeō, –ēre, suāsī, suāsūrus, urge, advise, persuade
suāvis, –e, pleasant, agreeable
suāvitās, –tātis, *f.,* sweetness, pleasantness, agreeableness
sub, *prep.,* under, close to, at the foot of, just before (*w. acc. after verbs of motion; w. abl. after verbs of rest or position*)
subdō, –ere, subdidī, subditus, put *or* plunge under
subeō, –īre, subiī, subitūrus, go under, enter, undergo
subiciō, –ere, subiēcī, subiectus, throw under, spread beneath
subigō, –ere, subēgī, subāctus, subdue
subinde, *adv.,* suddenly
subinvideō, –ēre, —, —, be envious of
subitō, *adv.,* suddenly
subitus, –a, –um, sudden
sublevō, 1, help
sublīmē, *adv.,* aloft, on high
submittō, *see* **summittō**
submoveō, –ēre, submōvī, submōtus, drive back, send away, remove
subrēpō, –ere, subrēpsī, —, creep *or* steal along
subsellium, –lī, *n.,* bench, seat
subsidium, –dī, *n.,* aid, support
substō, –āre, —, —, stand firm
subtilis, –e, fine, slender
succēdō, –ere, successī, successūrus, come up, enter, follow, succeed
successor, –ōris, *m.,* follower, successor

succrēscō, −ere, −crēvī, −crētus, grow

succurrō, −ere, succurrī, succursūrus, run to one's aid, help

sufferō, −ere, sustulī, sublātus, hold up, sustain; undergo

sufficiō, −ere, suffēcī, suffectus, suffice

suffrāgium, −gī, n., ballot, vote

suffundō, −ere, suffūdī, suffūsus, pour into, overspread, infuse

suī, reflexive pron., of himself

Sulla, −ae, m., Sulla

sum, esse, fuī, futūrus, be, exist

summa, −ae, f., sum, total, chief part, substance; summa rērum, general interest; ad summam, in short

summittō, −ere, summīsī, summissus, lower

summus, −a, −um, greatest

sūmō, −ere, sūmpsī, sūmptus, take, assume

sūmptuōsus, −a, −um, very expensive; lavish

sūmptus, −ūs, m., expense, extravagance

super, prep. w. acc., above; upon

superbia, −ae, f., pride, arrogance

superbus, −a, −um, haughty, proud

superficiārius, −a, −um, situated on another man's land

superiniciō, −ere, −iniēcī, −iniectus, cast over, scatter upon

superior, −ius, higher, elder, previous, former, superior

superō, 1, surpass, overcome, conquer, defeat; pass over

superstitiō, −ōnis, f., superstition

supersum, −esse, −fuī, −futūrus, be left over, remain, survive

superus, −a, −um, above; as noun, m. pl., the gods

supīnus, −a, −um, thrown backwards, on the back, supine; sloping

suppeditō, 1, supply

suppetō, −ere, suppetīvī, suppetītus, be at hand, be present; be sufficient for

suppīlō, 1, pilfer, rob

suppleō, −ere, supplēvī, supplētus, fill

supplex, −plicis, m., suppliant

supplicātiō, −ōnis, f., public prayer, thanksgiving

supplicium, −cī, n., punishment, torture

supplicō, 1, kneel down (to), pray, worship

suprā, adv. and prep. w. acc., above, beyond, before, previously

suprēmus, −a, −um, last, dying

surgō, −ere, surrēxī, surrēctūrus, arise, rise

surripiō, −ere, surrupuī, surreptus, (seize, secretly), steal

suscēnseō, −ēre, suscēnsuī, —, be angry with

suscipiō, −ere, suscēpī, susceptus, undertake, incur, suffer

suscitō, 1, rekindle

suspendō, −ere, suspendī, suspēnsus, hang, suspend

suspīciō, −ōnis, f., suspicion

suspiciō, −ere, suspexī, suspectus, esteem, admire; suspect

suspicor, 1, suspect

suspīrō, 1, sigh

suspīrium, −rī, n., sigh

sustentō, 1, maintain

sustineō, −ēre, sustinuī, sustentus, hold up, bear, endure

sustulī, see tollō

suus, −a, −um, reflexive adj., his, her, its, their; his own, her own, etc.; as noun, suī, his (her, their) men, friends; sua, n., his (her, their) possessions

syllaba, −ae, f., syllable

Syrācūsae, −ārum, f. pl., Syracuse, city in eastern Sicily

Syrtis, −is, f., Syrtis

T

tabella, −ae, f., tablet; pl., letter, ballot, record

tabellārius, −rī, m., letter carrier

tābēscō, −ere, tābuī, —, melt

tabula, −ae, f., board, painting; writing tablet; pl., records, accounts

taceō, −ēre, −uī, −itus, be silent, leave unmentioned

taciturnitās, −tātis, f., silence

tacitus, −a, −um, silent, secret

taeda, −ae, f., torch; wedding

taeter, −tra, −trum, foul, revolting

tālāris, −e, reaching the ankles

tālis, −e, such

tam, adv., so, so much

tamen, adv., yet, still, nevertheless, however

tametsī, conj., although

tamquam, adv., as if, as, as it were

Tanais, –is, m., Tanais, a river
tandem, adv., at last, finally; in questions, I ask
tangō, –ere, tetigī, tāctus, touch, move, reach; partake of
Tantalus, –ī, m., Tantalus, (1) Niobe's father; (2) son of Niobe
tantō, adv., so much
tantum, adv., so much, so greatly; only, merely; w. modo, only, merely
tantus, –a, –um, so great
tantusdem, tantadem, tantundem, as great or large
tardē, adv., slowly, late, tardily
tarditās, –tātis, f., slowness
tardō, 1, delay, check
tardus, –a, –um, slow
Tarentīnī, –ōrum, m. pl., the people of Tarentum
Tarpeius, –a, –um, Tarpeian
Tarquinius Superbus, –ī, m., Tarquin the Proud
tēctum, –ī, n., roof; dwelling, home
tegō, –ere, tēxī, tēctus, cover, conceal; protect
tellūs, –ūris, f., earth; land
tēlum, –ī, n., missile, weapon, shaft
temerārius, –a, –um, rash
temere, adv., rashly, without reason
temeritās, –tātis, f., rashness
temperāmentum, –ī, n., right proportion; moderation
temperātē, adv., moderately
tempestās, –tātis, f., season; storm, weather
templum, –ī, n., temple
temptō, 1, try, tempt; attack
tempus, –poris, n., time, period, temple (of the head); w. ex, offhand
tendō, –ere, tetendī, tentus, stretch, extend
tenebrae, –ārum, f. pl., darkness
Tenedos, –ī, f., Tenedos, an island
teneō, –ēre, tenuī, tentus, hold
tener, –era, –erum, tender; young
tenuis, –e, thin, little; humble
tenuitās, –tātis, thinness, slenderness; poverty
tenuō, 1, make thin or slender
tenus, postpositive prep. w. abl., up to
tepeō, –ēre, —, —, be warm
tepidus, –a, –um, warm
tepor, –ōris, gentle warmth
terebrō, 1, pierce

Terentius, –tī, m., Terence
tergum, –ī, n., tergus, –goris, n., back; side (of pork); ā tergō, in the rear
terminō, 1, bound, limit; end, close
terminus, –ī, m., boundary
terō, –ere, trīvī, trītus, wear away, grind; exhaust
terra, –ae, f., land, earth, ground
terreō, –ēre, –uī, –itus, frighten
terrestris, –e, terrestrial
tertius, –a, –um, third
testa, –ae, f., brick
testāmentum, –ī, n., will
testimōnium, –nī, n., testimony, proof
testor, 1, call to witness
thalamus, –ī, m., bedchamber; marriage bed, marriage
theātrum, –ī, n., theater
thema, –atis, n., theme
Thermus, –ī, m., Thermus
Thisbē, –ēs, f., Thisbe
Thrācius, –a, –um, Thracian; of Thrace, a country north of Greece
Thȳnēius, –a, –um, of Thynaeum
tiāra, –ae, f., turban, tiara
Tiberis, –is, m., the Tiber, a river of Italy
Tiberius, –rī, m., Tiberius
tībia, –ae, f., pipe, flute
tignum, –ī, n., beam
timeō, –ēre, –uī, —, fear, be afraid
timidus, –a, –um, timid, cowardly
timor, –ōris, m., fear
tingō, –ere, tīnxī, tīnctus, wet; color, stain
tintinnābulum, –ī, n., bell
Tīrō, –ōnis, m., Tiro
Titius, –tī, m., Titius
Tmōlus, –ī, m., Tmolus, a mountain in Lydia
toga, –ae, f., toga
togātus, –a, –um, in civilian garb, toga-clad
tolerābilis, –e, tolerable
tolerō, 1, bear
tollō, –ere, sustulī, sublātus, raise, take or pick up, remove
tormentum, –ī, n., hurling machine; torture
torpor, –ōris, m., numbness, sluggishness
torqueō, –ēre, torsī, tortus, twist, whirl; torture
torus, –ī, m., cushion, couch

tot, *indecl. adj.*, so many
totidem, *indecl. adj.*, (just) as many
totiēns, *adv.*, so often
tōtus, –a, –um, whole, entire
trāctātus, –ūs, *m.*, handling, treatment
trāctō, 1, handle, treat, conduct; draw into
trāditiō, –ōnis, *f.*, surrender
trādō, –ere, –didī, –ditus, hand over *or* down, deliver; relate
tragicus, –a, –um, of tragedy, tragic
trahō, –ere, trāxī, trāctus, draw, influence, derive; *w.* ad mē, claim
trāiciō, –ere, –iēcī, –iectus, hurl through, pierce
trāmittō, –ere, –mīsī, –missus, transmit, hand over; cross
tranquillitās, –tātis, *f.*, calm, tranquillity
tranquillus, –a, –um, quiet
Trānsalpīnus, –a, –um, beyond the Alps, Transalpine
trānseō, –īre, –iī, –itūrus, go over, cross; pass
trānsferō, –ferre, –tulī, –lātus, carry over, transfer
trānsfuga, –ae, *m.*, deserter
trānsigō, –ere, –ēgī, –āctus, carry out
trānsitus, –ūs, *m.*, passage
trānsmittō, –ere, –mīsī, –missus, pass on
trānsverberō, –āre, —, —, strike through, pierce through
tremebundus, –a, –um, trembling
tremō, –ere, tremuī, —, shake, tremble
tremulus, –a, –um, trembling
trepidō, 1, tremble; rush about
trepidus, –a, –um, trembling
trēs, tria, three
tribūnicius, –a, –um, tribunician
tribūnus, –ī, *m.*, tribune
tribuō, –ere, tribuī, tribūtus, bestow, grant, assign
trīclinium, –nī, *n.*, dining couch
triennium, –nī, *n.*, (a period of) three years
Trimalchiō, –ōnis, *m.*, Trimalchio
trīstis, –e, sad
triumphō, 1, triumph, celebrate a triumph
triumphus, –ī, *m.*, triumph, triumphal procession
Troiānus, –a, –um, Trojan; *as noun, m.*, the Trojans

tropaeum, –ī, *n.*, trophy
trucīdō, 1, butcher, murder
trūdō, –ere, trūsī, trūsus, thrust, shove forward
truncō, 1, strip
truncus, –ī, *m.*, trunk (*of a tree*)
tū, tuī, *pers. pron.*, you
Tuberō, –ōnis, *m.*, Tubero
tubulātus, –a, –um, formed like a pipe, tubular
tueor, tuērī, tūtus, watch, defend, maintain
Tullia, Tulliola, –ae, *f.*, Tullia
Tullius, –lī, *m.*, Tullius
tum, *adv.*, then
tumeō, –ēre, — —, swell
tumidus, –a, –um, swollen; enraged; haughty
tumultus, –ūs, *m.*, disturbance
tumulus, –ī, *m.*, hill, tomb
tunc, *adv.*, then; accordingly
tunica, –ae, *f.*, tunic
turba, –ae, *f.*, (turmoil), throng
turbulentus, –a, –um, disorderly, violent
turpis, –e, disgraceful
turpiter, *adv.*, basely
turpitūdō, –dinis, *f.*, disgrace, baseness
turris, –is, *f.*, tower
tūs, tūris, *n.*, incense
Tuscia, –ae, *f.*, Tuscany
Tusculānum, –ī, *n.*, Tusculan estate
Tusculānus, –a, –um, Tusculan; *as noun, m.*, a citizen of Tusculum
tussiō, –īre, —, —, cough
tutēla, –ae, *f.*, charge, guardian
tūtō, *adv.*, safely
tūtus, –a, –um, safe
tuus, –a, –um, your, yours (*referring to one person*)
tyrannus, –ī, *m.*, tyrant
Tyrius, –a, –um, Tyrian

U

ūber, –eris, abounding, full
ubi, *adv.*, where; when; ubi prīmum, as soon as
ubicumque, *adv.*, wherever
ubinam, *adv.*, where
ubīque, *adv.*, everywhere
ulcīscor, –ī, ultus, avenge, punish
ūllus, –a, –um, any
ulterior, –ius, farther; ultimus, –a, –um, farthest, last

ultrā, *adv. and prep. w. acc.,* beyond, more

ultrō, *adv.,* voluntarily; actually

umbra, –ae, *f.,* shade

Umbrēnus, –ī, *m.,* Umbrenus

umbrōsus, –a, –um, shady, shading

umerus, –ī, *m.,* shoulder

ūmidus, –a, –um, moist, dewy

umquam, *adv.,* ever

ūnā, *adv.,* along with, together

unda, –ae, *f.,* wave; water

unde, *adv.,* from which (point), from where

undecimus, –a, –um, eleventh

undique, *adv.,* from *or* on all sides, everywhere

ungō, –ere, ūnxī, ūnctus, anoint

unguentārius, –ī, *m.,* perfumer

unguentum, –ī, *n.,* ointment, perfume

unguis, –is, *m.,* nail (*of finger or toe*); claw

ungula, –ae, *f.,* hoof, claw

ūnicē, *adv.,* singularly, devotedly

ūnicus, –a, –um, only

ūniversus, –a, –um, all (together), whole, in a body

ūnus, –a, –um, one, single, alone, sole

urbānitās, –tātis, *f.,* wit

urbānus, –a, –um, of *or* in the city; polished; facetious

urbs, urbis, *f.,* city

urgeō, –ēre, ursī, ursus, press

urna, –ae, *f.,* urn

ūrō, –ere, ussī, ustus, burn, parch

uspiam, *adv.,* anywhere

usque, *adv.,* even (to), all the time, as far as; *w.* **adeō,** to such an extent

usquequāque, *adv.,* in everything, on every occasion

ūsūra, –ae, *f.,* use, enjoyment

ūsūrpātiō, –ōnis, *f.,* use

ūsūrpō, 1, use, employ

ūsus, –ūs, *m.,* use, need, advantage; practice

ut, utī, *conj.,* in order that, that, so that; as, when; *adv.,* how, as

uterque, utraque, utrumque, each (of two), either, both

utervīs, utravīs, utrumvīs, either

ūtilis, –e, useful, helpful

ūtilitās, –tātis, *f.,* usefulness, advantage

utinam! *adv.,* o that! would that!

utique, *adv.,* certainly

ūtor, ūtī, ūsus, use, employ

utrimque, *adv.,* on both sides

utrum, *conj.,* whether; **utrum . . . an,** whether . . . or; *in dir. quest. it cannot be translated*

ūva, –ae, *f.,* grapes

uxor, –ōris, *f.,* wife

V

vacillō, 1, stagger

vacō, 1, be free from, empty

vacuēfaciō, –ere, –fēcī, –factus, make empty, free

vacuus, –a, –um, empty; without, free

vadimōnium, –nī, *n.,* bail bond

vādō, –ere, —, —, go

vafer, vafra, vafrum, sly, crafty

vāgīna, –ae, *f.,* sheath

vagor, 1, wander

vagulus, –a, –um, wandering

vagus, –a, –um, wandering, uncertain, vague

valdē, *adv.,* strongly, very (much)

valeō, –ēre, valuī, valitūrus, be well, be able, strong; have influence, excel; **valē, valēte,** farewell

Valerius, –rī, *m.,* Valerius

valētūdō, –dinis, *f.,* health; sickness

validus, –a, –um, strong

vāllō, 1, defend

valvae, –ārum, *f. pl.,* doors

vānitās, –tātis, *f.,* folly, vanity

vānum, –ī, *n.,* emptiness

vānus, –a, –um, empty, vain

vapor, –ōris, *m.,* steam, heat

vāpulō, 1, be flogged

Vargunteius, –ī, *m.,* Vargunteius

varietās, –tātis, *f.,* variety, variation

varius, –a, –um, diverse, various, changing

Varrō, –ōnis, *m.,* Varro

vas, vadis, *m.,* bail, security

vās, vāsis, *n.,* dish, utensil; baggage

vāstitās, –tātis, *f.,* devastation

vāstō, 1, destroy

vāstus, –a, –um, vast, immense

Vatīnius –nī, *m.,* Vatinius

vātēs, –is, *m.,* prophet; poet

–ve, *enclitic,* or

vehemēns, *gen.* **–entis,** violent, rigorous, strong

vehementer, *adv.,* violently, greatly, earnestly

vehiculum, –ī, *n.,* carriage

vehō, –ere, vexī, vectus, bear, carry

vel, *conj.*, or; vel . . . vel, either . . . or; *adv.*, even, at least; very; *w. superl.*, the most . . . possible

vēlāmen, –minis, *n.*, veil, cloak

Velleius Blaesus, –ī, *m.*, Velleius Blaesus (Vellē'us Blē'sus)

vēlō, 1, cover, veil

vēlōx, –ōcis, swift

vēlum, –ī, *n.*, awning; sail

velut, velutī, *adv.*, just as, like

vēna, –ae, *f.*, vein

vēnābulum, –ī, *n.*, hunting spear

vēnālis, –e, for sale

vēnātiō, –ōnis, *f.*, hunting

vēnditō, 1, try to sell, sell

vēndō, –ere, vēndidī, vēnditus, sell

venēnō, 1, poison

venēnum, –ī, *n.*, poison

venerābilis, –e, reverend

venerātiō, –ōnis, *f.*, reverence, veneration

veneror, 1, worship

venia, –ae, *f.*, favor, pardon

veniō, –īre, vēnī, ventūrus, come

vēnor, 1, hunt

venter, ventris, *m.*, stomach

ventus, –ī, *m.*, wind

Venus, –eris *f.*, Venus, *goddess of love*

venustās, –tātis, *f.*, charm

venustē, *adv.*, gracefully, beautifully

venustus, –a, –um, lovely, charming

vēr, vēris, *n.*, spring

Verānia, –ae, *f.*, Verania

verber, –eris, *n.*, blow

verbum, –ī, *n.*, word

vērē, *adv.*, truly

verēcundia, –ae, *f.*, modesty

verēcundus, –a, –um, ashamed, shy, modest

vereor, –ērī, veritus, fear; respect

Verginius, –nī, *m.*, Verginius

vēritās, –tātis, *f.*, truth

vernīliter, *adv.*, servilely

vernus, –a, –um, of spring, spring

vērō, *adv.*, in truth, in fact; but, however

Vērōna, –ae, *f.*, Verona

verrēs, –is, *m.*, boar

Verrēs, –is, *m.*, Verres

verrō, –ere, verrī, versus, sweep

versificātor, –ōris, *m.*, versifier, poet

versō, 1, turn (often); *pass.*, be engaged in, be employed; remain, exist; be skilled; depend on

versus, –ūs, *m.*, verse

vertex, –ticis, *m.*, (whirl), head, peak

vertō, –ere, vertī, versus, turn; mē vertō, wheel about

vērum, *adv.*, but

vērus, –a, –um, true; *as noun, n.*, truth; rē vērā, really

vēscor, vēscī, —, —, feed, eat

vesper, –erī, *m.*, evening

vespera, –erae, *f.*, the evening star, evening

Vestālis, –e, Vestal

vester, –tra, –trum, your, yours (*referring to two or more*)

vēstīgium, –gī, *n.*, footstep, track, sole (*of the foot*); *pl.*, fragments

vestīmentum, –ī, *n.*, clothing

vestiō, –īre, vestīvī, vestītus, dress, clothe

vestis, –is, *f.*, clothes, garment, robe

vestītus, –ūs, *m.*, clothing

vetō, –āre, vetuī, vetitus, forbid

vetus, *gen.* veteris, old, former, ancient

vetustās, –tātis, *f.*, old age, age

vetustus, –a, –um, old, aged

vexātiō, –ōnis, *f.*, harassment

vexō, 1, trouble, harass

via, –ae, *f.*, way, road, street; journey; viam mūniō, build a road

viāticum, –ī, *n.*, traveling money

viātor, –ōris, *m.*, traveler; court officer

Vibō, –ōnis, *f.*, Vibo

vibrō, 1, brandish

vīcēsimus, –a, –um, twentieth

vīcīnia, –ae, *f.*, neighborhood, nearness

vīcīnitās, –tātis, *f.*, neighborhood, vicinity

vīcīnus, –a, –um, neighboring; *as noun, m.*, neighbor

(vicis), –is, *f.*, change; in vicem *or* vicēs, in turn

victima, –ae, *f.*, victim

victor, –ōris, *m.*, victor

victōria, –ae, *f.*, victory

victrīx, –īcis, *f.*, victor

vīctus, –ūs, *m.*, living

vīcus, –ī, *m.*, village, street

vidēlicet, *adv.*, (one may see), evidently; of course, doubtless

videō, –ēre, vīdī, vīsus, see; *pass.*, seem, seem best

viduus, –a, –um, widowed

vigeō, –ēre, viguī, —, be vigorous, thrive

vigil, **–ilis,** watchful

vigilāns, *gen.* **–antis,** watchful, active

vigilia, **–ae,** *f.,* loss of sleep, guarding; watch; sentinel

vigilō, 1, keep awake, watch

vīgintī, *indecl.,* twenty

vigor, **–ōris,** *m.,* force, vigor

vīlicus, **–ī,** *m.,* farm manager

vīlis, **–e,** cheap

vīlla, **–ae,** *f.,* farmhouse, country home, villa

vīllula, **–ae,** *f.,* small villa

vīllus, **–ī,** *m.,* shaggy hair

vinciō, **–īre, vīnxī, vīnctus,** bind

vincō, **–ere, vīcī, victus,** conquer, defeat; exhaust

vinculum, **–ī,** *n.,* fastening, chain, bond

Vindex, **–dicis,** *n.,* Vindex

vindicō, 1, avenge, punish; claim, assert one's claim to

vīnea, **–ae,** *f.,* vineyard

vīnum, **–ī,** *n.,* wine

violō, 1, wrong, dishonor, injure

vir, virī, *m.,* man; husband

virēns, *gen.* **–entis,** green

virga, **–ae,** *f.,* twig, rod

virginālis, **–e,** maidenly, virgin

virginitās, **–tātis,** *f.,* virginity

virgō, **–ginis,** *f.,* virgin, maiden

Viriāthus, **–ī,** *m.,* Viriathus

virīlis, **–e,** manly

virtūs, **–tūtis,** *f.,* manliness, courage, virtue, character, ability

vīs, **—,** *f.,* force, violence, energy; *pl.* vīrēs, vīrium, strength

vīscera, **–um,** *n. pl.,* vitals

vīsō, **–ere, vīsī, vīsus,** go to see, view

vīta, **–ae,** *f.,* life

vītātiō, **–ōnis,** *f.,* shunning, avoidance

vīticula, **–ae,** *f.,* little vine

vitiōsus, a, **–um,** wrong

vītis, **–is,** *f.,* vine

vitium, **–tī,** *n.,* defect, fault, vice

vītō, 1, avoid, escape

vitta, **–ae,** *f.,* headband

vituperō, 1, blame, censure

vīvō, **–ere, vīxī, victus,** live

vīvus, **–a, –um,** alive, living

vix, *adv.,* hardly, scarcely, with difficulty

vocābulum, **–ī,** *n.,* word

vocātīvus, **–a, –um,** vocative

vocō, 1, call, summon

volātus, **–ūs,** *m.,* flying, flight

volō, 1, fly

volō, velle, voluī, **—,** wish, want, intend

Volturcius, **–cī,** *m.,* Volturcius

volūmen, **–minis,** *n.,* roll, volume

voluntās, **–tātis,** *f.,* will, good will, wish, purpose; consent

voluptās, **–tātis,** *f.,* pleasure

volvō, **–ere, volvī, volūtus,** turn (over), ponder; *pass.,* roll, be hurled

vōsmet, you yourselves

vōtum, **–ī,** *n.,* vow, wish, prayer

voveō, **–ēre, vōvī, vōtus,** vow, wish for

vōx, **vōcis,** *f.,* voice, cry; word

Vulcānus, **–ī,** *m.,* Vulcan

vulgus, **–ī,** *n.,* common people, crowd

vulnerō, 1, wound

vulnus, vulneris, *n.,* wound

vultus, **–ūs,** *m.,* expression, face, features; presence

X

Xerxēs, **–is,** *m.,* Xerxes, *king of Persia*

For proper nouns and proper adjectives not given in this vocabulary see the Latin-English Vocabulary or the text.

Verbs of the first conjugation whose parts are regular are indicated by the figure 1.

A

able (be), possum, posse, potuī, —
about, dē
account, ratiō, –ōnis, *f.;* **on account of,** ob, propter
achieve, cōnsequor, cōnsequī, cōnsecūtus
acknowledge, cognōscō, –ere, cognōvī, cognitus
action, factum, –ī, *n.*
advice, cōnsilium, –ī, *n.*
affairs (public), rēs pūblica, reī pūblicae, *f.*
afraid (be), timeō, –ēre, timuī, —
after, post
again, rūrsus
against, contrā
age, aetās, –tātis, *f.*
all, omnis, –e
allow, licet, ēre, licuit *or* licitum est
also, etiam
although, quamquam, etsī, cum
and, et
answer, solūtiō, –ōnis, *f.*
any, ūllus, –a, –um; **any longer (not),** nōn iam
anyone, quisquam, quicquam
Appian, Appius, –a, –um
apply, subiciō, –ere, subiēcī, subiectus
approve, probō, 1
arouse, commoveō, –ēre, commōvī, commōtus
as, quantum; **as . . . as,** quam; **as long as,** dum; **as much,** tantum
ask, rogō, 1; **ask for,** petō, –ere, petīvī, petītus
assign, attribuō, –ere, –uī, –ūtus
at once, statim
attack, impetus, –ūs, *m.*
away (go), discēdō, –ere, –cessī, –cessūrus

B

badly, male
band, manus, –ūs, *f.*

be, sum, esse, fuī, futūrus
because, quod
become, fīō, fierī, factus
before, priusquam
beg, ōrō, 1
begin, incipiō, –ere, incēpī, inceptus; **began,** coepī, coeptus
believe, crēdō, –ere, crēdidī, crēditus
betroth, dēspondeō, –ēre, dēspondī, dēspōnsus
better, melius
block, comprimō, –ere, compressī, compressus
body, corpus, –oris, *n.*
book, liber, librī, *m.*
born (be), nāscor, nāscī, nātus
brave, fortis, –e; **bravely,** fortiter
bridge, pōns, pontis, *m.*
bring, ferō, ferre, tulī, lātus; afferō, afferre, attulī, allātus; **bring back,** reportō, 1
building, aedificium, –ī, *n.*
burn, incendō, –ere, incendī, incēnsus
business, negōtium, –tī, *n.*
but, sed; **but also,** sed etiam

C

Caesar, Caesar, –aris, *m.*
camp, castra, –ōrum, *n. pl.*
can, possum, posse, potuī, —
care, eī cūra est
careful, dīligēns, *gen.* dīligentis; **carefully,** dīligenter
carry out, administrō, 1
Carthage, Carthāgō, –ginis, *f.*
Catiline, Catilīna, –ae, *m.*
Cato, Catō, –ōnis, *m.*
cause, efficiō, –ere, effēcī, effectus
censor, cēnsor, –ōris, *m.*
chance, occāsiō, –ōnis, *f.*
charge, crīmen, –minis, *n.*
children, līberī, –ōrum, *m. pl.*
choose, dēligō, –ere, dēlēgī, dēlēctus
Cicero, Cicerō, –ōnis, *m.*
citizen, cīvis, cīvis, *m.*
city, urbs, urbis, *f.*

clearly, clārē
come, veniō, –īre, vēnī, ventūrus;
 come out, ēgredior, ēgredī, ēgressus
commit, faciō, –ere, fēcī, factus
compel, cōgō, –ere, coēgī, coāctus
complain, queror, querī, questus
conquer, vincō, –ere, vīcī, victus
conspiracy, coniūrātiō, –ōnis, *f.*
consul, cōnsul, –ulis, *m.*
correct, vērus, –a, –um
country, patria, –ae, *f.*
crime, scelus, sceleris, *n.*
crow, corvus, –ī, *m.*

D

danger, perīculum, –ī, *n.*
dare, audeō, –ēre, ausus
daughter, fīlia, –ae, *f.*
day, diēs, diēī, *m.;* **day by day,** in
 diēs
dead, mortuus, –a, –um
dear, cārus, –a, –um
debt, aes aliēnum, aeris aliēnī, *n.*
decide, cōnstituō, –ere, –stituī, –stitūtus
decree (*noun*), dēcrētum, –ī, *n.;*
 (*verb*), dēcernō, –ere, dēcrēvī, dēcrētus
deed, factum, –ī, *n.*
defeat, superō, 1
defend, dēfendō, –ere, dēfendī, dēfēnsus
definite, certus, –a, –um
depart, dēcēdō, –ere, dēcessī, dēcessūrus; proficīscor, proficīscī, profectus
deserve, mereō, –ēre, meruī, meritus
desire (*noun*), cupiditās, –tātis, *f.;*
 (*verb*), cupiō, –īre, –īvī, –ītus
destroy, dēleō, –ēre, dēlēvī, dēlētus;
 ēvertō, –ere, ēvertī, ēversus
dictate, dictō, 1
die, morior, –īrī, mortuus
difficult, difficilis, –e
dinner, cēna, –ae, *f.;* convīvium, –vī,
 n.
disagree, dissentiō, –īre, dissēnsī, dis-
 sēnsus
disaster, calamitās, –tātis, *f.*
disgrace (in), turpiter
do, faciō, –ere, fēcī, factus
Domitian, Domitiānus, –ī, *m.*
drive out, ēiciō, –ere, ēiēcī, ēiectus
duty, officium, –cī, *n.*

E

eager, cupidus, –a, –um
eat, edō, –ere, ēdī, ēsus
eloquence, ēloquentia, –ae, *f.*
endure, ferō, ferre, tulī, lātus
enemy, hostis, –is, *m.;* inimīcus, –ī, *m.*
enjoy, fruor, fruī, frūctus
enmity, inimīcitia, –ae, *f.*
enter, introeō, –īre, –iī, –itūrus
entire, tōtus, –a, –um
envy, invideō, –ēre, invīdī, invīsus
equal, aequālis, –e
ever, umquam
everybody, omnēs
everyone, omnis, –is, *m., f.*
everything, omnia, omnium, *n. pl.*
examine, excutiō, –ere, excussī, excussus
excellent, bonus, –a, –um; optimus, –a,
 –um
exile, exsilium, –ī, *n.*
expel, expellō, –ere, expulī, expulsus
explain, expōnō, –ere, –posuī, –positus

F

facility, facultās, –tātis, *f.*
fact that, quod
Faesulae, Faesulae, –ārum, *f. pl.*
fall, incidō, –ere, incidī, ——
family, familia, –ae, *f.*
famous, clārus, –a, –um
fate, fātum, –ī, *n.*
fault, culpa, –ae, *f.*
favor, faveō, –ēre, fāvī, fautūrus
fear, timeō, –ēre, timuī, ——
few, paucī, –ae, –a
fiercely, ferōciter
fight, pugnō, 1
find, find out, inveniō, –īre, invēnī, inventus
fine, pulcher, pulchra, pulchrum
finish, cōnficiō, –ere, –fēcī, –fectus
fire, incendium, –dī, *n.*
firm, firmus, –a, –um
first, prīmus, –a, –um; (*adv.*),
 prīmum
flee, fugiō, –ere, fūgī, fugitūrus
foot, pēs, pedis, *m.*
for, prō; **for the purpose of,** causā,
 grātiā
force, cōgō, –ere, coēgī, coāctus
forget, oblivīscor, –ī, oblītus
former, ille, illa, illud

fortune, fortūna, –ae, *f.*
Forum, Forum, –ī, *n.*
found, condō, –ere, condidī, conditus
four, quattuor
free, līberō, 1; **be free,** careō, –ēre, caruī, caritūrus
freedom, lībertās, –tātis, *f.*
friend, amīcus, –ī, *m.*

G

game, lūdus, –ī, *m.*
garden, hortus, –ī, *m.*
Gaul, Gallus, –ī, *m.*
get, accipiō, –ere, accēpī, acceptus; **get possession of,** potior, potīrī, potītus
give, dō, dare, dedī, datus; **give up,** dēdō, –ere, dēdidī, dēditus
glory, glōria, –ae, *f.*
go, eō, īre, iī, itūrus; **go away,** discēdō, –ere, discessī, discessūrus; **go from,** abeō, abīre, abiī, abitūrus
god, deus, –ī, *m.*
good, bonus, –a, –um
government, rēs pūblica, reī pūblicae, *f.*
grammarian, grammaticus, –ī, *m.*
grandfather, avus, –ī, *m.*
great, magnus, –a, –um; **so great,** tantus, –a, –um
grow, crēscō, –ere, crēvī, crētus
guest, hospes, hospitis, *m.*

H

happen, ēveniō, –īre, ēvēnī, ēventūrus; accidō, –ere, accidī, —
harm, damnum, –ī, *n.;* dētrīmentum, –ī, *n.*
hate, ōdī, ōsūrus
have, habeō, –ēre, habuī, habitus
he, is; hic; ille
hear, audiō, –īre, –īvī, –ītus
heat, aestus, –ūs, *m.*
height, altitūdō, –dinis, *f.*
heir, hērēs, –ēdis, *m.*
help, auxilium, –lī, *n.*
herself (*reflex.*), suī
hesitate, dubitō, 1
high, altus, –a, –um
hill, collis, –is, *m.*
him (*reflex.*), suī
his (*poss.*), eius; (*reflex.*), suus, –a, –um
history, historia, –ae, *f.*

holiday, fēriae, –ārum, *f. pl.*
honor, honor, –ōris, *m.*
horse, equus, –ī, *m.*
host, dominus, –ī, *m.*
house, domus, –ūs, *f.*
how, quōmodō
however, autem (*never first word*)

I

I, ego, meī
if, sī
ill, aeger, aegra, aegrum
immediately, statim
in, in
inferior, īnferior, –ius
injure, noceō, –ēre, nocuī, nocitūrus
into, in
Italy, Italia, –ae, *f.*

J

journey, iter, itineris, *n.*
Jupiter, Iuppiter, Iovis, *m.*

K

kill, occīdō, –ere, occīdī, occīsus
kindness, beneficium, –cī, *n.*
knight, eques, equitis, *m.*
know, sciō, scīre, scīvī, scītus; **not know,** nesciō, –īre, nescīvī, —

L

lack, careō, –ēre, caruī, caritūrus; **be lacking,** dēsum, deesse, dēfuī, dēfutūrus
last (*adj.*) proximus, –a, –um
last (*verb*), maneō, –ēre, mānsī, mānsūrus
latter, hic, haec, hoc
leader, dux, ducis, *m.*
learn, discō, –ere, didicī, —
leave, relinquō, –ere, relīquī, relīctus; **leave bare,** vacuēfaciō, –ere, –fēcī, –factus
let, permittō, –ere, –mīsī, –missus
let go, mittō, –ere, mīsī, missus
letter, litterae, –ārum, *f. pl.*
liberty, lībertās, –tātis, *f.*
life, vīta, –ae, *f.*
like (*adj.*), similis, –e; (*verb*), amō, 1; (*adv.*), tamquam
little, paulum, –ī, *n.*
live, habitō, 1; vīvō, –ere, vīxī, vīctus
long, long time, diū; **as long as,** dum; **not any longer,** nōn iam

lose, āmittō, –ere, āmīsī, āmissus
love (noun), amor, –ōris, m.; (verb),
　amō, 1
luxurious, lautus, –a, –um

M

make, faciō, –ere, fēcī, factus
man, homō, hominis, m.; vir, virī, m.
manage, gerō, –ere, gessī, gestus
manner, modus, –ī, m.
many, multī, –ae, –a
matter, rēs, reī, f.
may, licet, –ēre, licuit or licitum est
meet, congredior, congredī, congressus
memory, memoria, –ae, f.
merciful, misericors, gen. –cordis
method, modus, –ī, m.
mind, animus, –ī, m.
miracle, mīrāculum, –ī, n.
money, pecūnia, –ae, f.
monument, monumentum, –ī, n.
more, magis, plūs
most, maximē
mountain, mōns, montis, m.
move, moveō, –ēre, mōvī, mōtus
murder, caedēs, –is, f.
my, meus, –a, –um

N

narrow, angustus, –a, –um
need (is), opus est
never, numquam
nevertheless, tamen
new, novus, –a, –um
night, nox, noctis, f.
no, nōn; nūllus, –a, –um
noble, nōbilis, –e
no one, nēmō, dat. nēminī, acc. nēmi-
　nem
none, nūllus, –a, –um
not, nōn; not only, nōn sōlum
nothing, nihil
now, nunc
numerous, multus, –a, –um

O

obey, pāreō, –ēre, pāruī, pāritūrus
occupy, occupō, 1
Oh! utinam!
on, in; on account of, ob, propter
once (at), statim
one (the) . . . the other, alius . . .
　alius
only, sōlum

open, aperiō, –īre, aperuī, apertus
opinion, sententia, –ae, f.
opportunity, occāsiō, –ōnis, f.
or, vel, aut; an
oratory, ēloquentia, –ae, f.
order, in order to or that, ut
other, alius, –a, –um
ought, dēbeō, –ēre, dēbuī, dēbitus
our, noster, –tra, –trum
ourselves, nōs, nostrī

P

part, pars, partis, f.
pass over, praetereō, –īre, –iī, –itus
pay, solvō, –ere, solvī, solūtus
peacefully, tranquillē
people, populus, –ī, m.; hominēs, –um,
　m. pl.
perform, fungor, fungī, fūnctus
Pergamum, Pergamum, –ī, n.
permit, licet, –ēre, licuit or licitum est
persuade, persuādeō, –ēre, –suāsī,
　–suāsūrus
philosopher, philosophus, –ī, m.
pity, misericordia, –ae, f.
place, locus, –ī, m.
plainly, simpliciter
plan (noun), cōnsilium, –ī, n.; (verb)
　cōgitō, 1
pleasure to me, mihi placet
Pliny, Plīnius, –ī, m.
plot, coniūrō, 1
poor, pauper, gen. –eris
possession of (get), potior, potīrī,
　potītus
possible (as soon as), quam prīmum
praise, laudō, 1
prefer, mālō, mālle, māluī, —
prepare, parō, 1
present (be), adsum, adesse, adfuī, ad-
　futūrus
preserve, cōnservō, 1
prevent, prohibeō, –ēre, prohibuī, pro-
　hibitus
prison, carcer, –eris, m.
prize, praemium, –mī, n.
proceed, prōcēdō, –ere, –cessī, –ces-
　sūrus
produce, pariō, –ere, peperī, partus
promise, polliceor, –ērī, pollicitus
property, bona, –ōrum, n. pl.
protect, tegō, –ere, tēxī, tēctus
protection, praesidium, –dī, n.
provided that, dum

public affairs, rēs pūblica, reī pūblicae, f.
punish, pūniō, −īre, −īvī, −ītus
punishment, supplicium, −cī, n.
purpose (for the), causā, grātiā

Q

question, quaestiō, −ōnis, f.
quickly, celeriter

R

reach, perveniō, −īre, −vēnī, −ventūrus
read, legō, −ere, lēgī, lēctus
ready, parātus, −a, −um
realize, intellegō, −ere, −lēxī, −lēctus
reason, causa, −ae, f.
recall, recordor, 1
recitation, recitātiō, −ōnis, f.
recognize, cognōscō, −ere, −nōvī, −nitus
rejoice, gaudeō, −ēre, gāvīsus
remain, maneō, −ēre, mānsī, mānsūrus
reply, respondeō, −ēre, respondī, respōnsus
republic, rēs pūblica, reī pūblicae, f.
reputation, fāma, −ae, f.
resist, resistō, −ere, restitī, ——
respond, respondeō, −ēre, respondī, respōnsus
return, redeō, −īre, rediī, reditūrus
revolution, novae res, novārum rērum, f. pl.
reward, praemium dō, dare, dedī, datus
rich, beātus, −a, −um; dīves, gen. dīvitis
right, rēctus, −a, −um
river, flūmen, flūminis, n.
road, via, −ae, f.
Roman, Rōmānus, −a, −um
Rome, Rōma, −ae, f.

S

sacrifice, sacrificium, −cī, n.
safe, tūtus, −a, −um
safety, salūs, −ūtis, f.
sail, vēlum, −ī, n.
sake of (for the), causā, grātiā
same, īdem, eadem, idem
save, servō, 1
say, dīcō, −ere, dīxī, dictus
Scipio, Scīpiō, −ōnis, m.
seal, signum, −ī, n.

seats, subsellia, −ōrum, n. pl.
section, pars, partis, f.
see, videō, −ēre, vīdī, vīsus; see to it, prōvideō, −ēre, −vīdī, −vīsus
seem, seem best, videor, vidērī, vīsus
seize, occupō, 1; capiō, −ere, cēpī, captus
senate, senātus, −ūs, m.
senator, senātor, −ōris, m.
send, mittō, −ere, mīsī, missus
severe, acerbus, −a, −um
short, brevis, −e
show, mōnstrō, 1
since, quod, quoniam, cum
sing, cantō, 1
singing teacher, cantandī magister, −trī, m.
sit, sedeō, −ēre, sēdī, sessūrus
slave, servus, −ī, m.
snow, nix, nivis, f.
so, ita, tam; so great, so much, tantus, −a, −um; (adv.), tantopere
soldier, mīles, mīlitis, m.
some . . . others, aliī . . . aliī
soon as possible (as), quam prīmum
speak, dīcō, −ere, dīxī, dictus; loquor, loquī, locūtus
speaker, ōrātor, −ōris, m.
speech, ōrātiō, −ōnis, f.
state, rēs pūblica, reī pūblicae, f.
statue, statua, −ae, f.
stay, maneō, −ēre, mānsī, mānsūrus
sternness, sevēritās, −tātis, f.
stop, subsistō, −ere, substitī, ——
stupid, stultus, −a, −um
such, tālis, −e
suffer, patior, patī, passus
suffice, sufficiō, −ere, −fēcī, −fectus
summer, aestās, −tātis, f.
surpass, superō, 1
surrender, mē dēdō, dēdere, dēdidī
swear, iūrō, 1
swim, natō, 1

T

take away, adimō, −ere, adēmī, adēmptus
talk, loquor, loquī, locūtus
tall, altus, −a, −um
task, opus, operis, n.
teacher, magister, −trī, m.
tell, dīcō, −ere, dīxī, dictus
tenant, colōnus, −ī, m.
terrible, terribilis, −e

than, quam
thank, grātiās agō, agere, ēgī, āctus
that (*dem. pron.*), ille, illa, illud; is, ea, id; (*conj.*), quod, ut; **so that,** ut; **that not,** nē
then, tum
thing, rēs, reī, *f.; often not expressed*
think, putō, 1
threaten, minitor, 1
thus, ita
time, tempus, –oris, *n.*
toga, toga, –ae, *f.*
too much, nimius, –a, –um
top of, summus, –a, –um
towards, ad
town, oppidum, –ī, *n.*
Trajan, Traiānus, –ī, *m.*
trouble, labor, –ōris, *m.*
trust, crēdō, –ere, crēdidī, crēditus
truth, vērum, –ī, *n.*
try, cōnor, 1
tunic, tunica, –ae, *f.*
two, duo, duae, duo

U

understand, intellegō, –ere, –lēxī, –lēctus
unworthy, indignus, –a, –um
urge, hortor, 1
use, ūtor, ūtī, ūsus

V

various, varius, –a, –um
verse, versus, –ūs, *m.*
very, *use superlative*
villa, vīlla, –ae, *f.*

W

walk, ambulō, 1
want, volō, velle, voluī, —
war, bellum, –ī, *n.*
warn, moneō, –ēre, monuī, monitus

way, via, –ae, *f.*
we, nōs, nostrī; *often not expressed*
wealth, opēs, opum, *f. pl.*
weapon, tēlum, –ī, *n.*
wear, gerō, –ere, gessī, gestus
wearied, dēfessus, –a, –um
well (be), valeō, –ēre, valuī, valitūrus
what (*pron.*), quis, quid; (*adj.*), quī, quae, quod
when, cum
where in the world, ubinam gentium
whether, utrum
which, quī, quae, quod
while, dum
who (*rel. pron.*), quī, quae, quod
whole, tōtus, –a, –um
why, cūr
wicked, nefārius, –a, –um
wife, uxor, –ōris, *f.*
will, testāmentum, –ī, *n.*
win, capiō, –ere, cēpī, captus; vincō, –ere, vīcī, victus
window, fenestra, –ae, *f.*
wish (*noun*), voluntās, –tātis, *f.;* (*verb*), volō, velle, voluī, —
with, cum
without, sine
woe, dolor, –ōris, *m.*
word, verbum, –ī, *n.*
work (*noun*), labor, –ōris, *m.;* opus, operis, *n.;* (*verb*), labōrō, 1
world, mundus, –ī, *m.;* **where in the world,** ubinam gentium
worthwhile, operae pretium
worthy, dignus, –a, –um
write, scrībō, –ere, scrīpsī, scrīptus
writing, scrīptum, –ī, *n.*

Y

you, tū, tuī, *often not expressed*
young man, adulēscēns, –entis, *m.*
your, tuus, –a, –um
yourself, tuī

INDEX

Numbers in roman type refer to sections; those in *italic* type to pages containing illustrations.

habeō with past participle, 221
Hadrian, 409; *58, 59, 81, 284;* Hadrian's
    Villa, *212, 213*
Hannibal, 72, 77, 392 ff.
Heliopolis, *299*
hendiadys, 495, 1
Hephaestus, Temple of, *57*
Hera, Temple of, *178*
Herculaneum, *19*
Hermes, *203*
hic, declension of, 456
hindering, verbs of, 482, 6
historical infinitive, 490, 6
historical present, 480, 2
Horace, 394–396; *251, 268*
houses, *19, 55, 76, 90, 155, 159*
hunting, 57; *24*

Icarus, 433
īdem, declension of, 456
Ilioneus, *319*
ille, declension of, 456
imperative mood, 484
imperfect tense, 480, 3
impersonal verbs, 468, 475, 6, *a;*
    485
indefinite pronouns, 458
indicative mood, 481
indirect discourse
    commands and exhortations,. 484, *b*
    statements; 490, 4
    subordinate clauses in, 482, 14
indirect object, 475, 1
indirect questions, 482, 13
infinitive, 490
    as noun, 490, 1
    as object (complementary), 490, 2–3
    historical, 490, 6
    indirect statements, 490, 4
    tenses of, 490, 5
inkpot, *246*
inscriptions, *25, 84, 113, 128, 145, 146,
    157, 169, 218, 223, 244, 252, 280,
    284, 295*
interrogative pronouns, 457
ipse, declension of, 456
irony, 129
irregular adjectives, 448; nouns, 444;
    verbs, 462–467
is, declension of, 456
iste, 456
Italy, *4, 19, 37, 43, 50, 53, 61, 66, 76, 80,
    81, 111, 149, 178, 182, 212, 213,
    222, 227, 228, 230, 245, 251, 260,
    268, 336, 376, 377;* see **Pompeii,
    Rome**

Janiculum Hill, *280*
jars, *34, 53, 183, 236, 304*
juggler, *279*
Juno, Temple of, *178*

Jupiter, 435; *14, 127, 324;* Temple of,
    128, 249; of Jupiter Stator, *71*
Juturna, *157*

Klagenfurt, *119*

La Fontaine, *272*
Lapis Niger, *113*
Latona, 434
Laurentum, 41
Lentulus, 199, 205 ff., 281
Liberty, Statue of, *62*
libraries, 114; *58, 69, 180*
lion, *306, 384*
litotes, 495, 4
Livy, 391–393; *265*
locative case, 478
love feast, *33*
Luculli, 296 ff.
Lyons, *271*

Macrobius, 410
mālō, conjugation of, 466
Manlius, 128 ff., 274
manner, ablative of, 477, 7
manuscripts, *82, 109, 129, 238, 241,
    259, 263, 265, 275, 287, 290,
    292*
Marcellus, Theater of, *96*
Mars Ultor, Temple of, *44*
Martial, 407; *280*
masks, *61, 176, 262*
Maxentius, *41*
means, ablative of, 477, 9
measure of difference, 477, 12
mēcastor, 117
mēcum, etc., 477, 6, *a*
mehercle, 117
Mercury, 435; *145, 203, 207*
Messina, 323, 324
metaphor, 147
metonymy, 495, 2
Midas, 432
milestone, *94*
Minerva, *63*
Minotaur, *314*
Mithridates, 119
monogram, *35*
Mōns Sacer, *142*
mosaics, *8, 76, 165, 190, 225, 260, 336*
motto, *169*
mules, *272*
Mulvian bridge, 199, 205; *115*
Muses, *49, 262*
music, *187, 260, 313*
musicians, *301, 436*
Myron, 324

Naples, *182*
nē, in purpose clauses, 482, 2; with verbs
    of fearing, 482, 7; with verbs of

449

pyramid, *264*
Pyramus and Thisbe, 431; *306, 307, 309*
python, *327*

quaestor, 186
quail, *165*
quamquam, with indicative, 481, 2
quantity of syllables, 428
quarry, *200*
questions, 470
quī, 457
quīdam, 458
Quintilian, 406, 421, 422
quis (indefinite), 458; (interrogative), 457
quisque and quisquam, 458
quō, in purpose clauses, 482, 4
quod causal clauses, 482, 16

reading, 403
reading Latin verse, 428
reference, books for, 497
reference, dative of, 475, 3
reflexive pronouns and adjectives, 455, 471
reflexive use of passive, 486
Regulus, 35
relative pronouns, 457; agreement of, 472, 4
relative purpose clauses, 482, 3–4
respect, ablative of, 477, 16
result, subjunctive clauses of, 482, 8–9
rhetoricians, 100
rhythm, prose, 172
rings, 115; *117*
Rome, 423; *ii, xii, 1, 2, 24, 70, 96, 115, 126, 128, 134, 141, 142, 155, 158, 189, 214, 216, 264, 280, 297, 299, 304*
Romulus and Remus, *124*
Rossellino, Antonio, *168*

Sabine Farm, *251*
St. Albans, *225*
St. Peter's square, *299*
St. Rémy, *218*
Sallust, 255 ff.; *149*
Salutati, Coluccio, 418–423; *292*
Sant' Agata, Francesco, *319*
Sargent, John S., *49*
Saturn, Temple of, *11, 163*
Saturnalia, 109
satyr, *313, 340*
scansion, 430
Scipio the Elder, 72, 87, 310; *189*
Scipio the Younger, 305, 383
sculptures, *6, 24, 119, 147, 176, 197, 234, 237, 244, 304, 306, 307, 309, 353, 378*
seals, *117, 169*
second conjugation, 460

second declension, adjectives, 445; nouns, 438, 439
second singular indefinite, 482, 23
Segesta, *196*
Selinunte, *193*
semideponent, 461
senate, 68, 186; *11, 39, 100, 163*
senators, *110*
Seneca, 402–404; *275, 292*
separation, ablative of, 477, 1
Septimius Severus, Arch of, *39, 163*
sequence of tenses, 480, 5
servant, 30
shell, *225*
ships, *336*
shoes (shoemaker), *244*
shrine, *90*
Sibylline books, 112
Sicily, 321 ff.; *193, 196, 200, 209, 278*
Silenus, *432*
simul ac, with indicative, 481, 2
Sinope, 65
slaves, 404
snake, 112; *327*
Social War, 298
Socrates, *252*
soldiers, *143, 267*
Soracte, Mt., *268*
Sounion, *170*
special verbs, with ablative, 477, 10; with dative, 475, 6
specification, see respect
Sphinx, *197*
S.P.Q.R., *126*
stamp, *183*
statues, *4, 14, 29, 50, 62, 63, 65, 69, 90, 92, 111, 124, 127, 131, 149, 168, 194, 198, 203, 205, 217, 247, 252, 253, 255, 279, 284, 319, 321*
Stoa of Attalus, *171*
Stravinsky, *176*
streets and roads, *3, 94*
stylus, *84, 246*
subject, 473, 1; of infinitive, 476, 4
subjunctive mood, 482
  anticipatory clauses, 482, 12
  attraction, 482, 15
  conditions, 483
  cum adversative and causal clauses, 482, 11, *a, b*
  cum clauses, 482, 11
  deliberative, 482, 18
  descriptive relative clauses, 482, 10
  fearing, with verbs of, 482, 7
  hindering, with verbs of, 482, 6
  indirect questions, 482, 13
  noun clauses, 482, 5, 9
  of comparison, 480, 22
  of obligation, 482, 21
  optative, 482, 19
  potential, 482, 20

subjunctive mood (*continued*)
proviso, 482, 17
purpose with *ut* (*utī*) and *nē*, 482, 2;
with *quī*, 482, 3; with *quō*, 482,
4
quod causal clauses, 482, 16
result with *ut* and *ut nōn*, 482, 8–9
second singular indefinite, 482, 23
subordinate clauses in indirect discourse, 482, 14
volitive, 482, 1
volitive noun clauses, 482, 5
subordinate clauses, in indirect discourse,
482, 14
substantive clauses, 482, 5; 482, 9
Subura, *44*
Suetonius, 58
suffixes, 493
suī, declension of, 455
Sulla, *81*
sum, conjugation of, 462
supine, 491
syllable quantity, 428
syntax, basic, 470 ff.
Syracuse, *200*

Tacitus, 14, 25
Taormina, *278*
Tarpeian rock, *297*
Tarquin, 112
temples, *ii, 11, 44, 57, 71, 118, 128,
141, 163, 167, 170, 172, 175, 178,
193, 196, 209, 216, 249*
tenses, 480; epistolary, 480, 6; of infinitive, 490, 5; of participles, 487, 1;
sequence of, 480, 5
Terentia, 120, 342, 352, 353, 354
theater, 53, 343; *23, 61, 80, 96, 153, 212,
230, 278*
Theseus, *314*
third conjugation, 460
third declension, adjectives, 446–448;
nouns, 440–441
Thisbe, *306, 309*
thunderbolt, *127*
Tiber River, *78, 299*
Tiberius, *161*
time, ablative of, 477, 15
Tiro, 336 ff., 348, 359
Titus, Arch of, *71, 221*
Tivoli, *212, 213*
tombs, *xii, 27, 189, 214, 244, 250, 262,
264, 378*
torch, *205*
trādūcō and trānsportō, with two accusatives, 476, 5
Trajan, 47, 53, 63–66; *29, 147*
transition, 187
triumvirate, 120
Troy, *153*
trumpeters, *436*

tū, declension of, 454
Tullia, 342, 352, 353, 356
Tullianum, *134*
Turin, *50*
Turkey, *23, 153, 172, 180*
Tusculum, *230*
two accusatives, with *trādūcō* and *trāns-
portō*, 476, 5; with verbs of calling,
etc., 473, 2, *b, Note*
two's and three's, 138

ubi, with indicative, 481, 2
Uganda, *258*
umbilīcus, *94*
ut(ī), in purpose clauses, 482, 2; in result
clauses, 482, 8; with indicative, 481,
2; with verbs of fearing, 482, 7

Vaison, *55*
Valerius Corvinus, 82
Valla, Lorenzo, 424
Varro, 92
vases, *37, 314*
verbs
agreement with subject, 472, 3
contracted forms, 469
defective, 468
deponent, 461
impersonal, 468
irregular, 462 ff.
of first conjugation, 459
of other conjugations, 460
Verginius Rufus, 60
Verona, *222*
Verres, 320 ff.
verse, 428–430
Verulamium, *225*
Vespasian, *161*
Vesta, Temple of, *118*
Vesuvius, *iii, 19, 182, 376*
Vettii, *159*
Victor Emmanuel monument, *221*
villa, 41; Villa Borghese, *ii, 284*
vocabulary, p. 385
vocative case, 479
volitive subjunctive, 482, 1; noun clauses,
482, 5
volō, conjugation of, 466
voting, 254
Vulgate, 411

wand, *207*
wax tablets, *119, 246*
whole, genitive of the, 474, 4
wineskin, *92*
wolf, statue of, 224; *124*
word play, 167
word square, *295*
writing, see manuscripts

zeugma, 495, 5

452